KB198722

임관정요

역주 **원재린**
성균관대학교 사학과 졸업
연세대학교 대학원 문학석사
연세대학교 대학원 문학박사

주요 논저
『조선후기 성호학파의 학풍연구』(2003), 「退溪 李滉과 星湖 李瀷의 敎學論 비교 검토」(2009)」
「星湖 李瀷의 國家改革論과 그 思想的 特質」(2010), 「조선후기 星湖學派의 鄕政論 계승양상」(2011) 외

연세근대한국학총서 65 (H-014)

임 관 정 요

원 재 린 역주

2012년 7월 16일 초판 1쇄 발행

펴 낸 이 · 오일주
펴 낸 곳 · 도서출판 혜안
등록번호 · 제22-471호
등록일자 · 1993년 7월 30일

주   소 · ㉾ 121-836 서울시 마포구 서교동 326-26번지 102호
전   화 · 3141-3711~2 / 팩시밀리 · 3141-3710
E-Mail · hyeanpub@hanmail.net

ISBN 978-89-8494-446-6 93910

값 28,000 원

임관정요

원 재 린 역주

혜안

조선후기 목민서의 번역 · 발간에 붙여

뜻을 같이하는 사람들이 모여 조선후기 목민서를 강독하며 함께 공부한 지 오랜 시간이 흘렀다. 본격적으로 번역에 착수한 지도 많은 시간이 지났는데, 이제야 비로소 어느 정도 정돈하여 8종의 목민서 번역본을 간행한다.

목민서는 조선후기 연구자들에게는 매우 친숙한 자료이다. 조선후기 연구자들은 목민서의 안내를 받으며 조선시대 지방사회에 접근하는 경우가 많다. 목민서는 조선후기 지방사회의 실상을 드러내고, 국가와 관인층의 지방통치 방식을 보여주며, 당대 지식인들의 문제의식과 대응 노력을 담고 있다.

조선후기의 가장 대표적인 목민서가 바로 다산 정약용이 저술한 『목민심서』이다. 한국인이 무척 아끼고 사랑하는 고전 가운데 하나인 이 책은 조선후기 목민서 저술의 전통으로부터 만들어졌던 바, 이러한 사실은 이후 다수의 목민서가 발굴되어 소개되면서 알려지게 되었다. 목민서는 『목민심서』가 그렇듯이 '지방관을 위한 지방통치 지침서'이다. 수령을 행위 주체로 설정하여 지방사회라는 정치 공간에서 어떻게 하여야 나라가 부여한 임무를 제대로 수행하고 민을 보살피는 통치를 할 수 있을지 구체적인 방법을 제시한 책이다.

조선시대 누군가가 목민서를 저술하면 사람들은 이를 베껴서 간직하기도 하고 지방관으로 나가는 자제에게 주기도 하고, 베끼는 도중에 자신이 지방관을 하면서 얻은 지식을 보태기도 하였다. 때로는 여러 종의 목민서를 연달아 필사하여 한 책으로 꾸미기도 하고, 여러 종의 목민서를 토대로 체제를 새롭게 하여 새로운 책을 만들기도 하였다. 오늘날 규장각, 국립중앙도서관, 장서각, 연세대학교 도서관, 고려대학교 도서관 등에는 많은 목민서가 소장되어 있는데, 대부분 필사본으로서 베끼면서 덧붙이고 구성을 바꾸고 종합본을 만드는 등 목민서 유통의 역사를 그대로 담고 있다.

조선후기에 '어떤 목민서들이 만들어졌는가?', '이들 목민서는 지방관에게 어떤 통치술을 제안하였는가?', '이들 목민서는 지방통치를 어떤 방향으로 개선하려고 하였는가?', '어떤 내용의 목민서가 가장 많이 유통되었는가?', '왜 이 시기에 목민서가 많이 나타났는가?' 등등의 질문에 대답하기 위해서는 우선 다양한 목민서의 여러 판본들을 계통별로 정리하여 볼 필요가 있다.

조선후기의 목민서를 수집하여 계통적으로 정리하여 보려는 시도는 오래 전부터였다. 일제 치하 나이토 요시노스케(內藤吉之助)는 여러 종류의 목민서를 수집하여 중복된 내용은 빼고 편명을 새로 붙이는 등 재편집하여 일종의 새로운 종합본인『조선민정자료 목민편』을 간행하였다. 이 책은 지금도 많은 연구자들이 편리하게 이용하는 자료이지만, 여러 자료를 재편집하여 간행함으로써 목민서 원본의 모습을 상실하였으며, 다양한 판본의 존재를 짐작하기 어렵게 만들었다.

목민서를 조선후기 지방사회의 실상을 이해하기 위한 안내서로만이
아니라 당대인들이 자신들의 사회문제에 개입하기 위한 지적인 노력,
'지방통치의 이념 및 실천에 관한 지식 학술 체계(가칭 목민학)'의 산물로서
바라보기 위해서는 목민서가 저술되고, 덧붙여지고, 재구성되어 유통되며,
사회적 영향력을 행사하던 본 모습 그대로를 최대한 드러내어 살필 필요가
있다.

이 같은 문제의식으로 우리는 규장각, 국립중앙도서관, 장서각, 연세대학
교 도서관, 고려대학교 도서관 등에 소장되어 있는 목민서를 수집하여
이를 계통화하였다. 이러한 계통화의 결과 다음과 같은 결론을 얻었다.

첫째, 18세기 전반에 『목민고』류에 포함되는 목민서들이 저술되었다.
18세기 중반이 되면 6~8편의 목민서를 같이 필사하여 한 질로 만든 종합본
'목민고'류가 나왔다. 18세기 말 이후에 '목민고'류의 영향 아래 내용은
'목민고'류 그대로이되 항목을 재구성한 책, 내용을 보충하고 체계를 재구성
하여 새롭게 만든 책, 영향은 받았으나 독립적인 저술로 볼 수 있는 책들이
나왔다.

둘째, 18세기 말경에는 조선 목민서의 한 계통을 형성하는 『선각』이
편집되었다. 이후 『선각』은 다양한 필사본, 새로운 내용 첨가본, 재구성본
등이 나옴으로써 현존 목민서 가운데 가장 많은 이본이 존재하는 '선각'류를
이룬다.

셋째, 18세기 전반~19세기 전반 '목민고'류나 '선각'류에 속하지 않은 다양한 단독 저술이 동시에 이루어졌다. 18세기 중반의 안정복의 『임관정요』, 18세기 말 홍양호의 『목민대방』, 19세기 전반의 필자를 알 수 없는 『사정고』, 정약용의 『목민심서』, 또 필자 불명의 『거관대요』 등이 그것이다.

목민서의 효시가 되는 문헌은 이미 15, 16세기에 출현하였지만 어느 정도의 체제를 갖춘 목민서는 18세기 전반에 출현하였으며, '선각'류와 '목민고'류라는 두 계통의 목민서의 다양한 이본에 개인 저술의 개성적인 목민서들이 가세함으로써 18~19세기 조선 목민학의 세계는 풍성해졌다.

우리는 목민서의 이와 같은 계통과 각 계통의 다양한 이본의 존재, 기존의 목민서 번역 현황을 감안하여 다음 9종의 목민서를 번역 대상으로 선정하였다.

『선각(先覺)』(규장각 소장) : 주봉길(朱逢吉)의 『목민심감』과 이원익(李元翼, 1547~1634)의 편지글을 기반으로 편집하였다.
『칠사문답(七事問答)』(규장각 소장) : 『선각』 이본의 하나이다. 「칠사문답」을 맨 앞에 수록하였다.
『임관정요(臨官政要)』(순암전서본) : 안정복(1712~1791)이 46세(1757) 때에 완성하였다.
『목민고(牧民攷)A』(장서각 소장) : 이광좌(李光佐, 1674~1740), 한덕일(韓德一), 조현명(趙顯命, 1690~1752) 등 소론 계통의 인물이 쓴 목민서를 종합한 책이다.

『목민대방(牧民大方)』(규장각 소장) : 홍양호(洪良浩, 1724~1802)가 67세 (1791) 때인 평안도 관찰사 시절 저술하였다.

『목민고(牧民攷)B』(규장각 소장) : 『목민고A』를 바탕으로 새로운 내용을 첨가하여 항목을 새롭게 구성하였다. 윤증(尹拯, 1629~1714)의 편지글 을 대거 수록하고 있는 것으로 보아 역시 소론 계통의 목민서로 생각된 다.

『거관대요(居官大要)』(규장각 소장) : 19세기 전반의 저술로서, 각 분야에 걸쳐 지방통치 지침을 요령 있게 정리하였다.

『목강(牧綱)』(고려대학교 도서관 소장) : 19세기 전반의 저술로서 재판에 관한 부분이 상세하다.

『사정고(四政考)』(국립중앙도서관 소장) : 19세기 전반의 저술로서, 조세 행정과 진휼이 중심을 이룬다.

번역을 마친 후, 우리는 『칠사문답』을 제외한 8종만 6책으로 묶어 출판하 기로 하였다. 『칠사문답』이 『선각』과 내용상 많이 겹치기에, 굳이 독자적인 책으로 낼 필요가 없다는 판단에서였다. 대신 『칠사문답』과 『선각』과의 연관성은 『선각』의 해제에서 다루어 그 의미를 드러내기로 했다. 또, 장서각 소장본인 『목민고 A』는 『목민고』로, 규장각 소장 자료인 『목민고 B』는 『신편 목민고』로 이름을 새로 정했다. 그리하여 출판되는 6책은 『목민고』· 『목민대방』, 『임관정요』, 『신편 목민고』, 『선각』, 『거관대요』·『목강』, 『사

10

정고』로 제목이 정해졌다.

　이 목민서들이 번역·발간됨으로써 조선후기의 지방사회 연구와 조선시대 학문의 한 갈래로서 '목민학' 연구가 활성화될 것을 기대한다. 나아가서 목민서 또는 목민학의 전통을 상실한 오늘날, 지방자치와 지방화 시대를 맞이하여 다시 한번 현재의 맥락에서 새롭게 목민학의 전통이 부활하기를 꿈꾼다.

　각 연구자마다 자신의 공부의 역사를 담고 있는 자료가 있다. 우리 팀에게는 목민서가 그런 책이다. 필자는 연세대학교 학부 시절 김용섭 선생님의 강의 시간에 홍양호의 『목민대방』을 처음 읽었다. 이후, 연세대학교 대학원에서 오일주, 방기중, 백승철, 최원규 선배님, 윤정애 학형 등과 함께 목민서를 강독했으며, 시간이 조금 흐른 뒤 다시 왕현종, 정호훈, 원재린 등 후배들과 더불어 공부를 이어 나갔다. 그러다가 2005년, 연구책임자 백승철, 전임연구원 김선경, 김용흠, 정호훈, 원재린, 공동연구원 구덕회 선생님 등으로 번역과제 팀을 꾸려 학술진흥재단의 지원을 받을 수 있었다. 이때, 정두영·김정신 박사생이 보조 연구원으로 참여하였다.

　번역은 전 연구원이 매주 한번 모여 강독하는 방식으로 진행했으며 이를 마무리하는 데 꼬박 1년이 걸렸다. 연구원별로 특정 서책을 분담하여 번역하는 것을 원칙으로 하되, 의심스러운 부분은 강독회에서 하나하나

검토하며 마무리하였다. 이번에 책을 출간하면서 번역의 최종 책임은 개별 서책을 담당한 번역자에게 있으므로, 책마다 번역자를 달리하여 명기했다.

    그동안 목민서에 애정을 갖고 출판을 약속해주시고 또 우리 팀의 더딘 작업을 기다려주신 도서출판 혜안의 오일주 사장님께 깊은 감사를 드린다. 그리고 출판 지원을 해주신 연세대학교 원주캠퍼스 근대한국학연구소에도 감사를 드린다.

2012년 2월 1일
연구팀을 대표하여 김선경 씀

목 차

범례

1. 번역 대본은 여강출판사(驪江出版社) 영인본[1984년 간행, 『순암전집(順菴全集)』 3]을 활용한다.

2. 번역문은 가능한 한 현대 우리말로 풀어쓰는 것을 원칙으로 하였다. 그러나 당대에 상용한 용어에 대해서는 처음 나왔을 때 괄호 안에 한자를 병기하고, 그 개념을 해설한 다음 그대로 사용하였다. 이는 지나치게 풀어쓰는 경우 오히려 본문의 내용에 대한 이해를 해칠 우려가 있다는 판단에 따른 것이다.

3. 번역문에서 한자(漢字)는 필요한 경우 처음 나올 때 '( )'로 묶어 한글과 병기하였다.

4. 번역문에서 표현이 바뀌어 원문의 한자 표기를 밝힐 필요가 있을 때에는 '[ ]' 안에 병기하였다.

5. 숫자는 특별한 경우가 아니면 아라비아 숫자로 표기하는 것을 원칙으로 하였다.

6. 목민서의 판본이 여러 가지인 경우, 그 원문(原文)이 다르면, 판본 검토를 통하여 가장 적합하다고 판단되는 원문을 확정하여 번역과 주해에 임하였다.

7. 주해는 이것을 대학교 학부 강의에서 활용할 수 있도록 그 수준을 조절하였다.

【임판정요】

『임관정요(臨官政要)』 해제

『임관정요』(이하 정요)는 조선후기 실학자(實學者) 안정복(安鼎福, 1712~1791)의 저술이다. 그는 성호(星湖) 이익(李瀷, 1681~1763)의 문인으로서 윤동규(尹東奎)·신후담(愼後聃)·이병휴(李秉休) 등과 함께 활발한 학문 활동을 펼쳤다. 특이하게도 그는 직전(直傳)제자 가운데 유일하게 관직에 나아가 자신의 경륜을 펼쳤다. 1749년(영조 25)부터 만령전 참봉(萬寧殿參奉)을 거쳐 의영고 봉사(義盈庫奉事)·사헌부 감찰(司憲府監察)·익위사 익찬(翊衛司翊贊)·목천 현감(木川縣監) 등을 역임하였다. 스승의 사후(死後)에도 황덕일(黃德壹)·황덕길(黃德吉) 등과 실학(實學)의 학풍을 이끌어 나아갔다. 주요 저서로 『하학지남(下學指南)』·『잡동산이((雜同散異)』·『동사강목(東史綱目)』·『열조통기(列朝通紀)』·『정요』·『천학고(天學考)』·『천주문답(天主問答)』 등을 남겼다. 그 중에서도 『정요』는 이익으로부터 전수받은 성호학파(星湖學派)의 '경세치용(經世致用)' 학풍(學風)의 면모를 잘 보여주는 저술이다.

『정요』는 안정복이 27세(1738) 때 『치현보(治縣譜)』란 제목으로 저술된 이래 수차례 더하고 빼는 과정을 거치면서 46세(1757) 때 『정요』로 제목을 고쳐 완성되었다. 현존하는 『정요』의 판본으로 ①국립중앙도서관(2책)·②

규장각(1책·2권1책 등 2종)·③장서각(2권1책) 본이 있다. 본 번역에서는
국립중앙도서관 본을 저본(底本)으로 한 여강출판사(驪江出版社) 영인본
[1984년 간행,『순암전집(順菴全集)』3]을 활용하였다. 여강출판사 본은
안정복의 친필 초고(草稿)인『백리경(百里鏡)』의 내용을 정리하여 개편하고
새로운 부분을 첨가한 집성본(集成本)으로 상·하·속편·부록 등 4개 부분으
로 만들어진 건곤(乾坤) 2책 본(本)이다.

　『정요』는 18세기 근기남인계(近畿南人系)를 대표하는 목민서로서「정어
(政語)」·「정적(政蹟)」·「시조(時措)」등 3편으로 편성되었다. 각 편목은 지방
통치에 필요한 이념과 사례, 그리고 수령으로서 수행해야할 조목들로
이루어졌다. 전체 구성과 주요 내용을 소개하면 다음과 같다.

편명(編名)	장명(章名)
정어(16장)	논정(論政)·정기(正己)·처사(處事)·접물(接物)·어하(御下)·지인(知人)·임민(臨民)·풍속(風俗)·명교(明敎)·농상(農桑)·호구(戶口)·부역(賦役)·이재(理財)·진제(賑濟)·형옥(刑獄)·금간(禁奸)
정적(5장)	유리(儒吏)·양리(良吏)·능리(能吏)·결옥(決獄)·치도(治盜)
시조(21장)	위정(爲政)·지신(持身)·처사(處事)·풍속(風俗)·임민(臨民)·임인(任人)·접물(接物)·어리(御吏)·용재(用財)·농상(農桑)·호구(戶口)·교화(敎化)·군정(軍政)·부역(賦役)·군정(田政)·조적(糶糴)·진휼(賑恤)·형법(刑法)·사송(詞訟)·거간(去奸)·치도(治盜)

　「정어」편은 모두 45종의 서책에서 인용된 구절로 완성되었다. 본문은
크게 두 부분으로 구분된다. 먼저 '논정'장으로부터 '지인'장까지 6장은
목민관으로서 갖추어야 할 자질과 행정 수행 능력을 주요 내용으로 하고
있다. 대체로 그것은 왕도정치(王道政治) 이념을 명확히 인지하고, 이를
실천할 수 있는 품성을 일상에서 터득하며, 스스로 통치의 주체가 되어

이서(吏胥)를 비롯한 수하를 원활하게 통제해 나아가는 것이었다. 다음으로 '임민'장부터 '금간'장에 이르는 10장은 중앙과 지방의 일원적 통치체제 속에서 관장(官長)이 수행해야할 주요 업무를 그 지향점과 함께 구체적인 정책들을 제시해 놓았다.

「정적」편에는 지방통치 사례가 중국의 치적(治積)을 중심으로 정리되었다. 뛰어난 업적을 이룬 지방관의 행적을 소개하여, 목민관으로서 수행해야 할 소임과 책무를 체감할 수 있도록 정리하였다. '유리'장에서는 성리학자(性理學者) 출신 지방관의 치적이 소개되었다. '양리'와 '능리'장에서는 각각 능력이 뛰어난 관리들의 사례가 정리되었다. 이어지는 '결옥'장과 '치도'장은 공정한 소송[詞訟]처리와 치안유지 문제를 주요 내용으로 한다.

「시조」편에는 안정복이 파악했던 조선후기 향촌사회 모순과 이를 해소하기 위해 제시했던 향정(鄕政)방략이 21개 주제로 정리되었다. 이는 '수령칠사(守令七事)'의 세목(細目)에 해당되는데, 목민관으로서 수행해야할 소임이자 실현하고자 했던 구체적인 사무(事務)였다. 주요 내용은 세부분으로 구분할 수 있다.

먼저 '위정'은 단일 장이지만 수령이 지방행정을 총괄하면서 숙지해야할 책무와 소임을 수기치인(修己治人)의 관점에서 소개하였다. '지신·처사·풍속·임민·임인·접물·어리'의 7개장은 통치에 임하는 수령의 마음자세와 대인관계 및 대민지배 과정에서 힘써 시행해야할 향정지침이 들어있다. '용재·농상·호구·교화·군정·부역·전정·조적·진휼·형법·사송·거간·치도'의 13개장은 시의성(時宜性)을 고려하면서 당대 현실에서 시행해야할 향정책들로 구성되었다.

안정복은 『정요』를 모두 읽은 목민관이 중앙과 지방의 유기적인 관계를 염두에 두면서 민인을 일원적으로 통치하기를 기대하였다. 「정어」편에서는 치자(治者)로서 지녀야 할 품성을 함양하고, 이를 토대로 이서와 민인을 다스려 나아갈 구체적인 행동규범을 주요 경전을 통해 제시하였다. 「정적」 편에서는 성공한 통치사례를 제시하여 목민서의 실용성을 제고시켰다. 「정적」은 비슷한 시기 간행되었던 목민서에서는 찾아 볼 수 없는 편목이다. 목민서의 활용 가능성을 높이는 동시에 학문성을 강화하기 위한 의도에서 편성했던 것으로 보인다. 「시조」편은 실학의 향정이념과 사례를 숙지한 수령이 실제로 민산(民産) 확보와 소민 안정의 경세목표를 이루는데 필요한 업무로 이루어졌다.

안정복은 지방관이 「정어」편을 통해 다스림의 대강(大綱)을 숙지하고, 「정적」편에서 소개하는 다양한 통치사례를 참조하며, 「시조」편의 시무를 시행하여 당대 향촌사회의 구조적 모순이 다소나마 해소되기를 기대하였다. 이 같은 근기남인계 목민서의 전통은 고스란히 정약용(丁若鏞)에게 계승되어 『목민심서(牧民心書)』로 집대성 되었다.

『임관정요(臨官政要)』 서(序)

천덕(天德)과 왕도(王道)는 본래 하나이고, 자기 몸을 수양하고[修己] 민인을 다스리는[治人] 것은 2가지 일이 아니다. 배우고 힘이 남으면 벼슬살이 하고, 벼슬살이를 하면서 힘이 남으면 배워야 했다. 출처는 다르지만 그 도(道)는 같았다. 공자(孔子)[1]가 '자로(子路)[2]의 말재주를 미워'하고,[3] 칠조개(柒雕開)[4]의 '자신할 수 없다'는 데에 기뻐한 것은[5] 그럴 만한 이유가 있었다. 그러니 사람들이 배우지 않고 정치를 잘 할 수 있겠는가?

---

1) 공자(孔子) : 유학(儒學)의 비조(鼻祖). 성명 구(丘), 자(字) 중니(仲尼). 인(仁)에 근거한 덕치(德治)를 펼쳐 왕도정치를 실현하려함. 문하에 3천 명의 제자가 있었으며, 그중 육예(六藝)에 통달한 자가 72인이었다. 공자의 사상은 사후 제자들이 스승의 말과 행동을 정리한 『논어(論語)』에 잘 남아 있음.

2) 자로(子路) : 공자 10대 제자. 성명 중유(仲由), 자 자로. 위(衛)나라에서 벼슬하다가 괴외(蒯聵)의 난 때 전사.

3) 자로가 자고(子羔)를 비읍(費邑)의 읍재(邑宰)로 임명하자 공자가 "남의 아들을 해치는 구나"라고 하였다. 이에 자로가 "민이 있고 사직(社稷)이 있으니, 하필 글을 읽은 뒤에야 학문을 하는 것이겠습니까?"라고 묻자 공자가 대답하기를 "이러므로 말재주 있는 자를 미워하는 것이다'고 하였다[『논어』「선진(先進)」].

4) 칠조개(柒雕開) : 공자 제자. 자 자약(子若).

5) 공자가 칠조개에게 벼슬을 권하자 대답하기를 "저는 벼슬하는 것에 대해 아직 자신할 수 없습니다."라고 하자 크게 기뻐하였다[『논어』「공야(公冶)」].

선유(先儒)들이 민(民)을 다스리기 위해 정교를 베풀고 규모를 상세히
한 점은 세상 사람들에게 비견할 수 없었다. 또한 역대 「순리전(循吏傳)」[6]을
보아도 유가(儒家)의 사업만으로 요구할 수 없어서 '경사(經史)에 널리 통하
였다'고 하거나, '어떤 경(經)을 배우고 익혔다'고 말하지 않음이 없었다.
배우지 않고 잘 다스리는 자는 없다.

그런데 후세 들어서 배움과 다스림이 둘로 나눠지고, 성리학자 출신
관리[儒吏]와 세속적인 관리[俗吏]의 구별이 생겼으며, 법률의 학문을 항상
중요하게 여겼다. 이는 슬픈 일이다. 진서산(眞西山)[7]이 경전(經傳)을 편집
하여 정치를 논한 글들로 『정경(政經)』[8]이라는 책을 만들었다. 학문 밖에
정치가 있는 것이 아니다. 그 본체는 같지만 일에 적용하다보면 시행되는
양상이 다르기 때문에 어쩔 수 없이 구별하였다. (『정경』은) 『심경(心經)』[9]
과 함께 서로 겉과 속을 이룬다.

내가 젊었을 때 이 책(『임관정요』)을 만들었으니, 분수에서 벗어나는
혐의가 있었다. 하지만 또한 나름대로 하고자 함이 있었기 때문이다. 원고가
정리되지 않아서 다른 사람들에게 보여주지 않았다. 그러나 친한 사람
가운데 혹 정치를 하게 되어 가르침을 청하는 자가 있으면 이 책을 내주었다.
자신의 생각을 담은 말을 주어 전별하던 옛사람의 뜻에 따른 것이다.

---

6) 순리전(循吏傳) : 법을 잘 지키고 민을 잘 다스린 양리(良吏)들의 전기(傳記).
7) 진서산(眞西山) : 송나라 학자 진덕수(眞德秀). 자 원경(景元)·경희(景希), 시호 문충
(文忠). 서산(西山)선생. 참지정사(參知政事) 등 역임. 저서로는 『대학연의(大學衍
義)』·『당서고의(唐書考疑)』·『독서기(讀書記)』·『문장정종(文章正宗)』·『서산갑을
고(西山甲乙稿)』·『서산문집(西山文集)』·『사서집편(四書集編)』 등이 있음.
8) 정경(政經) : 진덕수의 저술. 정치에 도움 되는 내용을 유교경전과 사적(事迹)을
통해 정리함.
9) 심경(心經) : 진덕수의 저술. 심성수양에 도움 되는 내용을 경전과 도학자(道學者)
들의 저술에서 모아 놓음.

나는 벼슬길에 나아가 시험해보지 못한 사람이다. 그래서 '피리를 만지면서
태양으로 의심하였다'10)[撫籥11)疑日]고 하니 그 쓰임이 혹 잘못될 수도
있다. 하지만 문을 걸어 잠그고 신발을 만들어도12) 대체(大體)는 비슷한
것이다.

부염(傅琰)13)이 『치현보(治縣譜)』14)를 만들어서 자손 대대로 전수하였는
데 다른 사람에게는 보이지 않았다. 『남사(南史)』15)에서 대대로 관리의
치적을 크게 칭송하였지만, 나는 속으로 이를 비루하다고 여겼다. "이는
재능이 있다는 평판을 혼자 독차지하고자 한 것이다. 세상 사람들이 내가
한 것을 배운다면 다른 사람의 정치가 내 정치가 될 것이다. 초궁(楚弓)을
얻고 잃는 것에16) 어찌 마음을 쓰겠는가?"

이 책은 3편으로 구성되었다. 「정어(政語)」는 성현의 가르침이며, 「정적
(政蹟)」은 이미 시행된 효과이다. 「시조(時措)」는 시세를 참작하여 기록한

---

10) 소동파(蘇東坡)의 '일유(日喩)'라는 시(詩)에서 "태어나면서부터 앞을 못 보는 자는
    태양을 모르는데 어떤 사람이 (중략) '햇빛은 촛불의 빛과 같다'고 하자, 초를
    만져보면서 태양이 그렇게 생겼다고 상상했다. 나중에는 피리를 만지며 그것이
    태양이라고 생각하였다[生而眇者不識日 問之有目者 或告之曰 (중략) 日之光如燭
    捫燭而得其形 他日撫籥 以爲日也]"라고 하였다.
11) 본문의 '鑰'자는 각주 10번에 의거하여 '籥'로 바로잡음.
12) 『맹자(孟子)』「고자(告子)」상.
13) 부염(傅琰) : 남제(南齊) 때 관리. 자 계규(季珪). 승우(僧祐)의 아들. 무강(武康)·산음
    현령(山陰縣令) 등 역임.
14) 치현보(治縣譜) : 고을을 다스리는 비책을 정리한 문서. 남조(南朝) 때 송나라
    관인(官人) 부승우(傅僧祐) 집안에 대대로 전해졌다. 부승우·부염·부홰(傅翽) 3대
    에 걸쳐 이 책을 참조하여 뛰어난 치적을 이룸.
15) 남사(南史) : 당나라 이연수(李延壽)의 저술. 남조(南朝) 때 송(宋)·제(齊)·양(梁)·진
    (陳)나라의 역사책.
16) 초왕실궁 초인득지(楚王失弓, 楚人得之) : 초나라 임금이 활을 잃어버리면, 초나라
    사람이 이것을 줍는다. 크게 보아 손실이 없다는 의미.

내 생각이다. 풍속에는 이것과 저것의 구별이 있고, 인심에도 과거와 현재의
차이가 있다. 세상을 다스리는 도리[世道]에도 높고 낮음이 있고, 법제에도
다스려지고 혼란스러운 구분이 있다. 변통하는 것은 그 사람에게 달려
있다. 1757년(丁丑, 영조 33) 동벽(東壁)17) 어둠 가운데에서 한산병은(漢山病
隱)18) 안정복(安鼎福)19)이 짓다.

---

17) 동벽(東壁) : 문장을 맡아 주관한다는 별.

18) 한산병은(漢山病隱) : 안정복의 호.

19) 안정복(安鼎福, 1712~1791) : 『임관정요(臨官政要)』의 저자. 조선후기 실학자(實
學者). 자 백순(百順), 호 순암(順菴)·한산병은(漢山病隱)·우이자(虞夷子)·상헌(橡
軒), 시호 문숙(文肅). 성호(星湖) 이익(李瀷)의 문인. 만령전참봉·의영고봉사·사헌
부감찰·익위사익찬·목천현감 등 역임. 저서로는 『하학지남(下學指南)』·『잡동산
이(雜同散異)』·『동사강목(東史綱目)』·『열조통기(列朝通紀)』 등이 있음.

다스림에 필요한 말씀[政語]

1. 어진 정치를 논함[論政章]

○ 공자(孔子)가 말하였다. "덕으로 다스리는 것은 비유하자면 북극성이 제 자리에 있고, 여러 별들이 그것을 향하는 것과 같다."

주자(朱子)¹⁾가 말했다. "정(政)은 바로잡음이다. 덕(德)은 얻음이니, 도를 행하여 마음에 얻음이 있는 것이다. 덕으로 다스린다면 하지 않아도 천하가 돌아올 것이다. 그 모습이 마치 이와 같다." 범씨(范氏)가 말했다. "덕으로 다스리면 움직이지 않고도 교화되며, 말하지 않아도 믿으며, 하는 일이 없어도 이루어진다. 지키는 것이 지극히 간략하면서도 번거로움을 제어할 수 있으며, 처하는 것이 지극히 고요하면서도 움직이는 것을 제어할 수 있다. 일삼는 것은 지극히 적으면서도 많은 사람들을 복종시킬 수 있다." (『논어(論語)』²⁾)

---

1) 주자(朱子, 1130~1200) : 송나라 학자. 성명 희(熹), 자 원회(元晦)·중회(仲晦), 호 회암(晦庵)·회옹(晦翁)·고정(考亭). 북송 사대가(四大家)의 성리학설(性理學說)을 집대성하여 신유학체계를 완성함. 저서로는 『사서집주(四書集註)』·『자치통감강목(資治通鑑綱目)』·『근사록(近思錄)』·『소학(小學)』 등이 있다. 또한 아들 주재(朱在)가 편찬한 『주문공문집(朱文公文集)』, 여정덕(黎靖德)이 편찬한 『주자어류(朱子語類)』 등이 있음.

○ 공자가 말하였다. "정(政)【법제와 금령】으로써 인도하고, 형벌로써 가지런히 하면 민들은 형벌을 면할 수는 있지만, 부끄럽게 여기는 마음이 없을 것이다. 덕으로 인도하고, 예(禮)【제도와 품절】로써 가지런히 하면 부끄러워함이 있고 또 착한 데 이르게 될 것이다."

주자가 말했다. "정(政)은 다스리는 도구이고 형(刑)은 다스림을 돕는 법이다. 덕과 예는 다스림을 펴는 근본인데 덕은 또한 예의 근본이다. 이것은 서로 시작과 끝이 되어 비록 한 쪽을 폐지할 수 없으나 정과 형은 민으로 하여금 죄를 멀리하게 할 뿐이다. 덕과 예의 효험은 민으로 하여금 날로 착하게 만들면서도 자신은 알지 못하게 한다. 따라서 민을 다스리는 자는 끄트머리[末, 법제와 형벌]만을 믿어서는 안되며, 그 근본[덕과 예]을 깊이 탐구해야 한다."(『논어』[3])

○ 공자가 말하였다. "천승(千乘)의 나라를 다스리되 일을 공경스럽게 하여 믿음을 주고 【민에게 일에 대한 믿음을 주는 것】, 씀씀이를 아끼고 민을 사랑하며, 민을 부리되 때 【농한기】에 맞춰 해야 한다."

양씨(楊氏)가 말했다. "윗사람이 공경스럽지 않으면 아랫사람들이 태만하고, 믿음을 주지 못하면 의심한다. 아랫사람들이 태만하고 의심하면 일을 이룰 수 없다. 일을 공경스럽게 하고 믿음을 주는 것은 자신이 솔선수범하는 것이다. 사치하면 재물이 없어지고, 재물이 없어지면 민을 해치게 된다. 따라서 민을 사랑하는 일은 절약으로부터 시작한다. 그러나 때에 맞게 민을 사역시키지 않는다면 본업에 힘쓰는 자들이 자신의 힘을 다할 수 없다. 설령 사랑하는 마음이 있어도 민은 그 혜택을 입지 못할 것이다."

---

2) 『논어』「위정(爲政)」. 『논어』는 공자와 그 제자들의 언행이 담긴 어록. 공자의 말과 행동, 제자 및 당대 사람들과의 대화, 제자들 간의 대화 등 정리하여 20편으로 구성.

3) 『논어』「위정」.

(『논어』4))

○ 공자가 위나라5)에 갈 때 염유(冉有)6)가 수레를 몰았다. 공자가 말하였다. "민들이 많기도 하다." 염유가 물었다. "이미 민들이 많으니 또 무엇을 더 해야 합니까?" 대답하였다. "잘 살게 해야 한다." 또 물었다. "이미 잘 살면 또 무엇을 더 해야 합니까?" 대답하였다. "가르쳐야 한다."

주자가 말했다. "민들이 많은데 부유하지 못하다면 민생이 이루어지지 못한 것이다. 따라서 토지제도를 정비하고 세금을 낮추어 잘살게 만들어야 한다. 잘 살기만 하고 가르치지 않으면 짐승에 가까워지므로, 학교를 세우고 예의를 밝혀 가르쳐야 한다."7)

○ 자공(子貢)8)이 정사(政事)에 대해서 물었다. 공자가 대답하였다. "양식을 넉넉히 하고, 군대를 넉넉히 하면 민들이 믿을 것이다." 또 물었다. "부득이 셋 중 하나를 버린다면 무엇을 먼저 해야 합니까?" 대답하였다. "군대를 버려야 한다." 또 물었다. "부득이 둘 중 하나를 버린다면 무엇을 먼저 해야 합니까?" 대답하였다. "양식을 버려야 한다. 예로부터 사람은 누구나 죽지만 민에게 믿음을 주지 못하면 설 수 없다."

주자가 말했다. "창고가 가득 차고, 무기와 장비가 정비된 뒤에 교화가 이루어지면 민들은 나를 믿어 배반하지 않는다. 양식이 넉넉하고 믿음이 깊으면 군대가 없어도 견고하게 지킬 수 있다. 민들은 양식이 없으면

---

4) 『논어』「학이(學而)」.

5) 위(衛) : 춘추시대 주요 국가. 무왕(武王)의 동생 강숙(康叔)이 세운 나라.

6) 염유(冉有) : 공자 10대 제자. 노나라 사람. 염구(冉求). 자 자유(子有). 노나라 계씨(季氏)에게 벼슬함.

7) 『논어』「자로(子路)」.

8) 자공(子貢) : 공자 10대 제자. 위나라 사람. 성명 단목 사(端木賜), 자 자공. 노나라와 위나라의 재상이 됨.

죽는다. 그러나 죽음은 누구도 피할 수 없지만 사람에게 믿음이 없으면
비록 살아 있어도 스스로 설 수가 없다. 죽어서 편한 것만 같지 못하다.
때문에 차라리 죽을지언정 민들에게 믿음을 잃지 않을 것이며, 민들에게
또한 차라리 죽더라도 나에 대한 믿음을 잃지 않게 해야 할 것이다."9)

○ 공자가 말하였다. "만일 나를 등용하는 자가 있다면 1년만 등용하더라
도 괜찮을 것이니【기강의 베풀어짐을 말한다】, 3년이면 이루어질 것이다."10)

○ 공자가 자산(子産)11)을 평가하였다. "군자에게는 4가지 도가 있다.
공손하게 행동하고, 윗사람을 공경스럽게 섬기며, 민을 은혜롭게 기르고,
민을 의롭게 부렸다."12)

○ 계강자(季康子)13)가 물었다. "중유(仲由)는 정사에 종사시킬 만합니
까?" 공자가 대답하였다. "유(由)는 과단성이 있으니【결단이 있다】 정사에
종사하는 데 무슨 어려움이 있겠는가?" 또 물었다. "사(賜)[子貢]는 정사에
종사시킬 만합니까?" 대답하였다. "사는 통달했다【사리에 통달하다】. 정사
에 종사하는 데 무슨 어려움이 있겠는가?" 또 물었다. "염구(冉求)14)는
정사에 참여시킬 만합니까?" 대답하였다. "염구는 재능이 있다. 정사에
종사하는 데 무슨 어려움이 있겠는가?"15)

○ 자장(子張)16)이 공자에게 물었다. "어떻게 하면 정사(政事)에 종사할

---

9)『논어』「안연(顔淵)」.

10)『논어』「자로」.

11) 자산(子産) : 정(鄭)나라 정치가. 성명 공손 교(公孫僑), 자 자산. 농지를 정리·개척하
여 토지세를 징수하여 경제를 부흥시켰다. 또한 새로운 법률을 만들어 최초의
성문법(成文法)을 완성함.

12)『논어』「공야장(公冶長)」.

13) 계강자(季康子) : 노나라 대부. 성명 계손 비(季孫肥).

14) 염구(冉求) : 공자 10대 제자. 노나라 사람. 염유(冉有). 자 자유(子有).

15)『논어』「옹야(雍也)」.

수 있습니까?" 대답하였다. "오미(五美)를 높이고 사악(四惡)을 물리치면 정사에 종사할 수 있다."

또 물었다. "무엇을 오미라고 합니까?" 대답하였다. "군자는 은혜롭되 허비하지 않으며, 수고롭게 하되 원망을 받지 않는다. 하고자 하지만 탐하지 않고, 태연하면서도 교만하지 않으며, 위엄이 있으면서도 사납지 않은 것이다." 또 물었다. "무엇을 은혜롭되 허비하지 않다는 것입니까?" 대답하였다. "민들이 이롭게 여기는 것에 따라서 이롭게 해준다. 이것이 은혜롭되 허비하지 않는 것이 아니겠는가? 수고롭게 할 만한 것을 택하여 수고롭게 하니, 또한 누가 원망하겠는가? 인(仁) 하고자 하여 인을 얻으니 또한 무엇을 탐하겠는가? 군자는 많고 적음과 크고 작음에 관계없이 교만하지 않으니 이것이 태연하면서도 교만하지 않은 것이 아니겠는가? 군자는 의관(衣冠)을 바르게 하고, 보는 것을 존엄히 하여 엄숙하니 사람들이 바라보고 두려워한다. 이것이 위엄이 있으면서도 사납지 않은 것이 아니겠는가?"

또 물었다. "무엇을 사악이라 합니까?" 대답하였다. "가르치지 않고 죽이는 것을 학(虐)이라 하고, 미리 경계하지 않고 이루기만을 질책하는 것을 포(暴)라【급박하게 할 뿐 점진적으로 함이 없는 것】 한다. 명령을 태만히 하고 기일을 각박히 하는 것을 적(賊)이라【치기(致期)란 기일을 각박하게 하는 것이다. 적은 해친다는 뜻】 하고, 똑같이 사람들에게 나눠주면서도 출납은 인색하게 하는 것을 담당 관리[有司]라고 한다.【유지(猶之)는 '고르게 함[均之]'이라고 말하는 것과 같다. 그러나 출납할 때 더러 인색하여 실행하지 못하는 문제는 담당 관리[有司]의 일이지 정치를 하는 요체가 아니다. 이렇게 하면 비록 주는 것이 많아도 은혜롭다고 생각하지 않는다】"(『논어』17))

---

16) 자장(子張) : 공자 10대 제자. 진(陳)나라 사람. 성명 전손 사(顓孫師), 자 자장.

○ 노나라 사람들이 창고[長府]18)를 짓자, 민자건(閔子騫)19)이 말했다. "예전 제도를 그대로 시행하는게 어떻겠는가? 하필 고쳐 지을 필요가 있겠는가?" 공자가 말하였다. "저 사람이 말을 잘 하지 않는데, 말을 하면 적중함이 있다."

○ 중궁(仲弓)20)이 말했다. "경(敬)에 처하면서 간략함을 행하여 민을 대한다면 괜찮지 않습니까? 간략함에 처하고 간략함을 행한다면 지나치게 간략한 것이 아니겠습니까?"

주자가 말했다. "스스로 경으로써 처하고, 마음에 주장이 있어 스스로 엄격히 다스린다. 이와 같이 하고서 간략함을 행하여 민을 대한다면 정사가 번거롭지 않아 민들은 동요하지 않을 것이다."(『논어』21))

○ 어떤 자가 공자에게 물었다. "선생께서는 어찌하여 정사에 참여하지 않습니까?" 대답하였다. "『서경(書經)』22)에 효에 대하여 이르기를 '효도하며 형제간에 우애하여 정사에 베푼다'고 하였으니,23) 어찌 벼슬하여 정사하는 것만을 정사라고 하겠는가?"(『논어』24))

○ 공자가 말하였다. "정치가 너그러우면 민들이 게을러진다. 게을러지면 엄하게 규제해야 한다. 지나치게 엄하면 민들이 쇠잔해지니, 쇠잔해지면

---

17) 『논어』「요왈(堯曰)」.
18) 장부(長府) : 재화와 무기를 보관하는 창고.
19) 민자건(閔子騫) : 공자 10대 제자. 노나라 사람. 성명 민손(閔損). 자 자건. 효행이 뛰어남.
20) 중궁(仲弓) : 공자 10대 제자. 노나라 사람.
21) 『논어』「옹야」.
22) 서경(書經) : 하(夏)·은(殷)·주(周) 삼대(三代)의 역사기록. 우서(虞書)·하서(夏書)·상서(商書)·주서(周書)로 구성. 해당 국가의 정치상황과 문물제도 등을 기록함.
23) 『서경』「주서(周書)」 '군진(君陳)'.
24) 『논어』「위정」.

너그러움을 베풀어야 한다. 너그러움으로써 엄함을 돕고, 엄함으로써 너그
러움을 도우면 정치는 이것으로 조화롭게 된다."(『좌전(佐傳)』[25])

○ 자공이 말했다. "자산이 정나라[26]의 재상이 되어 인재를 선발할 때
현명한 자만을 뽑되 약점을 감추고 장점만 드러내었다. 때문에 큰 책략이
있는 사람은 단점을 따지지 않았고, 후덕한 사람은 작은 결점을 비난하지
않았다. 그가 민을 다스린 방도는 인(仁)으로써 기르고, 예(禮)로써 교화시키
며 민들이 하고자 하는 것을 함께 따라 하고, 좋아하는 것은 권장하였다.
상(賞)줄 때 의심스러운 점이 있으면 후한 쪽을 따라 주었고, 벌줄 때 의심스
러운 것이 있으면 가벼운 쪽을 따라 벌하였다."(『신서(新序)』[27])

○ 맹자(孟子)[28]가 말하였다. "요(堯)[29]·순(舜)[30]의 도(道)라 할지라도
어진 정치[仁政]를 시행하지 않으면, 천하를 공평하게 다스릴 수 없다.
지금 어진 마음과 어질다는 소문이 있으면서도 민들에게 혜택이 돌아가지

---

25) 『춘추좌전(春秋左傳)』「소공(昭公)」 20년 9월. 노나라 좌구명(左丘明)의 저술. 공자
    의 『춘추』를 주석한 책. 『공양전』·『곡량전』과 더불어 '춘추삼전(春秋三傳)'으로
    불림.
26) 정(鄭) : 춘추시대 주요 국가. 주나라 선왕(宣王)의 아우 환공(桓公)이 세운 나라.
27) 신서(新序) : 한나라 유향(劉向)이 편찬한 고사집(故事集). 잡사(雜事)·자사(刺奢)·
    절사(節士)·의용(義勇)·선모(善謀) 등 총 10편으로 구성.
28) 맹자(孟子) : 전국시대 성인(聖人). 성명 맹가(孟軻), 자 자여(子輿)·자거(子車). 공자
    손자 자사(子思)에게서 유학의 정수를 배움. 공자 사상을 계승·발전시켜 전국시대
    혼란상을 극복하려함. 문도(門徒)들을 이끌고 양(梁)나라 혜왕(惠王)·제(齊)나라
    선왕(宣王)·추(鄒)나라 목공(木公)·등(縢)나라 문공(門功) 등에게 유세하고 돌아다
    녔다. 만년에는 향리에서 후진들을 지도함.
29) 요(堯) : 고대의 성제(聖帝). 성명 도당 방훈(陶唐 放勳). 오제(五帝)의 하나인 제곡(帝
    嚳)의 손자. 제위에 올라 역법(曆法)을 정하고, 순(舜)을 등용하여 천하의 정치를
    섭정(攝政)함.
30) 순(舜) : 고대의 성제(聖帝). 성명 요중화(姚重華). 요임금으로부터 선위(禪位)를
    받아 나라 이름을 우(虞)라 바꾸고, 태평성대를 이룸.

않아 후세에 모범이 될 수 없는 것은 선왕의 도를 행하지 않기 때문이다. 그러므로 말하기를 '착한 마음만 가지고는 다스릴 수 없으며, 법만 가지고는 저절로 행해질 수 없다'고 한 것이다."

범씨(范氏)가 말했다. "천하를 다스림에 법도가 없을 수 없다. 어진 정치는 천하를 다스리는 법도이다."

정자(程子)[31]가 말했다. "정사를 펴기 위해서는 기강과 문장이 있어야 한다. 저울을 삼가고 양을 살피며, 법을 읽고 물가를 고르게 하는 일을 빼놓을 수 없다." 또 말했다. "「관저(關雎)」와 「인지(麟趾)」[32]의 마음이 있어야 『주관(周官)』[33]의 법을 시행할 수 있다." 바로 이것을 말한 것이다. (『맹자』[34])

○ 맹자가 말하였다. "농사지을 때를 놓치지 않으면 풍년이 들어 곡식을 다 먹을 수 없으며, 촘촘한【'촉(促)'으로 읽는다】 그물을 웅덩이【'오(烏)'로 읽는다】와 연못에 치지 않으면 물고기와 자라가 번성하여 모두 잡아먹을 수 없을 것이다. 때에 맞춰 도끼를 가지고 산 속에 들어가면 재목이 무성하여 다 쓸 수 없을 것이다. 곡식과 물고기, 자라를 모두 잡아먹을 수 없고, 재목을 다 쓸 수 없으면, 민들이 살아 있는 자를 봉양하고 죽은 자를

---

31) 정자(程子) : 송나라 학자 정호(程顥). 자 백순(伯淳), 호 명도(明道). 주돈이(周敦頤)의 문인. 아우 정이(程頤)와 함께 이정자(二程子)로 불림.

32) 관저(關雎)·인지(麟趾) : 『시경(詩經)』의 편명. 관저는 문왕(文王)과 후비(后妃)의 덕을 읊고 있으며, 인지는 제왕(帝王)의 자손이 번성한 것을 읊은 시.

33) 주관(周官) : 주나라 관제(官制)인 천·지·춘·하·추·동의 육관(六官)을 분류·설명. 당나라 이후 '주례(周禮)'라 칭함.

34) 『맹자』 「이루(離婁)」상. 『맹자』는 맹자가 천하를 떠돌면서 제후·제자들과의 문답 내용을 정리한 경전. '양혜왕·공손추(公孫丑)·등문공(滕文公)·이루·만장(萬章)·고자·진심(盡心)' 상하 7편으로 구성. 당나라 때 한유(韓愈)가 주목하고, 북송(北宋)에 이르러 중요시되었다. 남송 때 주자가 『논어』·『대학(大學)』·『중용(中庸)』과 함께 사서(四書)로 상정.

장례 치르게 하는 데 유감이 없을 것이다. 살아 있는 자를 봉양하고 죽은
자를 장례 치러 보내는 일에 유감이 없게 만드는 것이 왕도(王道)의 시작이
다. 5묘(畝)의 집에 뽕나무를 심으면 50세 된 사람이 비단옷을 입을 수
있으며, 개와 돼지, 닭과 큰 돼지를 기르는데 번식할 때를 잃지 않게 하면
70세 된 자가 고기를 먹을 수 있다. 토지 1백 묘에서 농사를 짓는 데
그 시기를 빼앗지 않으면 집안사람들이 굶주리지 않을 것이다. 향리 학교인
상(庠)35)과 서(序)36)에서 조심조심 가르쳐 효제(孝悌)의 의리를 펼친다면
머리가 허연 노인이 길에서 짐을 지거나 이지 않을 것이다. 70세 먹은
사람이 비단옷을 입고 고기를 먹으며, 민들이 굶주리지 않고 춥지 않는데도
왕의 역할을 하지 못하는 사람은 없다."

　주자가 말했다. "음식과 궁실은 살아 있는 사람을 봉양하기 위한 것이며,
제사와 관곽(棺槨)37)은 죽은 자를 장례지내기 위한 것이다. 민에게 시급한
일이기 때문에 없어서는 안 된다. 지금 이것을 갖고 의지할 수 있다면
사람들에게 남은 한이 없을 것이다. 왕도는 민심을 얻는 것을 근본으로
삼기 때문에 이것으로써 시작을 삼는다."(『맹자』38))

　○ 노나라39)에서 악정자(樂正子)40)를 시켜 정사를 돌보게 하였다. 이
소식을 들은 맹자가 기뻐서 잠을 이루지 못하였다. 공손추(公孫丑)41)가

---

35) 상(庠) : 은, 주나라의 지방 교육기관.
36) 서(序) : 은, 주나라의 지방 교육기관.
37) 관곽(棺槨) : 시신을 넣는 속 널과 겉 널을 아울러 이르는 말.
38) 『맹자』「이루」상.
39) 노(魯) : 춘추시대 한 나라. 주나라 무왕(武王)의 아우 주공 단(周公旦)이 곡부(曲阜)
　　에 봉해짐. 산동성(山東省) 연주부(兗州府) 곡부현에 도읍.
40) 악정자(樂正子) : 공자 제자 증삼(曾參)의 문인. 노나라 사람.
41) 공손추(公孫丑) : 맹자 제자. 제나라 사람.

물었다. "악정자가 강합니까?" 맹자가 대답했다. "아니다." 또 물었다. "지혜
와 헤아림이 있습니까?" 대답했다. "아니다." 또 물었다. "보고 들어서
깨달은 지식과 식견이 많습니까?" 대답했다. "아니다." 또 물었다. "그런데
어찌해서 기뻐하며 잠을 이루지 못하셨습니까?" 대답했다. "그 사람됨이
선(善)을 좋아하기 때문이다." 또 물었다. "선을 좋아함이 넉넉합니까?"
대답했다. "선을 좋아함이 천하를 다스리는데도 충분한데, 하물며 노나라
를 다스리는데 무엇이 부족하겠는가?" 또 말했다. "만일 선을 좋아하면
사해(四海)의 안에서 천리(千里)를 가벼이 여기고 와서 선을 말해줄 것이며,
만일 선을 좋아하지 않으면 사람들이 장차 '자만【자신의 지혜를 스스로 만족히
여겨서 남의 훌륭한 말을 좋아하지 않는 모양】함을 내 이미 안다'고 할 것이다.
자만한 음성과 안색이 천리 밖에 떨어져 있는 사람을 막는다. 선비가
천리 밖에서 멈추면 아첨하고 비위맞추는 사람들이 올 것이다. 이 같은
사람들과 함께 거처하면 나라를 다스리려 해도 다스려질 수 있겠는가?"42)

○ 맹자가 말하였다. "『시경(詩經)』43)에서 '잘못되지 않고 잊어버리지
않음은 옛 전장(典章)을 따르기 때문이다'44)라고 하였다. 선왕의 법을 따르
고 잘못되는 자는 없다."45)

○ 육가(陸賈)46)가 말했다. "군자가 정치를 베풀면, 혼연(混然)하여 문제
삼을 것이 없고 조용하여 잡음이 없다. 관부(官府)에는 관원이 없는 듯하며,

---

42) 『맹자』「고자」하.
43) 시경(詩經) : 고대 중국의 시가를 모아 엮은 경전. 본래 3천여 편이었으나 공자가
　　311편을 추려내고 풍(風)·아(雅)·송(頌)으로 분류함.
44) 『시경』「대아(大雅)」'가락(假樂)'.
45) 『맹자』「이루」상.
46) 육가(陸賈) : 한나라 고조(高祖) 때 공신. 태중대부(太中大夫) 등 역임. 저서로는
　　『신어(新語)』 등이 있음.

정락(亭落)⁴⁷)에는 이서(吏胥)⁴⁸)가 없는 듯하다. 역참에는 밤에 돌아다니는
역졸이 없으며, 향(鄕)에는 밤에 역(役)에 동원되는 사람[征人]이 없다.
나이 많은 노인은 집안에서 좋은 음식을 즐기고, 장정(壯丁)은 들에서
농사를 짓는다."(『신어(新語)』⁴⁹))

○ 왕찬(王粲)⁵⁰)이 「유리론(儒吏論)」에서 말했다. "법을 집행하는 이서가
선왕의 법전을 살피지 않고, 관직에 있는 유자(儒者)는 율령의 요점에
통달하지 못하였다. 저 이서들이 어찌 태어나면서부터 각박하게 살폈겠는
가? 책상아래에서 일어나 관가에서 성장하면서 온유하고 넉넉하게 시를
짓고 읊는 풍류의 도로써 자신을 윤택하게 만들지 못하였다. 비록 각박하게
살피지 않으려 해도 그럴 수 없었다. 책을 보는 유자가 어찌 태어나면서부터
느리고 더디었겠는가? 강당에서 시작하여 향교에서 노니는 동안 엄하고
세차게 자르듯 사물을 처리하여 스스로를 제재하지 못하였다. 비록 느리고
더디지 않으려 해도 그럴 수 없었다. 선왕이 그와 같음을 알고 가르침을
널리 베풀어 민의 성품을 도와 조화롭게 하며, 그 옹색함을 뚫어서 막힌
데를 제거하였다. 그래서 이서들은 올바른 가르침에 따르고, 유자들은
문장과 법도에 통달하게 되었다. 너그러움과 엄격함이 서로 보완되고,
굳건함과 부드러움을 스스로 조절할 수 있었다."⁵¹)

---

47) 정락(亭落) : 지방 행정기구. 10리(里)마다 1정(亭)을 두고, 정에 정장(亭長)을 임명.
48) 이서(吏胥) : 서리(胥吏). 중앙과 지방의 각 관청에 근무하던 하급관리.
49) 신어(新語) : 한나라 육가(陸賈)의 저술. 국가의 치란성패(治亂成敗)를 도기(道基)·
　　술사(術事)·보정(輔政) 등 12편으로 나누어 설명함.
50) 왕찬(王粲) : 위나라 문장가. 자 중선(仲宣). 시중(侍中) 등 역임. '칠애시(七哀詩)'·'종
　　군시(從軍詩)' 등을 남김.
51) 『예문유취(藝文類聚)』권52, 「치정부(治政部)」상 '위정(論政)'. 당나라 구양순(歐陽
　　詢)의 저술. 천·세시(歲時)·지(地)·주(州)·군(郡)·산·수·부명(符命)·제왕 등 48부로
　　분류하여 설명·고증.

○ 정자가 말했다. "오늘날 살면서 현재의 법령에 편안하지 않는 것은 의(義)가 아니다. 만약 다스림에 대해서 말하자면 오늘의 법도 안에서 마땅함을 얻어야 곧 의에 부합된다. 법도를 고친 후에 실행할 수 있다면 어찌 의가 있다고 하겠는가?"(『근사록(近思錄)』52))

○ 주자가 말했다. "정치할 때 큰 이해관계가 없으면 경장(更張)을 논의할 필요가 없다. 경장을 논의하면 고치고자 하는 일이 이루어지기 전에 싸움이 생기고 소요가 일어나 끝내 그치지 않을 것이다."53)

○ 양귀산(楊龜山)54)이 말했다. "정치를 펼 때 위엄을 가지고 일마다 정돈하려고 하면 너그럽지 못한 잘못에 빠지기 쉽다. 그런 정치는 옛사람이 했던 방식 아니다. 공자가 말하였다. '윗자리에 앉아 너그럽지 못하면 내가 무엇으로써 볼 것인가?' 또 말했다. '너그러우면 많은 민을 얻을 것이다' 너그러움이 떳떳한 도리[常道]가 아니라면 성인이 이같이 말하지 않았을 것이다. 그러나 무슨 일이든 가리지 않고 너그러움만 힘쓴다면 서리(胥吏)55)들이 법률의 조문을 마음대로 해석하여 법을 남용할 것이다. 권력을 항상 자신에게 두고, 이것을 조종하고 주거나 빼앗는 것이 일체 남에게서 나오지 않게 되면 너그러워도 지장이 없다."(『자경편(自警篇)』56))

---

52) 『근사록(近思錄)』 권10, 「정사(政事)」. 송나라 학자 주자와 여조겸(呂祖謙)의 저술. 주돈이(周敦頤)의 『태극도설(太極圖說)』과 장재(張載)의 『서명(西銘)』·『정몽(正蒙)』 등에서 심성수양과 관련된 장구만을 골라 편찬함.

53) 『주자어류(朱子語類)』 권108, 「논치도(論治道)」.

54) 양귀산(楊龜山) : 송나라 학자 양시(楊時). 자 중립(中立), 호 귀산. 이정자(二程子, 程顥·程頤)의 도학(道學)을 전수받아 낙학(洛學)의 대종(大宗)이 됨.

55) 서리(胥吏) : 이서. 중앙과 지방의 각 관청에 근무하던 하급관리.

56) 『자경편(自警編)』 「정사류(政事類)」 '정사(政事)'. 송나라 조극요(趙克瑤)의 저술. 송나라 현인의 사적을 학문·조행(操行)·제가(齊家)·접물(接物)·출처(出處)·사군(事君)·정사(政事)·습유(拾遺)의 8문으로 나누어 정리함.

○ 주자가 말했다. "요즘 사람들이 말했다. '너그러운 정치는 일마다 구속하지 않는 것이다' 이는 그저 너그럽다는 말에 불과할 뿐이다." 또 말했다. "호령이 밝게 행해지고 형벌 또한 늦추어서는 안 된다. 형벌이 엄하지 않으면 호령이란 단지 벽에 걸린 걸개에 불과할 뿐이다. 도리에 어긋나게 그대로 두어서 나의 교화를 막기보다는 일벌백계로 징계하는 것이 났다. 그 끝을 검사하여 살피기보다는 그 처음을 엄격히 하여 죄를 저지르지 않게 해야 할 것이다."57)

○ 또한 주자가 요자회(廖子晦)58)에게 답장을 보냈다. "'정치란 너그러움을 근본으로 삼아야 한다'는 것은 그 대체의 규모와 의사(意思)가 응당 이와 같아야 함을 말한 것이다. 옛사람은 이치를 정밀히 살피고 몸가짐을 정숙히 하며, 게을러서 일을 소홀히 하거나 방탕하게 노는 시간이 없기 때문에 정치가 위엄 있게 하려 하지 않아도 스스로 엄해진다. 그 마음은 사람을 사랑하는 것으로 근본을 삼았을 뿐이다. 정사를 펼 때는 기강·문장·국경 방어[關防]·단속함[禁約]이 엄격해서 감히 범할 수 없게 한다. 그런 뒤에 내가 말한 너그러움이 일을 따라 사람에게 미칠 수 있고, 버려져 시행되지 못하는 곳이 없게 된다. 나로부터 은혜를 입은 사람들도 명백히 내려준 것을 실제로 받아서 중간에 소외되고 기만하며 은폐하는 근심이 없게 된다. 이것이 성인이 말하는 '정치는 너그러움을 근본으로 삼아야 한다'는 뜻이다. 그러나 오늘날 말하는 너그러움은 방종을 의미하니 그렇게 되면 사랑하는 마음이 있더라도 정사에 기강이 없어서 완급·선후·가부·여탈의 권한이 나에게 없게 된다. 그러면 간특하고 힘센 무리가 뜻을 얻게 되고, 착하고 어진 민들은 도리어 그 혜택을 받지 못할 것이다."59)(『주자대

---

57) 『주자어류』 권108, 「주자(朱子)」5 '치도(治道)'.
58) 요자회(廖子晦) : 송나라 학자 요덕명(廖德明). 자 자회, 주자의 문인.

전(朱子大全)』[60])

○『독서록(讀書錄)』[61])에서 말했다. "정치는 당기는 것과 풀어주는 것이 있어야 한다. 당기기만 하고 풀어주지 않으면 엄함이 지나친 것이며, 풀어주기만 하고 당기지 않으면 모두 어그러진다. 한번 당기고 한번 풀어줌이 정치의 중도(中道)이다."

○ 유기지(劉器之)[62])가 처음 과거에 합격하여 같은 해 함께 입격(入格)한 두 사람과 함께 참정(參政)[63]) 장관(張觀)[64])에게 인사를 드리고 가르침을 청하였다. 그가 말했다. "벼슬에 오른 이래로 항상 근(謹)·근(勤)·화(和)·완(緩) 4가지를 지켜야 한다." 중간에 후배 1명이 그 말을 듣고 물었다. "근·근·화는 이미 가르침을 받아서 알겠습니다. 그러나 '완(緩)'자는 제가 듣지 못하였습니다." 장관이 얼굴색을 바로하며 말했다. "어찌 그대에게 느긋하게 지내다가 일에 미치지 못하는 것을 가르치겠는가? 세간에 일들이 바쁘게 서두르면 어그러지지 않겠는가?"[65])

○『정잠(政箴)』[66])에서 말했다. "민을 사랑하는 것은 나라를 공고히 하는

---

59) 『회암집(晦庵集)』 권45, 「서(書)」 '답요자회(答廖子晦)'.

60) 주자대전(朱子大全) : 주자 사후 문인들이 스승이 남긴 글을 모아 편찬한 책. 『회암선생주문공문집(晦庵先生朱文公文集)』·『주자문집』·『주자문집대전』. 후손 옥(玉)이 교정하여 『주자대전집(朱子大全集)』으로 간행함.

61) 독서록(讀書錄) : 명나라 설선(薛瑄)의 저술.

62) 유기지(劉器之) : 송나라 철종(哲宗) 때 관리 유안세(劉安世). 자 기지(器之). 간의대부(諫議大夫)·추밀도승지(樞密都承旨)등 역임.

63) 참정(參政) : 송나라 관직명. 참지정사(參知政事).

64) 장관(張觀) : 송나라 관리. 자 사정(思正), 시호 문효(文孝). 이부상서(吏部尙書)등 역임.

65) 인보(人譜) : 명나라 유종주(劉宗周)의 저술. 체독(體獨)·지기(知幾)·응도(凝道)·고의(考疑)·작성(作聖)의 5편으로 구성.

66) 정잠(政箴) : 민을 다스릴 때 경계할 일을 정리한 글.

근본이며, 자기 몸을 다스리는 것은 민을 다스리는 법도이다. 또한 조세 납부를 재촉하지만 동요시키지 않음은 재촉하는 가운데에도 보살핌 있는 것이요, 형벌을 시행함에 어긋나지 않게 하는 것은 형벌 속에서도 교화를 행하는 것이다. 봄철 진대(賑貸)[67]하기를 마치 자식에게 하듯 하며 가을철 거둬들이기를 원수를 대하듯 한다. 하나의 이익을 생기게 하는 것은 하나의 해를 없애는 것만 못하고, 한 가지 일을 만드는 것은 한 가지 일을 줄이는 것만 못하다. 위엄은 청렴함에서 생기고, 정치는 근면함에서 이루어지니 민인 대하기를 마치 상처 난 자를 돌보듯 해야 한다. 정호(程顥)[68]는 좌석의 모서리마다 '비용을 줄여서 민을 사랑해야 한다'는 글귀를 써놓았다. 이문정 (李文靖)[69]은 종신토록 이를 외웠으니 검소해야만 청렴함에 도움이 되고, 너그러워야 덕을 이룰 수 있다."

2. 몸가짐을 바르게 함[正己章]

'몸가짐을 바르게 하는 것'[正己]을 총론(總論)함. 성신(誠信)·공정(公正)· 염결(廉潔)·학문(學問)을 부록함.

○ 공자가 말하였다. "자기 자신이 바르면 명령을 내리지 않아도 행해지고, 바르지 못하면 비록 명령을 내려도 따르지 않는다."(『논어』[70]) 아래도

---

67) 진대(賑貸) : 재해나 흉년이 든 해 곡식을 풀어 백성을 구원하던 일.
68) 정호(程顥, 1032~1085) : 송나라 학자. 자 백순(伯淳), 호 명도(明道). 주돈이(周敦頤) 의 문인. 아우 정이(程頤)와 함께 이정자(二程子)로 불림. 종정승(宗正丞)·감찰어사 리행(監察御史裏行) 등 역임.
69) 이문정(李文靖) : 송나라 명상(名相) 이항(李沆). 자 태초(太初), 시호 문정.
70) 『논어』「자로」.

같음.

○ 계강자가 정치에 대해서 묻자 공자가 대답하였다. "정치란 바르게 한다는 뜻이다. 그대가 바름으로써 솔선수범 한다면 누가 감히 바르지 않겠는가?"71)

○ 계강자가 물었다. "민을 공경하고 충성되게 하며 이것으로써 권면하게 하려는데, 어떻게 해야 합니까?" 공자가 대답하였다. "대하기를 장엄하게 하면【용모가 단정하고 엄함】 민들이 공경하며, 효도하고 자비로우면 민들이 충성한다. 이러한 자를 들어 쓰고 이것을 잘못하는 자를 가르치면 권면 될 것이다."72)

○ 자장이 정사에 대해 묻자 공자가 대답하였다. "마음을 보존하기를 게을리 하지 않으며,【처음부터 끝까지 한결같음】 행하기를 충으로써 해야 한다."73)

○ 자로가 정사에 대해 묻자 공자가 대답하였다. "솔선할 것이며 부지런히 해야 한다."【소씨(蘇氏)가 말했다. "민들이 행해야 할 것을 자신이 먼저 행한다면 명령이 없어도 행해지고, 민의 일을 자신이 부지런히 한다면 비록 수고롭더라도 원망하지 않는다."】74)

○ 맹자가 말하였다. "사람을 사랑해도 친해지지 않거든 그 인(仁)을 돌아보며, 사람을 다스려도 다스려지지 않거든 그 지(智)를 돌아보고, 사람에게 예(禮)를 거행해도 답례하지 않거든 그 경(敬)을 돌아보아야 한다."75)

○ 또 맹자가 말하였다. "사람들이 항상 '천하·국(國)·가(家)'라고 말하니

---

71) 『논어』「안연」.
72) 『논어』「위정」.
73) 『논어』「안연」.
74) 『논어』「자로」.
75) 『맹자』「이루」상.

천하의 근본은 나라에 있고, 나라의 근본은 가에 있고, 가의 근본은 자기 몸에 있다."76)

○ 유향(劉向)77)이 말했다. "신하가 공적으로 관(官)의 일을 다룰 때는 자기 집안[私家]의 이익을 도모하지 않는다. 공직[公門]에 있을 땐 재화의 이익을 입에 담지 않는다. 공법(公法)을 시행할 때 친척이라고 해서 돌봐주지 말며, 공적인 일로 어진 사람을 등용할 땐 원수라고 해서 기피하지 않는다. 임금을 섬기는데 충성을 다하는 것, 이것을 일러 '공'이라고 한다." (『설원(說苑)』78)

○ 장충정(張忠定)79)이 이전(李畋)80)에게 말했다. "정치를 할 때 민에게 믿음을 준 뒤에 가르치며, 말이 의리에 맞은 뒤에 권장하며, 행동이 예의에 맞고 난 뒤에 교화시키고, 안정되고 사사로움이 없어진 뒤에 민들이 편안해져서 본업(本業)에 즐거워할 것이다. 이 4가지 요체는 자신이 솔선수범하는데 있다. 그렇게 하지 않으면 민들이 따르지 않으며 뒷말이 있을 것이다."(『자경편(自警編)』81)

○ 여씨(呂氏) 『동몽훈(童蒙訓)』82)에서 말했다. "관직을 수행하는 데 필요

---

76) 『맹자』 「이루」상.

77) 유향(劉向) : 한나라 학자. 자 자정(子政). 석거각(石渠閣, 궁중도서관)에서 오경(五經)을 강의함.

78) 『설원(說苑)』 권14, 「지공(至公)」. 한나라 유향(劉向)의 저술. 춘추시대로부터 한나라 초기까지 제가(諸家)의 전기(傳記) 및 일사(逸事)에 대해 설명을 달리하는 여러 책의 내용을 모아서 편찬함.

79) 장충정(張忠定) : 송나라 관리 장영(張詠). 자 복지(復之), 호 괴애(乖崖), 시호 충정(忠定). 추밀직학사(樞密直學士)·공부시랑(工部侍郎) 등 역임.

80) 이전(李畋) : 송나라 관리. 호 곡자(谷子). 장영의 권유로 과거에 나아가 영주지사(榮州知事) 등 역임.

81) 『자경편(自警編)』 권8, 「정사류」 '정사'.

82) 동몽훈(童蒙訓) : 송나라 여본중(呂本中)의 저술. 가숙(家塾)에서 아이를 가르치기

한 3가지 법도가 있다. 청렴, 신중, 근면함이다. 이 3가지를 알면 몸가짐을 알 것이다." 여씨『동몽훈』에서 또 말했다. "젊어서 출사한 후배들 가운데 종종 교활한 이서의 미끼에 걸려들어 스스로 살피지 못하고, 얻는 것은 털끝만한데 이로 인해 임기동안 다시 거동하지 못한다. 관원이 되어 이익을 좋아하면 얻는 것은 매우 적고 이서들이 도둑질하는 것은 헤아릴 수가 없다. 이로써 무거운 견책을 당하니, 애석해할 만하다."83)

○ 설경헌(薛敬軒)84)이 말했다. "마음을 깨끗이 하고 일을 줄이는 것이 관직에 있으면서 몸을 지키는 요체이다." 또 말했다. "정치를 할 때 몸가짐은 행동과 마음이 한결같이 공경스러워야 한다. 그렇게 하면 행동과 마음이 어긋남이 없으며, 인욕이 잦아들고 천리가 밝아질 것이다." 또 말했다. "관리는 안정되고 중후해야 한다. 아랫사람들이 쳐다보는 바이니, 한 차례라도 자신이 한 말이 부당하면 매우 부끄러운 것이다."(『독서록』85))

○ 공자가 말하였다. "사람은 신의가 없으면 설 수 없다."86)

○ 윤화정(尹和靖)87)이 말했다. "윗사람을 섬기고 아랫사람을 부릴 때 성신(誠信)을 다해야 한다. 사람이 따르지 않는 것은 자신의 믿음이 다른 사람의 믿음을 얻기에 부족하기 때문이다."(『자경편』88))

○ 정자(程子 : 程明道)가 말했다. "천지의 변하지 않는 떳떳한 도리[常道

위해 정론(正論)과 격언(格言)을 정리.
83) 『소학(小學)』 외편(外篇) 「가언(嘉言)」 '광명륜(廣明倫)'.
84) 설경헌(薛敬軒, 1389~1464) : 명나라 학자 설선(薛瑄). 자 덕온(德溫), 호 경헌, 시호 문청(文淸). 정주학(程朱學)을 배우고 주창하여 하동학파(河東學派)를 이룸. 저서로는 『독서록』·『종정명언(從政名言)』·『설자도론(薛子道論)』 등이 있음.
85) 『독서록』 권1.
86) 『논어』 「안연」.
87) 윤화정(尹和靖) : 송나라 학자 윤돈(尹焞). 정이(程頤)의 문인.
88) 『자경편』 권8, 「정사류」 '정사'.

는 그 마음이 만물에 두루 미치지만 무심하고, 성인의 변하지 않는 도는 그 정(情)으로 만사(萬事)에 순응하지만 무정(無情)하다. 때문에 군자의 배움은 넓고 크며 공정하여 사물이 오면 순응하지 않음이 없다."(『근사록』89))

○ 주자가 말했다. "관직에는 크고 작음이 없다. 모든 일의 처리는 공적으로 해야 할 뿐이다. 공적으로 처리한다면 낮은 관직일지라도 빛이 나서 사람들이 바라보고 바람에 휩쓸리듯이 두려워서 복종할 것이다. 공적으로 일 처리를 하지 못하면 비록 재상(宰相)이라 할지라도 단지 하찮은 취급을 받을 것이다."(『근사록』)

○ 소재(小宰)90)는 6가지 계책을 가지고 여러 이서들의 활동을 판단한다. 첫째 청렴하고 선한지【일을 잘하면 소문이 남】, 둘째 청렴하고 유능한지【정령을 실행함】, 셋째 청렴하고 공경스러운지【자리에 있으면서 게으르지 않음】, 넷째 청렴하고 올바른지【행동이 사특함에 기울지 않음】, 다섯째 청렴하고 법을 준수하는지【법을 지켜 실수하지 않음】, 여섯째 청렴하고 잘 판단하는지【의혹됨이 없다. 이상 6가지는 청렴[廉]을 근본으로 삼는다】91)

○ 배협(裵俠)92)이 말했다. "청렴함은 관직에 임하는 근본이며, 검소함은 몸을 지키는 기틀이다."(『북사(北史)』93))

○「율기잠(律己箴)」에서 말했다. "선비의 청렴함은 여자의 순결함과 같다. 털끝만한 잘못도 평생토록 결점으로 남는다. 깜깜한 방이라고 말하지

---

89)『근사록』권2,「위학(爲學)」.

90) 소재(小宰) : 대재(大宰)와 함께 정무를 총괄하는 관직.

91)『주례(周禮)』「천관총재(天官冢宰)」상.

92) 배협(裵俠) : 북주(北周)시대 관리. 자 숭화(嵩和), 시호(諡號) 정(貞). 공부중대부(工部中大夫) 등 역임.

93)『북사(北史)』「열전(列傳)」26. 당나라 이연수(李延壽)의 저술. 북조(北朝) 위(魏)·제(齊)·주(周)·수(隋)에 이르는 242년 동안의 역사를 기록해 놓음.

말라. 환하게 사방이 알고 있다. 네가 스스로를 아끼지 않아도 마음의
신명함을 어찌 속이겠는가? 황금 5, 6바리와 후추 8백곡(斛)이 있어도
부귀를 누리며 살기에는 부족하며, 오히려 천년 뒤에 남을 오욕이 될
것이다. 저 아름다운 군자여! 가진 것이라고는 학 1마리와 거문고 1대
뿐이지만 바라봄에 위엄있고 씩씩하며 고금의 맑은 바람 같도다."94)

○ 이자(李子)95)가 다음의 편지를 썼다. "보내준 여러 가지 물건이 비록
봉급[俸廩]에서 남는 것이라 해도 마음이 편치 못하다. 관직에 있는 자로서
억지로 지나치게 하는 것은 마음을 깨끗이 하고 일을 줄이는 도리가 아니다.
아마도 이와 같은 일이 습관이 된다면 뒷날 수습하기 어려울 것이다.
근래 조상의 음덕으로 벼슬에 올라[門蔭] 수령이 된 자가 무지(無知)하고
망령되어 자신의 이익에만 전념한다. 경계해야 할 것이다."96)(『도산언행록
(陶山言行錄)』97))

○ 자로가 자고(子羔)98)를 비(費)99)의 읍재(邑宰)로 삼았다. 공자가 말하
였다. "남의 아들을 해치는구나." 자로가 물었다. "민이 있고 사직(社稷)이

94) 『애일재총초(愛日齋叢抄)』 권4. 송나라 섭씨(葉氏, 이름 미상)의 저술. 명물(名物)·
전례(典例)·고사(故事)에 대한 고증을 정리함.
95) 이자(李子) : 이황(李滉, 1501~1570). 본관 진보(眞寶), 자 경호(景浩), 호 퇴계(退溪)·
도옹(陶翁)·퇴도(退陶)·청량산인(淸凉山人). 단양군수 등 역임. 조선주자학을 확립
함. 그의 학풍은 류성룡(柳成龍)·김성일(金誠一)·정구(鄭逑) 등에게 계승되어 영남
학파(嶺南學派)를 이룸.
96) 『퇴계선생속집(退溪先生續集)』 권7, 「서(書)」 '답자준 병진(答子寯丙辰)'.
97) 도산언행록(陶山言行錄) : 퇴계문인들이 스승의 언행을 정리하여 만든 책. 대표적
으로 권두경(權斗經, 1645~1725)의 『퇴계선생언행통록(退溪先生言行通錄)』(1732),
이수연(李守淵, 1693~1748)의 『퇴계선생언행록(退溪先生言行錄)』(1733), 이익(李
瀷, 1681~1763)의 『이자수어(李子粹語)』 등이 있음.
98) 자고(子羔) : 공자 제자.
99) 비(費) : 호남성 안화현(安化縣) 소재.

있으니, 어찌 책을 읽은 뒤에 학문을 하겠습니까?" 대답하였다. "이 때문에 내가 말재주 있는 자를 미워한다."

주자가 말했다. "민을 다스리고 귀신을 섬기는 것은 배우는 자의 일이다. 그러나 학문이 이미 이루어진 뒤에야 벼슬에 나아가 배운 것을 실행할 수 있다. 처음부터 학문을 익히지 않고 벼슬에 나아가 학문을 하면 귀신 섬기는데 게을리 하고 민을 학대함에 이르지 않을 자가 드물 것이다. 자로의 말은 본래 자신의 뜻이 아니라 다만 이치를 굽히고 말이 궁하여 입으로만 변론을 취하여 남의 입을 막을 뿐이다. 그러므로 공자께서 그의 잘못을 배척하지 않고 다만 말재주만을 미워한 것이다."(『논어』100))

○ 자하(子夏)101)가 말했다. "벼슬하면서 남은 시간이 있으면 학문을 하고, 학문을 하고서 남은 시간이 있으면 벼슬을 한다." 주자가 말했다. "벼슬과 학문은 이치는 같지만 하는 일이 다르다. 그 일을 맡은 자는 먼저 그 일을 다 한 다음 그 나머지 것에 미칠 수 있는 것이다."102)

○ 자산이 말했다. "학문을 익히고 나서 정계에 입문한다는 말을 들었어도 정치를 하면서 학문하는 사례는 듣지 못하였다."103)

○ 정자[程明道]가 말했다. "안정(安定)104)의 문인 가운데 종종 옛것을 살피고 민을 사랑하는 자가 있다. 그러니 정치를 하는 데 무슨 어려움이 있겠는가?"(『근사록』105))

---

100) 『논어』 「선진(先進)」.

101) 자하(子夏) : 공자 10대 제자. 성명 복상(卜商), 자 자하. 위나라 문후(文侯)의 스승.

102) 『논어』 「자장」.

103) 『춘추좌전』 「양공(襄公)」 31년 12월.

104) 안정(安定) : 송나라 학자 호원(胡瑗). 자 익지(翼之), 시호 안정. 호주교수(湖州敎授) 등 역임. 범중엄(范仲淹)의 천거로 출사(出仕)하여 태학(太學)을 세워 제자를 키움.

105) 『근사록』 권10, 「정사」.

○ 주자가 말했다. "혈기에 휘둘리는 것은 객기에 불과하다. 성리설(性理說)을 공부하다보면 자연히 일에 임해서 구별하는 것이 있을 것이다."

주자가 황인경(黃仁卿)106)에게 편지를 보냈다. "분수에 따라 벼슬에 나아가면 득과 실을 근심하는 마음이 발생하지 않을 것이다. 어디에 있든 편안하지 않겠는가? (또한) 학문하는 것으로 말하자면 관직에 있다고 해서 어찌 학문을 연마하지 못하겠는가? 일상의 노력에 스스로 인색하지 않는지를 걱정할 뿐이다."

주자가 진명중(陳明仲)107)에게 답장을 보냈다. "명도(明道)선생의 행장과 문인들이 서술한 글에서 논한 정사(政事)의 내용은 일이 없을 때라도 익숙하게 알아두어야 한다. 말은 사람들의 뜻과 생각을 개발하는 것이 많다."108)

주자가 우사명(虞士明)에게 답장을 보냈다. "관리가 되어 법을 받들고 민을 사랑하되 소문나는 것을 바라지 말아야 한다. 이는 내 직분일 뿐이다. 여씨가 지은 『동몽훈』 하권에서 관직을 수행하는 법을 거론함이 밝게 잘 갖추어져 있다. 쉬는 날 다시 시험 삼아 살펴본다면 유익할 것이다." (『주자대전』)

○ 『독서록』에서 말했다. "정치를 수행함에는 경전에 두루 정통하여 경(經)을 익히고 법술을 지녀야 한다. 경전을 익히지 않아 법술이 없으면 비록 재주가 조금 있다고 해도 대체를 알지 못한다."

---

106) 황인경(黃仁卿) : 송나라 학자 황동(黃東). 자 인경. 주자의 사위인 황간(黃榦)의 형. 주자의 문인.

107) 진명중(陳明仲) : 송나라 학자. 자 화변향(火邊享). 주자의 문인.

108) 『회암집』 권43, 「서(書)」 '답진명중(答陳明仲)'.

3. 일에 대처하는 마음자세[處事章]

○ 자하가 거보[莒父]의 읍재(邑宰)에 부임하였다. 공자에게 정사에 대해서 묻자 대답하였다. "일을 빨리 처리하려 하지 말고, 작은 이익을 보지 말아야 한다. 빨리 처리하려 하면 제대로 하지 못하고, 조그만 이익을 보면 큰일을 이루지 못한다."[109]

○ 『동몽훈』에서 말했다. "관리가 되어 일을 처리할 때 가볍고 무거운 것을 헤아려 도리에 맞게 처리하되 한쪽으로 치우쳐서 처리해서는 안 된다."[110](『소학』[111])

○ 『동몽훈』에서 말했다. "관직에 있는 자는 먼저 노여움을 드러내는 것을 경계해야 할 것이다. 옳지 않은 일은 자세히 살펴 처리하면 이치에 맞지 않는 일이 없을 것이다. 만일 먼저 노여움을 드러낸다면 그것은 다만 자신을 해칠 뿐이다. 어찌 남을 해칠 수 있겠는가?"『동몽훈』에서 말했다. "관리가 되어 일을 처리할 때에는 착실한데 힘쓸 뿐이다. 만일 문자를 바르고 문지르거나, 날과 달을 고치거나 서명을 자주 바꾸다가 탄로 나면 무거운 죄를 얻을 것이다. 이는 성심으로 임금을 섬기는 속이지 않는 도리가 아닐 것이다."[112]

○ 정자[程明道]가 말했다. "직분을 수행함에 교묘한 수단을 써서 일을 피하려 해서는 안 된다." 또 말했다. "작은 일이라도 부지런히 처리하는 것이 가장 어렵다." 또 말했다. "사람은 일이 많은 것을 싫어한다. 세상일이

---

109) 『논어』「자로」.

110) 『동몽훈』 상권.

111) 소학(小學) : 송나라 유자징(劉子澄)의 저술. 내편 4권 - 입교(入敎)·명륜(明倫)·경신(敬信)·계고(稽古), 외편 2권 - 가언(嘉言)·선행(善行).

112) 『소학』 외편 「가언」 '광명륜'.

비록 많지만 모두 인사(人事)와 관련된 일이어서 다른 사람에게 시킬 수
없다. 네가 처리해야지 누구에게 맡기겠는가?" 또 말했다. "큰일을 맡으려는
사람은 독실해야 한다."113)(『근사록』) 아래도 같음.

○ 정이천(程伊川)114)이 또 말했다. "사람은 멀리 내다보지 않으면 가까운
데에서 근심이 생긴다. 당면한 일 밖에까지 생각이 미쳐야 할 것이다."115)

○ 주자가 말했다. "단지 그 마땅함을 바로 할 뿐 이익을 도모하지
않으며, 그 도리를 밝힐 뿐 공(功)을 꾀하지 않는다. 이렇게 공평하고 올바르
게 해 나아갈 뿐이다. 장차 다스려지고 다스려지지 않음은 하늘에 달렸다.
옛사람이 이룬 것은 다른 지혜가 있어 우연히 이루어진 것이 아니다.
마음과 힘을 다해 지략과 술수를 쓰고 작은 계교를 부리는 것으로는 일을
이루지 못할 뿐만 아니라 속이는 것이 된다."116)(『근사록』) 아래도 같음.

○ 또 김경사(金景思)에게 답장을 보냈다. "현(縣)을 다스리는 일은 쉽지
않다. 하지만 마음과 힘을 다해서 다스린다면 가지런해질 것이다. 요즘
사람들이 방만하고 나태해서 대강(大綱)이 해이해지고 세목이 문란해졌
다."(『주자대전』117))

○ 또 말했다. "학자는 작은 일을 직접 살피더라도 마음을 더럽혀서는
안 된다."118) 또 말했다. "천하의 일이 끝내 이루어지지 않는 것은 사사로움

---

113) 『근사록』 권10, 「정사」.

114) 정이천(程伊川) : 송나라 학자 정이(程頤). 자 정숙(正淑). '이천백(伊川伯)'을 봉한
    까닭에 '이천선생'이라 불림. 형 정호(程顥)와 더불어 '이정자(二程子)'로 불리며
    주자에게 지대한 영향을 끼쳤다. 국자감 교수(國子監教授)·비서성 교서랑(秘書省
    校書郎)·숭정전 설서(崇政殿說書) 등 역임. 저서로는 『이천선생문집(伊川先生文
    集)』·『이정전서(二程全書)』 등이 있음.

115) 『근사록』 권10, 「정사」.

116) 『주자어류』 권72, 「역(易)」8 '항(恒)'.

117) 『회암집』속집 권4, 「서(書)」 '답김경사(答金景思)'.

에 매몰되었기 때문이다."[119]

○ 또 말했다. "모든 일에 있어서 조심스럽고 경외하는 마음으로 자세히 살펴보되 사람들이 미처 생각하지 못한 바까지 헤아려 생각하고, 사람들이 방비하지 않은 바까지 아울러 방비하면 문제가 없을 것이다."[120]

또 말했다. "일에 임해서 조그마한 것도 그대로 지나쳐서는 안 된다. 내가 관직에 있을 때 혹 잘 아는 자나 친척 1명이라도 권한 밖의 일에 간여하면 그대로 지나치지 않을 것이다."[121] 또 말했다. "일을 잘 하는 자는 먼저 당시 형세[事勢] 속에서 일할 수 있는 이치가 있는지를 헤아려 처리해 나가고, 처리할 수 없는 경우 일정한 법[常法]을 지킨다."[122]

○ 또 말했다. "관리가 되어 청렴하고 근신하는 것은 우리들의 본분으로 더 이상 설명할 필요가 없다. 그러나 작은 일일지라도 역시 자세히 살펴야한다. 소홀히 여겨 옛 습속[舊習]을 그대로 따라 게을리 해서는 안 된다."

○ 또 말했다. "관리가 되면 업무일지[旁通曆][123]를 써야 한다. 날짜에 따른 공사(公事)를 항목으로 개설하여 해당 날짜에 기록해 두어서 일이 완료되면 표시한다. 아직 완료되지 않았으면 곧 완료해야만 비로소 일을 망치지 않을 것이다."[124]

○ 주자는 '매우 좋다[恰好]'라고 하는 말을 아꼈다고 한다. 그러므로 모든 일에 저절로 충분히 좋은 바가 있었다.[125] 또 말했다. "모든 일에

---

118) 『주자어류』 권13, 「학(學)」7 '처소(處所)'.

119) 『주자어류』 권109, 「주자」6 '논취사(論取士)'.

120) 『주자어류』 권106, 「주자」3 '총론작군(總論作郡)'.

121) 『주자어류』 권112, 「주자」9 '논관(論官)'.

122) 『주자어류』 권108, 「주자」5 '논치도(論治道)'.

123) 방통력(旁通曆) : 관리들이 쓰던 관무일지(官務日誌).

124) 『주자어류』 권112, 「주자」9 '논관'.

모름지기 한 가지 사안, 즉 옳고 그름을 논해야 하며, 또한 절도에 맞는지 여부를 논해야 한다."126)

○ 장무구(張無咎)127)가 말했다. "갑작스러운 어려움에 직면하여 처리해 나가는 것이 혼란스럽지 않으려면, 가슴 한 가운데 일을 처리하는 역량[局量]이 어지럽지 않고 평소에 수양을 통해 이룬 힘[定力]이 있어야 한다. 이것이 옛사람들이 평상시 일을 처리하는 역량을 키우려고 했던 이유이다."128)

또 말했다. "관리가 되어 정사를 돌볼 때는 조급함을 경계해야 한다. 조급하면 먼저 스스로 처신할 겨를이 없는데 어느 틈에 정사를 돌볼 수 있겠는가? 그러면 교활한 이서배와 간특한 민들이 기미를 엿보아 곧 자신의 이득을 이룰 것이다. 사람들에게 해로울 뿐만 아니라 자신에게도 큰 해가 된다."129)

○『자경편』에서 말했다. "관리가 되어 일을 처리할 때 인정(人情)에 합치되도록 힘써야 한다. 충서(忠恕)를 행하면 도에서 크게 벗어나지 않는다고 하였으니 이 충서 2글자를 버려두고 잘 다스린 자는 없었다. 선배들은 정사를 처리할 때 항상 은혜가 사람들에게 미치는지를 생각하고 (이를) 최상의 방편으로 삼았다. 민을 편안히 하고 힘을 덜 쓰게 해서 소요가 발생하여 민을 해치는 일이 없도록 힘썼다."130)

○『자경편』에서 말했다. "선배들은 관리생활 하면서 해서는 안 되는 3가지 것을 정하였다. (그것은) 일이 찾아오면 그냥 방치하지 않고, 일이

---

125)『주자어류』 권107,「주자」4 '잡기언행(雜記言行)'.
126)『주자어류』 권132,「본조(本朝)」6 '중흥지금인물(中興至今人物)'하.
127) 장무구(張無咎) : 송나라 학자. 자 자소(子韶). 예부시랑(禮部侍郞) 등 역임.
128)『언행귀감(言行龜鑑)』 권2,「덕행문(德行門)」.
129)『자경편』 권7,「사군류(事君類)」하 '우국(憂國)'.
130)『자경편』 권7,「사군류」하 '우국'.

지나가면 뒤쫓지 않고, 일이 많다고 두려워하지 않는 것이다."¹³¹⁾

   ○ 여본중(呂本仲)¹³²⁾이 말했다. "인내[忍] 한 글자는 여러 가지 일에 대처할 수 있는 묘방이다. 관리가 되어 일을 처리할 때 무엇보다 먼저 인내하는데 힘써야 한다. 청렴하고 삼가는 것 외에 인내한다면 무슨 일이든 처리하지 못하겠는가?"¹³³⁾ 『서경』에서 말했다. "반드시 인내해야 이룰 수 있다."¹³⁴⁾ 이것이 일을 처리하는 근본이다.

   ○ 설경헌이 말했다. "관리가 되어 일을 처리할 때 구차해서는 안 된다."

   또 말했다. "정사를 처리할 때 의(義)로써 헤아려야 한다." 또 말했다. "시작할 때 조심하지 않으면 끝에 가서 잘못될 수 있다. 일을 빨리 하면 뒤에 가서 더러 수습하기 어려운 경우가 있다."

   또 말했다. "일을 처리할 때 신중히 자세히 세밀하게 살펴서 바름을 유지해야 한다. 경솔하게 소홀히 대충 처리해서는 안 된다."

   또 말했다. "일은 경솔히 해서는 안 된다. 비록 작고 쉬워 보이는 일일지라도 신중하게 처리해야 한다."

   또 말했다. "일을 처리할 때 충분히 생각하여 천천히 처리해야 한다. 충분히 생각하면 실상을 파악하게 되고 천천히 처리하면 합당함을 얻을 수 있다."

   또 말했다. "일을 처리할 때 자세히 살펴보고 진중한 자세로 임해야 한다. 어렵게 여기는 자세로 행하면서도 과감하게 결단하며 일이 완료되어

---

131) 『자경편』 권8, 「정사류」 '정사'.
132) 여본중(呂本仲) : 송나라 학자. 자 거인(居仁), 호 동래선생(東萊先生). 중서사인(中書舍人)·권직학사원(權直學士院) 등 역임. 저서로는 『춘추집해(春秋集解)』·『자미잡설(紫微雜說)』·『동래시집(東萊詩集)』 등이 있음.
133) 『동래집(東萊集)』 별집(別集) 권6, 「가범(家範)」6, '관잠(官箴)'.
134) 『서경』 「주서」 '군진'.

도 마치 아무 일도 없던 것처럼 한다."

또 말했다. "일을 처리할 때는 마음을 공평히 가지고 기운을 조화롭게 해야 한다. 관리는 절대 번거로운 것에 짜증내고, 일을 싫어해서는 안 된다. 민들의 억울한 일들을 앉아서 바라보고 처리하지 않으면서 '나는 일을 줄이는 것에 힘쓴다'고 말하면 억울하게 죽는 민들이 많을 것이다." (『독서록』135))

○ 범문정공(范文正公)136)이 할 일이 있으면 여러 가지 방도를 다하였다. 그가 말했다. "내가 할 일은 응당 이와 같이 해야 한다. 일의 성공여부가 자신에게 있지 않은 경우도 있다. 비록 성인이라도 마음대로 할 수 없는데 내가 어찌 구차하게 이루려 하겠는가?"137)

○ 오불(吳芾)138)이 자식들을 가르치며 말했다. "너희들이 벼슬살이를 하는 동안 관아의 물건을 자기 물건처럼 여기고, 공사(公事)를 자기 일처럼 처리하라. 꼭 어쩔 수 없는 상황이라면 민에게 죄 짓기보다는 차라리 상관(上官)에게 죄 짓는 것이 낫다."139)

○ 이천(伊川)선생이 말했다. "일을 급히 처리하면 잘못되는 경우가 10에 7, 8이나 된다. 관리가 되어 일을 처리함에 구차스럽게 죄를 면하려고 해서는 안 된다."140)

○ 또 말했다. "사람들은 일에 대해서 잘 아는 것을 명철하다고 생각하는

135) 『독서록』 권7.
136) 범문정공(范文正公) : 송나라 정치가 범중엄(范仲淹). 자 희문(希文). 참정지사(參政知事) 등 역임.
137) 『자경편』 권7, 「사군류(事君類)」하.
138) 오불(吳芾) : 송나라 관리. 자 명가(明可). 형부시랑(刑部侍郎) 등 역임.
139) 『회암집』 권88, 「비(碑)」 '용도각직학사오공신도비(龍圖閣直學士吳公神道碑)'.
140) 『이정수언(二程粹言)』상, 「논사편(論事篇)」.

데, (그렇게 되면) 일이 빨라져서 다른 사람에게 속는 일은 없지만 믿지 못할 사람이라고 억측하게 된다. 오직 독실하게 해야만 큰일을 감당할 수 있다."[141]

○ 주자가 말했다. "오제공(吳濟公)[142]은 날마다 일하는 동안에도 1, 2시간씩 조용히 안정된 자세로 정기(精氣)를 길렀다. 일이 번잡할수록 마음은 오히려 더 여유로우니, 저들은 부족하지만 나는 여유로울 것이다. 그의 말이 비록 이단(異端)의 설에서 나온 것이지만, 시험해 보니 다소 효과가 있었다. 이것이 주자(周子)[143]가 말한바 마음을 한 곳으로 모으는 것[主神]인가 보다."

○ 장남헌(張南軒)[144]이 말했다. "정치를 펼 때 먼저 해야 할 일은 마음을 공평하게 하는 것이다. 마음이 공평하지 못하면 비록 좋은 정사일지라도 또한 잘못될 수 있다. 힘센 자를 억누르고 힘없는 자를 돕는 것이 어찌 좋은 일이 아니겠는가만 종종 단지 마음 속에서 잘못 판단하는 경우도 있다. 마음을 깨끗한 거울처럼 간직해야 한다. 아름다운 것은 아름답게 비추고, 미운 것은 밉게 비출 뿐이다. 어떻게 나의 일로 간여하겠는가? 만일 어떤 사람을 (선입견을 갖고) 밉다고 생각하면 서로 볼 때마다 밉지 않음이 없을 것이다."[145]

---

141) 『이정수언』상, 「논사편」.

142) 오제공(吳濟公) : 송나라 학자. 성명 오즙(吳楫), 자 공제. 주자와 교유함.

143) 『주자초석(朱子抄釋)』원문에는 '주자(周子, 周敦頤)'로 되어 있음. 송나라 학자 주돈이. 자 무숙(茂叔)·염계(濂溪). 『태극도설(太極圖說)』과 『통서(通書)』를 저술하여 종래의 인생관에 우주관을 통합하고 일관한 원리를 수립하였다. 그의 사상은 주자에게 계승되어 체계화됨.

144) 장남헌(張南軒) : 송나라 학자 장식(張栻). 자 경부(敬夫)·낙제(樂齊). 남헌선생(南軒先生). 저서로는 『남헌역설(南軒易說)』·『남헌집(南軒集)』 등이 있음.

145) 『성리대전(性理大全)』 권68, 「치도(治道)」3 '논관(論官)'.

○ 진미공(陳眉公)[146]이 말했다. "장부 문서와 전곡(錢穀) 보다 번잡한 일은 없다. 번잡함을 번잡스럽게 여기면 싫증이 나고, 싫증이 나면 곧 괴로워서 정사는 더욱 소란스러워지고 번거로움도 더욱 심해진다. 모름지기 본래 일 자체가 번거롭거나 간명한 것이 아니다. 번거롭고 간명함은 마음에서 생겨남을 알아야 한다. 편안한 마음으로 감내하면서 날마다 일을 처리한다면 무슨 번거로움이 있겠는가? 이것이 학문이고 이것이 정치이다."[147]

○ 「이사잠(莅事箴)」에서 말했다. "네가 입는 옷의 화려함과 네가 먹는 음식의 풍성함은 실과 쌀에서 나오는 것이며, 이는 모두 민들의 노력에서 나온 것이네. 네가 벼슬살이한다고 하지만 관직을 비울 때가 많고, 사람들의 말이 있어도 녹만 축내고 그 직분을 게을리 한다. 그 일이 어찌 스스로 부끄럽지 않겠는가? 옛날 군자는 평소 간소한 음식을 먹었네. 땀이 등을 흠뻑 적셔도 날마다 어려운 일을 마다하지 않았네. 경침(警枕)[148]을 베고 일을 계획하니 밤에도 한가롭거나 편안히 지내지 않았네. 누가 나의 스승이 되겠는가? 범중엄(范仲淹)[149]이나 한기(韓琦)[150]가 스승이 될 뿐이네."

○ 진미공이 말했다. "크고 작은 일을 가리지 않고 마음을 써서 처리해야 할 것이다. (예를 들면) 병길(丙吉)[151]이 변경에 근무하는 이서의 이름을

---

146) 진미공(陳眉公) : 명나라 학자 진계유(陳繼儒). 자 중순(仲醇), 호 미공·백석산초(白石山樵). 곤산(崑山) 남쪽에서 은거하여 학문에 전념함.

147) 『언행귀감(言行龜鑑)』 권2, 「덕행문(德行門)」.

148) 경침(警枕) : 둥근 나무나 큰 방울 모양으로 된 베개. 깊이 잠들지 않음.

149) 범중엄(范仲淹) : 송나라 관리. 자 희문(希文).

150) 한기(韓琦) : 송나라 관리. 자 치규(稚圭), 시호 충헌(忠獻). 추밀부사(樞密副使)·삼사사(三司使) 등 역임.

151) 병길(丙吉) : 한나라 관리. 자 소경(少卿). 태자태부(太子太傅)·어사대부(御史大夫) 등 역임.

기억하고, 도곡(陶穀)152)이 문물제도를 정하면서 그림으로 그렸고, 윤탁(尹
鐸)153)이 구리 기둥을 대신하여 가시나무로 담을 쳤으며, 사행(士行)154)이
댓조각과 대팻밥을 모아두고,155) 이적(李迪)156)에게 작은 책자가 있고,
야율초재(耶律楚材)157)가 대황(大黃)158)에 글자를 썼다. (또한) 조위(曹
瑋)159)가 말 시장에서 원호(元昊)160)를 알아보고 부도(浮屠) 위에 망루를
세우며, 전당강(錢塘江)에 물을 대고 오랑캐를 뽑아 등용하였다. 율현(栗
縣)161)에서 녹강(綠江)을 헤아린 것 등, 이상 선인들의 지혜와 정사를 맡아
마음을 다해서 충성함은 한가로운 가운데서 기른 것이다. 그리하여 어느
날 갑자기 일이 발생해도 여유롭게 임하고 혼란한 가운데에도 단호하게
결정하였다. 이것을 군자가 취하는 것이다.”

---

152) 도곡(陶穀) : 송나라 관리. 자 수실(秀實). 한림학사(翰林學士)·병부시랑(兵部侍郞)
    등 역임.
153) 윤탁(尹鐸) : 춘추시대 진(晉)나라 관리.
154) 사행(士行) : 진나라 관리 도간(陶侃). 자 사행. 도연명(陶淵明)의 증조부. 강하
    태수(江夏太守)·시중태위(侍中太尉) 등 역임.
155) 죽두목설(竹頭木屑) : 도간이 대나무 조각과 대팻밥을 버리지 않고 나중에 잘
    이용했다고 함.
156) 이적(李迪) : 송나라 관리. 자 복고(復古), 시호 문정(文政). 자정전대학사(資政殿大
    學士)·동평장사(同平章事) 등 역임.
157) 야율초재(耶律楚材) : 원나라 창업공신. 자 진경(晉卿), 호 담연거사(湛然居士)·옥
    천노인(玉泉老人), 시호 문정(文正). 원나라 건국시 중서령(中書令)으로 중용되어
    한족문화를 수용하여 국가체제를 정비하는데 기여함.
158) 대황(大黃) : 노궁(弩弓)의 이름.
159) 조위(曹瑋) : 송나라 장군. 자 보신(寶臣), 시호 무목(武穆). 내주관찰사(萊州觀察使)·
    창무군절도사(彰武軍節度使) 역임.
160) 원호(元昊) : 서하(西夏)의 경종(景宗). 송나라로부터 조씨 성(姓)을 사사받았기
    때문에 조원호라고 부름.
161) 율현(栗縣) : 하남성(河南省) 하읍(夏邑) 소재.

4. 사람들을 상대함[接物章]

상관(上官) 대하기, 하관(下官) 대하기, 동료 대하기, 소인(小人) 대하기.

○「백록동규(白鹿洞規)」162)에서 말했다. "자기가 하기 싫은 것을 남에게 베풀지 말아야 한다."163) 또한 말했다. "행하고도 얻지 못함이 있거든 자신에게 돌이켜 찾아야 한다."164) 이것이 외물에 대처하는 요체이다.165)

○ 공자가 말하였다. "착한 일을 하면 남을 칭찬하고, 잘못 된 일이 생기면 자기 책임으로 돌린다면 민들이 싸우지 않을 것이다. 때문에 군자는 자신이 잘하는 것으로 다른 사람을 병통되게 여기지 않으며, 남이 잘 못하는 것을 가지고 그 사람을 부끄럽게 만들지 않는다."(『예기(禮記)』166))

○『대학(大學)』167)에서 말했다. "윗사람에게서 싫었던 것으로써 아랫사람을 부리지 말며, 아랫사람에게서 싫었던 것으로써 윗사람을 섬기지 말라."168)

---

162) 백록동규(白鹿洞規) : 백록동서원 학규(白鹿洞書院學規). 당나라 때 건립된 서원을 주자가 남강군(南康軍)을 맡으면서 복구시키고 학규(學規)를 조목별로 게시(揭示) 하였다. 위학지서(爲學之序)·수신지요(修身之要)·처사지요(處事之要)·접물지요(接物之要) 등이 있음.

163) 『논어』「안연」.

164) 『맹자』「이루」상.

165) 『회암집』권74,「잡저(雜著)」'백록동서원게시(白鹿洞書院揭示)'.

166) 『예기(禮記)』「방기(坊記)」30 ;『예기』「표기(表記)」32.

167) 대학(大學) : 본래 『예기』에 들어 있던 것을 주자가 『대학장구(大學章句)』를 만들어 경(經) 1장(章), 전(傳) 10장으로 구별하여 주석(註釋)을 하였다. 유교의 명명덕(明明德)·친민(親民)·지선(至善)의 삼강령(三綱領)과 격물·치지·성의(誠意)·정심(正心)·수신·제가·치국·평천하의 8조목(條目)을 설명하였다. 증자 또는 자사가 지었다고 전해짐.

168) 『대학』전문(傳文)10장 '석치국평천하(釋治國平天下)'.

○『동몽훈』에서 말했다. "임금을 부모처럼 섬기며, 관장(官長)을 형처럼 섬겨야 한다. 동료들과 가족처럼 지내며, 이서를 노복(奴僕)처럼 대한다. 민인을 처자식처럼 사랑하며, 관아의 일을 집안 일처럼 처리한다. 그런 뒤에 마음을 다했다고 할 수 있다. 터럭 끝 만큼일지라도 미치지 못하면 내 마음이 다하지 못한 바가 있기 때문이다."(『소학』169))

○ 주자가 말했다. "스스로 몸을 닦아서 구애받는 바가 없다면 다시 예(禮)로써 윗사람 섬기며 성(誠)으로써 대접한다. 너그럽게 민을 다스리며 법으로써 이서를 부리고, 문서를 처리할 때에도 경(敬)을 활용하지 않음이 없어서 조그마한 잘못도 없을 것이다."170)(『오자근사록(五子近思錄)』171))

○ 어떤 자가 물었다. "주부(主簿)172)는 수령을 돕는 자인데 주부가 하고자 하는 것을 수령이 따르지 않으면 어떻게 합니까?" 이천선생이 대답했다. "성의(誠意)로써 감동시켜야 한다. 지금 수령과 주부가 화합하지 못하는 것은 사사로운 뜻으로 다투기 때문이다. 수령은 고을의 책임자이다. 부모형제를 섬기는 도리로써 섬기며, 잘못이 있으면 자기 탓으로 돌리고, 좋은 일이 생기면 수령에게 공이 돌아가지 못할까 염려해야 한다. 이렇게 성의를 쌓는다면, 어찌 감동시킬 수 없는 사람이 있겠는가?"(『소학』173)) 아래도 같음.

○ 또 말했다. "이 고을에 거처함에 그 대부(大夫)를 비난하지 않는 것이

---

169)『소학』 외편 「가언」 '광명륜'.

170)『회암집』 권39, 「서」 '답범백숭(答范伯崇)'.

171) 오자근사록(五子近思錄) : 주무숙(周茂叔)·정명도(程明道)·정이천(程伊川)·장횡거(張橫渠)의 저서와 어록을 편집하여 편찬한 『근사록』에다가 주자의 학설을 첨가하여 만든 저술.

172) 주부(主簿) : 문서장부를 맡은 관직. 송나라 이후 군현에서 승(丞)이나 위(尉)와 함께 보좌하는 직임.

173)『소학』 외편 「가언」 '광명륜'.

가장 좋은 다스림이다."[174]

○ 주자가 방경도(方耕道)에게 답장을 보냈다. "이미 임금의 부름을 받은 신하가 되었으니 더 이상 평범한 관속(官屬)에 비할 바가 아니다. 보고 들은 바가 있으면 곧바로 자세히 말해야 한다. 다만 옳고 그름을 참작하고 때의 알맞음을 헤아려 주인에게 유익함을 주고 일이 잘못 되지 않게 해야 선(善)을 다 할 수 있다. 한마디 말이 합치되지 않아서 곧바로 화를 내며 물러가는 것을 고상한 행동이라고 여긴다면, 나는 그런 설을 모른다."[175] (『주자대전』)

○ 공숙문자(公叔文子)[176]의 가신(家臣) 대부 선(僎)이 문자(文子)와 함께 조정[公朝]에 올랐다. 공자가 말하였다. "시호를 문(文)이라고 할 만하다." 홍씨(洪氏)가 말했다. "천한 가신을 이끌어 자기와 함께 반열에 있게 한 것은 3가지 선(善)이 있다. 첫째 사람을 알아본 것, 둘째 자신의 귀함을 잊은 것, 셋째 임금을 섬긴 것이다."(『논어』[177])

○ 정자[程明道]가 말했다. "오늘날 감사(監司)[178]는 대부분 주현(州縣)과 하나 되지 못하였다. 감사는 주현을 규찰하고, 주현은 허물을 가리려고만 한다. 이는 성의를 다해 서로 함께 다스리는 것만 같지 못하다. 미치지 못하는 바가 있다면 가르칠 것은 가르치고 감독할 것은 감독해야 한다. 그럼에도 불구하고 듣지 않는 자가 있다면 그 중 심한 자 1, 2명을 처벌해서 여러 사람들에게 경고로 삼아야 할 것이다."(『근사록』[179])

---

174) 『소학』 외편 「가언」 '광명륜'.

175) 『회암집』 별집(別集) 권5, 「서」 '답방경도(答方耕道)'.

176) 공숙문자(公叔文子) : 춘추시대 위나라 대부 공문자(公文子).

177) 『논어』 「헌문(憲文)」.

178) 감사(監司) : 주군(州郡)을 돌아다니며 감독하던 관리. 감찰사(監察使).

179) 『근사록』 권10, 「정사」.

○ 주자가 말했다. "소장과 첩보[狀牒]가 많을 때에는 소속 관원들을 한 곳에 모아 놓고 (함께 소장과 첩보를) 헤아리고 판별하면 업무가 막히거나 정체되는 일이 없을 것이다. 이는 비단 관장이 정사를 줄이는 방법일 뿐만 아니라 관속 역시 각자 업무의 효과를 얻을 수 있다. 부위(簿尉)[180] 등 처음 관리에 임용된 자들에게 옥사를 판결하고 송사 듣기를 익숙히 한다면 이 또한 가르쳐 깨우치는 것이다."[181](『오자근사록』)

○ 제갈량(諸葛亮)[182]이 승상(丞相)[183]에 부임하였다. 여러 신하들에게 말했다. "참서(參署)[184]는 여러 사람의 생각을 모아 진심을 다해 세상의 이익[忠益]을 넓히는 것이다. 작은 혐의를 두려워하여 서로 논란하고 토론하는 것을 꺼린다면 손실이 클 것이다. 자세히 토론하여 밝히면서 중(中)을 얻는 것은 마치 다리 위에서 다 떨어진 신발을 버리고 주옥(珠玉)을 얻는 것과 같다. 그러나 사람의 마음은 그것을 어려워하여 다하지 못하는 바가 있다. 서원직(徐元直)[185]만이 이같은 상황에서도 의혹되지 않았다. 또한 동유재(董幼宰)[186]는 7년간 참서를 지내면서 일이 완벽하지 않으면 10번이고 다시 돌아와서 보고하였다. 서원직의 의혹됨이 없는 것과 동유재의

---

180) 부위(簿尉) : 전부(典簿)와 현위(縣尉). 지현(知縣)의 아래에 속하는 관리.

181) 『주자어류』 권106, 「주자」3, '장주(漳州)'.

182) 제갈량(諸葛亮) : 삼국시대 촉(蜀)나라 정치가. 자 공명(孔明), 시호 충무(忠武). 유비(劉備)를 도와 촉나라를 세우고 승상(丞相)이 됨.

183) 승상(丞相) : 진·한나라 때 설치되었던 최고 관직. 좌승상과 우승상이 있었으며, 각각 1인을 둠.

184) 참서(參署) : 삼국시대 촉나라 관직명.

185) 서원직(徐元直) : 서서(徐庶). 자 원직. 제갈량을 유비에게 천거한 뒤 부득이 조조 편에 섬.

186) 동유재(董幼宰) : 동화(董和). 자 유재. 제갈량과 함께 정사를 맡아 다스림. 대사마(大司馬) 등 역임.

꾸준함을 본받아 나라에 충성한다면 내 허물이 적어질 것이다."

또 말했다. "지난날 처음 최주평(崔州平)[187]과 교유하면서 자주 득실을 들었으며, 뒷날 서원직과 교유하면서도 그의 견해를 듣고 깨달은 바가 있었다. 앞서 참사(參事) 때 동유재가 매번 다 말하고, 뒤에 종사(從事) 때도 위도(偉度)[188]가 자주 간언하였다. 비록 내 자질과 성품이 비루하고 우매해서 모든 견해를 받아들이지 못하지만 이 네 사람과는 시종 잘 맞았으며 또한 바른 말을 하는 것에 대해서 의심하지 않았다."(『계한서(季漢書)』[189])

○ 『동몽훈』에서 말했다. "동료 사이의 계(契)와 신·구임이 교대하는 직분에는 형제간의 의리가 있다. 그 자손에 이르러서도 또한 대대로 이를 강론해야 한다. 선배들은 전적으로 이에 힘썼는데, 오늘날 이를 아는 자가 적다. 또 선배들은 옛날에 자기를 추천해준 자와 전임 안찰관(按察官)[190]에게는 훗날 자신의 관직이 비록 이들 보다 상위에 있더라도 같은 자리에 앉을 때에는 모두 겸양하고 피하여 아랫자리에 앉았다. 풍속이 이와 같으면 어찌 두텁지 않겠는가?"(『소학』[191])

○ 범문정공이 형의 자식들에게 편지를 보냈다. "너희들이 벼슬에 나아가면 매사에 조심하여 속는 일이 없으며, 동료 관원들과 화목하고, 서로 예로 대해야 할 것이다. 문제가 생기면 동료 관원들과 함께 상의하되 관속배와 함께 헤아려 생각해서는 안 된다. (또한) 멋대로 고향 친족이

---

187) 최주평(崔州平) : 남양(南陽)에 숨어살면서 제갈량·석광원(石廣元)·맹공위(孟公威)·서서(徐庶) 등과 교분을 나눔.

188) 위도(偉度) : 촉나라 장군 호제(胡濟). 자 위도.

189) 계한서(季漢書) : 명나라 사폐(謝陛)의 저술. 『자치통감강목(資治通鑑綱目)』의례(義例)를 따라 촉나라를 본기(本紀)로, 위(魏)·오(吳)나라를 세가(世家)로 개찬(改撰)함.

190) 안찰관(按察官) : 지방을 순회하며 각 고을의 치적과 송사를 검찰하던 벼슬.

191) 『소학』 외편 「가언」 '광명륜'.

(내가 다스리는) 부(部)¹⁹²⁾에 내려와 장사해서도 안 될 것이다. 우리 집안은 또한 한결같이 청렴한 마음으로 관직에 나아가 사사로운 이득을 도모하지 않았다. 너희들이 내가 어떻게 살아왔는지 보았다면 다시는 사사로움을 도모해서는 안 될 것이다. 우리 집안은 좋은 가문이니 각자 훌륭한 일을 해서 조상을 빛내야 한다."

주자가 발문(跋文)을 썼다. "오늘날 벼슬하는 자가 이 설을 받아들여 제대로 지킨다면 자신의 몸을 잘 검속할 수 있으며, 다른 사람에게도 미칠 수 있을 것이다. 그 논한 바 동료관원과 친하게 지내며 자신을 가릴 수 있는 싹을 잘라내고, 금지하고 방지함을 밝혀서 간사함이 점점 커지는 것을 막고, 이것을 끌어다가 펼치면 관직을 제수 받은 자만 알아두어야 할 바에만 그치지 않을 것이다."(『주자대전』¹⁹³⁾)

○ 공자가 말하였다. "여자와 소인(小人)은 기르기 어려우니, 가까이 하면 불손하고 멀리 하면 원망한다."(『논어』¹⁹⁴⁾)

○ 정자[伊川]가 말했다. "소인을 막는 방도는 먼저 자기를 올바르게 하는 것이다."(『근사록』¹⁹⁵⁾)

○ 『동몽훈』에서 말했다. "관장은 이단의 부류와는 접촉해서는 안 된다. 귀신을 섬기는 사람과 비구니, 중매쟁이[媼]의 부류는 끊어버려야 할 것이다. 무엇보다 마음을 맑게 하고 번거로움을 제거하는 것으로써 근본을 삼아야 할 것이다."(『소학』¹⁹⁶⁾)

---

192) 부(部) : 주(州)·군(郡)·현(縣)의 통칭.
193) 『회암집』 권81, 「발(跋)」 '범문정공가서(范文正公家書)'.
194) 『논어』 「양화(陽貨)」.
195) 『근사록』 권10, 「정사」26.
196) 『소학』 외편 「가언」 '광명륜'.

○『독서록』에서 말했다. "공장(工匠)과 광대[藝人]197)들은 그 때에 맞게 활용해야 한다. 집에 오랫동안 머물게 하여 격의 없이 친해져서는 절대 안 된다. 이들은 듣는 것을 변화시키고 옳고 그름을 농락하게 한다. 선비[儒士]들은 예로써 대접해야 한다. 혹 문장과 글씨를 빌려서 그것을 매개로 해서 접근할 때, 한번이라도 그들과 친하게 지내면 술수에 빠지게 된다. 이런 부류들을 잘 살펴서 멀리 끊어버릴 수 있다면, 또한 마음을 맑게 하고 일을 줄이는 데 도움이 될 것이다."198)

○ 설경헌이 말했다. "혼자 있을 때나 다른 사람을 대접할 때, 윗사람을 섬기고 아랫사람을 부릴 때 경(敬)을 위주로 해야 한다."

또 말했다. "사람을 대할 때는 마치 넓은 들에서 거침없이 걷는 듯 크게 덕으로 포용해야 한다. 그렇게 하지 않으면 좁아져서 스스로 남을 포용하지 못할 것이다."

또 말했다. "악을 미워하는 마음이 없을 수 없지만 너그러운 마음으로 제거할지의 여부를 생각하고, 때를 고려하여 헤아려 처리해야 할 것이다. 이렇게 한다면 급하고 포악하게 되어 중도를 지나쳐 마땅함을 잃어버려서 후회하는 폐단은 없을 것이다."

또 말했다. "한 글자도 경솔하게 다른 사람에게 승낙해주어서는 안 된다. 한 마디라도 경솔하게 다른 사람에게 허락해서도 안 되며, 경솔하게 다른 사람에게 웃음을 보여도 안 된다."

또 말했다. "다른 사람이 속인다는 사실을 알아도 드러내어 말하지 않는 것은 의미하는 바가 크다."

또 말했다. "아첨하는 말로 사람들을 기쁘게 해서는 안 된다."

---

197) 예인(藝人) : 사람들에게 기예 보여주는 사람.
198)『독서록』권2.

또 말했다. "어떤 의도를 갖고 사람을 기쁘게 하면 그 본심을 잃을 것이다."

또 말했다. "사람들과 함께 말할 때 그 일의 가부를 생각해야 하고 경솔히 허락해서는 안 된다. 유자(有子)199)가 '약속이 의리에 가깝게 하면 그 약속한 말을 실천할 수 있다'200)고 하였다."

또 말했다. "주변 사람들의 말을 경솔하게 믿어서는 안 된다. 그 실상을 살펴야 한다."

또 말했다. "친애하는 사람들의 말은 치우쳐 들어서는 안 된다."

또 말했다. "마음을 정성스럽게 하고 낯빛을 따뜻하게 하며, 기운을 온화하게 하고 말을 상냥하게 하면 사람을 감동시킬 수 있다."

또 말했다. "관리는 몽매한 민들을 대할 때라도 경(敬)으로써 임하며 홀대해서는 안 된다."(『독서록』)

○ 범진(范鎭)201)의 자제가 관직에 나아갈 때 (아버지에게) 편지를 보내 지위가 높은 조정 대신을 만나 볼 것을 요청하였다. 범진은 허락하지 않고 말했다. "벼슬자리에 나아갈 때 여러 곳에 부탁해서는 안 된다. 다른 사람에게서 받은 은혜가 많으면 조정에 들어가서 일하기만 어려울 뿐이다."202)

199) 유자(有子) : 공자 제자. 자 자유(子有).

200) 『논어』「학이」.

201) 범진(范鎭) : 송나라 관리. 자 경인(景仁). 범조우(范祖禹)의 종조부(從祖父). 한림학사(翰林學士)·판태상시(判太常寺) 등 역임. 저서로는 『정언(正言)』·『국조운대(國朝韻對)』·『범촉공집(范蜀公集)』 등이 있음.

202) 『송패류초(宋稗類鈔)』 권11, 「재간(才幹)」19.

5. 아랫사람을 제어함[御下章]

○ 『서경』에서 말했다. "간략함으로써 아랫사람에게 대하고 너그러움으로써 무리들을 제어해야 한다."203) 또한 "흉악함에 분해하거나 미워하지 말며, 한 사람에게 완비하기를 구하지 말라. 반드시 참은 뒤에 이룸이 있으며, 포용함이 있어야 덕이 커질 것이다."204)

○ 공자가 말하였다. "윗자리에 있으면서 너그럽지 않으면, 내가 무엇으로 그를 관찰하겠는가?" 주자가 말했다. "윗자리에 있을 때 사랑을 위주로 해야 하기 때문에 너그러움을 근본으로 삼는다." 또 말했다. "정치와 교화[政敎]를 너그럽게 한다는 것은 법도를 행할 때 너그럽게 하는 것이다. 이는 피폐해지고 해이해짐을 말하는 것이 아니다."205)(『논어』)

○ 공자가 말하였다. "너그러우면 여러 사람들을 얻게 되고, 믿음이 있으면 남들이 의지하게 된다."206)(『논어』)

○ 유안례(劉安禮)207)가 정자에게 이서를 제어하는 방법을 묻자 대답했다. "자신을 바르게 하고서 남을 바로 잡는 것이다."208)

○ 정자가 말했다. "장천기(張天祺)209)가 사죽(司竹)210)에 있을 때 항상 졸장(卒長) 1명을 좋아하여 일을 시켰다. 교대시키려 할 때 그 자가 죽순껍

203) 『서경』 「우서(虞書)」 '대우모(大禹謨)'.
204) 『서경』 「주서」 '군진'.
205) 『논어』 「팔일(八佾)」.
206) 『논어』 「양화」.
207) 유안례(劉安禮) : 송나라 학자. 자 원소(元素). 형 유안절(劉安節)과 함께 정명도(程明道)의 문하에서 배움.
208) 『근사록』 권10, 「정사」.
209) 장천기(張天祺) : 송나라 학자 장전(張戩). 자 천기.
210) 사죽(司竹) : 대나무를 심고 키우는 일을 맡은 관직.

질[筍皮]을 훔친 사실을 알고 처벌하였다. 풀려나자 그 자를 이전처럼 아무 거리낌 없이 대접하였으니 그의 너그러운 마음씨가 이와 같았다." (『근사록』211))

○ 충간공(忠簡公) 조정(趙鼎)212)이 말했다. "이서배를 단속하지 않으면 좋은 정치를 펼치려 해도 그렇게 할 수 없다. 해로움을 제거한 뒤에야 이익을 도모할 수 있다."(『자경편』213))

○ 주자가 말했다. "수령직을 수행하면서 이서배들이 공사(公事)를 지체시키며 민들에게 부당하게 요구한다면 그 폐해가 매우 클 것이다. 따라서 공사를 처리해야할 기한을 엄하게 정하여 지키도록 하면 자연히 부당한 요구를 하지 못할 것이다."

또 말했다. "관장이 되어 본인은 항상 한가해야하고, 이서배들은 항상 바빠야 일이 된다. 관장이 문서 속에 파묻혀 단서를 장악하지 못하면 이서배들이 끼어들어 폐단을 만들 것이다."214)(『오자근사록』)

○ 설경헌이 말했다. "이윤(伊尹)215)이 '아랫사람을 대접할 때 공경스러움을 생각해야 한다'216)고 했다. 어찌 인군(人君)만 그렇겠는가? 관장이나 군자도 민을 다스릴 때 공경을 다해야 한다. 조금이라도 오만하거나 소홀히 여기는 마음을 가져서는 안 된다."

---

211) 『근사록』 권10, 「정사」.
212) 조정(趙鼎) : 송나라 관리. 자 원진(元鎭), 호 득전거사(得全居士), 시호 충간(忠簡). 송나라가 남쪽으로 옮겨간 이후 부흥에 힘썼다. 상서우복야(尙書右僕射)·동중서문하평장사(同中書門下平章事) 등 역임.
213) 『자경편』 권8, 「정사류」 '정사'.
214) 『주자어류』 권106, 「주자」3 '장주'.
215) 이윤(伊尹) : 은나라 탕왕을 도와 하나라 걸왕(桀王)을 멸망시키고 선정을 베풂.
216) 『서경』 「상서(尙書)」 '태갑(太甲)'.

또 말했다. "마음속에 조금이라도 편향된 생각이 있어서는 안 된다. 그러한 생각이 있다면 민은 이를 살펴 알 것이다. 내가 민첩한 주졸(走卒) 1명을 알고 있었다. 그 자를 자주 부리자 다른 하인들이 그 자를 두려워하였다. 그래서 내가 쫓아냈다. 이는 비록 작은 일이지만 관장은 올바르고 명백해서 조금이라도 편벽된 마음이 없어야 한다는 사실을 의미한다."

또 말했다. "관장을 주위에서 모시는 자들에 대해서는 엄격히 하면서도 은혜로워야 한다."

또 말했다. "아랫사람을 대할 때 화기애애하면서도 엄숙해야 한다. 그래야 아랫사람들이 스스로 애정을 느끼면서도 두려워할 것이다."

또 말했다. "이졸(吏卒)의 무리들과는 공사(公事) 이외에는 한 마디 말도 함께 나누어서는 안 된다."

또 말했다. "아랫사람과 말을 나눌 땐 간단명료해야 하니 한 마디라도 쓸데없이 길게 해서는 안 된다."(『독서록』)

○ 진미공(陳眉公)이 말했다. " '포용력이 있어야 덕이 커지며, 인내해야만 일을 이룰 수 있다'²¹⁷⁾고 했다. 조금이라도 어기면 갑작스럽게 화를 내어 노하며, 한 가지 일이라도 잘못되면 분연히 화를 내게 된다. 이것은 함양의 노력이 없어서 그렇게 되는 것이기에, 복이 없는 사람이 되고 말 것이다. 때문에 '사람에게 속았다는 사실을 알아도 드러내 말하지 않는다'는 말은 무한한 여운이 담겨있다."

6. 사람됨을 알아보기[知人章]

○ 공자가 말하였다. "행동을 보며 그 이유를 살피고, 그 편안하게 여김을

---

217) 『서경』 「주서」 '군진'.

살펴본다면 사람들이 어떻게 자신을 숨길 수 있겠는가? 사람들이 어떻게 자신을 숨길 수 있겠는가?"(『논어』218)) 아래도 같음.

○ 공자가 말하였다. "여러 사람이 그를 미워하더라도 반드시 살펴보며, 여러 사람이 그를 좋아하더라도 반드시 살펴보아야 한다."219)

○ 맹자가 말하였다. "사람이 갖고 있는 것 가운데 눈동자보다 더 좋은 것이 없다. 눈동자는 그 사람의 악함을 가리지 못한다. 가슴속이 바르면 눈동자가 밝고, 가슴속이 바르지 못하면 눈동자가 흐리다. 그의 눈동자를 관찰한다면 사람들이 어떻게 자신을 숨기겠는가?"220)

○ 이극(李克)221)이 말했다. "거처할 때 그 친한 바를 보며, 부유해서는 그 어울리는 바를 보고, 영달(榮達)해서는 그 거동을 본다. 궁색해서는 그 하지 않은 바를 보고, 가난해서는 그 취하지 않는 바를 본다."(『통감(通鑑)』222))

○ 『무후서(武候書)』223)에서 말했다. "사람의 성품보다 살피기 어려운 것은 없다. 아름답고 미움의 차이가 있고, 심정과 용모도 한결같지 않다. 부드럽고 양순한 척하지만 도둑질하는 자도 있고, 겉으로는 공손한 척하지만 속으로는 남을 속이는 자도 있다. 겉으로는 용감한 척하지만 속으로는 겁이 많은 자도 있고, 있는 힘을 다하지 않으며 충성하지 않는 사람도 있다. 그러므로 사람을 알아보는 7가지 방법이 있다. 첫째, 옳고 그름을

---

218) 『논어』「위정」.

219) 『논어』「위령공(魏靈公)」.

220) 『맹자』「이루」상.

221) 이극(李克) : 위나라 학자. 이극 혹은 이회(李悝). 변법을 통해 부국강병을 이룸.

222) 『자치통감(資治通鑑)』권1, 「주기(周紀)」1. 송나라 사마광(司馬光)의 저술. 주나라 위열왕(威烈王)으로부터 후주(後周) 세종에 이르기까지의 역사를 편년체(編年體)로 기술.

223) 무후서(武候書) : 제갈무후서(諸葛武侯書). 제갈량의 저술.

물어서 그 뜻을 살펴본다. 둘째, 끝까지 말로 따지면서 하는 말을 살펴본다. 셋째, 계책을 물어서 그 식견을 살펴본다. 넷째, 재앙과 근심, 재난이 있음을 말해주고 그 용맹함을 살펴본다. 다섯째, 술을 먹여서 취하게 한 뒤에 그 성품을 살펴본다. 여섯째, 이익이 생기는 일을 맡겨서 그 청렴함을 살펴본다. 일곱째, 일의 기한을 두어 약속을 지키는지를 살펴본다."

○ 공자가 말하였다. "말을 알지 못하면 사람을 알 수 없다."224)(『논어』) 아래도 같음.

○ 공자가 말하였다. "그 말을 듣고 다시 그 행실을 살펴보게 되었다."225)

○ 공자가 말하였다. "다른 사람이 나를 속일까 미리 짐작하지 않고, 다른 사람이 나를 믿지 않을까 억측하지 않는다. 그러나 또한 먼저 깨닫는 자가 어진 것이다."226)

○ 「계사(繫辭)」227)에서 말했다. "장차 배신할 자는 그 말이 부끄러우며, 중심이 의심스러운 자는 말이 산만하다. 길(吉)한 자의 말은 적고, 조급한 자의 말은 많다. 선(善)을 모함하는 자는 말이 오락가락 하고, 지킴을 잃은 자는 말이 옹색하다."228)

○ 맹자가 말하였다. "편벽된 말에 그 가려진 바를 알며, 음란한 말에 빠져 있는 바를 알고, 사특한 말에 벗어난 바를 알며, 도피하는 말에 논리가 궁색함을 알 수 있다."229)

---

224) 『논어』 「요왈」.

225) 『논어』 「공야장」.

226) 『논어』 「헌문」.

227) 계사전(繫辭傳) : 『역경(易經)』 십익(十翼)의 하나. 문왕(文王)의 계사(繫辭)를 상세히 풀어 놓은 주석(註釋).

228) 『주역(周易)』 「계사(繫辭)」하.

229) 『맹자』 「공손추」상.

○ 애공(哀公)[230]이 물었다. "어떻게 하면 민을 복종시킬 수 있습니까?" 공자가 대답하였다. "정직한 자를 등용하고, 모든 굽은 자를 내버려두면 민은 복종하며, 굽은 자를 등용하고, 정직한 자를 내버려두면 민들은 복종하지 않습니다."[231]

○ 자유(子游)[232]가 무성(武城)[233]의 읍재(邑宰)가 되었다. 공자가 물었다. "너는 인재를 얻었느냐?" 자유가 대답했다. "담대멸명(澹臺滅明)이라는 자가 있는데, 길을 다닐 때 지름길로 가지 않으며 공적인 일이 아니면 저의 집에 이른 적이 없습니다."

주자가 말했다. "지름길로 다니지 않는다는 것은 그가 행동을 바르게 하여 작은 것을 탐하고 빨리 하려는 뜻이 없음을 알 수 있다. 공사가 아니면 읍재를 만나보지 않았다는 사실은 스스로를 지킴에 있어 자기를 굽혀 다른 사람을 따르려는 사사로움이 없음을 볼 수 있다."[234]

○ 중궁이 계씨(季氏)의 가신이 되어 정사에 대해 물었다. 공자가 대답하였다. "먼저 담당 관리[有司]를 시키되 작은 허물은 용서해주며, 어진 자와 유능한 자를 등용해야 한다."

주자가 말했다. "읍재는 여러 직책을 겸한다. 모든 일을 먼저 저들[有司]에게 시킨 뒤 그 공적을 살핀다면, 자신은 수고롭지 않으면서도 일은 잘 거행될 것이다. 허물은 실수로 잘못한 것이다. 큰 잘못은 일에 혹 해가 되니 징계하지 않을 수 없지만 작은 허물은 용서해주면 형벌이 남용되지

---

230) 애공(哀公) : 노나라 제25대 왕. 삼환(三桓)이라 불리는 공족(公族) 삼가(三家)에 의하여 추방당함.

231) 『논어』 「위정」.

232) 자유(子游) : 공자 10대 제자. 본명 언언(言偃), 자 자유.

233) 무성(武城) : 산동성(山東省) 비현(費縣) 서남쪽 소재.

234) 『논어』 「옹야」.

않아 민심이 기뻐할 것이다. 현(賢)은 덕이 있는 자이다. 재(才)는 재능이 있는 자이다. 이들을 등용하면 담당관리가 적임자를 얻어 정사가 더욱 닦아지게 될 것이다."235)

○ 『가어(家語)』236)에서 말했다. "도를 숭상하고 덕을 귀하게 여기면 성인이 저절로 나올 것이다. 능력 있는 자를 임명하고 그렇지 못한 자를 쫓아내면 관부는 잘 다스려질 것이다."237)

○ 황면재(黃勉齋)238)가 이관지(李貫之)239)에게 편지를 보냈다. "부(部) 안에서 정세를 잘 파악하고 재빠르며 공정하고 부지런한 관속 몇 사람을 선택하여 주요한 업무를 맡기면 한 군(郡)을 다스리는데 걱정이 없다."240)

또 말했다. "보정(保正)241)과 호장(戶長) 직책이 민에게 해됨을 탄식한다. 보정은 본래 화재와 도적을 관리하는 것이 법의 대강(大綱)이다. 규정이 이와 같은데도 보정을 협박하는 일이 발생하면, 보정에게 책임을 강요하는 것이 어찌 옳겠는가? 순위(巡尉)가 그 책임을 맡아 보정을 편안하게 해주면 보정도 어렵지 않게 해낼 수 있을 것이다. 호장은 차출하지 않아도 된다. 각 호의 조세와 부역은 명령에 따라 관에 직접 바치므로, 관에서 기한을

---

235) 『논어』 「자로」.

236) 가어(家語) : 공자의 언행과 문인과의 문답·논의를 적은 책. 본래 27권이었으나, 위나라 왕숙(王肅)이 주(註)를 붙여, 10권 44편으로 만들었다. 왕숙의 위작(僞作)이라고도 함.

237) 『가어』 권3, 「관주(觀周)」 11.

238) 황면재(黃勉齋) : 송나라 학자 황간(黃幹). 호 면재. 주자의 사위이자 문인. 『의례경전통해속(儀禮經傳通解續)』을 편찬함.

239) 이관지(李貫之) : 이도전(李道傳). 최초의 주자 어록 편찬자.

240) 『면재집(勉齋集)』 권13, 「서(書)」 '여이관지병부서 도전(與李貫之兵部書道傳)'.

241) 보정(保正) : 보갑법(保甲法)의 향보(鄕保) 책임자. 10갑(甲)을 보(保)로 묶어 그 정(正)을 세우며 이를 보정(保正)이라고 하였다. 보정은 징세·치안·권농·교화 등의 임무를 맡음.

정하고 세금을 내지 않는 자는 추적하여 다스린다면 사람들이 자진해서 실어올 것이다. 또 하필이면 이런 일들을 호장에게 맡기는가? 보정과 호장 등을 동원하는 일은 분란과 동요만 일으킬 뿐이다."(『본집(本集)』[242])

○ 황면재가 양통로(楊通老)[243]에게 편지를 보냈다. "오늘날 감사(監司) 가 되는 것은 이전에 주현(州縣)을 다스리는 것과 다르다. 비록 뜻은 쇠퇴하지 않았지만 혈기는 왕성하고 쇠퇴함이 있다. 감사의 보고 듣는 총명함이 일이 시행되는 사이에 한번이라도 미치지 못하여 조금이라도 착오가 발생하면 큰 영향을 받는다. 사람들도 내 쪽의 틈을 엿볼 것이다. 지금 부하 가운데[幕中]에 두 이씨(李氏)가 있다. 이들은 하늘이 보낸 심복으로서 당신의 보고 듣는 것을 도와줄 자들이다."[244]

또 말했다. "원컨대 마음을 비우고 성의로써 대접하라. 시행할 일이 있을 때 자문하여 헤아린 뒤에 행한다. 저들이 들은 바가 있으니 마음을 다하면 알려줄 것이다. 내가 생각하였다. 감사는 자세히 살핌[按察]을 주 임무로 삼아야 한다. 그리고 무엇보다 이서들에 대해 유의해야 한다. 전에 장조(章漕)를 만난 적이 있는데 책상에 다른 책은 없고 관원들의 이름과 직함(職衔)이 적힌 책이 놓여 있었다. 그는 그것을 가지고 서로 물어서 아는 사람의 좋고 나쁨과 우열(優劣)을 듣고 기록해 두었다. 나 뿐만 아니라 매번 친분이 있는 사람을 만나면 자주 질문하였다. 주현(州縣)에서 탐욕스러운 이서 1명을 제거하면 1주(州)나 1현(縣)이 그 혜택을 받는다. 1주나 1현에서 1명의 청렴하고 근면한 이서를 얻으면 1주나 1현의 일을 맡겨도 처결할 수 있다. 이와 같이 하면 나는 단정하게 앉아서 기강만 잡고 있어도

---

242) 『면재집』 권16, 「서」 '답임계형서(答林季亨書)'.

243) 양통로(楊通老) : 양집(楊揖). 첨사(僉事) 등 역임.

244) 『면재집』 권6, 「서(書)」 '복강서조양통로 읍(復江西漕楊通老揖)'.

1도(道)는 엄숙해질 것이다. 정사를 도모할 수 있을 뿐 아니라 편안히
품성을 기를 수 있다."(『본집』245))

7. 민인을 다스리는 방법[臨民章]

　○ 한나라246) 선제(宣帝)247)가 말했다. "민들이 고향동네[田里]에서 편안
히 살면서 탄식하거나 근심하여 한스러운 마음이 없는 것은 정치가 고르고,
송사가 이치에 합당하기 때문이다. 나와 함께 그렇게 할 수 있는 자는
좋은 태수[二千石]248) 뿐이다."(『한서(漢書)』249))

　○ 태공(太公)250)이 말했다. "정치가 간단하고 쉽지 않으면 민들이 가깝게
다가설 수 없다. 평이해서 민들이 다가설 수 있다면 민들은 돌아올 것이다."
(『사기(史記)』251))

---

245) 『면재집』 권6, 「서」 '복유사문보학(復劉師文寶學) 갑(甲)'.
246) 한(漢) : 진(秦)나라에 이어 유방(劉邦)이 장안(長安)에 세운 국가. 전한(前漢)(B.C.
　　 202~A.D. 8)과 후한(後漢, 25~220), 혹은 동한(東漢)과 서한(西漢)으로 나뉨.
247) 선제(宣帝) : 전한(前漢) 제9대의 황제. 구민(救民)·권농(勸農)의 정책과 지방 행정
　　 기구를 정비하고 흉노를 정벌함.
248) 이천석(二千石) : 한나라 때 태수의 봉록이 2천석이었음.
249) 『전한서(前漢書)』 권89, 「순리전(循吏傳)」59. 후한대 반고(班固)의 저술. 전한의
　　 역사를 정리한 책. 『전한서』 또는 『서한서(西漢書)』라고도 함. 『한서』는 한고조(漢
　　 高祖) 유방부터 왕망(王莽)의 난망까지 전한(前漢)시대만을 다루었다. 제기(帝紀)·연
　　 표(年表)·지(志)·열전(列傳) 등 총 100편으로 구성됨.
250) 태공(太公) : 주나라 정치가. 성명 강상(姜尙). 강태공(姜太公). 무왕을 도와 은나라
　　 를 멸하고 천하를 평정함.
251) 『사기(史記)』 권33, 「노주공세가(魯周公世家)」3. 한나라 사마천(司馬遷)의 저술.
　　 황제(黃帝)로부터 무제(武帝)까지의 역대 왕조의 사적을 기전체(紀傳體)로 적은
　　 역사책. 제왕의 연대기인 '본기(本紀)', 제후왕을 중심으로 한 '세가(世家)', 역대
　　 제도 문물의 연혁에 관한 '서(書)', 연표인 '표(表)', 뛰어난 개인의 활동을 다룬
　　 전기 '열전(列傳)' 총 130편으로 구성.

○ 주자가 말했다. "까다롭지 않게 쉽게 해서 민들이 다가오도록 하는 것이 다스림의 근본이라 할 수 있다."252)(『오자근사록』)

○ 『대학』에서 말했다. "민이 좋아하는 바를 좋아하며, 민이 싫어하는 바를 싫어함을 일러 민의 부모라 한다."

또한 말했다. "남의 미워하는 바를 좋아하며, 남의 좋아하는 바를 미워함을 일러 사람의 성품을 어긴다고 하는 것이다. 이러한 자는 재앙이 그 몸에 미칠 것이다."253)

○ 『관자(管子)』254)에서 말했다. "정치를 잘 하려면 민심에 따라야 한다. 민심을 거스르면 정치가 없어지고 만다. 민이 힘들어하면 내가 편안하고 즐겁게 해주고, 민이 빈천해지면 내가 부귀하게 만들어준다. 민이 위험에 빠지면 내가 보살펴 편안케 해주고, 민들이 후사를 잇지 못할까 걱정하면 내가 후사를 낳게 해주고 길러준다."255)

○ 『가어』에서 말했다. "민정(民情)에 통달한 뒤에야 민들이 명령을 따른다."

○ 유안례(劉安禮)256)가 민을 다스리는 방법에 대해 묻자 명도(明道)선생이 대답했다. "민들로 하여금 각각 자신의 뜻을 다할 수 있게 해야 한다."257)

○ 구양공(歐陽公)258)이 말했다. "사람을 다스리는 것은 관리가 재능이

252) 『주자어류』 권108, 「논치도(論治道)」 '논치도'.

253) 『대학』 전문 10장 '석치국평천하'.

254) 관자(管子) : 춘추시대 제나라 재상 관중(管仲)의 저술. 경언(經言), 외언(外言), 내언(內言), 단어(短語), 구언(區言), 잡편(雜篇), 관자해(管子解), 경중(輕重) 등으로 구성.

255) 『관자』 「목민(牧民)」.

256) 유안례(劉安禮) : 송나라 관리. 자 원소(元素).

257) 『소학』 외편 「가언」 '광명륜'.

258) 구양공(歐陽公, 1007~1072) : 송나라 학자 구양수(歐陽脩). 자 영숙(永叔), 호 취옹

있는지 없는지, 일을 잘 처리하는지를 묻지 않고, 다만 민들이 편하다고 일컬으면 좋은 관리이다."(『자경편』259))

○ 『맹자』에서 말했다.260) "늙어서 아내가 없는 자를 홀아비라 하고, 늙어서 남편이 없는 자를 과부라 한다. 늙어서 자식이 없는 자를 독(獨)이라 하고, 어려서 부모가 없는 자를 고아라고 한다. 이 4부류의 사람들은 천하의 곤궁한 민으로서 하소연할 곳이 없는 자들이다. 문왕(文王)261)은 정사를 펴고 인을 베풀되 이 4부류의 사람들을 먼저 하였다. 『시경』에 이르기를 '부자들은 괜찮으나 이 곤궁한 이가 가엾다'262)고 하였다."

○ 주자가 말했다. "천하의 꼽추병자, 손과 발이 잘린 자, 형제가 없는 자, 늙어서 자식이 없는 자, 늙어서 아내가 없는 홀아비, 늙어서 남편이 없는 과부는 모두 나의 형제들로 근심과 재난을 겪으면서도 하소연할 데 없는 불쌍한 사람들이다. 군자가 정치를 행할 때는 이들의 문제를 먼저 주장하는 것으로 요체를 삼는다."(『오자근사록』)

○ 「강고(康誥)」에서 말했다. "적자(赤子)를 보호하듯이 한다."263) 마음속으로 진실하게 구하면 비록 딱 맞지는 않지만 멀지 않을 것이다. 자식 기르는 것을 배운 뒤에 시집가는 자는 없다.(『대학』264))

○ 정자가 말했다. "어린 아기는 알지 못하며 말도 못하고, 즐겨하고

(醉翁), 시호 문충(文忠). 한림원학사(翰林院學士)·참지정사(參知政事)·태자소사 (太子少師) 등 역임. 당송팔대가(唐宋八大家). 송대 고문(古文)의 위상을 높임.

259) 『자경편』 권8, 「정사(政事)」.

260) 『맹자』 「양혜왕(梁惠王)」 하.

261) 문왕(文王) : 주나라를 건국한 임금. 무왕의 아버지. 태공망(太公望)을 모사(謀師)로 삼아, 국정을 바로잡고 융적(戎狄)을 토벌하여 태평성대를 이룸.

262) 『시경』 「소아(小雅)」 '절남산(節南山)'.

263) 『서경』 「주서」 '강고(康誥)'.

264) 『대학』 전문(傳文) 9장 '석제가치국(釋齊家治國)'.

좋아하는 것을 구하지 못하는데 어머니가 아는 것은 무슨 이유인가? 사랑함
이 지극하고 근실함이 성(誠)에서 나오기 때문이다. 마치 부모가 갓난아기
를 돌보듯 민들을 대하면 어떻게 정치가 잘못되겠는가?"265)(『이정전서(二
程全書)』266)) 아래도 같음.

○ 명도(明道)선생이 말했다. "처음 관등을 받아 관리가 된 자[一命之
士]267)가 사물을 사랑하고 아끼는 마음을 가지면, 사람도 구제할 수 있을
것이다."(『근사록』268))

○ 정자가 말했다. "민을 기르는 것은 민의 재력[民力]을 아끼는 것을
근본으로 삼는다. 민력이 넉넉해지면 자식을 낳아 기르는 생활이 넉넉해질
것이다. 그런 뒤에 교화가 시행될 수 있고 풍속이 아름다워질 수 있다.
이 때문에 정치를 잘하는 사람은 민력을 중요하게 생각한다."

○ 장충정공(張忠定公)269)이 민간의 일을 물으며 실마리를 찾을 때 보고
듣는 일을 다른 사람에게 맡기지 않았다. 그가 말했다. "저들의 좋아하고
싫어함이 나의 총명을 어지럽힐 수 있다. 다만 각각의 무리[黨]에서 묻고
또 물으면 일을 살피지 못할 것이 없다. 군자에게 물으면 군자를 얻는
것이며, 소인에게 물으면 소인을 얻는 것이다. 각각 그 무리에 나아가
자문하면, 비록 사안이 은폐되는 내용이 있다고 할지라도 10에 8, 9는

---

265) 『이정수언(二程粹言)』하.

266) 이정전서(二程全書) : 송나라 정호(程顥)·정이(程頤) 형제의 문집·어록·저술을 모
    아 정리한 책. 주자가 집록·선별·편차 작업을 해두었던 것을 명나라 학자 서필달
    (徐必達)이 교정하여 간행함.

267) 일명지사(一命之士) : 처음으로 관등을 받고 되는 관원. 보통 9품관을 가리킴.

268) 『근사록』 권10, 「정사」.

269) 장충정공(張忠定公) : 송나라 관리 장영(張詠). 자 복지(復之), 호 괴애(乖崖), 시호
    충정(忠定). 추밀직학사(樞密直學士)·공부시랑(工部侍郎)·이부상서(吏部尙書)·예
    부상서(禮部尙書) 등 역임.

알 수 있다."고 하였다.(『자경편』270))

○ 설경헌이 말했다. "정치는 민의 사정[下情]에 통하는 것이 급선무이다."

또 말했다. "민을 사랑하되 민이 친히 여기지 않는 것은 사랑이 지극하지 않기 때문이다."

또 말했다. "성왕(成王)271)이 사일(史佚)272)에게 물었다. '어떻게 덕을 베풀어야 민이 임금을 친히 하는가?' 사일이 대답했다. '때에 맞게 일을 시키면서 민의 뜻에 공경스럽게 따르고 진심으로 사랑하며, 명령을 선포하는 것이 믿음직하여 약속을 지키며, 깊은 물을 건너듯 얇은 얼음 위를 걷듯이 조심해야 합니다'273) 이 말이야말로 명언이다."(『독서록』274))

○ 이천 선생이 말했다. "말과 행동이 의(義)에 합당하면 민심이 따를 것이다."

○ 장자운(張子韻)275)이 관청의 벽에 다음과 같이 써두었다. "만일 내 몸이 하루라도 한가로우면, 민들은 끝없는 고통에 빠질 것이다."

8. 풍속을 바로잡음[風俗章]

○『한서』에서 말했다.276) "민들은 오상(五常)277)의 성품을 하늘로부터

---

270)『자경편』권7,「사군(事君)」하.

271) 성왕(成王) : 주나라 제2대 왕. 무왕의 아들로 숙부인 주공과 함께 태평성대를 이룸.

272) 사일(史佚) : 주나라 사관(史官)인 윤씨(尹氏).

273)『자치통감』「외기(外記)」권3.

274)『독서록』권6.

275) 장자운(張子韻) : 송나라 학자 장구성(張九成). 자 자운(子韶). 예부시랑(禮部侍郎) 등 역임.

내려 받아 태어났다. 하지만 강하고 부드럽고 느리고 급하며 음성의 다름은 물과 흙의 풍기(風氣)와 관계되므로 '풍(風)'이라고 이른다. 좋아하고 미워하며, 취하고 버리며, 움직이고 고요함이 항상 됨이 없음은 군주의 정욕(情欲)에 따르므로 '속(俗)'이라고 한다. 공자가 말했다. '풍속을 옮기고 바꾸는 것은 악(樂)보다 더 좋은 것이 없다.' 이 말은 성왕(聖王)이 권좌에 있으면서 인륜을 하나로 묶어 다스릴 때 그 근본을 옮겨서 말단을 다스린다는 것이다. 이는 천하를 화목하게 중화(中和)되어 하나로 만든 뒤에 왕의 교화가 이루어짐을 말하는 것이다."

○ 『서경』에서 말했다.[278] "도(道)는 오르내림이 있으며 정사는 풍속을 따라 변혁하니 선을 선하게 여기지 않으면 민을 권면할 수 없을 것이다."

또한 말했다. "선과 악을 표창하고 구별하여 거주하는 마을에 정표(旌表)를 내리고, 선을 표창하고 악을 병들게 하여 명성[風聲]을 세워주며, 가르치는 법을 따르지 않거든 마을의 경계[井疆]를 달리하여 두려워하고 사모하게 만든다."

○ 공자가 말하였다. "제나라[279]가 한 번 변하면 노나라에 이르고, 노나라가 한 번 변하면 도(道)에 이를 것이다."(『논어』[280])

○ 정자(程子, 程明道)가 말했다. "천하를 다스림에 풍속을 바로잡고 어진 자와 인재를 얻는 것을 근본으로 삼는다."[281] 또 말했다. "낙(洛)[282]지

276) 『전한서』 권28, 「지리지(地理志)」8.
277) 오상(五常) : 인(仁)·의(義)·예(禮)·지(智)·신(信)의 5가지 기본적 덕목.
278) 『서경』「주서」'필명(畢命)'.
279) 제(齊) : 춘추시대 주요 국가. 강태공(姜太公)이 세운 나라.
280) 『논어』「옹야」.
281) 『근사록』 권9, 「치법(治法)」.
282) 낙(洛) : 하남성 서부 낙하(洛河) 소재.

역의 풍속은 진(秦)의 풍속보다 교화시키기 어렵다.”(『이정전서』)

○ 주자가 말했다. “관리 노릇하기 힘든 것은 사방의 풍속, 진정과 거짓[情僞]을 통하기 어렵기 때문이다.”(『근사록』)

○ 정자가 말했다. “형벌을 닦아 민들을 가지런히 만들고, 교화를 밝혀 풍속을 아름답게 한다. 형벌이 확립되면 교화가 행해질 것이며, 교화가 실행되면 형벌도 바르게 실행될 것이다.”

9. 교화에 힘씀[明敎章] 학교(學校)를 부록함

○ 『주례(周禮)』[283)]에서 말했다.[284)] “대사도(大司徒)[285)]는 향(鄕)에서 삼물(三物)로써 만민을 교화하며, 인재를 선발한다. (삼물은 다음과 같다) 첫째, 육덕(六德)으로써 지(知)·인(仁)·성(聖)·의(義)·충(忠)·화(和)이다.【화는 사물에 밝은 것이다. 인은 사람을 사랑하여 사물에 미치는 것이다. 성은 두루 통하여 먼저 아는 것이다. 의는 때에 알맞게 결단하는 것이다. 충은 말이 마음 가운데로부터 나오는 것이다. 화는 지나치게 강하지도 부드럽지도 않은 것을 말한다】 둘째, 육행(六行)으로써 효(孝)·우(友)·목(睦)·인(姻)·임(妊)·휼(恤)이다.【부모님을 잘 섬기는 것이 효이다. 형제들과 잘 지내는 것이 우이다. 구족(九族)[286)]과 화목한 것이 목이다. 외친(外親)과 친하게 지내는 것이 인이다. 교제[交道]를 잘하는 것이

---

283) 주례(周禮) : 삼례(三禮)의 하나. ‘주관(周官)’으로 일컬어지다가 당나라 이후에 ‘주례’라 칭하였다. 주나라 관제(官制)인 천(天)·지(地)·춘(春)·하(夏)·추(秋)·동(冬)의 육관(六官)을 분류·설명.

284) 『주례』「지관사도(地官司徒)」상.

285) 대사도(大司徒) : 주나라 육관(六官)의 하나. 지관(地官)의 수장. 호구·전토(田土)·재화·교육을 관장. 대사마(大司馬)·대사공(大司空)과 함께 삼공(三公)이라 불림.

286) 구족(九族) : 고조(高祖)로부터 증조·조부·부친·자기·아들·손자·증손·현손까지의 직계친(直系親). 방계친(傍系親)으로 고조의 4대손 되는 형제·종형제·재종형제·삼종형제를 포함하는 동종 친족.

임이다. 가난한 자를 돕는 것이 흉이다】 셋째, 육예(六藝)로써 예(禮)·악(樂)·사
(射)·어(御)·서(書)·수(數)이다."【오례(五禮), 육악(六樂), 오사(五射), 오어(五御), 육
서(六書), 구수(九數) 등이다】

○『예기』「왕제(王制)」편에서 말했다. "악정(樂正)[287]은 사술(四術)[288]을
숭상하고 사교(四敎)[289]를 세운다. 그리고 선왕이 남긴 시(詩)·서(書)·예(禮)·
악(樂)에 따라서 사(士)를 양성한다. 봄과 가을에는 예와 악으로써 가르치고,
겨울과 여름에는 시와 서로써 가르친다."

○『예기』「왕제」에서 말했다. "사도(司徒)[290]는 육례(六禮)[291]를 닦아
민의 본성을 조절하고, 칠교(七敎)[292]를 밝혀서 민의 덕을 일으킨다. 팔정(八
政)[293]을 정비하여 지나친 사치를 막고, 도덕을 한결같이 해서 풍속을
똑같게 한다. 노인[耆老]들을 봉양하여 효를 이루고, 고아나 의지할 곳
없는 자를 구휼하여 부족한 사람에게까지 은혜를 베푼다. 재능 있는 자를
높여서 덕망을 숭상하게 하며, 어리석은 자를 가려내어 악을 내쫓게 한다."

○「학기(學記)」[294]에서 말했다. "옛날 교육기관으로 집에는 숙(塾)이,
당(黨)에는 상(庠)이 있었다. 술(術)에는 서(序)가 있었으며, 국(國)에는 학(學)
이 있었다."【술은 주(州)와 같다】

○ 순(舜)임금이 말하였다. "설(契)아! 민이 친하지 않고 오품(五品)이

---

287) 악정(樂正) : 음악을 담당하던 직책.
288) 사술(四術) : 시(詩)·서(書)·예(禮)·악(樂).
289) 사교(四敎) : 문(文)·행(行)·충(忠)·신(信).
290) 사도(司徒) : 호구·전토(田土)·재화·예교(禮敎)·교화 등의 일을 맡음.
291) 육례(六禮) : 관례·혼례·상례·제례·사상견례(士相見禮)·향음주례(鄕飮酒禮).
292) 칠교(七敎) : 군신·부자·부부·형제·붕우·장유(長幼)·빈객(賓客).
293) 팔정(八政) : 의복·음식·기술[事爲]·그릇[異別]·도(度)·양(量)·수(數)·제(制).
294) 학기(學記) :『예기』의 편명.

순하지 않으므로 네가 사도(司徒)가 되어 공경히 5가지 가르침을 너그럽게 펴라."295)

○ 『맹자』에서 말했다.296) "배불리 먹고 따뜻하게 옷을 입고 편안히 거처하기만 하고 가르침이 없다면 짐승에 가까워진다. 성인이 이를 근심하여 설(契)을 사도(司徒)에 임명하여 인륜을 가르치게 했다. 아버지와 자식 사이에는 친함이 있으며, 군주와 신하 사이에는 의리가 있다. 남편과 부인 사이에는 분별이 있으며, 어른과 아이 사이에는 차례가 있고, 친구 간에는 믿음이 있는 것이다."

○ 제나라 경공(景公)297)이 정치에 대해 묻자 공자가 대답하였다. "군주는 군주답고, 신하는 신하다워야 한다. 아버지는 아버지답고, 자식은 자식다워야 한다." 공(公)이 말했다. "좋습니다. 만일 군주가 군주답지 못하고, 신하가 신하답지 못하며, 아버지가 아버지답지 못하고, 자식이 자식답지 못하면 비록 곡식이 있어도 내가 그것을 먹을 수 있겠습니까?"(『논어』298))

○ 계강자가 정치에 대해서 물었다. "만일 무도(無道)한 자를 죽여서 도가 있는 데로 나아가게 하면 어떻습니까?" 공자가 대답하였다. "정치를 한다고 하면서 어찌 사람을 죽이려 하십니까? 당신이 선해져야 민들도 선해지니 군자의 덕은 바람이고, 소인의 덕은 풀입니다. 풀에 바람이 더해지면 풀은 반드시 쓰러집니다."(위와 같음.299))

○ 공자가 말하였다. "위에서 예(禮)를 좋아하면 민인을 부리기 쉽다."(위와 같음.300))

---

295) 『서경』「우서」'순전(舜傳)'.
296) 『맹자』「등문공(滕文公)」상.
297) 제경공(齊景公) : 춘추시대 제나라 군주. 이름 저구(杵臼).
298) 『논어』「안연」.
299) 『논어』「안연」.

○ 『효경(孝經)』에서 말했다. "먼저 널리 사랑하면 민들이 부모를 버리지 않을 것이며, 덕과 의를 베푼다면 민들이 일어나 행할 것이다. 먼저 공경하고 사양하면 민들이 싸우지 않을 것이다. 예악으로써 인도하면 민들이 화목할 것이며, 좋아하고 싫어함을 보인다면 민들이 금지함을 알 것이다."301)

○ 공자가 무성(武城)에 가서 현악기로 연주하는 음악에 맞추어 부르는 노래를 들었다. 공자[夫子]가 빙그레 웃으면서 말하였다. "닭을 잡는 데, 어찌 소 잡는 칼을 쓰느냐?" 자유가 말했다. "예전에 부자께서 '군자가 도를 배우면 사람을 사랑하고, 소인이 도를 배우면 부리기가 쉽다'고 하신 말을 들었습니다." 공자가 말하였다. "얘들아, 언(偃, 자유)의 말이 옳도다. 앞서 내가 한 말은 농담이다."(『논어』302))

○ 황면재가 말했다. "주현(州縣)에 학교를 설치하는 것은 풍속을 교화하는 일과 관련 깊으니 규정을 세워야 한다. 교수는 매일 학교에 나아가고, 학생들의 독서는 정해진 과정이 있어야 한다. 교수는 학생들의 근면과 태만을 철저히 검사하여 상벌을 내리고, 간간이 학술과 덕망이 높은 사람을 보내 살피게 하며, 또한 교수의 능력을 살펴 평가[殿最]303)한다. 이렇게 하면 뒷날 세상에 활용될 인재를 얻을 수 있다. 이것은 작은 일이 아니다."(『본집』304))

○ 남전 여씨(藍田呂氏) 향약305)에서 말했다. "함께 약속하여 덕업을

---

300) 『논어』「헌문」.
301) 『효경(孝經)』「삼재(三才)」. 공자와 증삼(曾參)이 문답한 것 중에서 효도에 관한 내용을 제자들이 정리한 책.
302) 『논어』「양화(陽貨)」.
303) 전최(殿最): 감사(監司)가 각 고을 수령의 치적(治積)을 심사하여 중앙에 보고하던 법. 성적을 고사(考査)할 때 상(上)을 최(最), 하(下)를 전(殿)이라고 함.
304) 『면재집』권6,「서」'복강서조양통로 읍(復江西漕楊通老揖)'.
305) 여씨향약(呂氏鄕約): 송나라 여대균(呂大鈞)이 만든 향약. 덕업상권(德業相勸)·과

서로 권면하고, 과실을 서로 규제한다. 예속(禮俗)으로 서로 교류하며, 어려움이 닥치면 서로 구휼하기로 한다. 착한 자가 있으면 장부에 기록하고, 잘못을 저질러 규약을 어긴 자가 있다면 그 또한 기록해 둔다. 세 번 죄를 범하면 형벌을 가하고, 그래도 고치지 않는 자는 내쫓는다."

○ 주자가 고령 선생(古靈先生)306) 권유문(勸諭文)을 게시하였다. "고령 선생 진공(陳公)이 다음과 같이 우리 민들을 권유하였다. 아버지는 의로우며 【집안을 바르게 한다】 형은 우애하고, 【동생들을 부양한다】 동생은 공경하며 【형을 공경한다】 자식은 효도해야 한다. 【부모를 섬긴다】 (또한) 부부간에는 은혜롭고, 【가난하더라도 서로 은혜로 지켜주어야 한다. 부인을 내버려두고 부양하지 않거나 남편이 죽었다고 개가(改嫁)하는 것은 은혜가 없는 것이다】 남녀 간은 구별해야 하고, 【남자에게는 부인이, 여자에게는 남편이 있으므로 분별이 있어야 문란하지 않다】 자제들은 배워야 하고, 【예의와 염치를 알아야 한다】 향여(鄕閭)에는 예가 있어야 한다. 【명절때 날씨의 춥고 더움을 말하여 서로 인사하고, 은의(恩義)로써 왕래하며, 평소 음식 먹을 때에도 노소의 순서가 있고 앉거나 일어설 때도 절을 하고 일어난다】 가난해져서 어려움이 발생하면 친척이 서로 구제하고 【재물과 곡식을 빌려준다】 결혼하거나 상례(喪禮)가 발생하면 이웃들이 서로 돕는다. 농사일을 게을리 하지 않고 도둑질하지 않으며, 도박을 배우지 않고, 쟁송을 좋아하지 않는다. 악으로써 선함을 능멸하지 않고, 부자는 가난한 자의 것을 빼앗지 말고, 다니는 자는 길을 양보한다. 【나이 어린 자는 어른을 피해야 하고, 천한 자는 귀한 자를 피해야 하며, 짐이 가벼운 자는 짐이 무거운 자를 피해야 하고, 가는 자가 오는 자를 피해야 한다】 농사짓는 자는 밭두렁

실상규(過失相規)·예속상교(禮俗相交)·환난상휼(患難相恤)을 강령(綱領)으로 삼았음.
306) 고령선생(古靈先生) : 송나라 학자 진양(陳襄). 자 술고(述古), 호 고령선생(高靈先生). 시어사(侍御史) 등 역임.

을 양보하며, 【농지에 두둑이 있으면 서로 싸우지 않는다】 머리가 허연 사람이
도로에서 짐을 지고 다니지 않게 하는 것 【자제(子弟)가 무거운 짐을 지고
가야지 노인이 지고 다니게 해서는 안된다】 등이 풍속이다.

　이상의 내용들을 보(保)에 사는 사람들이 지금 우러러 서로 돕고 경계하
고, 부모에게 효도하고 순종하며, 나이든 사람과 윗사람을 공순하며 존경한
다. 또한 종친들과 화목하고, 이웃을 구휼하고, 각자 본분에 맞게 본업을
수행한다. 사기나 도적질이 발생해서는 안 되고, 함부로 술을 마시거나
노름해서도 안 되며, 서로 다투어 싸워서도 안 된다. 또한 서로 소송을
일삼지 않고, 침탈하지 않으며, 서로 속이고 흘겨보지 않는다. 자기 몸을
아끼고 일을 인내하며 행하고, 왕법(王法)을 두려워하고, 보 안에 사는
효자·순손(順孫)·의부(義夫)·절부(節婦)로서 사적(事蹟)이 현저한 자는 보고
하여 표창[旌閭]하고 상을 내린다. (반면) 교화에 따르지 않는 자는 조목에
의거하여 다스리며, 나머지 금지 항목들은 별도로 처리하여 시행해서
각각 준수하게 하고 규약을 어기고 범하는 일이 없게 한다.”(『주자대전』307))

　○ 정자가 하동308)사자309)(河東使者) 여진명(呂進明)에게 편지를 보냈다.
“왕은 하늘을 아버지로, 땅을 어머니로 삼았다. 천지를 밝게 섬기는 도리를
엄숙히 하고 경건하게 해야 한다. 한나라 무원(武遠)이 분양(汾陽)310)에서
땅 제사를 지냈다. 이는 예(禮)가 아니었다. 후세 사우(祠宇)를 세웠는데,
매우 잘못된 일이다. 당나라311)때 요사한 자가 『위안도전(韋安道傳)』312)을

───────────────

307) 『회암집』 권100, 「공이(公移)」 ‘게시고령선생권유문(揭示古靈先生勸諭文)’.

308) 하동(河東) : 산서성 황하 동쪽 지방.

309) 사자(使者) : 특정한 임무를 띠고 한시적으로 파견된 관리. 명령을 받들어 밖으로
　　전하는 자.

310) 분양(汾陽) : 산서성 서부 태원(太原)분지 소재. 섬서(陝西) 북부·산서(山西) 서부의
　　물자 집산지.

짓고 진흙으로 만든 상을 놓고 음식을 차려 놓고 배향하였다. 천지를
속이고 더럽히는 악행으로써 이보다 더 큰 일이 있겠는가? 공이 사자가
되었으니 이와 같이 부정한 짓을 바로잡지 않는다면 대체 무엇을 하겠는가?
그 조각을 강에 던져버리고 조정에 청하지 않아도 된다. (또한) 사람들에게
물어볼 필요도 없고, 뒷날 생길 걱정과 근심을 두려워할 필요도 없다.
행여 이 말을 의심하지 말라.”(『이정전서』313))

10. 농사를 권장함[勸農章]

○『서경』에서 말했다. “먼저 농사일의 어려움을 알아야 편안할 것이
다.”314)

○『맹자』에서 말했다.315) “농사는 느슨히 할 수가 없다.『시경』에 이르기
를 ‘낮이면 가서 띠[풀]를 베어 오고 밤이면 새끼 꼬아서, 빨리 그 지붕에
올라가 지붕을 이어야 다음 해에 비로소 백곡(百穀)을 파종할 수 있다’316)고
했다.”

○『효경』에서 말했다.317) “하늘의 도를 활용하고 땅의 이로움에 의지하
며, 몸을 삼가고 절약하여 이용한다면 부모와 노인을 봉양할 수 있을

---

311) 당(唐) : 수(隋)나라를 멸망시키고 이연(李淵)이 세운 나라.
312) 위안도전(韋安道傳) : 중국 당나라 때 전기(傳奇) 소설. 주인공 위안도가 후토부인
    (后土夫人)을 만나 아내로 삼는 이야기 등을 다루고 있음.
313)『이정문집(二程文集)』권10,「이천문집(伊川文集) : 서계(書啓)」‘답여진백 간삼(答
    呂進伯簡三)’.
314)『서경』「주서」‘무일(無逸)’.
315)『맹자』「등문공」상.
316)『시경』「국풍(國風)」‘빈(豳) : 7월’.
317)『효경』「서인(庶人)」.

것이다. 이것이 평민들의 효이다."

○『주례』에서 말했다.[318] "대사도(大司徒)는 산과 숲, 개천과 연못, 언덕과 구릉, 물가와 평지,【물가[水涯]를 분(墳)이라 하고 평지[水平]를 연(衍)이라 한다】높고 건조한 땅과 낮고 습한 땅【높고 평평한 것을 원(原)이라 하고 낮고 습한 것을 습(隰)이라 한다】의 명물(名物)을 분별하고, 또한 12가지 토질에 맞는 작물을 분별하여 적합한 종자를 심어 경작하는 법을 가르친다."

○ 수사(遂師)[319]는 논밭[田野]의 경계를 정하고 농사지을 자를 분별하여 두루 그 수를 파악해서 농사짓도록 한다. (또한) 세금을 징수하고 직접 농사상태를 돌아보며 민들을 옮겨서【돌아가며 서로 도와서 구제한다】시급한 일을 구제한다.

수대부(遂大夫)[320]는 심고 가꾸는 일을 가르치며, 정월 초하루가 되면【정월의 첫날】농기구를 검열하고 농정(農政)을 살핀다. 현정(縣正)[321]은 농사일 재촉하여 상벌을 내린다. 이재(里宰)[322]는 농사철이 되면 보습[323]을 나란히 하나로 합하여 농사일을 다스려서 밭 갈고 김매는 일을 순서에 따라 행하도록 감독하며, 담당 관리[有司]의 정령을 기다려서 재부(財賦)를 거둬들인다.

사가(司稼)는 들판에 심은 곡식을 살펴보며, 늦벼와 올벼의 종자를 판별

---

318)『주례』「지관사도」상.
319) 수사(遂師) : 사공(司空)의 직책을 겸하면서 형정(刑政)으로 6수(遂)의 민을 다스리는 관직.
320) 수대부(遂大夫) : 수는 왕성(王城)으로부터 백리에서 3백리 사이 지역. 수대부는 이 지역의 대부 벼슬.
321) 현정(縣正) : 현의 정령(政令)과 상벌을 관장하는 직임.
322) 이재(里宰) : 호적 등 기타 공공 사무를 맡아 보던 사역(使役)의 하나. 이장(里長), 이정(里正), 이임(里任).
323) 보습 : 땅을 갈아서 흙덩이를 일으키는 데 사용하는 농기구.

하여 널리 그 이름을 알리고 토질에 적합한 품종을 알아서 법규로 삼아 읍(邑)이나 여(閭)에 게시해 둔다.【다음해 곡종으로 정한다】 들판을 순시하여 곡식을 살펴서 해마다 작황을 상하로 구분하여 염법(斂法)324)을 거행한다.325)

○ 재사(載師)는 집에서 뽕나무나 마(麻)를 심지 않는 자에게 이포(里布)를 내게 하고, 토지가 있는데도 경작하지 않는 자에게는 옥속(屋粟)을 내게 한다.【불모(不毛)는 뽕나무와 마를 심지 않는 것을 말한다. 이포는 벌로 1리(里) 25가(家)의 천(泉)을 부과한다. 천은 전(錢, 조세)이다. 공전(空田)은 땅을 놀리는 벌로 세 집의 세를 부과한다】 여사(閭師)326)는 민 가운데 가축을 기르지 않는 자에겐 제사에 희생(犧牲)을 쓰지 못하게 하고, 농사짓지 않는 자에겐 제사 때 쓰는 기장[齍盛]327)을 올리지 못하게 한다. 나무를 심지 않는 자는 상례(喪禮)에 곽(槨)을 쓰지 못하게 하고, 누에를 키우지 않는 자는 비단옷을 입지 못하게 하며, 옷을 짜지 않는 자는 상례에 최복(衰服)328)을 입지 못하게 하였다.【모두 다스릴 뿐 권면하지 않는다】 329)

○ 주자는 「권농문(勸農文)」에서 다음과 같이 말했다.330) "직책을 받아 오랫동안 밭 사이에 있다 보니 농사일을 익숙히 알게 되었다. 이때 황송하게도 군(郡)을 맡았으니 그 중요한 업무가 권농이었다. 본 군을 살펴보면

---

324) 염법(斂法) : 풍년에는 종전대로 거두어들이고 흉년에는 세금을 덜어주는 징수법.
325) 『주례』「지관사도」하.
326) 여사(閭師) : 『주례』에 나오는 관직명. 지관(地官)에 속하며 국중(國中) 사교(四郊)의 정사를 관장함.
327) 자성(齍盛) : 나라의 큰 제사에 쓰는 기장과 피.
328) 최복(衰服) : 부모, 조부모 상례에 입는 상복.
329) 『주례』「지관사도」하.
330) 이하의 출전은 모두 『회암집』권99, 「공이(公移)」 '권농문'.

토양은 척박하고 세금은 무거우며, 민들 또한 밭 갈고 씨 뿌리는 데 힘을 기울이지 않고, 김매는 일도 소홀히 하여 지리멸렬하니 다른 곳과 비교할 때 크게 못 미친다. 토맥(土脈)이 거칠고 척박하고 잡초가 무성하고 벼의 싹[苗]이 적으며, 비의 혜택도 적어 점점 말라가니 곧 흉년이 들 뿐이다. 이 모든 것은 장리(長吏)가 권농의 업무를 성실히 수행하지 못해서 이런 지경에 이르렀다. 아래로는 나라의 근본을 견고히 못하고 위로는 임금의 근심을 풀어주지 못할까 크게 걱정스럽다. 이제 응당 시행할 것들이 있으니 아래 조항들로 권유한다.”

○ 하나, 가을철 곡식을 거둬들인 뒤 겨울이 되기 전에 장차 논밭에 나아가 한 번 쟁기질하여 땅을 갈아엎어 얼게 하여 부드럽게 한다. 정월 이후가 되면 다시 자주 두루 여러 번 해야 하는데 차례로 쟁기질한 뒤에 종자를 뿌린다. 그렇게 하면 자연히 논밭의 진흙이 숙성되고 토질이 비옥해 져 심은 벼가 잘 자라고 물기가 풍부하여 건조함을 이길 것이다.

○ 하나, 논밭을 간 뒤 봄철에 비옥한 논밭을 선택하여 거름을 종자와 섞어서 볏모[秧苗][331]에 뿌린다. 거름 만들기는 가을과 겨울철 일이 없을 때 하는데, 이때 미리 토양 표면의 풀뿌리를 제거해서 햇볕에 말렸다가 태워서 만든 재와 인분을 섞고 종자를 그 속에 혼합한 뒤에 뿌린다.

○ 하나, 볏모가 어느 정도 자라났으면 때에 맞춰 일찍 나아가 논에 꽂아 심는데 너무 지체해서 심을 때를 놓쳐서는 안 된다.

○ 하나, 볏모가 어느 정도 자라면 잡초도 자라난다. 논의 물을 빼서 말린 다음 자세히 살펴 확인하여 잡초를 뽑아내어 밟아서 진흙 속에서 벼의 뿌리가 잘 배양되도록 한다. 밭두렁의 비스듬한 곳에서 자라는 띠풀 등도 철마다 깨끗이 베어내야 지력이 감소되어 모가 해로움을 받는 것을

331) 앙묘(秧苗) : 옮겨심기 위하여 기른 벼의 싹.

면할 수 있다. 이렇게 하면 장차 곡식이 잘 익으며 번성하고 단단해져서 좋을 것이다.

○ 하나, 산이나 높은 곳의 평탄한 땅에도 조·보리·삼·콩을 심고, 때마다 나아가 경작하고 씨를 뿌려 지력(地力)을 다하도록 힘써야 한다. 그러면 가을 추수 전에 지속적으로 먹을거리가 있어서 굶주리지 않는다.

○ 하나, 저수지와 연못의 이로움은 농사의 근본이니 힘을 합쳐서 수리(水利)시설을 정비해야 한다. 만일 나태하고 게을러서 때에 맞추어 나아가 수리시설을 돌보지 않는 자가 있으면 여러 사람들이 함께 소장을 올려 현(縣)에 알려 그의 행위를 징계해야 할 것이다. 만일 공력이 너무 많이 들어서 사사롭게 사람들을 모으기 어려우면 현을 거쳐서 관에 사정을 말하고[陳情] 관에서 정비하게 한다. 만일 현사(縣司)가 조처를 취하지 않으면 군(軍)에 진정하여 별도의 조처를 기다린다.

○ 하나, 뽕과 삼의 이로움은 의복의 바탕이다. 여러 종류의 뽕과 산뽕, 삼과 모시를 키워 부녀자들이 힘을 다해 누에를 치고 옷감을 짜면 포와 비단을 만들 수 있다. 뽕나무는 가을과 겨울이 되면 나무가 굽어지고 작은 가지가 자라난다. 작은 가지를 제거해서 큰 가지의 기맥이 왕성해질 수 있도록 하면 자연히 나뭇잎이 두텁고 크게 자라나서 누에를 먹이는데 도움이 될 것이다.

○ 하나, 농사짓고 누에 기르는데 힘써야 할 일은 앞에 거론한 몇 가지에 불과하다. 그러나 향토(鄕土)나 풍속이 같지 않으니 몸소 찾아가 살펴보고 미진함이 있다면 다시 한번 널리 묻고 방문하여 지키고 힘써 행해야 할 것이다. 단지 열심히 일해서 지나침이 있을 수 있지만 나태하거나 게으름으로 때를 놓쳐서는 안 된다. 전(傳)에서 말했다. "민생은 근면함에 달려 있다. 근면하면 궁핍하지 않을 것이다."[332] 또한 경(經)에서 말했다. "게으른

농부가 스스로 편안하여 힘써 수고로운 일을 하지 않고 밭 이랑[田畝]에서 일하지 않으면 기장이 없게 될 것이다."333) 이 모두 성현이 내린 교훈으로 명백한 것이다. 여러 민들은 준수해야 할 것이다.

○ 이상의 조항을 방(榜)에다 인쇄하여 민간에 권면하고 깨우치게 하여 각자 앞서 거론한 사항들을 체득하게 한다. 부형은 자제를 가르쳐 깨우치고, 자제들은 가르침에 잘 따라 본업에 힘써서 농사짓고 추수하여 부모를 봉양한다. 혹 나태하고 하는 일이 없이 지내거나 도박하고 술을 마시는 것으로 농사짓고 누에치는 일을 방해해서는 안 된다. 옷과 음식이 충분히 공급되어 넉넉하면 예의가 행해지고 화평하게 된다. 그렇게 되면 어질어지고 오래 살 수 있을 것이다. 순희(淳熙)334) 6년(1179) 12월(『주자대전』).

11. 호구를 관리함[戶口章]

○ 『주례』에서 말했다. "대사도(大司徒)는 국가의 지도와 민인의 숫자를 관장하여 국왕을 도와 나라를 편안하게 한다."335) (또한) "사민(司民)은 만민(萬民)의 수를 기록하는 일을 관장한다. 사람이 태어나서 치아가 생기면 판(版)에 기록하여 남녀를 구분하며, 해마다 죽거나 태어난 여부를 등재한다. 3년마다 만민의 수를 조사하여 사구(司寇)336)에게 조서(詔書)를 올리고, 사구가 왕에게 바친다."337)

332) 『춘추좌전』「선공(宣公)」12년 2월.

333) 『서경』「상서(商書)」'반경(盤庚)'상.

334) 순희(淳熙) : 남송(南宋) 효종 연호. 1174~1189.

335) 『주례』「지관사도」상.

336) 사구(司寇) : 주나라 때 형벌과 경찰을 맡아 보던 관직.

337) 『주례』「추관사구(秋官司寇)」상.

○ 서간(徐幹)[338]이 말했다. "잘 다스려 평온하게 만들기 위해서는 여러 사업을 많이 일으켜야 한다. 이를 위해서는 사역을 고르게 부담시켜야 하며, 사역을 고르게 하기 위해서는 인구를 두루 파악해야 한다. 인구를 두루 파악하는 일은 나라를 다스리는 근본이다. 선왕이 만민의 많고 적은 수를 두루 알아서 구직(九職)[339]을 두었다. 구직으로 이미 나누어졌으니 힘써 일하는 자를 알아보고, 근면하거나 게으른 자가 누구인지 들어서 알 수 있다. 이렇게 하고서도 사역이 고르지 못한 적은 없다. 여러 공적이 이루어지면 국가는 넉넉해져서 크고 작은 비용이 모자라지 않았다. 이에 민들은 편안하고 화목하며, 원망하거나 미워하는 일이 없다. 이렇게 다스려지고서도 평온해지지 않은 적은 없다.

모든 샘물에 근원이 있듯이 정치에도 근본이 있다. 그 방도는 근본을 살피는 일 뿐이다. 그러므로 『주례』에서 말했다. '겨울철에 사구(司寇)가 민의 숫자가 적힌 판을 왕에게 바치면 왕은 절을 하고 받아서 천부(天府)[340]에 올린다. 그러면 내사(內史)[341]·사회(司會)[342]·총재(冢宰)[343]는 왕을 돕는다'[344] 이와 같이 중요한데도 오늘날 정치하는 자는 구휼하는 방법을 알지 못한다. 비유하자면 경작할 토지가 없는데도 곡식을 심으려는 것과 같다. 비록 농부가 있어도 힘을 쓰게 할 수 있겠는가? 이 때문에 선왕들이 육향육

---

338) 서간(徐幹) : 위나라 학자. 자 위장(偉長). 건안칠사(建安七士)의 한 사람. 저서로는 『중론(中論)』 등이 있음.

339) 구직(九職) : 사공(司空)·후직(后稷)·사도(司徒)·사(士)·공공(共工)·우(虞)·질종(秩宗)· 전악(典樂)·납언(納言).

340) 천부(天府) : 천자의 조상 제사에 사용되는 중요한 보물을 맡아 보던 부서.

341) 내사(內史) : 도성을 다스리는 일을 맡아보던 관직.

342) 사회(司會) : 전곡출납을 맡아 보던 관직.

343) 총재(冢宰) : 백관의 통섭하는 재상.

344) 『주례』「추관사구」상.

수(六鄕六遂)345)의 법을 제정하였다. 이것이야말로 민을 유지하기 위한 것으로 강목이 된다. 이 법이 시행되어 이웃한 비(比)끼리 서로 보호하고 사랑하며, 상과 벌이 서로 미칠 수 있게 되었다. 때문에 이사해 나가고 들어오는 것, 생존 여부, 그리고 착한 사람과 나쁜 사람, 거역함과 순종함 등 민의 동태를 알 수 있다.

　나라를 혼란스럽게 만든 군주의 정치는 호구가 국판(國版)에서 누락되고, 인부(人夫)와 가(家)가 인보(隣保)조직에서 벗어나 역(役)을 피해 도망치는 것이다. 이에 간특한 마음이 함께 발생하고 거짓된 단서들이 함께 생겨서 작게는 멋대로 물건을 훔치고, 크게는 공격하여 겁탈한다. 엄격한 형벌과 준절한 명령으로도 구할 수 없게 되었다. 사람 숫자는 여러 사업이 나오는 바이기 때문에 정확하지 않을 수 없다. 그에 기초하여 논밭을 나누며 공부(貢賦)를 내리고, 기용(器用)을 만들고 녹식(祿食)을 제정하고, 전역(田役)을 일으키고 군대를 편성한다. 국가는 여기에 기초하여 규범을 세우고, 집안도 여기에 기초하여 법도를 확립하며, 오례(五禮)346)가 정비되고 오형(五刑)347)을 사용할 수 있다. 오직 사람 수를 잘 살펴야 할 것이다."(『중론(中論)』348))

---

345) 육향육수(六鄕六遂) : 중앙에 왕성(王城, 國中), 주변 100리 지역에 교(郊), 이곳에 육향(六鄕)이 위치한다. 그 밖의 주위 백리에 순(旬)이, 여기에 육수(六遂)가 위치한다. 비(比, 5家)·여(閭, 5比)·족(族, 4閭)·당(黨, 5族)·주(州, 5黨)·향(鄕, 5州)의 지역단위로 구분된다. 1향(鄕)은 12,500가(家). 이러한 지역단위는 군대를 구성하는 단위와 서로 대응하고 있으며 군의 지휘관도 각 지역단위의 지방행정관이 겸하였다. (『주례』권10,「지관(地官)」'소사도(小司徒)' 참조) 육향육수제에 입각한 일민적 지배체제 확립을 전제로 입안될 수 있었다.

346) 오례(五禮) : 길례(吉禮)·흉례(凶禮)·군례(軍禮)·빈례(賓禮)·가례(嘉禮).

347) 오형(五刑) : 묵(墨, 이마에 먹물들이기)·의(劓, 코 베기)·비(剕, 발목 자르기)·궁(宮, 생식기 제거)·대벽(大辟, 사형).

348)『중론(中論)』하권,「민수(民數)」. 서간(徐幹)의 저술. 치학(治學)·법상(法象)·수본(修

12. 부역을 관리함[賦役章]

○『주례』에서 말했다. "대사도(大司徒)는 구부(九賦)로써【위에서 아래로부터 취하는 것을 부(賦)라고 한다】재물을 거둔다.【재(財)는 천곡(泉穀)이다】 구부에는 '방중(邦中)【성곽(城郭)이 있는 곳】·사교(四郊)【국(國)으로부터 백리(里) 떨어진 거리】·방전(邦甸)【2백리 떨어진 거리】·가삭(家削)【3백리 떨어진 거리】·방현(邦縣)【4백리 떨어진 거리】·방도(邦都)【5백리 떨어진 거리】·관시(關市)·산택(山澤)·폐여(幣餘)【폐여는 나라 가운데 척폐(斥幣)를 독점적으로 파는 것이다. 모두 상업[末作]에 해당하니 부세를 증액해야 한다. 지금 상인에게 세율을 2배로 하는 것과 같다】'의 부(賦)가 있다."349)

○ 애공(哀公)이 물었다. "흉년이 들어 재용이 부족합니다. 어떻게 하면 되겠습니까?" 유약(有若)350)이 대답했다. "어찌하여 철법(徹法)351)을 쓰지 않습니까?" 그러자 애공이 물었다. "2/10도 오히려 부족하거늘 어떻게 철법을 쓰겠습니까?" 유약이 대답했다. "민이 풍족하면 임금께서는 누구와 더불어 부족하며, 민이 풍족하지 못하다면 임금은 누구와 더불어 풍족하겠습니까?"(『논어』352))

○ 주자가 말했다. "민들이 부유한데 임금만 혼자 가난하지 않을 것이며, 민이 가난한데 임금만 혼자 부유할 수 없을 것이다. 유약은 군주와 민은

本)·허도(虛道) 등 20편으로 구성됨.

349)『주례』「지관사도」상.

350) 유약(有若) : 공자 제자. 노나라 사람.

351) 철법(徹法) : 정전법(井田法)에 따라 토지를 구획하고, 8가(家)에게 각각 백묘(畝)의 사전(私田)을 지급한다. 중앙의 공전(公田)은 공동경작하여 그 수확을 조세로 바침. 대체로 민들은 9/10을 얻고, 국가는 1/10을 취한다. 이것을 '철(徹)'이라고 이름.

352)『논어』「안연」.

일체라는 뜻을 깊이 있게 말해서 애공이 세금을 많이 거두려는 것을 말렸다. 윗사람은 이 점을 깊이 생각해야 할 것이다."(『논어』353))

○ 대영지(戴盈之)354)가 물었다. "1/10의 세, 관문과 시장에서 세금을 거두는 일을 철폐하는 것은 금년에는 어렵습니다. 청컨대 세금을 경감하고 내년을 기다린 뒤에 그만두려 하는데 어떻겠습니까?" 맹자가 대답했다. "지금 날마다 이웃집의 닭을 훔치는 자가 있다. 어떤 자가 '이는 군자의 도리가 아니다'라고 하자, '그 수를 줄여서 매달 닭 1마리를 훔쳐 먹다가 내년에 그만 두겠다'고 말한다. 그것이 의(義)가 아님을 알았으면 당장 그만둘 일이지 어찌 내년까지 기다린단 말인가?"(『맹자』355))

○ 이고(李翱)356)가 『평부서(平賦書)』에서 말했다. "사람들은 세금을 많이 거두어야 재물을 얻을 수 있다고만 생각한다. 적게 거두면 재물이 오히려 더 많이 모인다는 사실은 모른다. 많이 거두면 사람들이 가난해지고 사람들이 가난해지면 떠돌아다니는 자는 돌아오지 못해 토지는 황폐해진다. 경작하지 못하면 사람들은 더욱 곤궁해지고, 재물은 날로 궁핍해진다. (반면) 세금을 적게 거두면 사람들이 사는 것을 즐겁게 생각하며, 사는 것이 즐거우면 정착한 자가 떠돌아다니지 않는다. 떠돌아다니던 자가 매일같이 돌아와 토지가 버려져 황폐해진 곳이 없게 된다. 뽕나무가 날로 번성하여 사람들은 날로 부유해지고 군대는 날로 강해지게 된다. 이 때문에 정치를 잘한다는 것은 민들이 각자 스스로를 보호하고 윗사람을 친하게 여겨서 아무리 위험해지려 해도 그렇게 될 수 없는 것을 말한다."(『대학연의

---

353) 『논어』 「안연」.

354) 대영지(戴盈之) : 전국시대 송나라 대부.

355) 『맹자』 「등문공」하.

356) 이고(李翱) : 당나라 학자. 자 습지(習之). 한유(韓愈)의 친구 혹은 제자. 저서로는 『복성서(復性書)』와 『이문공집(李文公集)』 등이 있음.

보(大學衍義補)』357))

　○『주례』에서 말했다. "기근이나 천연두[疫病]가 유행하는 해에는 역역
(力役)358)이 없고 세금을 거두지 않는다."359)

　○『예기』「왕제」편에서 말했다. "민들의 역역(力役)을 사용하는 것은
1년에 3일을 넘어서는 안 된다."

　○『예기』「왕제」편에서 말했다. "민을 부릴 때 노인에게 일을 시키듯
하고 장정에게 음식을 주는 것처럼 한다.【그 힘을 여유롭게 쓰고, 음식을
배불리 먹인다】"

13. 재정을 관리함[理財章]

　○『주례』에서 말했다. "대사도(大司徒)는 구식(九式)에서 재용을 균등하
게 절약해서 쓴다고 하였다. 제사·빈객(賓客)·상황(喪荒)360)·수복(羞服)【맛
있는 음식】·공사【기물을 만드는 것】·폐백(幣帛)·추말(芻秣)【추말은 소나 말에
게 곡류를 먹이는 것】·비반(匪頒)【비는 나눔이고 반은 내려주는 것】·호용(好用)
【친절히 대접하고 하사하는 것】의 식이다."361)

---

357) 『대학연의보(大學衍義補)』권24,「치국평천하요(治國平天下之要)」'제국용(制國
用) : 경제지의(經制之義) 하'. 명나라 구준(邱濬)의 저술. 송나라의 진덕수(眞德秀)
가 편찬한『대학연의』를 보완한 책. 진덕수는 격물치지(格物致知)·정심성의(正心
誠意)·수신제가(修身齊家) 등『대학』의 8조목(八條目) 중 6조목만 밝혔다. 구준은
진덕수가 밝히지 않은 2조목에 대해 여러 가지 설을 참조하고 자신의 의견을
덧붙여서 치국평천하까지 총12항목으로 나누어 설명하고 있음.

358) 역역(力役) : 직접 노동력을 제공하는 요역(徭役).

359) 『주례』「지관사도」하.

360) 상황(喪荒) : 상은 사람이 죽은 것, 황은 곡물이 말라죽은 것. 일반적으로 장례(葬禮)
를 가리킴.

361) 『주례』「천관총재(天官冢宰)」상.

○ 『예기』 「왕제」편에서 말했다. "총재가 국가의 예산을 편성하는 시점은 매년 연말이니, 오곡(五穀)이 모두 들어온 뒤에 정한다. 땅의 크기를 계산하고 한 해의 풍흉에 비추어서 정한다. 30년 동안을 통틀어 계산하여 국가의 예산을 제정하는데, 수입을 헤아려서 지출을 정한다. 나라에 9년간의 비축분이 없으면 '부족하다'고 하고, 6년간의 비축분이 없으면 '위급하다'고 한다. 3년간의 비축분이 없으면 '나라가 나라꼴이 아니다'라고 한다. 3년 동안 경작하면 1년 간 먹을 식량이 남게 되고, 9년 동안 경작하면 3년 간 먹을 식량이 남게 된다. 30년간 통틀어 계산하여 9년간의 비축분이 있으면 비록 흉년과 수해가 닥쳐도 민들에게 굶주린 기색이 없게 된다."

○ 『서경』에서 말했다. "무역[懋遷]에 힘써서 넉넉한 곳의 물건을 부족한 곳과 교역하면 민들이 쌀밥을 먹을 수 있다."362)

○ 『주역(周易)』에서 말했다. "무엇으로 민들을 모을 수 있는가? 재물이다."363)

○ 『대학』에서 말했다. "덕은 근본이며, 재물은 말(末)이다. 근본을 밖으로 하고 말을 안으로 하면, 민들을 다투게 하여 남의 것을 빼앗는 가르침을 베푸는 것이다. 이 때문에 재물을 모으면 민들이 흩어지고, 재물을 나눠주면 민들이 모이는 것이다." 또한 "재물을 생산함에 큰 도(道)가 있다. 생산하는 자가 많고 먹는 자가 적으며, 일하는 자는 빠르고 쓰는 자가 느리면, 재물이 항상 풍족할 것이다."364)

○ 소철(蘇轍)365)이 청묘법(靑苗法)366)에 대해 말했다. "민에게 돈을 빌려

362) 『서경』 「우서」 '익직(益稷)'.
363) 『주역』 「계사」하.
364) 『대학』 전문 10장 '석치국평천하'.
365) 소철(蘇轍) : 송나라 학자. 자 자유(子由), 호 영빈(潁濱). 당송팔대가. 소순(蘇洵)의 아들. 우사간(右司諫)·상서우승(尙書右丞)·문하시랑(門下侍郎) 등 역임.

주면서 2분(分)의 이자를 떼는 것은 본래 민들의 곤궁함을 구제하기 위함이
다. 이득을 얻기 위해서가 아니다. 그러나 돈을 내어주고 거둬들일 때
이서배들이 간사함을 부리니 비록 법이 있어도 금지할 수 없다. 돈이
민의 수중에 들어갈 때 비록 선량한 민일지라도 비리를 면하기 어렵다.
또한 비용과 빌린 돈을 납부할 때에 이르러서 부유한 민일지라도 기한을
어기는 잘못을 면하기 어렵다. 이렇게 되면 형벌을 부과해야 할 것이고,
주현의 일은 번거로움을 감당하지 못하게 된다. 당나라 유안(劉晏)367)이
국가재정을 담당하여 돈을 빌려준 적이 없었다. 그가 말했다. '민들로
하여금 요행히 돈을 얻게 하는 것은 나라의 복이 아니다. 법에 따라 관리들이
감독해도 민들이 편안해 하지 않을 것이다. 내가 비록 빌려주지 않았으니
곡식이 흔할 때는 곡식을 사들이고 귀할 때는 곡식을 내다 팔았다. 그
결과 사방 어느 곳에서도 폭등하거나 폭락하는 병폐가 없었다. 어찌 돈을
빌려주는 제도를 쓰겠는가?' 유안이 말한 것은 곧 상평법(常平法)이다."

14. 민을 구제함[賑濟章]

○『주례』에서 말했다. "대사도(大司徒)는 12가지 황정(荒政)으로 만민(萬
民)을 모은다. 첫째 산리(散利)【씨앗을 빌려준다】, 둘째 박정(薄征)【조세를
경감해준다】, 셋째 완형(緩刑), 넷째 이력(弛力)【요역을 쉽게 한다】, 다섯째

---

366) 청묘법(靑苗法) : 송나라 왕안석(王安石)이 부국강병을 위해 제정한 신법(新法).
     비축한 양곡을 현금화하여 가난한 농민들에게 빌려주고 연 2할의 이율로 양곡이
     나 현금으로 회수하는 방법. 재정적자를 해소하고, 고리대로부터 농민들을 구제
     함.
367) 유안(劉晏) : 당나라 관리. 자 사안(士安). 이부상서(吏部尙書)·동평장사(同平章事)
     겸 강회상평사(江淮常平使) 등 역임. 안사(安史)의 난 뒤 이재(理財)를 잘하여
     고갈된 재정을 회복함.

사금(舍禁)368), 여섯째 거기(去譏)【관문이나 시장을 기찰하지 않는다】, 일곱째 생례(眚禮)【길례(吉禮)369)를 줄인다】, 여덟째 쇄애(殺哀)【흉례(凶禮)를 줄인다】, 아홉째 번악(蕃樂)【악기를 거두고 연주하지 않는다】, 열 번째 다혼(多婚)【예모를 갖추지 않고 결혼을 많이 시킨다】, 열한 번째, 색귀신(索鬼神)【사라진 제사를 재정비하는 것으로 이른바 제사를 지내지 않는 귀신이 없다는 것이다】, 열두 번째, 제도적(除盜賊).【기근이 들면 도적이 많아지니 급히 형정을 적용하여 제거한다】

6가지로 보호하고 쉬게 하여 만민을 기른다.【보식(保息)이란 편안히 휴식을 취하게 한다는 뜻이다】 첫째 어린아이를 자애롭게 돌봄, 둘째 늙은이를 봉양함, 셋째 궁색한 자들을 구제함, 넷째 가난한 자들을 구휼함, 다섯째 아픈 사람을 돌봄, 여섯째 요역을 공평하게 함【요역을 고르게 하여 제멋대로 취하지 않는다】이다." 또한 말했다. "기근이나 천연두[疫病]가 크게 든 해에는 큰 황정을 펼쳐야 한다. 나라의 민을 옮기고 재물을 통해야 할 것이다."370)

○ 향사(鄕師)371)는 세시(歲時)372)마다 국(國)과 야(野)를 순시하고, 민들의 어려움과 곤궁함을 구휼하며 왕명으로 은혜를 베푼다.373)

○ 위나라 이회(李悝)374)가 평적법(平糴法)375)을 제안하였다. (이 법에

---

368) 사금(舍禁) : 법으로 금하는 것을 엄격하게 적용하지 않음.

369) 길례(吉禮) : 관례(冠禮)나 혼례(婚禮) 등 경사스러운 예제(禮制).

370)『주례』「지관사도」상.

371) 향사(鄕師) : 행정구역인 향의 벼슬아치. 지방의 관리.

372) 세시(歲時) : 한 해의 절기나 달, 계절에 따른 때.

373)『주례』「지관사도」상.

374) 이회(李悝) : 전국시대 위나라 관리. 형법전의 전범인『법경육편(法經六篇)』을 편찬.

375) 평적법(平糴法) : 이회가 실시한 곡가 조절의 한 방법. 관부에서 흉년을 대비하여 풍년에 싼값으로 양식을 사들인 일. 흉년에 곡식 값이 비싸지면 비축했던 곡식을

따르면) 중간 규모의 기근이 들면 평년작[中熟]때 거둬들인 곡식을 풀고, 크게 기근이 들면 풍년[大熟]때 거둬들인 곡식을 내다 판다. 비록 기근이 들더라도 사들인 곡식을 내다 팔지 않아도 민들은 굶주리지 않았다. 한나라 경수창(耿壽昌)376)이 변방의 군(郡)에 명하여 창고를 지을 것을 청하였다. 곡식이 흔할 때 가격을 높여 사들여서 농민을 이롭게 하고, 곡식이 귀할 때 가격을 낮춰 팔아서 농민을 이롭게 하였다. 그것을 '상평창(常平倉)'377)이라고 불렀다.(『사기』와 『한서』378))

○ 『춘추전(春秋傳)』에서 말했다.379) "나라에 흉년이 들면 혹 창고를 열어 진휼하며, 혹 곡식을 옮겨 통용한다. 혹 민들을 이주시켜 먹게 하며, 혹 죽을 끓여 굶어죽는 데에서 구제한다. 혹 공업을 일으켜 생업이 없는 사람을 모았다."

○ 『관자』에서 말했다. "9가지의 은혜로운 가르침이 있다. 첫째 늙은이를 공경하고, 둘째 어린아이를 자애롭게 돌보며, 셋째 고아를 구휼한다. 넷째 병든 자를 봉양하고, 다섯째 혼자 사는 사람을 합치고, 여섯째 환자를 문병하고, 일곱째 곤궁한 자를 소통시켜준다. 여덟째 곤궁한 자들을 진휼하고, 아홉째 (제사가) 끊어지지 않게 한다."380)

○ 주자가 말했다. "구황(救荒)에는 2가지 방법이 있다. 하나는 따뜻하고 화창한 기온을 불러들여 감응해서 풍작을 이루는 것이다. 다른 하나는 곡식을 저축하는 계책을 마련하는 것이다. 다른 날 굶주림에 직면했을

풀어 물가를 조절함.
376) 경수창(耿壽昌) : 한나라 선제(宣帝) 때 관리.
377) 상평창(常平倉) : 물가 조절 및 흉년의 빈민 구제를 위해 설치하였던 기관.
378) 『전한서』 권24, 「식화지(食貨志)」4.
379) 『춘추좌전』 「양공(襄公)」 24년 8월.
380) 『관자』 「입국(入國)」.

때 알 수 있으니 다시 무슨 대책이 있겠는가?" 또 말했다. "구황의 정치는 다음과 같다. 조세를 덜어주고 진대(賑貸)할 때는 처음부터 신속히 처리한다. 민을 위로하고 구휼하며, 쉬면서 보양할 때는 끝까지 삼가야 한다." 또 말했다. "민을 진휼하여 구제하는 진기한 계책으로 수리시설을 잘 갖추는 것만한 일이 없다. 그렇게 하면 진휼할 때가 되어 어떤 일이든지 할 수 있다." 또 말했다. "손쓰는 것이 빠르면 편이함을 얻을 수 있다."381) 주자가 '답황(踏荒)'이라는 시(詩)를 지었다. "경작지의 종횡을 분간할 수 없도다. 죽은 자와 병든 자들이 흩어져 있으니 참으로 슬프구나. 이 민들이 원래 죄 없음을 안다면 인간세상의 부모마음과 일치되는 것이다."382)(『근사록』)

○ 여동래(呂東萊)383)가 말했다. "여러 가지 구황정책을 평가하자면 최상의 정치는 미리 비축하여 대비하는 것이다. 그 다음은 이회(李悝)의 평적법(平糴法)이며, 그 다음은 곡식을 저장해 두었다가 사방으로 유통시키며, 민을 이주시키고 곡식을 옮기는 것이다. 최하의 방책은 아무 일도 하지 못하고 죽을 끓여 주는 것이다."(『대학연의보』384))

○ 송나라 법에 따르면 재해를 입은 모든 곳에서는 공역(工役)을 일으켜 사람을 모집해서 다음과 같은 곳에 나누어 보냈다. 농전(農田)·수리(水利)·서낭[城隍]385)·도로(道路)·제방[堤岸]·토공(土工)·종식(種植)·임목(林木)

---

381) 이상은 『주자어류』 권106, 「주자」3, '절동(浙東)' 출전임.

382) 『회암집』 권10, 「시(詩)」 '삼목장간 사수(杉木長澗四首)'.

383) 여동래(呂東萊) : 송나라 학자 여조겸(呂祖謙). 자 백공(伯恭), 호 동래. 주자·장식(張栻)과 함께 '동남삼현(東南三賢)'. 주자와 육상산(陸象山)의 아호사(鵝湖寺)에서의 회합을 주선함. 주자와 함께 북송(北宋) 도학자의 어록(語錄)을 편집하여『근사록』을 편찬함.

384) 『대학연의보』 권16, 「치국평천하지요(治國平天下之要)」 '고방본(固邦本)'.

의 유형이 그것이다. 감사(監司)는 미리 공료(工料)와 전곡(錢穀)의 수를 계산하고 이로움과 해로움을 갖추어 천자에게 올렸다.386)

송나라 효종(孝宗)387)때 절동(浙東)지역에 큰 기근이 들었다. 주자가 제거(提擧)388)가 되어 굶주린 민들을 모아 수리사업을 일으킬 것을 청하였다. 조정의 논의가 어렵다고 하자 다시 건의하였다. "매년 재해를 당하니 국가에서는 창고를 열어 구휼합니다. 하지만 준비한 구휼곡 보다 수를 약간 더 늘려서 민을 모으고 역을 일으키는 자본으로 삼는다면 재해도 구제하고 이익도 거둘 수 있어서 일거양득이 될 것입니다. 신이 들판에 나아가 살펴보면 눈이 닿는 곳이 황량한데 제방이 있는 곳만은 모가 잘 자라서 풍년이 든 해와 다름이 없었습니다. 이에 수리시설을 고치지 않으면 안 되겠다는 점을 깊이 깨달았습니다. 각 촌 각 보(保)마다 제방을 쌓아 이익이 생기면 민들이 흩어지거나 굶주리는 걱정은 영원히 사라질 것입니다. 국가도 세금을 경감하거나 곡식을 내다 팔아 구제하는 비용소모가 없을 것입니다."389)

○ 주자가 성자(星子)390)를 비롯한 여러 현(縣)에 황정을 논의한 편지를 보냈다.391) "내가 다스림에 덕이 없어서 이렇게 가뭄이 들었다. 비록 마음을

---

385) 서낭[城隍] : 마을 사람의 안녕과 풍요를 지켜주는 수호신. 큰 나무로 모실 땐 서낭신이 되고 사당을 지어 모실 때는 성황당이라고 함.

386) 『회암집』 권20, 「신청(申請)」 '걸지전미수축석제차자(乞支錢米修築石堤箚子)'.

387) 효종(孝宗) : 남송(南宋)의 제2대 황제. 본격적인 강남(江南)개발과 국가재정 확충에 힘씀.

388) 제거(提擧) : 특정한 사무 담당 관리.

389) 『회암집』 권17, 「주장(奏狀)」 '주구황사의획일장(奏救荒事宜畫一狀)'.

390) 성자(星子) : 강서성 남강군(南康軍) 소재. 오대(五代)시대 진(鎭)을 두었고, 송나라 때 현(縣)으로 승격.

391) 『회암집』 권26, 「서」 '여성자제현의황정(與星子諸縣議荒政)'. 이하 본문은 동일한

다해 여러 가지 방도를 강구하고 조치하여 대부분의 민들이 생업을 갖고 굶주림과 떠돌아다니는 고통에서 벗어날 수 있게 되었다. 하지만 한편으로 생각해보면, 내 지력이 부족하여 생각함이 주밀하지 못한 경우가 많았다. 그 뿐만 아니라 일의 순서를 볼 때, 또한 군(軍)에서 시작하여 현(縣)에 이르러야 민에게 미칠 수 있다. 3개 현의 관원들이 지극히 공정하고 지극히 정성스러운 마음을 갖고 나라의 근본인 민들의 생명이 귀중함을 마음속 깊이 새겨서 서로 협력하지 않는다면 어찌 구제할 수 있겠는가? 이제 나의 어리석은 견해를 간절히 말하니 구체적인 조항의 내용은 다음과 같다."

○ 하나, 각 현의 지좌(知佐)[392]들은 이미 같은 현에서 힘을 합해 관의 일을 수행하는 이상, 지극히 공정하고 성실한 마음으로 서로 협력하면서 모든 사무들에서 내용을 잘 파악하고 요체를 간취하여 세밀히 상의하며 헤아려서 상부의 명령에 따라 조치를 취해야 한다. 그러면 자연히 정사가 구비되어 거행될 것이며, 민들이 그 혜택을 받을 것이다. 혹 윗사람으로서 아랫사람을 홀대하며 사사로운 일에만 힘쓰고 권세를 탐하거나, 또는 아랫사람으로서 윗사람을 업신여기며 편안함만을 쫓고 일을 피하면 공가 (公家)의 업무가 어떻게 잘 다스려질 수 있겠는가? 더구나 지금 재해 피해가 너무 커서 민들의 상황이 위급하고 급박하다. 물에 빠진 자를 건지듯 불 속에 있는 자를 구하듯 긴박하게 경영하여 조치해야 한다. 일을 지체하거나 서로 손발이 맞지 않아 민의 생명이 달린 계획을 그르치는 일이 조금이라도 생기면 안 된다. 간절히 고하노니 이 같은 뜻을 깊이 체득하여 전날의

출전임. 주자는 1179년 남강군(南康軍) 지사(知事)에 임명되어 성자(星子)·건창(建昌)·도창(都昌) 3현을 다스림.

392) 지좌(知佐) : 보좌 업무를 맡은 관원.

폐단을 개혁한다면 정사는 거의 성공할 것이다. 민들은 실질적인 은혜를 받을 것이다.

  ○ 하나, 재해의 정도를 조사하여 진휼을 시행하는 은혜는 법령 첫머리에 들어 있어 이미 삼가 받들어 시행해야 할 것이다. 청컨대 이제 인원을 줄여 진휼의 직무를 담당하는 관원들만 데리고 다니며 엄중히 경계하여 약속하며, 곡식과 재화를 나누어 줄 때 원만하게 진행되지 못하면 소요를 일으키는 자들을 색출해야 한다. 또한 노고를 꺼리지 않고 일일이 해당지역에 나아가 봐야 한다. 가만히 앉아 한가하게 지내면서 향보(鄕保)에서 작성한 문자만을 믿어서는 안 된다. 또한 공공연히 검사해서 분수(分數)를 정해야지 장차 흉년인데도 풍년이라고 해서는 안 되며, 장차 풍년인데 흉년이라고 해서도 안 될 것이다. 그 내용에 혹 의심스러운 데가 있거나 혹 힘써 수고하여 힘들어 하는 자가 있다면 밝히고 추가하여 넉넉하게 진휼해야 한다. 수행한 이서들이 부탁을 받아 따로 부정을 저지르도록 방치해서는 안 될 것이다.

  ○ 하나, 부유하고 넉넉한 가호[上戶]를 권유하고 타일러 본 군(軍)에서 만든 장부[帳式]를 자세히 살피게 한다. 공개적으로 향(鄕)의 민들이 천거하여, 은폐된 객호(客戶)와 진휼할 미곡의 수량과 항목을 약속하여 정한다. 현사(縣司)가 술과 과일을 약간 준비하여 계속 청하고 예의를 두텁게 하며 이익과 해로움으로써 권유한다. 이서들이 소란을 일으키지 않아도 부유하고 넉넉한 가호는 이미 잘살기 때문에 이 뜻을 잘 이해할 것이다. 그래도 혹 이 뜻을 충분히 알지 못하는 자가 있을까 염려된다. 여러 차례 권유하며, 허와 실을 살펴 물량을 늘이거나 줄여준다. 만일 다시 속이거나 저항한다면 즉시 이름을 적어 군(軍)에 신고하여 별도의 조처가 있을 때까지 기다린다.

  ○ 하나, 가난한 민들을 조사하는 일에 대하여 본 군에서 마련한 장부[帳

式]를 자세히 살핀다. 여러 도(都)에 문서를 내려 보내 우관(隅官)393)과
보정(保正)394)이 자세히 살피고 꼼꼼히 바로잡아 여러 차례 정성스럽게
설명해서 깨닫게 한다. 정(情)에 얽매여 폐단을 야기하거나, 넉넉한 집에
곡식을 나눠주거나, 하소연할 데 없는 사람을 빼놓아서는 안 될 것이다.
장차 구휼하게 되면 다시 본 도의 부로(父老)와 가난한 민을 불러 모아놓고
하나하나 읽어준다. 공평하게 함께 실상을 살펴서 여러 사람의 의견이
일치하면 즉시 받들어 보고하게 한다. 만일 합당하지 않으면 곧장 개정하고
우관과 보정을 철저히 조사하여 엄중히 벌을 준다.

　○ 하나, 장차 방출할 진휼미에 대해서 역시 한편으로 먼저 부유하고
넉넉한 가호[上戶]와 쌀을 내다 팔 인호(人戶)들이 공평하게 함께 상의하여
장소를 정하여 설치한다. 공사(公私)와 빈부(貧富), 원근(遠近)에 따라서
사람들이 편리하게 이용할 수 있도록 힘쓴다. 관미(官米)는 현(縣)의 시장에
서만 내다 팔 수 있고, 부유하고 넉넉한 가호의 쌀은 가까운 향촌에 설치된
장시에 내다 팔 수 있게 한다. 운반하고 왕래하는 법에 따라 비용을 낭비하지
않도록 한다. 많이 남거나 부족한 곳이 있는 경우 장차 방출할 상평미에
대해서 형식을 갖추어 신고하여 별도의 조치를 기다린다.

　○ 하나, 군(郡) 가운데 문서를 보내 진휼을 관대하게 시행하는 일들에
대해서 각각 성심껏 공정한 마음으로 처리하기를 청한다. 마땅치 않거나
혹 일의 마땅함을 다하지 못한 경우가 발생하면 다시 자세히 살피고 널리
알려서 고쳐야할 것이다.

　이상의 조항들을 각각 통찰해 줄 것을 청한다. 혹 따르지 않고 예전의

---

393) 우관(隅官) : 향리(鄕里) 내에서 간특한 일을 살피고 방비하며 향정(鄕政)을 담당하
　　는 직임.
394) 보정(保正) : 보갑제(保甲制)하 보를 담당하는 직임. 10가(家)를 갑으로 묶어 그
　　장(長)을 세우고, 10갑을 보로 묶어 그 정(正)을 세움.

폐단을 답습해서 굶주린 민들이 1명이라도 낭패를 당한다면 즉시 공법(公
法)에 따라 일을 처리한다. 더 이상 이 일에 참여하지 못하게 한다. 부디
착오 없이 진행하기를 간절히 바란다.(『주자대전』)

○ 임희원(林希元)395)이 『황정총언(荒政叢言)』396)에서 말했다. "구황(救
荒)에는 2가지 어려움이 있다. 사람을 얻기 어렵고, 가호(家戶)를 살피기
어렵다. 구황에 3가지 곧바로 해야 할 일이 있다. 아주 가난한 민은 쌀로
진휼하고, 그 다음으로 가난한 민은 돈을 빌려주며, 그 보다 덜 가난한
민은 진대해 준다.

(또한) 6가지 급히 해야 할 일이 있다. 죽음 직전에 처해 있는 가난한
민은 죽을 끓여 먹이고, 병들고 가난한 민은 약을 준다. 병이 나은 가난한
민은 쌀을 끓여주고, 굶어죽은 가난한 민은 빨리 장례를 치른다. 버려진
어린아이들은 급히 거두어 봉양하며, 형벌이 가볍거나 무거운 죄수는
너그럽게 보살핀다.

3가지 임시로 해야 할 일이 있다. 관(官)의 돈을 빌어 곡식을 사고팔며,
공역(工役)을 일으켜 진휼을 돕고, 소와 종자를 빌어 변통한다.

6가지 금지해야할 일이 있다. 침탈을 금지하고, 도둑질을 금지하고,
곡식을 매점하는 것을 금지한다. 대출[貸借]을 금지하고, 소 잡는 것을
금지하고, 도첩(度牒)을 내려 승려가 되는 것을 금지한다.

3가지 경계해야할 일이 있다. 지체하고 늦추는 것을 경계하고, 조문에
구애받는 것을 경계하고, 사신을 파견하는 것을 경계한다."397)

---

395) 임희원(林希元) : 명나라 관리. 자 무정(懋貞). 흠주지주(欽州知州) 등 역임.
396) 황정총언(荒政叢言) : 임희원의 저술. 1528년 광동(廣東)의 안찰사첨사(按察司僉
事)로 있을 때 펴냄. 선현의 글과 임희원이 사주(泗州)에서 구황(救荒) 경험을
담은 상주문(上奏文)으로 구성. 이난(二難)·삼편(三便)·육급(六急)·삼권(三權)·육
금(六禁)·삼계(三戒) 등 육강(六綱)을 중심으로 23목(目)이 편성됨.

15. 공정한 형옥처리[刑獄章]

○『주례』에서 말했다.398) "대사구(大司寇)399)는 삼전(三典)으로 왕을
보좌하고 나라를 형벌로써 제어한다. 첫째 새로 건국된 나라에서 형(刑)을
적용할 때 가벼운 법전[輕典]을 사용하며【교화에 익숙지 않은 민을 위한 것】,
둘째 평화로운 나라에서 형정을 적용할 때 평상적인 법전[中典]을 사용하고
【나라를 지켜나갈 때 상법(常法)을 사용한다】, 셋째 어지러운 나라에서 형정을
적용할 때 무거운 법전[重典]을 사용한다.【교화되지 않는 악한 자는 토벌하여
멸한다】"

○ 소사구(小司寇)400)는 5가지 소리를 듣고 옥송(獄訟)을 다스려서 민정
(民情)을 구한다. 첫째 성청(聲聽)【말하는 것을 들을 때 정직하지 않으면 조리
없이 말한다】, 둘째 색청(色聽)【낯빛을 볼 때 정직하지 않으면 붉어진다】, 셋째
기청(氣聽)【숨쉬는 것을 살핌에 정상적으로 숨 쉬지 못하면 기침을 한다】, 넷째
이청(耳聽)【목소리를 들어봄에 정직하지 않으면 미혹됨이 있다】, 다섯째 목청(目
聽)【눈동자를 살핌에 정직하지 않으면 눈빛이 흐리다】이다.401)

○ 사자(司刺)402)가 용서해주는 3가지 사례가 있다. 첫째 불식(不識)【우둔
하여 무식함을 이른다】, 둘째 과실(過失)【예를 들어 칼로 자르려다가 빗나가 사람을
베는 것이다】, 셋째 유망(遺忘)【예를 들어 안에 사람이 있는지 모르고 활을 쏘는
경우이다】이다. (또한) 3가지 사면해주는 사례가 있다. 첫째 어린아이[幼弱],

---

397)『황정총서』권2,「임희원황정총언(林希元荒政叢言)」'소(疏)'.

398)『주례』「추관사구」상.

399) 대사구(大司寇) : 추관(秋官)의 장관. 형벌과 재판을 맡았음.

400) 소사구(小司寇) : 중국 고대의 하급 사법관.

401)『주례』「추관사구」상.

402) 사자(司刺) : 추관 사구(司寇)의 속관(屬官) 벼슬. 이마나 뺨에 먹물을 새기는 경형
   (黥刑) 담당.

둘째 노인[老耄],403) 셋째 어리석은 사람[蠢愚]이다.404)

○『주역』에서 말했다.405) "옥사(獄事)를 의논하고 죽임을 늦춘다." 정자
가 말했다. "군자가 옥사를 논의함에 충성을 다할 뿐이며, 사형을 결정함에
는 측은한 마음을 지극히 할 뿐이다. 천하의 일에 대해서 충성을 다해야
하지만 옥사를 의논함과 죽이는 일을 늦추는 것이 그 중에서도 가장 중요한
일이다."

○ 맹씨(孟氏)가 양부(陽膚)를406) 사사(士師)407)에 임명하였다. 양부가
옥사처리에 대해서 묻자 증자(曾子)408)가 대답했다. "윗사람이 도리를 잃어
민들이 흩어진 지 오래되었다. 만일 법을 지키지 않은 실정을 파악했다면
불쌍히 여기고 기뻐하지 말아야 한다."409)(『논어』) 아래도 같다.

○ 공자가 말하였다. "송사(訟事)를 결단함은 나도 남들처럼 할 수 있지만
사람들로 하여금 송사함이 없게 하겠다." 범씨(范氏)가 말했다. "그 근본을
바로잡고, 그 근원을 맑게 한다면 송사가 사라질 것이다."410)

○『대학』에서 말했다.411) "실정(實情)이 없는 자가 그 거짓말을 다하지
못함은 민의 마음을 크게 두려워하기 때문이니, 이것이 근본을 안다고

---

403) 노모(老耄) : 80세 이상의 노인. 노(老)는 80세, 모(耄)는 90세.
404)『주례』「추관사구」상.
405)『주역』「전의(傳義)」 '중부(中孚)'.
406) 양부(陽膚) : 증자(曾子)의 제자.
407) 사사(士師) : 추관(秋官)의 관직. 오금(五禁)의 법에 의한 형벌을 담당. 오금이란
    궁금(宮禁)·관금(官禁)·국금(國禁)·야금(野禁)·군금(軍禁)을 말함.
408) 증자(曾子) : 공자 10대 제자. 성명 증삼(曾參), 자 자여(子輿). 공자의 사상을 자사(子
    思)에게 전해 주었으며, 자사는 맹자에게 전해줌.
409)『논어』「자장」.
410)『논어』「안연」.
411)『대학』전문(傳文) 4장 '석본말(釋本末)'.

하는 것이다."

○ 공자가 말하였다. "반 마디 말로 옥사(獄事)를 결단할 수 있는 자는 자로[由]일 것이다." 주자가 말했다. "자로는 충신(忠信)하고 밝고 결단력이 있는 자이다. 때문에 그가 말을 하면 사람들이 믿고 복종하여 그 말이 끝나기를 기다리지 않은 것이다."[412]

○『무후서(武候書)』에서 말했다. "옥사를 결정하고 형벌을 실행할 때는 그 불공평함을 걱정해야한다. 혹 죄도 없는데 죄를 받는지, 혹 약한 자가 굴복 당한 것인지, 혹 정직한 자가 억울한 죄를 받는 것인지, 혹 신의가 있는 자가 의심을 받는 것인지, 충성스러운 자가 피해를 입는 것인지를 걱정해야 한다. 군주가 옥사를 다스릴 때는 왕래와 진퇴를 관찰하며, 소리를 듣고 그 쳐다보는 바를 살펴보아야 할 것이다. 그 형상이 두려워하며 애처로운 목소리를 내면서 빨리 왔다가 더디게 가며, 돌아다보며 탄식하는 것은 원통하여 고통스럽기 때문이다. 애석하지 않을 수 없다. 눈을 아래로 깔아서 도둑처럼 보고, 곁눈질하여 틈을 보아 물러나고, 탄식하면서 몰래듣고, 깊이 생각해서 흉계를 품고, 말하는데 정도를 잃고, 더디게 오고 빨리 떠나며 돌아보지 않는 것은 죄인이 스스로 죄에서 벗어나고자 하는 태도이다."

○ 주자가 말했다. "오늘날 사람들은 옥사를 너그럽게 처리하려고만 한다. 옳고 그름, 선과 악을 묻거나 알려하지 않고 너그러운 데에만 힘쓰는 것이 어찌 간특함을 키우고 악함에 은혜를 베푸는 것이 아니겠는가? 특정한 마음을 갖지 말고 옥사를 처리해야 한다. 옥사의 실정(實情)·경중(輕重)·후박(厚薄)을 잘 살펴서 올바르게 처리해야 할 것이다."(『근사록』) 아래도 같음.

---

412)『논어』「안연」.

○ 송사를 처결함에 도리를 살펴서 옳고 그름을 밝히면 자연히 줄어든다. 송사가 많은 것을 싫어하면서도 분별하지 않으면 오히려 늘어날 것이다.[413]

○ 송사를 처리할 때에는 먼저 존비(尊卑)·상하(上下)·장유(長幼)·친소(親疏)의 구분을 논해야한다. 그 뒤에 옳고 그름의 말을 듣는다.[414]

○ 요자회(廖子晦)[415]에게 답장을 보냈다. "옥사는 사람 목숨과 관계된 것이기 때문에 마음을 다해야 한다. 요즘 풍속이 음덕(陰德)[416]의 논의에 미혹되어 죄지은 자를 멋대로 풀어 주는 것을 능사로 여기고, 선량한 사람들이 고하지 못함을 생각하지 않는다. 이는 잘못된 일로 경계하지 않을 수 없다. 불쌍히 여기고 기뻐하지 않는 마음이 없어서는 안 될 것이다."[417](『주자대전』)

○ 장남헌(張南軒)[418]이 말했다. "옥사가 불공평하게 처리되는 데에는 몇 가지 설이 있다. 관리로서 이익을 바라는 것이 시장에서 장사하는 것으로 생각한다면 이는 거론할 필요도 없다. 혹 교묘한 지혜를 총명한 것으로 여기거나, 임시방편으로 처리해서 간특한 자에게 은혜를 베풀기도 한다. 위로 고관[大官]의 의중을 엿보아 판결을 가볍게 혹은 무겁게 조절하고, 아래로는 이서들의 거짓말에 현혹되어 마음이 오락가락하며 실정을 제대로 파악하기 않고 하나같이 위엄으로써 겁주려고만 하거나, 그 근원을

---

413) 『주자어류』 권112, 「주자」9 '논관(論官)'.

414) 『회암집』 권14, 「주차(奏箚)」 '무신연화주차일(戊申延和奏箚一)'.

415) 요자회(廖子晦) : 송나라 학자 요덕명(廖德明). 자 자회(子晦), 주자의 제자. 이부좌선노관(吏部左選努官) 등 역임. 저서로는 『문공어록(文公語錄)』·『춘추회요(春秋會要)』·『차계집(搓溪集)』 등이 있음.

416) 음덕(陰德) : 다른 사람들에게 알려지지 않게 행한 덕행(德行).

417) 『회암집』 권45, 「서」 '답요자회(答廖子晦)'.

418) 장남헌(張南軒) : 송나라 학자 장식(張栻). 자 경부(敬夫)·낙제(樂齊). 남헌선생(南軒先生).

따져보지 않고 법으로만 처벌하려고 한다. 이렇게 하면 공평하지 못한 일이 참으로 많아진다."

○ 황면재가 양통로(楊通老)에게 편지를 보냈다. "강서(江西)[419]지역은 송사가 풍속이 되어버렸다. 봉분(封墳)의 나무 1그루를 베면 무덤을 파낸다고 고소하며, 남녀가 다투기라도 하면 강간의 죄목으로 고소한다. 길가에 병들어 죽은 자를 가리켜 피살되었다고 하며, 한 밤중에 담장을 넘어 들어가 물건을 훔치는 좀도둑을 강도라고 지목한다. 이와 같은 사례가 하나 둘이 아니다. 어진 군자가 다른 사람을 사랑하는 마음을 절실히 하고, 악을 미워하는 마음을 깊이 가지면 마음이 움직이지 않는 자가 없을 것이다. 따라서 주현(州縣)에서 소송이 생기면 사안에 적합하지 않는 법으로 처리하기보다는 사건을 잘 살피고, 원고와 피고의 말을 잘 들어야 한다. 편의대로 판결해서는 안 된다."(『본집』[420])

○ 정자가 소백온(邵伯溫)[421]에게 말했다. "부(部)에 소속된 모든 공적인 서리들에 대해서는 비록 죄를 짓더라도 판결서류[立案]에 따라 처결해야한다. 혹 개인적으로 분노가 치밀더라도 서류를 갖추어 살펴보면 분노가 사라지고 쓸데없이 갑작스럽게 사람을 해치지는 않을 것이다. 매번 판결할 때면 아직 장책(杖責)[422]을 받지 않은 자에 대해서는 신중해야 한다. 혹시 죽을까 염려해서이다."[423]

○ 성길(盛吉)[424]이 정위(廷尉)[425]가 되었다. 매번 겨울철 옥사를 판결할

---

419) 강서(江西) : 양자강 남쪽지역.

420) 『면재집』 권6, 「서(書)」 '복강서조양통로(復江西漕楊通老)'.

421) 소백온(邵伯溫) : 송나라 학자. 자 자문(子文). 대명조교(大名助敎) 등 역임.

422) 장책(杖責) : 태형(笞刑)으로 벌함.

423) 『자경편』 권8, 「정사류」 '정사'.

424) 성길(盛吉) : 후한(後漢)대 관리. 자 군달(君達).

때면 부인은 촛불을 들고, 성길은 서책(書冊)과 필묵(筆墨)을 잡고서 서로
마주보고 울었다. 부인이 성길에게 말했다. "당신이 천하를 위해 법을
집행하지만 사람들에게 죄를 함부로 주어서는 안 됩니다. 그 재앙이 자손에
게 미치게 될 것입니다."

16. 간사한 짓을 금지함[禁奸章]

○『주례』에서 말했다. "대사도(大司徒)는 향촌의 8가지 형벌로 민을
규제한다. 첫째 불효에 대한 형벌, 둘째 화목하지 못한 것에 대한 형벌,
셋째 시집가지 않은 것에 대한 형벌, 넷째 공손하지 않은 것에 대한 형벌,
다섯째 신임을 얻지 못한 것에 대한 형벌 【임(任)은 붕우(朋友)사이의 신임을
말한다】, 여섯째 구휼하지 않은 것에 대한 형벌 【휼은 서로 근심함을 말한다】,
일곱째 거짓말에 대한 형벌 【거짓말을 퍼뜨려 민들을 미혹되게 하는 것】, 여덟째
민들을 혼란스럽게 만든 것에 대한 형벌이다. 【이단[左道]으로써 정치를 혼란스
럽게 만드는 것이다】 오례(五禮)로써 민의 거짓됨을 막고 교화한다."426)
○ 사사(士師)는 국가의 오금(五禁)을 관장한다. 첫째 궁금(宮禁)【왕궁(王
宮)에서 금지할 것】, 둘째 관금(官禁)【관부(官府)에서 금지할 것】, 셋째 국금(國
禁)【성안에서 금지할 것】, 넷째 야금(野禁)427), 다섯째 군금(軍禁)428)이다.
(또한) 사(士)429)는 팔성(八成)430)을 관장한다. 첫째 기밀을 빼냄[邦汋]【국

425) 정위(廷尉) : 형벌 담당 관리.
426)『주례』「지관사도」상.
427) 야금(野禁) : 교야(郊野)에서 금지할 것.
428) 군금(軍禁) : 군려(軍旅)에서 금지할 것.
429) 사(士) : 형관(刑官).
430) 팔성(八成) : 성법(成法)이 어지러워지는 것을 바로잡는 8가지 방법.

가의 기밀을 빼내는 것】, 둘째 역적[邦賊]【반역하여 난을 일으키는 것】, 셋째
간첩[邦諜]【다른 나라를 위해 간첩행위 하는 것】, 넷째 법령을 범함[犯邦令]
【왕의 교령을 어기는 것】, 다섯째 법령을 어지럽힘[矯邦令]【거짓으로 사칭하여
속이는 것】, 여섯째 보물을 훔침[爲邦盜]【국가의 보물을 훔치는 것】, 일곱째
붕당을 지음[爲邦朋]【붕당(朋黨)을 지어 서로 아부하고 정치를 고르지 못하게
하는 것】, 여덟째 군신을 속임[爲邦誣]【군주와 신하를 속여 정사를 그르치게
하는 것】이다.[431]

○ 사시(司市)[432]는 계약서[質劑][433]로써 신용을 맺어서 소송을 중지시
킨다.【질제(質劑)는 문서 하나를 2부씩 작성하여 나누어 갖는 것】물가 담당 관리
[賈民]를 통해 가격조작을 금지시켜 속이는 일을 없앤다.【고민(賈民)은 물건
의 진품여부와 가격의 조작여부를 안다】형벌로써 사나움을 금지하고 도둑을
제거한다.[434]

○『관자』에서 말했다.[435]"목민자(牧民者)는 민이 바르기를 바란다.
민들을 바르게 하려면 아주 작은 사특함 일지라도 금지하지 않을 수 없다.
작은 사특함이 큰 사특함을 발생시키는 근원이다."

○ 자산이 연명(然明)에게 정치에 대해서 묻자 대답했다. "민인 보기를
자식처럼 해야 한다. 어질지 못한 자에게 벌을 내리기를 마치 매가 꿩을
쫓듯 해야 한다."[436]

○ 계강자가 도둑을 걱정하며 대책을 묻자 공자가 대답하였다. "만일

---

431)『주례』「추관사구」상.
432) 사시(司市) : 시장의 치교(治敎)·양도(量度) 등 담당.
433) 질제(質劑) : 계약서. 긴 문서를 '질', 짧은 것은 '제'.
434)『주례』「지관사도」하.
435)『관자』「목민(牧民)」.
436)『춘추좌전』「양공(襄公)」25년 12월.

그대가 탐욕을 부리지 않는다면 비록 상을 주면서 도둑질하게 내버려 둬도 하지 않을 것이다."437)

○ 주자가 황상백(黃商伯)438)에게 답장을 보냈다. "보내주신 편지에서 나로 하여금 호랑이와 승냥이를 먹이고, 뱀과 전갈을 보호하고, 간특하고 교활한 이서들이 멋대로 행하도록 두어서 칭송하는 소리를 들으라고 했지만 평소의 내 마음은 그렇게 할 수 없다."439)

---

437) 『논어』 「안연」.

438) 황상백(黃商伯) : 송나라 학자 황호(黃灝). 자 상백, 호 서파(西坡). 주자 문인. 융흥부(隆興府)교수·상주제거(常州提擧) 등 역임.

439) 『회암집』 권26, 「서(書)」 '답황교수서(答黃敎授書)'.

다스림에 필요한 행적들[政蹟] 상편(上篇)

1. 성리학자 출신 관리들의 행적들[儒吏章]

○ 자로가 3년간 포(蒲)¹⁾를 다스렸다. 공자가 지나다가 그 경계에 들어서자 말했다. "잘 다스렸도다. 유(由)야! 공경하여서 신의가 있구나." 그 읍에 들어서서 말했다. "잘 다스렸도다. 유야! 충성과 신의를 다하면서 관대하구나." 그 관아 마당에 이르러서 말했다. "잘 다스렸도다. 유야! 밝게 살펴서 명확히 결정하는구나." 자공이 물었다. "부자(夫子)께서는 자로의 정치를 보지 않고도 3번이나 칭찬하였으니 그 이유를 들을 수 있겠습니까?" 공자가 대답했다. "경계에 들어서서 보니 논밭과 두둑이 잘 정비되어 있으며, 황폐한 토지가 잘 개간되었고, 논밭사이의 용수로가 깊게 파져있었다. 이것은 공경하여 신의가 있기 때문에 민들이 힘을 다한 것이다. 읍에 들어서니 시장 가운데 지은 집들이 온전하며 견고하고, 나무들이 매우 무성하였다. 이것은 충성과 신의를 다하면서 관대하기 때문에 민들이 도적질하지 않는 것이다. 관아 마당에 이르니 매우 깨끗하고 한가하면서 아랫사람들이 명령을 잘 따르고 있다. 이것은 밝게 살펴서 명확히 결정하기

---

1) 포(蒲) : 하북성(河北省) 장환현(長桓縣) 소재.

때문이다."(『가어』2))

　○ 복자천(宓子賤)3)이 선보[單父]4)를 다스렸다. 그곳에는 스승으로 모시는 자도, 친구로 교유하는 자도, 일을 부리는 자도 있었다. 복자천이 거문고를 연주하며 당(堂) 아래로 내려오지 않아도 잘 다스려졌다. 무마기(巫馬期)5)도 선보를 다스렸는데 아침 일찍부터 밤늦게까지 하루 종일 쉬지 않고 본인이 직접 나섰다. 이때도 잘 다스려졌다. 무마기가 잘 다스려지는 이유를 묻자 복자천이 대답했다. "나는 일을 사람들에게 맡겼고, 그대는 자신의 힘에만 의존한 것이다. 혼자 힘으로 다스리려 하면 힘들고 남에게 맡기면 편한 것이다."(『설원』6))

　○ 주자(周子)선생7)은 널리 배우고 힘써 행하여 도를 일찍부터 접했으며, 일을 처리함에 강직하고 과단성이 있고, 고인(古人)의 풍모를 간직하고 있었다. 정치를 할 때 정밀하고 엄격하면서도 너그러웠으며, 도리를 다하려고 힘썼다.

　분령현 주부8)(分寧縣主簿)에 부임하였다. 현에서 오랫동안 처결하지 못한 옥사가 있었는데 선생이 부임하여 한번 심문하여 사리를 판별하니 여러 사람들이 다투어 칭송하였다. 이에 부(部)의 사자(使者)가 남안군9)사리참군10)(南安軍司理參軍)으로 천거하였다. 남안(南安)의 옥에 죄수 1명이

---

2) 『공자가어(孔子家語)』 권3, 「변정(辨政)」 14.

3) 복자천(宓子賤) : 공자 제자. 성명 복불재(宓不齋), 자 자천.

4) 선보[單父] : 산동성 선현(單縣) 남쪽 소재.

5) 무마기(巫馬期) : 공자 제자. 성명 무마시(巫馬施), 자 기(期).

6) 『설원』 권7, 「정리(政理)」.

7) 주자(周子) : 송나라 학자 주돈이(周敦頤). 자 무숙(茂叔)·염계(濂溪).

8) 주부(主簿) : 문서와 장적(帳籍) 담당 관리.

9) 남안(南安) : 강서성 대유현(大庾縣) 소재.

있었는데 죽을 죄에 해당하지는 않았으나 전운사(轉運使)¹¹⁾ 왕규(王逵)¹²⁾
가 무겁게 다스리려 하였다. 왕규가 가혹하고 각박했기 때문에 이서들이
감히 그와 더불어 가부(可否)를 의론하지 않았다. 선생만이 홀로 힘써
변론하였다. 왕규가 듣지 않자 주자(周子)는 수판(手板)¹³⁾을 놓고 돌아와
임명장[告身]¹⁴⁾을 맡기고 떠나면서 말했다. "이렇게까지 하면서 벼슬살이
를 해야겠는가? 나는 사람을 죽여서 남에게 아첨하는 일을 할 수 없다."
왕규 역시 깨닫고, 죄수는 죽음을 면할 수 있었다.

주자(周子)가 남창현(南昌縣)¹⁵⁾에 부임하자 현의 사람들이 환영하며 말
했다. "선생은 분영(分寧)¹⁶⁾의 옥사를 잘 판결한 사람이니 우리가 호소할
데를 얻었다." 이에 다시 서로 고소하면서도 명령을 위반하지 않았는데,
죄에 저촉될 것을 우려할 뿐만 아니라 선정(善政)을 더럽히는 것을 부끄럽게
여겼기 때문이다.

합주(合州)¹⁷⁾에 있을 땐 옥사가 선생의 손을 거치지 않으면 이서들이
감히 결정하지 못하였으며, 재판에 관련된 민들은 즐겨 따르지 않았다.
이에 촉(蜀)¹⁸⁾지역 현인과 군자들이 선생을 칭송하였다.

조공(趙公)이 사자(使者)가 되었는데 어떤 사람이 선생을 헐뜯었다. 조공

10) 사리참군(司理參軍) : 송나라 태조(太祖)가 여러 주(州)의 형법을 담당하기 위해
   둔 관직.
11) 전운사(轉運使) : 지방 수륙의 운수 담당 관직.
12) 왕규(王逵) : 송나라 관리. 하동전운사(河東轉運使) 등 역임.
13) 수판(手板) : 관인(官人)이 관대(冠帶)를 갖추고 손에 잡는 판. 홀(笏).
14) 고신(告身) : 관리에게 수여하던 직첩(職牒). 사첩(謝帖)·관교(官敎)·교첩(敎牒).
15) 남창(南昌) : 강서성의 성도(省都).
16) 분영(分寧) : 강서성 홍주(洪州) 수수현(修水縣) 소재.
17) 합주(合州) : 사천성(四川省) 소재.
18) 촉(蜀) : 사천성의 옛 이름.

이 부임할 때 크게 위세를 부렸지만 선생은 초연하게 처신하였고, 조공은 끝내 의심을 풀지 않았다. 조공이 건(虔)[19]지역의 태수가 되었는데 선생이 주(州)의 정사를 돕게 되었다. 조공이 선생의 일 처리하는 것을 익히 보고서 곧 깨닫고 선생의 손을 잡으며 말했다. "하마터면 당신을 잃을 뻔했다. 오늘에야 비로소 주무숙(周茂叔)이 어떤 사람인지 알았다."

소주(邵州)[20]에서는 학교를 새롭게 정비하고 사람들을 교화하였다. 영표(嶺表)[21]를 맡아 다스릴 때 장독(瘴毒)[22]에 걸리는 것을 꺼리지 않고 열심히 출입하였다. 비록 궁벽한 산골이나 외딴 섬과 같이 인적이 드문 곳이라도 천천히 보고 서서히 살펴 원통함을 씻어주고 민들에게 은혜를 베푸는 것을 자신의 임무로 생각하였다. 그러나 미처 정사를 다 펼치고 조처하지 못한 채 병이 나서 돌아오게 되었다. 선생은 어려서부터 옛것을 믿고 의리를 좋아하여 명예와 절개로써 스스로를 힘써 닦고, 자신에게는 인색하였다. 녹봉은 종족(宗族)을 위해 사용하고 빈객과 친구를 대접하는데 썼으며, 가족을 위해서 혹 백전(百錢)의 저축도 남기지 않았다.

○ 정백자(程伯子)[23]가 호현[24]주부(鄠縣主簿)에 부임하였다. 민인 가운데 어떤 자가 자기 형의 집을 빌려 살고 있었다. 그러던 어느날 마당에서 돈이 담긴 궤짝을 발견하였다. 형의 자식이 자기 아버지가 묻어둔 것이라고 하며 고소하였다. 이에 현령(縣令)이 정백자에게 물었다. "증거가 없으니 어떻게 판결해야 합니까?" 선생이 대답했다. "그것을 판별하는 것은 쉽다."

---

19) 건(虔) : 강서성 소재.
20) 소주(邵州) : 호남성(湖南省) 소재.
21) 영표(嶺表) : 오령(五嶺)의 남쪽.
22) 장독(瘴毒) : 열병의 원인이 되는 나쁜 기운.
23) 정백자(程伯子) : 송나라 학자 정호(程顥).
24) 호현(鄠縣) : 섬서성(陝西省) 소재.

이렇게 말하고 형의 자식에게 물었다. "너의 아버지가 돈을 묻어둔 지 얼마나 되었느냐?" 형의 자식이 대답하였다. "40년 전의 일입니다." 다시 물었다. "저들에게 집을 빌려 준 지는 얼마나 되었느냐?" 형의 자식이 대답하였다. "20년 전의 일입니다." 즉시 이서를 보내어 동전 만전[十千]을 가져와 살펴보고서는 집을 빌린 자에게 물었다. "지금 관에서 만든 돈은 불과 5, 6년이 못되어 천하에 유통된다. 이 동전은 네가 묻어두기 수십 년 전에 주조된 것이다. 어떻게 이런 일이 있을 수 있는가?" 그러자 굴복하였다. 현령이 매우 기이하게 여겼다.

남산(南山)에 있는 어느 승려의 거처에 돌로 만든 불상이 있었다. 해마다 불상의 머리에서 빛이 난다는 소문이 전해지고 있었다. 그 광경을 보기 위해 주변은 물론 먼 지역에 사는 남녀들이 모여들어 밤낮을 가리지 않고 함께 생활하였다. 현령도 귀신을 두려워하여 금지하지 못하였다. 선생이 처음 이곳에 도착하자마자 승려를 꾸짖으며 물었다. "내가 불상의 머리에서 해마다 빛이 난다는 소문을 들었다. 실제 그런 일이 있었는가?" 승려가 대답했다. "그렇습니다." 다시 훈계하며 말했다. "다시 그런 일이 나타나면 먼저 내게 알려라. 직무 때문에 갈 수 없으니 그 머리를 가져다 볼 것이다." 그 뒤로 다시 불상에서 빛이 나지 않았다.

부(府)의 경내에 수해가 들어 갑작스럽게 부역을 차출하는 일이 발생하였다. 여러 읍에서는 낭패로 여겼으나 선생이 관할하는 부(部)에서는 민들이 먹고 음식과 거처하는 잠자리가 편안하지 않음이 없었다. 게다가 당시 무더위 속에서 설사가 크게 유행하여 죽은 자가 많았지만 호현(鄠縣) 사람들만 죽은 자가 없어서 부역에 응할 수 있었다. 선생이 부역을 동원해도 사람들이 수고롭게 여기지 않았기 때문에 일이 손쉽게 이루어졌다. 선생은 항상 사람들에게 말했다. "내가 부역을 감독하는 방법은 군법으로써 다스리는 것이다."

다시 상원현25)주부(上元縣主簿)에 부임하였다. 전세(田稅)는 고르지 않은데다가 좋은 토지는 귀족과 부자들이 높은 가격에다가 세금을 낮추어주면서 사들였다. 가난한 민들은 비록 일시적으로 이익을 얻는 듯 했지만 시간이 지나면서 그 폐단을 감당할 수 없게 되었다. 이에 선생이 현령(縣令)을 위해 법을 정하였다. 민들의 동요 없이 한 읍의 전세가 크게 균등해졌다. 처음 실시할 때에는 부자들이 불편하게 생각하여 허튼 소문을 퍼뜨려 그 일을 중지시키려 했지만 얼마 안 되어 1명도 복종하지 않는 자가 없게 되었다. 그 뒤 여러 지역에서 균세법(均稅法)26)이 시행되었는데 읍관(邑官)이 부족해서 다른 읍의 관리들을 지원해주었다. 한 해가 지나고 시기가 지나도 문서[文案]는 산처럼 쌓이고 오히려 불균등하다고 호소하는 자가 늘었다. 여기에 들어가는 공력을 계산해 보니 상원현에 비해 몇 천 몇 백 뿐만이 아니었다. 마침 현령이 파직되어 떠나자 선생이 읍의 일을 대신 맡아 다스렸는데 상원이 정무가 많은 읍이어서 올라오는 소송이 하루에 2백여 건 이상이었다. 다스리는 자가 소장을 살펴보는 것만으로도 피곤할 텐데 어느 겨를에 여러 지역을 다스리겠는가? 하지만 선생에게는 이같이 송사들을 처리하는데 방도가 있었다. 한 달이 채 못돼 민들의 소송이 줄어들었다.

강남(江南)27)의 논은 둑에서 물을 끌어들여 대는 것에 크게 의존하였다. 그런데 어느 무더운 여름철 둑이 터졌고, 수리하는데 필요한 인력을 계산하

---

25) 상원(上元) : 강소성(江蘇省) 강녕현(江寧縣) 소재.
26) 균세법(均稅法) : 왕안석의 방전균세법(方田均稅法). 사방 천보(步)를 1방(方)으로 하여 토지의 비옥도와 척박도를 조사하여 5등분으로 나누어 등급에 따라 과세한 세법.
27) 강남(江南) : 양자강 이남의 땅.

니 장정 10명이 아니면 막을 수 없었다. 법을 따르면 터진 사실을 부(府)에
알리고 부에서는 조사(漕司)28)에 올려 의논한 뒤에 공정(工程)을 계산하여
부역을 조달하였다. 그렇게 되면 한 달이 소요되기 때문에 당장 일을
시작할 수 없었다. 이에 선생은 말했다. "이렇게 되면 모가 다 말라버릴
것이다. 민들이 장차 무엇을 먹고살겠는가? 민을 구하다가 죄를 얻을지라도
사양하지 않겠다." 민들을 동원하여 터진 곳을 막았다. 그 덕분에 큰 풍년이
들었다.

모산(茅山)29)에 용이 나오는 연못이 있었다. 용 모양이 도마뱀과 비슷하
고 오색(五色)의 광채가 났다. 상부(祥符)30) 연간에 중사(中使)31)가 용 2마리
를 잡아가지고 오던 중 용 1마리는 날아가 버렸다고 보고하였다. 이로부터
그 지방 사람들이 용을 신물(神物)로 받들게 되었는데 선생이 용을 잡아다가
포를 떠 버리자 더 이상 미혹되지 않았다.

선생이 읍에 처음 도착했을 때 사람들이 장대를 가지고 날아다니는
새를 붙게 해서 잡는 것을 보고 그 장대를 빼앗아 부러뜨리며 이 같은
행위를 하지 말라고 가르쳤다. 임기를 마치고 돌아가기 위해 배를 교외에
대려할 때 몇몇 사람들이 말했다. "주부(主簿)가 끈끈한 장대를 부러뜨린
뒤 향민(鄕民)과 자제들이 감히 새를 기르지 못하였다." 엄하지 않으면서도
명령이 행해지는 것이 이와 같았다.

2년 뒤 택주(澤州)32) 진성33)령(晉城令)에 부임하였다. 택주 사람들의

---

28) 조사(漕司) : 징부(徵賦)의 수납[催科], 금곡(金穀)의 출납 담당 관원.

29) 모산(茅山) : 절강성 소흥현(紹興縣) 소재 명산.

30) 상부(祥符) : 대중상부(大中祥符). 송나라 진종(眞宗) 연호. 1008~1016.

31) 중사(中使) : 궁중에서 왕명을 전하는 내시(內侍).

32) 택주(澤州) : 산서성 소재.

33) 진성(晉城) : 산서성 동남부 소재.

성품이 순박하고 인정이 두터운데다가 선생의 가르침과 명령에 잘 따랐다. 민이 일이 생겨 읍에 들어오면 효제충신(孝悌忠信)을 알려주어 집에 돌아가서 부모와 형을 섬기며, 집을 나서면 어른과 윗사람을 섬기게 하였다. 향촌의 멀고 가까움에 따라 5보(保)로 편성하고 민들이 힘을 모아 서로 돕게 하였으며, 근심과 재난에 직면해서는 서로 구휼하고, 간특함과 거짓됨을 허용하지 않았다.

친척과 향당(鄕黨)은 책임지고 고아나 의지할 데 없는 사람, 쇠잔해진 사람들의 생계를 유지하고, 길 가던 나그네로서 그곳을 지나다 병이 난 사람은 모두 잘 돌보게 하였다. 여러 향에는 학교를 설치하였으며, 시간이 나면 직접 학교를 방문하여 부로(父老)와 함께 이야기를 나누었다. 그리고 어린 학생들이 읽는 책의 구두(句讀)를 직접 바로잡아 주었고, 가르치는 자가 서툴면 교체하였다. 이 지역의 풍속이 처음에는 매우 거칠어 배움을 알지 못했는데, 선생이 자제 가운데 뛰어난 자들을 선발하여 모아서 가르쳤다. 선생이 그곳을 떠난 지 10년만에 유자(儒者)의 복장을 입는 자가 수백 명에 이르렀다.

향민(鄕民) 사회의 조례(條例)를 만들고 선악을 구별하여 드러내어 민들로 하여금 권면하고 부끄러워하게 하였다. 진성현의 규모가 거의 만 가구나 되었으나 선생이 다스리는 3년간 강도나 싸우다 죽은 사람이 없었다. 임기가 만료되어 선생을 대신할 관리가 곧 도착할 즈음에 이서가 밤에 문을 두드리며 살인사건이 발생했다고 하였다. 선생이 말했다. "우리 읍에 어떻게 이런 일이 발생할 수 있는가? 이런 일이 있다면 이는 △촌에 사는 아무개일 것이다." 이 말을 듣고 탐문하니 과연 그런 사람이 있었다. 집안사람들이 놀라서 물었다. "어떻게 아셨습니까?" 선생이 대답했다. "나는 항상 이 자가 뉘우치지 않는 악한 소인배[惡少輩]라고 의심하였다."

예전부터 민들이 역(役)에 차출되는 것을 꺼려하였다. 역이 부과되면
서로 들춰내고 고소하여 한 고을에 사는 이웃들이 서로 원수가 되었다.
선생은 민산(民産)의 넉넉하고 모자람을 파악하여 역에 나아갈 앞뒤 순서를
정하고, 장부(帳簿)를 살펴 명령을 내리니 원망하는 자가 없었다.

농사를 짓지 않을 때 하동(河東)34)의 의용군(義勇軍)에게 군사훈련을
시키도록 했는데 문서상으로 훈련횟수만 채웠다. 선생이 부임하자 제대로
훈련시켜 진성(晉城)의 민들은 정예 병사들이 되었다.

선생이 명령을 내릴 때에는 민인 보기를 자식처럼 하였다. 혹 문서[牒]
없이 관청의 뜰[官庭] 아래 이르러 그 까닭을 진술하려는 자가 있으면
선생은 조용히 고(告)하는 말을 듣고 정성스럽게 타이르되 싫증내지 않았다.
3년간 재임하면서 민들이 선생을 부모처럼 사랑하였다. 선생이 떠나는
날에 울음소리가 들판을 가득 메웠다.

진령35)판관36)(鎭寧判官)에 다시 부임하였다. 태수(太守)37)가 엄격하고
시기가 많아서 통판(通判)38)이하 관리들이 감히 함께 변론하는 일이 없었다.
처음에 태수는 선생이 대헌(臺憲)39)을 역임했기 때문에 직무에 힘을 쓰지
않을 것이라고 생각하였으며, 또한 자신을 업신여길 것이라고 염려하였다.

---

34) 하동(河東) : 황하 강 동쪽 연안 지방 일대.

35) 진령(鎭寧) : 광서성(廣西省) 사은현(思恩縣) 서쪽 소재.

36) 판관(判官) : 절도사(節度使)·관찰사(觀察使)·방어사(防禦使)·단련사(團練使)·선무
사(宣撫使) 등 제사(諸使)의 속관(屬官). 절도(節度)·관찰(觀察)·방어(防禦)·단련(團
練) 등 여러 임무 수행.

37) 태수(太守) : 한나라 경제(景帝) 때 지방 군(郡)의 장관.

38) 통판(通判) : 송나라 때 만들어진 지방관. 번진(藩鎭)의 힘을 누르기 위하여 조신(朝
臣)이 군의 정치를 감독함.

39) 대헌(臺憲) : 주·현(州縣)의 옥송(獄訟), 관인의 선악(善惡), 탐오(貪汚)한 이속(吏屬),
호족(豪族)의 겸병(兼幷)과 횡포(橫暴) 등 감찰.

하지만 선생이 일을 처리함에 매우 공손하고, 비록 창고를 관리하는 작은 업무일지라도 진심을 다했다. 또한 일의 작은 부분이라도 미흡한 점이 있으면 함께 변론하여 태수가 따랐으며, 사이가 매우 좋았다. 여러 차례에 걸쳐 중대한 옥사를 공평하게 심사하여 죽음을 면한 자가 앞뒤로 수십 명에 이르렀다.

선생이 다스릴 때 너그럽게 인정을 두터이 하는 것을 숭상하였다. 먼저 교화에 힘썼으니 비록 매우 어리석은 듯 보였지만 민들이 실제로 감화되었다. 부구현(扶溝縣)[40]엔 평소에도 도둑이 많아서 심지어 평온한 해에도 10여 건이나 발생하였다. 그런데, 선생이 재직한 지 2년이 지나도록 강도가 발생하지 않았다.

부구현에 수재(水災)가 발생하여 민들이 굶주리게 되자 선생이 곡식을 내어 빌려줄 것을 청하였는데 이웃 읍에서도 역시 청하였다. 사농(司農)[41] 이 화가 나서 사자(使者)를 보내 실상을 살피게 하였다. 사자가 이웃 읍에 이르자 수령이 갑자기 이제 곡식이 곧 익을 것이니 빌려주지 않아도 된다고 말했다. 사자가 부구현에 도착하자 선생에게 어찌 스스로 말하지 않느냐고 했지만 선생은 인정하지 않았다. 사자가 곡식을 빌려줄 수 없다고 하자 선생은 민의 굶주리는 사실을 힘주어 말하면서 계속 청하여 곡식 6천 석을 얻어 굶주린 민들을 구제하는 데 사용하였다. 그러자 사농이 더욱 노하였는데, 대여 문서에서 가호(家戶)의 등급이 같은데도 곡식의 양이 같지 않은 사실을 알고 현으로 공문을 보내 담당 이서를 매질하였다. 선생이 말했다. "굶주림을 구제하는 일은 호구의 많고 적음을 기준으로 삼아야지 가호(家戶)의 고하를 따져서는 안 된다. 또한 이는 수령인 내가

---

40) 부구(扶溝) : 하남성 소재.
41) 사농(司農) : 전곡(錢穀) 담당 관리.

실제로 한 일이지 이서들의 죄가 아니다." 이렇게 해서 일을 잘 마무리할
수 있었다.

내시 도지(內侍都知)42) 왕중정(王中正)43)이 보갑법(保甲法)44)을 검열하
기 위해 돌아다녔는데, 그 권세가 대단하였다. 이르는 곳마다 현(縣)의
관리를 능멸함에도 여러 읍에서는 연회를 위해 경쟁적으로 화려하고 고운
휘장을 치며 아부하고자 했다. 부구현의 주리(主吏)45) 역시 그렇게 할
것을 청하였으나 선생은 말했다. "우리 읍은 가난하니 어찌 다른 읍을
본받아서 법에서 금하는 것을 취하겠는가? 다만 오래된 푸른색 장막을
사용하는 것은 가능할 것이다." 선생이 읍에 있던 그 해 겨울, 왕정중이
읍의 경계를 왕래하였는데도 끝내 읍내로 들어오지 않았다.

이웃 읍에 억울함을 호소하며 선생이 판결해 주기를 원하는 자들이
앞뒤로 5, 6여 명에 달하였다. 작은 범죄를 저지른 자가 있었는데, 선생이
말했다. "네가 행실을 고치면 내가 너의 죄를 가볍게 해주겠다." 도적은
머리를 찧으며 스스로 새로운 사람이 되겠다고 했다. 그 뒤 몇 개월이
지나 다시 도둑질을 했다. 죄인을 체포할 이서[捕吏]가 문에 이르자 도둑이
자기 부인에게 말했다. "내가 태승(太丞)46)과 함께 다시는 도둑질하지 않겠
다고 약속하였거늘 지금 무슨 면목이 있겠는가?" 스스로 목을 매어 자살하
였다.(「행장(行狀)」47))

---

42) 내시도지(內侍都知) : 내시성(內侍省)에 속한 환관(宦官). 도지는 겸임의 관명.
43) 왕중정(王中正) : 송나라 내시.
44) 보갑법(保甲法) : 송나라 왕안석의 신법. 1보(保) 10가(家)로 묶어 보장(保長)을
   두었다. 50가(家)를 대보(大保)로 하여 대보장(大保長)을, 10대보(大保)를 도보(都
   保)로 하여 정장(正長)과 부장(副長)을 두었다. 남정들은 보정이 되어 평상시
   군사훈련을 받으며, 치안을 유지하는데 힘씀.
45) 주리(主吏) : 한나라 공조(功曹)의 관리.
46) 태승(太丞) : 승(丞)은 한나라 때 장관을 보좌하는 관직.

○ 명도[48])선생은 기상이 맑고 뛰어나며, 그 시원스러운 모습이 마치 세속에서 벗어난 듯해서 어려운 일을 감당하지 못할 것 같았다. 그런데 일에 직면해서는 매번 미천한 자들과 함께 기거하며 함께 음식을 먹었다. 다른 사람들은 이 같은 어려움을 감당하지 못했는데 선생만은 여유롭게 처신하였다. 공사를 감독하는 일을 맡아서 아주 춥거나 더워도 가죽옷[裘衣][49])을 입지 않고 양산[日傘]을 쓰지 않았다. 때에 따라 순행할 때 여러 사람들이 선생이 이르는 곳을 알지 못했기 때문에 사람들이 힘을 다해 항상 기한에 앞서 맡은바 일을 완수하였다.

뒷날 부오(部伍)를 인솔해 가던 중 밤마다 소란스런 일이 많이 발생하였다. 장정 1명이 겁을 내면 여러 사람들이 다투어 일어났고, 그 틈을 타서 간특한 이들이 도둑질하는 사건이 이루 말할 수 없었다. 이에 선생이 군사(君師)의 규율로써 이들을 척결하자 드디어 떠드는 자들이 사라졌다. 역을 마치고 해산하고 나서도 부오(部伍)는 정숙하고 조용하여 마치 평상시와 같았다.(『이락연원록(伊洛淵源錄)』[50]) 아래도 같음.

○ 명도선생이 현령이 되었을 때 평상시 거처하는 주위에 '민 보기를 다친 자를 돌보듯이 한다[視民如傷]'[51])는 4글자를 써두었다. 그리고 말했다. "내가 날마다 이 4글자를 보고 부끄럽게 여긴다."[52])

---

47) 『이정문집(二程文集)』 권12, 「행장(行狀)·묘지(墓誌)·제문(祭文)」 '명도선생행장(明道先生行狀)'.
48) 정명도(程明道) : 송나라 학자 정호(程顥). 자 백순(伯淳), 호 명도(明道). 주돈이(周敦頤)의 문인. 아우 정이(程頤)와 함께 이정자(二程子)로 불림.
49) 구의(裘衣) : 추운지방에서 입는 가죽으로 만든 옷.
50) 『이락연원록(伊洛淵源錄)』 권3, 「명도선생(明道先生)」 '서행장후(書行狀後)'. 주자의 저술. 주돈이(周敦頤) 이하 이정자(二程子), 이들과 교유한 문인제자의 언행을 기록한 책.
51) 『맹자』 「이루」하.

○ 장자(張子)53)가 운암54)령(雲巖令)에 부임하였다. 정사는 근본을 돈독히 하고 풍속을 선하게 만드는 것을 우선시 하였다. 매달 초하루에 술과 음식을 마련하여 향(鄕)에 사는 나이 많은 자들을 현의 뜰[縣庭]55)에 모아놓고 친히 술을 권하여 사람들이 노인을 대접하고 어른을 모시는 뜻을 알게 하였다. 이러한 행사를 통해 민들의 어려움과 고통을 묻고 자제를 훈계하는 뜻을 알게 하였다.

장자는 항상 널리 알리고 교시할 때마다 문격(文檄)56)이 민에게 이르지 못할까 염려하였다. 이에 매번 향장(鄕長)들을 현의 뜰로 불러서 잘 타이르고 그들을 시켜 마을[里閭]에 가서 알리게 하였다. 민 가운데 일이 생겨 현의 뜰 앞에 이르거나 혹 길에서 만난 자가 있으면 △날 명령한 이러한 포고나, 이러한 일을 들었는지의 여부를 물었다. 들었다면 더 이상 추궁하지 않았지만 못 들었다고 하면 명령을 받은 자를 죄주었다. 때문에 한 마디 말이 나가면 비록 어리석은 자나 어린아이라 할지라도 알고 있었다.(「행장」57))

○ 진고령(陳古靈)의 이름은 양(襄)58)이고 자는 술고(述古)이다. 그가 건주(建州)59) 포성현60)주부(蒲城縣主簿)에 부임하였다. 고을에는 세족(世族)이 많이 살고 있어서 전·후임 현령들이 이들을 제대로 제어하지 못하였

---

52) 『이락연원록』 권3, 「명도선생」 '서행장후'.
53) 장자(張子) : 송나라 학자 장재(張載). 자 횡거(橫渠). 기(氣)철학의 창시자.
54) 운암(雲巖) : 광서성 소재.
55) 현정(縣庭) : 현(縣)의 정사를 집행하는 곳.
56) 문격(文檄) : 여러 사람이 차례로 돌려보도록 쓴 글.
57) 『장자전서(張子全書)』 권15, 「수록(附錄)」 '행장(行狀)'.
58) 진양(陳襄) : 송나라 관리. 자 술고(述古), 호 고령선생(古靈先生). 추밀직학사(樞密直學士)·판상서도성(判尙書都省) 등 역임.
59) 건주(建州) : 만주 길림(吉林)지방의 옛 이름.
60) 포성(蒲城) : 섬서성 대려현(大荔縣) 서쪽 소재.

다. 이에 현령을 속이고 청탁하는 습관이 일상화되었다. 공이 밤늦게 자고
아침 일찍 일어나 폐단을 제거할 방법을 궁리하였다. 청탁하는 자가 있으면
그가 사류(士類)임을 애석하게 여겨 갑자기 법으로 처벌하지 않았다. 그
보다 매번 송사를 처리할 때마다 자기 앞에 몇 사람을 둘러 앉혀서 청탁자가
말을 꺼내지 못하게 하였다. 이 일로 말미암아 고을 사람들이 더 이상
청탁할 수 없음을 알게 되었다. 노회하고 간특한 자와 오랫동안 뇌물을
받아온 이서들은 더 이상 손을 쓰지 못하고 기운을 잃게 되었다.

　어떤 자가 물건을 잃어버렸는데 누가 훔쳐갔는지 알 수 없었다. 이에
진공이 말했다. "△ 사당에 종(鍾)이 하나 있는데 도둑을 판별해 내는 신비한
능력을 가지고 있다." 사람들을 시켜 종을 가져다 후각(後閣)에 두고 제사를
지냈다. 공은 여러 죄수들을 종 앞에 세워두고 말했다. "도둑질하지 않는
자가 종을 만지면 소리가 나지 않지만 도둑이 만지면 소리가 난다." 관원들
을 거느리고 종에 기도를 드렸는데 매우 엄숙하였다. 제사를 마친 뒤
종 둘레에 장막을 치고, 은밀히 사람을 시켜 종의 표면에 검은색 먹물을
칠하게 하였다. 한참 뒤 죄수를 들여보내 명령에 따라 1명씩 종에 손을
대게 하였다. 장막을 걷고 죄수들의 손을 보니 먹물이 손에 묻어 있었는데
죄수 1명만 묻지 않았다. 그를 심문하여 도둑질한 사실을 밝혀냈다.

　진공이 선거[61]령(仙居令)에 부임하였다. 그곳은 궁벽하고 가난하며 교화
가 못 미쳤다. 이에 공이 정월 초하루에 나이든 노인들을 불러놓고 하례(賀
禮)할 때 권학(勸學) 1편을 지어 문인들에게 읽히고 가르쳐서 타일렀다.
"나의 백성 된 자로서 아버지는 의롭고 어머니는 자애로워야 한다. 형은
우애하고 동생은 공손하며, 자식은 효도하고 부부는 은애(恩愛)가 있으며,
남녀 간에 구별함이 있어야 한다. 자제에겐 배움이 있어야 하고 향여(鄕閭)

---

61) 선거(仙居) : 절강성 소재.

에는 예의가 있어야 한다. 가난과 근심, 재난이 발생하면 친척들이 서로 구해주어야 하며, 혼인과 상례는 이웃에서 서로 도와주어야 한다. 농사에 게으르지 말고 도둑질을 하지 말아야 하며, 도박을 배우지 않고 소송하여 다투지 말아야 한다. 악한 자가 착한 사람을 능멸해서는 안 되고 부자가 가난한 자의 것을 함부로 먹어서는 안 된다. 거리를 다니는 사람들은 길을 양보하고 농사짓는 자들은 밭두렁을 양보해야 하며, 머리가 허연 사람이 길에서 짐을 지고 다니는 일이 없어야 예의의 풍속이 이루어질 것이다." 이에 노인들이 감격하여 눈물을 흘리며 가르침을 따랐다.

진공은 매번 사직(社稷)과 공자의 묘를 지나칠 때마다 항상 말에서 내려 걸어갔다. 마을 사람들이 이를 본받고, 배우는 자들이 많이 늘어났다. 공이 상주(常州)의 군(郡)에 있는 학당[庠]이 좁아서 선생과 학생을 수용하기에 부족하다는 사실을 알고, 학당의 규모를 늘리는 공사를 벌이자 모든 이들이 밤낮을 가리지 않고 일해서 완성하였다. 공이 새벽에 학당에 들어가 앉아 여러 학생들에게 경전의 뜻을 가르쳤으며, 곁에서는 군(郡)의 일을 처리하였다. 이때부터 비릉(毗陵)[62]의 학생들이 이절(二浙)[63]지역에서 가장 번성하였다. 진공은 뛰어난 인재를 기르는 것을 임무로 생각하였다. 그의 문하에서 배출한 사람들은 민을 사랑하는 일이 나라의 근본을 공고히 하는 것이며, 자신을 다스리는 것이 아랫사람을 대하는 규범이며, 옛것을 배우는 것이 수신의 바탕이고, 부모를 섬기는 것이 도를 행하는 시작임을 알았다. 문인들이 사방에서 관리가 되어 민들이 그 베풂을 받을 수 있었던 것은 공의 가르침 때문이었다.(『자경편』[64])

---

62) 비릉(毗陵) : 강소성 무진현(武進縣) 소재.
63) 이서(二浙) : 절동(浙東)과 절서(浙西)지역.
64) 『자경편』 권4, 「접물류(接物類)」 '교제(交際)'.

○ 주자가 천주(泉州)65) 동안현66)주부(同安縣主簿)에 부임하였다. 근면하고 민첩하게 일을 처리하여 아주 세밀한 데까지 두루 미쳤으며, 민을 이롭게 하기 위해서라면 수고로움을 마다하지 않았다. 고을에서 뛰어난 민을 선발하고 명사(名士)를 찾아 방문하여 모범으로 삼아서 날마다 더불어 성현의 수기치인(修己治人)의 도를 강의하여 설명하였다.

뒤에 주자가 남강군(南康軍)67)에 부임하였다. 마치 자신의 근심처럼 성의를 다해 민을 사랑하고, 이익을 만들고 해로움을 없애지 못할까 두려워하였다. 그 해 비가 내리지 않아 흉년이 들자 민을 구하는 정치를 강구하면서 조정에 청하여 말을 다하지 않음이 없었다. 관물(官物)을 조사하고 방출하는 일, 정부에 의지해서 조세감면이나 체납액을 일정 비율로 면제해주는 일에 있어서 예를 들어 추묘(秋苗)·하세(夏稅)68)·목탄전(木炭錢)·월용전(月椿錢)·총제전(總制錢)69) 등을 각각 명목에 맞추어 조목별로 주청을 하였다. 그 가운데 서너 차례 계속해서 들어주지 않는 경우에도 주청을 그만두지 않았다. 아울러 다른 지방으로 운송하는 화물[綱運]70)을 그 지방의 수요를 위해 압류할 수 있게 할 것을 주청하였다. 또한 전운(轉運)71)과 상평(常平), 양사(兩司)에 요청하여 돈과 쌀을 내어 군량을 충당하고 진휼하여 구제하는

---

65) 천주(泉州) : 복건성(福建省) 남동부 소재.

66) 동안(同安) : 복건성 천주(泉州) 소재.

67) 남강(南康) : 강서성 북쪽에 소재. 파양호 서안(西岸)의 성자(星子)·건창(建昌), 동안(東岸)의 도창(都昌) 등 3개 현을 총괄하던 군명(郡名). 군의 관청은 성자현에 둠.

68) 하세(夏稅) : 여름에 받는 조세, 상반기 조세.

69) 총제전(總制錢) : 송나라 부세(賦稅)의 명칭. 경제사(經制使) 진형백(陳亨伯)이 창설했고, 그 후 총제사(總制使) 옹언국(翁彦國)이 세액을 증가시켜 총제전이라 일컬음.

70) 강운(綱運) : 수레 또는 배로 큰 화물을 운반함.

71) 전운(轉運) : 전운사(轉運使). 지방의 수륙의 운수 담당 관직.

데 대비할 것을 주청하였다. 이웃 노(路)에게 항구를 봉쇄하여 진휼미
반입을 막지 말도록 엄격히 훈계하였다. 관리를 선발하여 방략을 전해주어
서 경내(境內)를 살펴 황렴(荒斂)의 분수(分數)와 호구의 다과(多寡), 축적(蓄
積)의 허실(虛實)을 파악하게 하였다. 서로 통상하고 나눠주게 해서 민들을
많이 살렸다. 이 같은 조치와 순서를 사람들이 다투어 전하고 기록하여
법으로 삼았다. 일을 마치자 격식에 따라 곡식을 바친 사람들에게 상을
내려줄 것을 서너 차례 주청하였다.

남강군은 큰 강가에 위치했는데, 강가에 정박해 있던 배가 큰바람을
만나 침몰되곤 하였다. 이를 막기 위해 굶주린 민을 모집하여 둑을 쌓아서
배를 보호하니 민들은 굶주림에서 벗어나고 배도 침몰할 근심에서 벗어날
수 있게 되었다.

선생은 민인 보기를 마치 상처난 사람을 대하듯 하였다. 간특하고 세력이
강한 무리가 가난한 민들을 침탈하거나 법을 무시하고 정치를 해치는
자가 있으면 조금도 용서하지 않고 징계하였다. 이 때문에 세력이 강한
무리들은 위축되었고, 마을도 안정되었다. 선생은 여러 차례 군(郡)에 있는
학교에 가서 학생들을 모아놓고 함께 강론하였다. 그리고 백록동 서원(白鹿
洞書院)의 남은 터를 방문하고 조정에 옛 모습으로 복원해 줄 것을 청하였다.
또한 서원의 칙액(勅額)[72]을 요청하여, 고종(高宗)[73]의 어서(御書)인 석경(石
經)판본의 구경주소(九經註疏)[74] 등의 책들이 내려오자 선생은 쉬는 날[休

---

72) 칙액(勅額) : 칙필(勅筆)과 편액(扁額). 천자의 칙명(勅命)으로 서원을 건축할 때
    내려준 현판.
73) 고종(高宗) : 남송 황제. 휘종(徽宗)의 아들. 금나라의 공격으로 황제가 사로잡히는
    정강(靖康)의 난(亂)이 일어나자 수도를 강남의 임안으로 옮김.
74) 구경주소(九經註疏) : 『중용』 구경(九經)에 대한 세밀한 주해. 구경(九經)은 수신(修
    身)・존현(尊賢)・친친(親親)・경대신(敬大臣)・체군신(體群臣)・자서민(子庶民)・내백

沐]75)마다 한 번씩 이르러 여러 학생들이 의문스럽거나 어려운 내용을
질문하면 답하면서 부지런히 가르쳤다. 수업이 끝나면 학생들과 함께
계곡을 돌아다니다 하루가 지나서 돌아왔다. 또 율리(栗里)에 있는 도정절
(陶靖節)76)의 거처와 서간(西澗)에 있는 유둔전(劉屯田)77)의 묘, 효자 웅인
(熊仁)의 정려(旌閭)78)를 방문하고 그 뜻을 실행하지 못함을 안타깝게 여겼
다.

　선생이 절동 제거79)(浙東提擧)가 되었을 때 마침 기근이 들자 그 날로
혼자 수레를 타고 길을 떠났다. 다른 군(郡)에 편지를 보내 미곡상을 소집해
서 세금을 덜어주자 쌀을 실은 배가 몰려들었다. 민의 고충을 직접 파악하느
라 먹고 자는 것을 잊을 지경이었고, 조처가 정해지자 부(部)내를 순행하여
궁벽하고 산과 깊은 계곡 어디라도 돌아보지 않은 곳이 없었다. 직접
사정을 알아보고 구휼하여 다시 살아난 곳이 헤아릴 수 없이 많았다.
매번 수행원을 물리치고 혼자 수레를 타고 나갔기 때문에 넓은 곳을 돌아다
녔어도 그 사실을 몰랐다. 군현의 관리들이 선생의 풍채(風采)를 꺼리고
매우 놀라 두려워하였는데 항상 마치 사자(使者)가 경내를 제압하듯 해서
심지어 스스로 직책에서 물러난 자들도 있었다. 이 때문에 맡은 부(部)가
조용해졌으며, 도적 잡고 메뚜기를 쫓고 수리를 일으키는 것을 급선무로

　　공(來百工)·유원인(柔遠人)·회제후(懷諸侯) 등 천하를 다스리는 9가지의 도리.
75) 휴목(休沐) : 관리의 휴가. 한나라 때 5일, 당나라 때 10일마다 쉼.
76) 도정절(陶靖節) : 진(晉)나라 문인 도연명(陶淵明). 이름 잠(潛), 자 연명, 호 오류선생
　　(五柳先生). 팽택령(彭澤令)이 되었으나 80여 일 후에 「귀거래사(歸去來辭)」를
　　남기고 귀향함.
77) 유둔전(劉屯田) : 송나라 학자 유환(劉渙). 자 지안(志安). 강호를 떠돌다가 형산(衡
　　山)의 남쪽에 은거함.
78) 정려(旌閭) : 충신·효자·열녀를 위해 세운 정문(旌門).
79) 제거(提擧) : 특정한 사무 담당 관리.

삼았다.

주자가 장주(漳州)[80]에 부임하여 속현(屬縣)에서 명목이 없이 거두던 부세 7백만을 주청하여 줄여주고, 해마다 경제전(經制錢)[81]과 총제전(總制錢)[82] 4백만을 줄여주었다. 남강에서와 같이 학교를 통해 여러 학생들을 가르치고 깨우치는데 특별히 마음을 썼다. 또한 습속이 예(禮)를 아직 모르자 옛날 상례(喪禮)와 혼례를 채록하여 보여주고 부로(父老)가 이를 해설하여 자제를 가르치도록 명하였다.

담주(潭州)[83]에서 오랑캐 동료(洞獠)[84]가 난을 일으켜 속군(屬郡)들이 동요하였다. 선생은 그곳을 진압하라는 명을 받았다. 도착하자마자 사람을 보내 화복(禍福)으로써 일깨우자 모두 항복하였다. 선생은 거듭 교령(敎令)을 내려 군사를 정비하고 간특한 이서를 저지하며, 세력이 강한 민을 제압하였다. 선생은 도착하는 곳마다 학교를 세워 교화를 밝혔다. 호상(湖湘)[85]의 학생들은 평소 학문을 좋아해서 날마다 선생의 퇴근 여부를 살펴 의문점을 질문하였다. 그때마다 선생은 이들을 위해 강설을 게을리 하지 않았고, 사방에서 학자들이 몰려들었다. 또한 선생께서 남강(南康)과 장주(漳州)에서 개정한 석전(釋奠)[86]의식에 따라 옛날 순절한 5명을 기록하고

---

80) 장주(漳州) : 복건성 남부 도시.
81) 경제전(經制錢) : 송나라 휘종때 부가했던 세금. 권첨주전(權添酒錢)·양첨매조전(量添賣糟錢)·관원등청급두자전(官員等請給頭子錢)의 5가지로 구성되었다가 제로무액전(諸路無額錢)·초방정첩전(鈔旁定帖錢) 등이 추가됨.
82) 총제전(總制錢) : 송나라 휘종 때 부가했던 세금.
83) 담주(潭州) : 호남성 장사시(長沙市)의 옛 이름.
84) 동료(洞獠) : 동정호(洞庭湖) 근처에 살고 있는 만족(蠻族), 혹은 묘족(苗族).
85) 호상(湖湘) : 호남성과 절강성 일대.
86) 석전제(釋奠祭) : 공자를 모신 문묘(文廟)에서 지내는 제사. 음력 2월과 8월의 상정일(上丁日)에 거행.

이들을 위해 묘 세우기를 청하였다.(「행장」[87])

○ 장전(張戩)[88]은 6, 7개 읍의 태수를 역임하였다. 정성을 다해 민을 사랑했으며, 계책을 내어 민을 구제하고, 부지런히 힘써 거행하여 이르는 곳마다 뛰어난 업적을 남겼다. 민들이 생활터전을 마련하지 못한 것을 보면 자기 때문이라고 생각하여 지략을 다해 구제하였다. 노인을 봉양하고 곤궁한 사람을 항상 구휼하며, 악을 살피고 선을 권장한 사실을 문서에 기록하였다. 회계를 자세히 점검하고, 세세히 살피면서도 가혹하지 않아서 부(府)에서 근무하는 이서들이 공손히 명을 듣고 속이지 않고 거행하였다.

장전이 포성(蒲城)[89]에 부임하였다. 그곳 민의 성질이 사납고 법령을 두려워하지 않아 다른 읍에 비해 소송하여 다투거나 도둑질하는 일이 몇 배나 되었다. 다른 때에는 영장(令長)이 준엄하게 법을 적용하여 다스렸음에도 민의 간특함을 이기지 못했다. 장전이 금지하는 조문을 너그럽게 적용하였으며, 관아 마당에 와서 송사하는 경우 이치로써 깨우쳐서 범죄를 저지르지 않게 하였다. 간간이 부로(父老)를 불러 자제를 가르치자 이에 감화되어 잘못이 줄어들었다. 그리고 '기선부(記善簿)'를 만들어 아무리 작은 선행일지라도 기록하고, 매달마다 자신의 봉급[俸錢]으로 술과 음식을 장만하여 나이 많은 읍 사람을 불러 관아에 모아놓고 노고를 치하하였다. 그 자손들에게 효제(孝悌)의 도를 권면하게 하였다. 몇 개월도 안 돼 고을 사람들이 교화되고 옥송(獄訟)이 줄어들었다.(『이락연원록』[90])

○ 황면재[91]가 임천[92]령(臨川令)에 부임하였다. 그곳에 가뭄이 들자

---

87) 『면재집』 권36, 「행장」.

88) 장전(張戩) : 송나라 학자. 자 천기(天棋).

89) 포성(蒲城) : 섬서성 대려현(大荔縣)의 서쪽 소재.

90) 『이락연원록』 권6, 「장어사행장(張御史行狀)」.

쌀을 내어 진대를 권장하고, 메뚜기 잡는데 힘을 쏟았다.

황면재가 안풍군[93]통판[94](安豊軍通判)이 되어 화주(和州)[95]의 옥사를 처리하였다. 의심스러운 옥사가 해결되지 않자 죄수의 차꼬[96]와 수갑을 풀어주고 음식을 주면서 자세히 심문하였지만 단서를 얻지 못했다. 그날 밤 어떤 자가 우물에 있는 꿈을 꾸었다. 다음 날 죄인을 불러 힐책하며 말했다. "네가 사람을 죽여 우물 속에 던졌다. 어찌 나를 속이려 하는가?" 죄수가 놀라 자백하였다. 과연 버려진 우물에서 시체를 찾을 수 있었다.

황면재가 한양군(漢陽軍)[97]에 부임하였다. 그곳에 가뭄이 들어 굶주리게 되자 면재는 구황정책을 펼쳤다. 그러자 이웃 군(郡)에 사는 굶주린 민들이 몰려들었고, 그들에게도 혜택을 고르게 베풀고 위로하였다. 봄이 되어 따뜻해지자 돌아가기를 원하는 자에게는 식량을 나눠주었다. 원하지 않는 자는 여막(廬幕)을 짓고 계속 살게 하니 민들이 크게 감격하고 기뻐하였다. 면재는 가는 곳마다 상(庠)[98]과 서(序)[99]를 세워서 가르치고 기르는 것을 우선시 하였다.

황면재가 안경부(安慶府)[100]에 부임하였다. 금나라 군대가 광산(光山)[101]

91) 황면재(黃勉齋) : 송나라 학자 황간(黃幹). 주자의 사위이자 문인.
92) 임천(臨川) : 강서성 여수(汝水) 소재. 무주(撫州).
93) 안풍(安豊) : 하남성 고시현(固始縣) 동쪽에 소재.
94) 통판(通判) : 주(州)의 정치를 돕는 관직.
95) 화주(和州) : 안휘성(安徽省) 소재.
96) 차꼬 : 발에 차는 형구(刑具).
97) 한양(漢陽) : 호북성(湖北省) 소재.
98) 상(庠) : 은, 주나라의 지방 교육기관.
99) 서(序) : 은, 주나라의 지방 교육기관.
100) 안경(安慶) : 안휘성 양자강 북쪽 소재.
101) 광산(光山) : 하남성 황천현(黃川縣) 소재.

을 공격하자 변방지역이 크게 불안해졌다. 이에 황면재는 안경(安慶)에
성을 쌓아 전쟁에 대비할 것을 조정에 청하였다. 답변을 기다리지 않고
즉시 그 날로 성을 쌓기 시작하였다. 성을 12단[料]으로 나누고 먼저 시험삼
아 1단을 쌓아서 공사인원과 비용을 계산하고, 관속(官屬)·우공(寓公)¹⁰²⁾·
사인(士人)들에게 단을 나누어 맡겼다. 민병(民兵) 5천명에게 역을 부과하되
1인당 10일씩 동원하고, 인호(人戶)의 재산정도에 따라 사역을 시킬 수
있는 장정을 징발하였다. 모두 2만 명에 달하였다. 10일간의 사역을 마친
자는 다른 사람으로 번(番)을 바꾸었다. 더운 달의 경우 1달에 6일을 쉬게
하고, 하루에는 점심 무렵 1시간씩 휴식을 주었다. 가을이 되면 점차 쉬는
시간을 반으로 줄였다.

　황면재는 매일 새벽 3~5시[五鼓]가 되면 당(堂)에 나가 자리 잡고, 호채관
(濠砦官)¹⁰³⁾이 모두 들어와 명령을 받았다. 하루 동안 완성해야할 작업
양을 내려주었다. 아무 향의 민병(民兵) △명과 아무 향의 인부(人夫) △명을
△단에 나눠 배치하거나, 혹 △곳의 흙과 나무를 운반하여 아무개가 맡은
단에 사용하도록 하였다. △단에 동원된 민병과 인부를 교대할 때 이들에게
모이고 해산하는 △일 동안 먹을 돈과 쌀을 지급하였다. 명령을 마친
뒤에야 부(府)의 일을 처리하고, 민들의 송사를 해결하였다. 빈객을 접대하
고, 사졸(士卒)을 검열하며, 소속 관리를 만나서 변방의 장단점을 강구하였
다. 그 다음에 성을 순시하여 역의 진행상황을 살피고, 늦게 서원(書院)에
들어가서 경사(經史)를 강론하였다. 성을 쌓을 때 사용할 다짐봉은 전감(錢
監)에게 아직 주조하지 않은 철을 빌려서 사용하고, 일이 끝나면 돌려주었

---

102) 우공(寓公) : 나라를 잃고 다른 나라에 귀부(歸附)해서 살고 있는 사람.
103) 호채관(濠砦官) : 호채는 해자와 진지. 호채관은 해자와 진지를 담당하는 관리로
　　 보임.

다. 성이 완성되자 백살 먹은 노파가 부(府)에 와서 말했다. "군(郡)의 모든 민들을 위해 감사할 뿐이다."(『송사(宋史)』104))

○ 진서산(眞西山)105)이 천주(泉州)106)에 부임하였다. 외국 배들이 가혹한 정치를 두려워한 나머지 1년에 3, 4척밖에 정박하지 않았다. 이에 진서산이 너그럽게 다스리자 배가 점차 늘어 36척에 이르렀다. 세금을 거둘 때 민들에게 직접 저울을 달게 하였으며, 송사를 처리할 때 단지 이름만 게시해도 사람들이 스스로 나왔다. 천주에 대가(大家)들이 많아서 일반 민들에게 근심을 끼치자 법으로 엄히 처리하였다. 논밭 문제로 소송을 낸 자가 이르자 그 토지소유 문서[田券]를 불태우니 감히 송사하지 못하였다. 진서산은 해변을 돌아다니며 형세를 자세히 살펴 요새지에 둔병(屯兵)을 배치하여 외적의 기습에 대비하였다. 서산이 융흥부(隆興府)107)에 부임하였다. 그는 너그럽게 다스린 뒤에 점차 엄격함으로 제어하였으며, 더욱 군정(軍政)에 힘썼다.

진서산이 담주(潭州)에 부임하였다. 그는 이서들을 '청렴·어짊·공변됨·근면함' 4글자로 독려하였으며, 선비들을 주돈이(周敦頤)108)·호안국(胡安國)·주희(朱熹)109)·장식(張栻)110)의 학술로써 권면하였다. 국가가 술을 전

---

104) 『송사』 권430, 「열전」189 '도학(道學)4 황간(黃榦)'. 탁극탁(托克托)이 편찬한 송나라 역사책.

105) 진서산(眞西山) : 송나라 학자 진덕수(眞德秀). 자 경원(景元), 시호 문충(文忠). 서산(西山)선생.

106) 천주(泉州) : 복건성(福建省) 남동부의 도시. 진강(晉江) 유역의 물자 집산지로 유명.

107) 융흥(隆興) : 강서성 소재.

108) 주돈이(周敦頤) : 송나라 학자. 자 무숙(茂叔), 호 염계(濂溪).

109) 주희(朱熹, 1130~1200) : 송나라 학자. 자 원회(元晦)·중회(仲晦), 호 회암(晦庵)·회옹(晦翁)·고정(考亭).

매하여 이익을 독점하는 것을 금지하고, 해면미(解面米)를 없애고 혜민창(惠民倉)을 세워 혜택을 주었다. 또한 12현(縣)에 사창(社倉)[111]을 나누어 설치하여 그 은택이 향촌 촌락에까지 미치게 했다. 별도로 자유사(慈幼舍)[112]와 의간(義阡)을 세워 은혜로운 정치를 거행하였다.(『송사』[113])

○ 서산(西山)선생이 『정경(政經)』[114]을 지었다. 첫머리에 「경훈(經訓)」을 두었다. 이어 한·진[115]·수[116]·당나라 시절 수령의 정사를 민을 다스리는 요체로 덧붙여 놓아 살펴보고 열람하는 자료가 되도록 대비하였다.

2. 어진 관리들의 행적들[良吏章]

○ 관중(管仲)이[117] 제나라 환공(桓公)의[118] 재상(宰相)이 되어 천하를 제패(制覇)하였다. 내정(內政)을 진작시켰는데 군령(軍令)에 의거하여 국가를 다스렸다. 5가(家)를 궤(軌)로 삼고, 궤에 장(長)을 두었다. 10개 궤(軌)가 이(里)가 되며, 이에는 사(司)를 두었다. 4개 이가 연(連)이 되며, 연에 장을 두었다. 10개 연이 향(鄕)이 되며, 향에는 양인(良人)을 두었다. 5집이 궤가

---

110) 장식(張栻) : 송나라 학자. 자 경부(敬夫)·낙제(樂齊), 남헌선생(南軒先生). 주자와 친분을 나눔.

111) 사창(社倉) : 봄철 춘궁기 때 민에게 곡식을 빌려주고 가을철 이자를 더해 받는 제도. 남송대 주자에 의하여 제창됨.

112) 자유사(慈幼舍) : 자유창(慈幼倉). 버림받은 아이들을 구호함.

113) 『송사』 권437, 「열전」, '유림(儒林)7'.

114) 정경(政經) : 진덕수(眞德秀)의 저술.

115) 진(晉) : 위나라를 멸망시키고 사마염(司馬炎)이 세운 왕조.

116) 수(隋) : 북주(北周)의 외척 양견(楊堅, 文帝)이 세운 나라.

117) 관중(管仲) : 제나라 정치가. 포숙아(鮑叔牙)의 천거로 환공(桓公)을 섬겨 패업(覇業)을 이룸.

118) 환공(桓公) : 춘추시대 제나라 군주. 관중을 재상으로 기용하여 부국강병을 이룸.

되므로 5명이 오(伍)가 되었고, 궤의 장이 이들을 거느렸다. 10개 궤가 이(里)가 되므로 50명이 소융(小戎)이 되었고, 이에 있는 사(司)가 거느렸다. 4개 이가 연이 되므로 2백명이 졸(卒)이 되었고, 연의 장이 거느렸다. 10개 연이 모여 향이 되므로 2천 명이 여(旅)가 되었고, 향에 있는 양인(良人)이 거느렸다.119) 5개 향에 1명의 장수(將帥)를 두니, 만 명이 하나의 군(軍)이 되고, 5개 향의 장수가 거느렸다. 3군(軍)이 있으므로 중군(中軍)의 북, 국자(國子)120)의 북, 고자(高子)121)의 북이 있었다.

봄철 사냥[蒐]을 통해서 군대를 정돈하고, 가을철 사냥[獮]을 통해서 군대를 훈련시켰다. 이 때문에 졸(卒)과 오(伍)가 이에서 정돈되고, 군(軍)과 여(旅)가 교(郊)122)에서 정비되었다. 오에 거주하는 자들은 제사를 함께 지내며 복을 빌고, 상례(喪禮)가 있으면 함께 부조하였다. 이들은 이사를 가지 않고 대대로 함께 살았다. 어린 시절부터 같이 놀았기 때문에 밤에 전투할 때 소리만 들어도 서로 알 수 있었고, 낮에 싸울 때도 눈만 보아도 서로 알 수 있었다. 함께 즐겁게 거처하고 화목하게 다녔으며, 죽으면 모두 슬퍼하였다.

매년 정월 조회에서 향장(鄕長)이 정사를 아뢰면 군주[桓公]는 향장에게

---

119) 이상의 편성을 표로 정리하면 다음과 같다.

단위	軌	里	連	鄕
구성	5家(軌長)	10궤(司)	4리(連長)	10연(良人)
군대	伍(5명)	小戎(50명)	卒(200명)	旅(2,000명)

120) 국자(國子) : 공경대부(公卿大夫)의 자제(子弟). '국자의 북'은 공경대부의 자제인 국자가 군대 가운데에서 북을 쳤다는 데에서 유래.

121) 고자(高子) : 춘추시대 제나라 상경(上卿). '고자의 북'은 제나라 상경인 고자가 군대 가운데에서 북을 쳤다는 데에서 유래.

122) 교(郊) : 주나라 제도에서는 국도(國都)에서 거리가 50리(里) 이내의 곳을 '근교(近郊)', 1백 리 이내를 '원교(遠郊)'라 함.

물었다. "너희 향에 학문을 좋아하는 자나, 자애롭고 효성스러운 자, 총명하며 지혜로운 자, 질박하며 어질어서 향리에 소문난 자가 있느냐?" 또 물었다. "용기가 뛰어나서 신하로 삼을 만한 자가 있느냐? 이와 같은 사람이 있으면 말하라. 있는데도 고하지 않으면 어진 자를 숨긴 것으로 간주할 것이다." 또 물었다. "너희 향에 자애롭지 못하고 효도하지 않는 자나 동생들을 돌보지 않는 자, 교만하고 포악스러워 위로 명을 받들지 않는 자가 있느냐? 있으면 말하라. 있는데도 고하지 않으면 아래에서 패거리 짓는 것이니 그 죄가 각각 다섯이다."

국자(國子)나 고자(高子)가 물러나면 향을 다스리고, 향에서 물러나면 연(連)을 다스린다. 연에서 물러나면 이(里)를 다스리고, 이에서 물러나면 궤(軌)를 다스리고, 궤에서 물러나면 가(家)를 다스린다. 이렇게 하면 필부(匹夫)들 가운데 착한 자는 등용될 것이며, 간혹 착하지 않은 자가 있으면 처벌한다. 민들은 착한 일에 힘쓰게 될 것이다. 또한 비(鄙)를 제어하는데 30가(家)를 읍(邑)으로 삼고 읍에는 사(司)를 둔다. 10개 읍을 졸(卒)로 삼고 졸에는 졸수(卒帥)를 둔다. 10개 졸을 향(鄕)으로 삼고 향에는 향수(鄕帥)를 둔다. 3개 향을 현(縣)으로 삼고 현에는 현수(縣帥)를 둔다. 10개 현을 속(屬)으로 삼고 속에는 대부(大夫)를 둔다. 5개 속이 있으므로 5명의 대부가 있다. 대부가 각각 1속을 다스리며, 5정(正)을 세워 각각 1속을 다스리게 한다.[123]

매년 정월 조회에서 5속의 대부가 정사를 아뢰면 그 가운데 공이 적은 자를 골라 유배 보냈다. 한두 번은 풀어주었지만 세 번째는 풀어주지

123) 이상의 편성을 표로 정리하면 다음과 같다.

단위	邑	卒	鄕	縣	屬
구성	30가(家)	10읍(卒帥)	10졸(鄕帥)	3향(縣帥)	10현(大夫)

않았다. 군주[桓公]가 또 위와 같이 물었다. 향장(鄕長)과 같이 5속의 대부들도 물러나면 속을 다스리고, 속에서 물러나면 현을 다스리고, 현에서 물러나면 향을 다스리고, 향에서 물러나면 졸을 다스리고, 졸에서 물러나면 읍을 다스리고, 읍에서 물러나면 가를 다스렸다.

사농공상(士農工商)의 사민(四民)으로 하여금 각자 거처에서 살게 하여 어려서부터 본업에 종사하여 익숙해졌기 때문에 마음이 편안하여 다른 사물을 보고도 마음이 옮겨가지 않았다. 이에 비록 부형의 가르침이 엄숙하지 않아도 완성시킬 수 있었고, 자제들이 본업을 배우면서 힘들이지 않고 능숙해질 수 있었다. 공인(工人)과 상인(商人)의 향(鄕)은 군사 동원에 종사하지 않았다.

이웃나라로부터 빼앗은 땅을 돌려주고, 이웃나라의 자재(資材)를 받지 말며, 가죽 옷[裘皮]124)과 얇은 비단[繒帛]125)을 장만하여 속히 여러 나라의 제후들을 방문한다.

유사(遊士) 80인을 시켜 사방을 돌아다니며 어진 선비를 모집하고, 속죄의 대가로 무기를 바치게 하였다. 【『국어(國語)』에 보인다126)】

화폐를 유통시켜 재물을 모으고, 민들과 좋아하고 싫어함을 같이 하였다. 이에 관자가 말했다. "창고가 가득찬 뒤 예절을 알고, 의식이 넉넉해진 다음에 영욕을 안다. 위로 법도에 복종하면 육친(六親)127)의 관계가 견고해진다. 사유(四維)128)가 펴지지 않으면 나라가 곧 멸망한다. 명령을 아래로

---

124) 구피(裘皮) : 가죽으로 만든 겨울 옷.

125) 증백(繒帛) : 무늬 없이 얇고 부드러운 비단.

126) 『국어(國語)』권6, 「제어(齊語)」. 주나라 좌구명(左丘明)의 저술.『좌씨전』에 누락된 춘추시대 8개국 주(周)·노(魯)·제(齊)·진(晉)·정(鄭)·초(楚)· 오(吳)·월(越)의 역사를 적음. 21권.

127) 육친(六親) : 아버지·어머니·형·동생·부인·자식.

내리는 것이 마치 흐르는 물이 근원에서 나오는 것 같아서 명령이 민심에 따른다. 때문에 말이 겸손하고 행하기 쉽다. 경중을 귀하게 여기고 저울을 신중히 한다."(『사기』129))

○ 자산130)이 정치를 펼칠 때 도(都)와 비(鄙)에 법을 두고, 상하 간에 복제(服制)를 달리하였다. 논밭에는 두덕과 도랑을 두었고, 여(廬)와 정(井)으로 편오를 지었다. 충성스럽고 검소한 자는 상을 주고, 사치하고 거만한 자는 제거하였다. 이 같은 정치를 펼친 지 1년이 되었을 때 사람들이 말했다. "우리의 의관을 빼앗아 벗기고, 우리의 논밭을 빼앗아 편오(編伍)를 만들었다. 누가 우리 자산을 죽여줄까?" 그러나 3년이 지나자 사람들이 말했다. "우리 자제를 자산이 가르치고, 우리 논밭을 자산이 늘려주었다. 자산 죽으면 누가 그 뒤를 계승할까?"

자산이 다스렸던 정(鄭)나라는 진(晉)131)과 초(楚)나라132) 사이에 위치한 작은 나라였다. 자산이 형서(刑書)를 주조하면서 말했다. "내가 이것으로 세상을 구하려는 것이다." 자산이 병에 걸리자 대숙(大叔)을 불러놓고 말했다. "내가 죽으면 네가 정치를 맡게 될 것이다. 덕 있는 자만이 너그러움으로 복종시킬 수 있다. 그 다음은 준엄함으로 다스리는 것보다 나은 것이 없다. 예컨대 타오르는 불은 바라보기만 해도 두렵기 때문에 타 죽는 민들이 적다. 반면 물은 부드럽고 약해 보여서 민들이 가볍게 생각하여 그 속에서 놀기 때문에 빠져 죽는 경우가 많다. 때문에 너그러움으로

---

128) 사유(四維) : 예(禮)·의(義)·염(廉)·치(恥).
129) 『사기』 권62, 「관안열전(管晏列傳)」2.
130) 자산(子産) : 춘추시대 정치가. 성명 공손 교(公孫僑), 자 자산. 최초의 성문법(成文法)을 완성함.
131) 진(晉) : 춘추시대 주요 국가. 무왕의 아들 당숙우(唐叔虞)가 세운 나라.
132) 초(楚) : 춘추시대 주요 국가. 전욱(顓頊)의 자손 계련(季連)이 세운 나라.

다스리기 어렵다고 한 것이다." 자산이 죽자 대숙이 정치를 맡아서 차마 엄히 하지 못하고 너그럽게 다스렸다. 이에 정나라에서는 도적이 늘어났고, 대숙은 후회하였다.

○ 자산이 어떤 부인의 곡소리를 듣고 부인을 잡아서 심문하였다. 과연 직접 남편을 잔인하게 살해한 자였다. 어떤 자가 어떻게 알았느냐고 묻자 자산이 대답했다. "사람은 친한 사람이 죽으면 슬퍼서 곡을 한다. 지금의 곡은 슬프기 보다는 두려워서 그런 것이다. 이것으로 간특함을 알 수 있었다."(『독이지(獨異志)』133))

○ 계손(季孫)134)이 노나라를 다스릴 때 죄인을 모두 죽였다. 자공이 말했다. "폭악하도다! 그 다스림이여. 자산이 정나라를 다스린 지 1년이 지나자 처벌을 받는 범죄자가 줄어들었고, 2년이 지나면서 사형에 처할 범죄가 없어졌으며, 3년째가 되자 감옥에 갇힌 자가 없었다. 때문에 마치 물이 아래로 흐르듯 민들의 그에게 돌아갔다."(『한씨외전(韓氏外傳)』135))

○ 위나라 서문표(西門豹)136)가 업(鄴)137)의 현령에 부임하였다. 그는 장로(長老)들을 모아놓고 민의 고통에 대해서 물어보았다. (이에) 물의 신 하백(河伯)을 위해 무당을 시켜 기원하며, 민간의 여자를 부인으로 바치는 행위를 금지하였다. 그리고 12개의 물길을 뚫고 물을 끌어들여 민전(民田)에 물을 댔다. 오늘날까지 물의 이로움을 얻고 있다.(『사기』138))

---

133) 독이지(獨異志) : 당나라 이용(李冗)의 저술. 고사(古事)와 당대의 소문·일화 등 기이한 일들을 기록한 책.

134) 계손(季孫) : 노나라 계손씨(季孫氏). 장공(莊公)의 동생, 계우(季友)의 후손. 정권을 독점하여 권세와 부를 누림.

135) 『한씨외전(韓氏外傳)』 권3.

136) 서문표(西門豹) : 위나라 관리. 문후(文侯) 때 업(鄴)의 장관(令)이 되어 선정을 베품.

137) 업(鄴) : 하북성 임장현(臨漳縣) 소재.

138) 『사기』 권126, 「골계열전(滑稽列傳)」66.

○ 문옹(文翁)[139]은 학문을 좋아하였다. 그가 촉군 태수(蜀郡太守)에 부임하였다. 그는 민을 인애하여 교화하기를 좋아하였다. 장숙(張叔) 등과 같은 영민하고 재주 있는 자를 관리로 뽑아서 친히 격려하였으며, 이들을 천자가 있는 수도로 보내 수업을 받게 하였다. 또한 성도(成都)[140]에 학관(學館) 【학사(學舍)】을 세워 여러 현의 자제들을 불러다가 제자로 삼고 역역(力役)을 면제시켜주었다. 성적이 가장 높은 자는 군현의 관리에 임명하고, 다음으로 높은 자는 효제(孝弟)와 역전(力田)[141]으로 삼았다. 그가 매번 현에 나아갈 때마다 학관의 여러 학생들은 교령을 받아 내실에까지 출입하였다. 현과 읍의 이민(吏民)들이 이 모습을 보고 영광스럽게 생각하였다. 이로부터 촉 땅은 크게 교화되었고, 경사(京師)에서 공부하는 자들이 제나라와 노나라에 비견되었다.(『한서』[142])

○ 급암(汲黯)[143]이 동해[144] 태수(東海太守)에 부임하였다. 그는 이서와 민을 다스리되 맑고 깨끗한 것을 좋아하여 승(丞)과 사(史)[145]를 선택해서 정사를 맡겼다. 자신은 대체(大體)만 책임질 뿐이며, 각박하게 다스리지 않았다. 급암이 병이 많아서 내실에 누워서 1년이 넘도록 밖에 나오지 못했는데도 동해는 잘 다스려졌다.(『사기』[146])

---

139) 문옹(文翁) : 한나라 관리. 촉군수(蜀郡守) 등 역임.
140) 성도(成都) : 사천성의 성도(省都).
141) 효제역전(孝悌力田) : 효도와 우애를 갖춘 선비를 선발하여 '효제'·'역전' 관직에 임명.
142) 『전한서』 권89, 「순리열전」59.
143) 급암(汲黯) : 한나라 관리. 자 장유(長孺). 동해 태수(東海太守)·회양 태수(淮陽太守) 등 역임.
144) 동해(東海) : 산동·강소성에 걸쳐 한나라 때 설치되었던 옛 군명(郡名).
145) 승·사(丞·史) : 장관(長官)을 도와 세부적인 사무 담당 관리.
146) 『사기』 권120, 「급정열전(汲鄭列傳)」60.

○ 주읍(朱邑)[147]은 청렴하고 공평하며 가혹하지 않았으며, 사람들을 사랑하고 이로움을 안정되게 해주었다. 매를 때려 사람들을 욕보이지 않았고, 노인·고아·과부들을 문안하여 은혜를 베풀었다. 소속 부(部)의 이민들이 사랑하고 존경하였다. 인품이 돈후하여 옛 친구들을 독실히 대하면서도 성품이 공정하여 개인적인 이해관계로 교제하지 않았다. 경(卿) 의 반열에 올랐지만 생활에서 검소하고 절약하였으며 녹봉을 나누어 구족 (九族)과 향당(鄕黨)을 도왔다. 집안에 남은 재산이 없었다. 【애리(愛利)는 사람을 사랑하고 이로움을 안정되게 한다는 뜻이다. ○『한서』[148]】

○ 한연수(韓延壽)[149]가 영천[150] 태수(潁川太守)에 부임하였다. 영천은 세력이 강한 자들이 많이 살고 있어서 다스리기 어려운 지역이었다. 연수에 앞서 태수로 재직했던 조광한(趙廣漢)[151]은 붕당(朋黨)이 많은 풍속을 근심 하여 이민들을 모아놓고 서로 들춰내어 고발하는 것을 좋은 계책이라고 생각하여 시행하였다. 이로 인해 서로 원수가 된 자들이 많았다. 때문에 연수는 예의를 지켜 사양하여 교화하되 민들이 따르지 않을 것을 걱정하였 다. 그래서 군(郡)의 장로(長老)로서 향리에서 신임을 받는 수십 명을 두루 소집하였다. 연수는 이들을 위해 술과 음식을 마련해 놓고 친히 상대하며 예의로써 대접하였다. 그 자리에서 사람들에게 세간의 풍속이나 민의 고통에 대해 묻고, 화목하고 친하며 원망과 허물을 씻어내는 방법을 말해 주었다. 장로들이 곧 편하여 시행할 만하다고 여겼다.

---

147) 주읍(朱邑) : 한나라 관리. 자 중향(仲鄕). 동향색부(桐鄕嗇夫)·북해 태수(北海太守) 등 역임.
148) 『전한서』 권89, 「순리열전(循吏列傳)」59.
149) 한연수(韓延壽) : 한나라 관리. 자 장공(長公). 영천 태수 등 역임.
150) 영천(潁川) : 하남성 임영현(臨潁縣) 소재.
151) 조광한(趙光漢) : 한나라 관리. 자 자도(子都). 경조 윤(京兆尹) 등 역임.

이어서 한연수는 시집·장가보내는 일과 상례(喪禮)·제례(祭禮)를 장로들
과 상의하여 정하였다. 대략 고례(古禮)에 따라 법도를 넘지 않게 하였다.
그는 문학 교관(文學敎官)과 학생들에게 머리에 갓[皮弁]152)을 쓰고 제기[俎
豆]153)를 잡고서 이민을 위해 상례와 혼례 등을 거행하도록 하였다. 민들이
그 가르침에 따랐다. 흙과 나무로 만든 수레와 말 등 무덤 속에 넣는
거짓된 물건들은 저자 거리에 버렸다.

몇 년 뒤 한연수가 동군154) 태수(東郡太守)로 옮겼는데, 황패(黃覇)155)가
연수를 대신하여 영천을 다스렸다. 황패는 연수의 치적을 그대로 따라
하였는데 크게 다스려졌다.

한연수는 관리가 되어 예의를 높이고, 옛 도를 좋아하여 교화에 힘썼다.
부임하는 곳마다 어진 선비를 초빙하여 예로써 대우하여 기용하였다.
이들 의견을 널리 듣고 간쟁(諫爭)을 받아들였으며, 상례를 거행하였다.
효제가 드러난 자를 포상하고, 학궁(學宮)을 정비하였다. 봄가을이 되면
향사례(鄕社禮)를 거행하는데 종과 북, 관악기와 현악기를 설치해 놓고
오르내리고 읍하며 겸양하는 절차를 갖추었다. 무예를 강마하고 활쏘기를
익혔다. 또한 성곽을 정비하고, 조세와 부역을 거두는데 먼저 그 날짜를
널리 알리고, 큰일은 회기를 기준으로 거행하였다. 이민이 공경하고 두려워
하며 그에게로 나아갔다. 또한 향정(鄕正)·이정(里正)·오장(伍長)156)을 두어

---

152) 피변(皮弁) : 사슴가죽으로 만든 갓. 관례 때 치포관(緇布冠)을 쓰고 난 다음 이것을
쓰.
153) 조두(俎豆) : 제사 지낼 때 쓰는 예기(禮器). '조'에는 마른 고기를, '두'에는 마른
고기나 일반 음식을 담음.
154) 동군(東郡) : 하북성 남부와 하남성 동부 및 산동성 북부 일대를 관할하던 군.
155) 황패(黃覇) : 한나라 관리. 자 차공(次公). 영천 태수·승상(丞相) 등 역임. 공수(龔遂)
와 함께 순리(循吏)의 표본이 됨.
156) 오장(伍長) : 주나라 때 5가(家)에 장(長)을, 5인(人)에 장(長)을 둠.

서로 효제로써 거느리게 하되 간사한 자는 머물지 못하게 하였다. 동네[閭里]와 논밭 사이[阡陌]에서 위급한 일이 발생하면 이서들이 곧 들어서 알게 되었다. 간특한 자는 경계에 들어오지 못하였다. 처음에는 번거롭게 여겼지만 시간이 지나면서 이서들은 힘들게 추적하여 체포하지 않아도 됐고, 민들은 매 맞을 염려가 없어서 편안하게 여겼다. 아래 이서들을 대할 때 은혜를 베풀어 잘 대해 주었으며, 약속을 분명히 하였다. 혹 속이는 이서가 있으면 연수가 애통해 하며 "어찌 나를 속이는가? 무엇 때문에 이렇게 되었는가?"라고 자책하였다. 이 소리를 들은 이서는 스스로 잘못을 뉘우쳤다.

한연수가 동군(東郡)에 부임한 지 3년이 지나자 법령이 원만히 거행되었고, 죄수가 크게 줄어서 천하 최고의 수령이 되었다. 그가 좌풍익(左馮翊)[157]을 다스릴 때 현에 나아가기를 꺼려하였다. 대신 승(丞)·연(掾)[158] 수백 명이 돌아다니며 군(郡)의 민속을 살피고 장리(長吏)의 치적을 평가[考課]하였다. 연수가 말하였다. "현(縣)마다 모두 어진 영장(令長)과 보좌관[督郵][159]이 있어서 이들이 밖으로부터 선악을 밝히니 내가 순찰하는 것은 거듭 번거롭고 소란스러울 뿐이다." 승·연들이 봄이 되면 한 번 나아가서 농사와 양잠을 권하는 것도 좋다고 말하자 연수가 어쩔 수 없이 현에 나아갔다.

한연수가 고릉(高陵)[160]에 이르렀다. 민 가운데 형제간에 논밭문제로

157) 좌풍익(左馮翊) : 한나라 삼보(三輔)의 하나. 장안(長安) 동쪽을 경조(京兆), 장릉(長陵) 북쪽을 좌풍익(左馮翊), 위성(渭城) 서쪽을 우부풍(右扶風)이라고 함.
158) 승연(丞掾) : 모두 장관의 속료(屬僚).
159) 독우(督郵) : 한나라 때 설치된 태수의 보좌관. 소속된 현(縣)을 순찰하면서 관리의 성적을 조사함.
160) 고릉(高陵) : 절강성 경덕진(景德鎭) 부근.

송사를 일으켜 서로 옳다고 하였다. 연수는 크게 상심하며 말했다. "다행히 벼슬길에 올라 군(郡)의 모범이 되었지만 교화를 밝게 펴지 못하여 지금 형제간에 서로 송사를 벌인다. 풍속과 교화가 크게 손상되었을 뿐 아니라 어진 장리(長吏)·색부(嗇夫)[161]·삼로(三老)[162]·효제들도 역시 치욕을 받게 하였다. 좌풍익에서 생긴 허물을 책임지고 물러날 것이다." 그 날로 병을 칭하여 정사를 돌보지 않고 여관[傳舍]에 드러누워 문을 닫고 자신의 잘못을 생각하였다. 현(縣) 사람들이 어찌할 바를 모르자 영·승·색부·삼로가 자신의 몸을 묶고 죄를 청하였다. 이때 송사를 제기한 자의 종족(宗族)들이 소식을 듣고 서로 꾸짖었다. 두 형제 역시 깊이 후회하며 스스로 머리를 깎고 사죄를 위해 웃옷을 벗고 논밭을 서로 양보하며 죽을 때까지 다시 싸우지 않을 것이라고 빌었다. 이에 연수는 크게 기뻐하여 문을 열고 맞아들여 술과 고기를 함께 먹고 마셨으며, 그 뜻을 향부(鄕部)에 고하고 잘못을 뉘우치고 선을 좇는 민을 표창하였다. 연수는 곧 업무를 보았는데 영승(令丞) 이하의 노고를 치하하고 위로하였다. 군의 사람들이 하나가 되어 서로 권면하여 감히 범하지 않았다. 연수가 24개 현을 은혜와 신의로 두루 다스렸다. 다시는 송사가 일어나지 않았으며, 정성을 다해 자신의 말을 실천하자 이민들이 차마 속이지 못하였다.(『한서』[163])

○ 황패(黃覇)[164]는 슬기롭고 영특하며, 문학과 예법에 익숙하였다. 또한 온화·선량하며 겸손하고 착했기 때문에 많은 사람들이 그를 따랐다. 그가 하남[165]승(河南丞)에 부임하였다. 세속의 관리들이 엄하고 혹독함을 숭상

---

161) 색부(嗇夫) : 향에서 소송과 부세 담당 이서.

162) 삼로(三老) : 향의 장로(長老)로서 교화 담당.

163) 『전한서』 권76, 「조윤한장양왕열전(趙尹韓張兩王列傳)」46.

164) 황패(黃覇) : 한나라 선제(宣帝) 때 관리. 양주 자사(楊洲刺史) 등 역임.

165) 하남(河南) : 주나라 수도 낙양(洛陽).

할 때 홀로 너그럽게 다스리며 화합을 도모하였다.

황패가 영천 태수(潁川太守)에 부임하였다. 그는 선량한 이서를 선발하여 부(部)에 파견하고, 천자의 명령[詔令]을 선포하여 민에게 윗사람의 뜻을 알게 하였다. 우정(郵亭)166)과 향관(鄕官)을 시켜 닭과 돼지를 키워서 홀아비와 과부, 곤궁한 자를 넉넉하게 만들었다. 그 뒤 몇 조목의 가르침을 만들어 부로(富老)·사수(師帥)·오장(伍長)을 두어 민간에 반포하고 시행해서 선을 행하여 간특함을 막겠다는 뜻을 권장하였다. 그리고 농사와 양잠[農桑]에 힘쓰며 재물을 절약하여 사용하고, 나무를 심고 가축을 키우며 전쟁에 쓰는 힘센 말[穀馬]을 버리고, 쌀과 소금을 낭비하지 않게 하였다. 처음엔 번거로운듯 싶었지만 황패가 힘을 기울여 추진하자 이민들은 황패의 말에서 차츰 실마리를 찾아내며, 숨은 뜻을 서로 묻고 참고하였다.

황패는 몰래 사정을 살펴보기 위해 나이 먹고 청렴한 이서를 파견하였다. 이때 주도면밀하게 임무를 수행하라고 명령하였다. 이서들이 나와서 다닐 때 감히 우정(郵亭)에 머물지 못하고, 도로 가에서 먹었는데 까마귀가 고기를 훔쳐간 일도 있었다. 민 가운데 관부에 나아가 일을 보려고 하는 자가 마침 이 광경을 보았다. 황패가 그와 더불어 말하다가 이 사실을 알게 되었다. 뒷날 이서가 돌아와 알현하는데 황패가 위로하며 말했다. "도로 가에서 먹었다니 고생이 심하도다. 더욱이 까마귀가 고기를 훔쳐 먹었으니 말이다." 이서는 황패가 자신의 움직임 하나하나를 이미 들어 알고 있다는 사실에 크게 놀라서 조금도 숨기지 않았다.

홀아비·과부·독신자·고아 가운데 사망했지만 장례를 치르지 못한 자를 향부(鄕部)에 보고하게 하고, 황패는 어느 곳에 큰 나무가 있는데 관(棺)으로

---

166) 우정(郵亭) : 전송한 문서가 머무는 곳.

쓸 만하다고 하거나 어느 정(亭)의 돼지가 제수로 쓰기 좋다고 자세히
지시하였다. 이서들이 그곳에 가서 보면 과연 그의 말이 맞았다. 일을
처리함이 이와 같이 총명한데다가 이민들이 황패가 사용하는 방법이 무엇
인지 알지 못했기 때문에 그 신명함을 칭송할 뿐이었다. 간사한 자가
다른 군(郡)에서 들어와 도둑질하는 일이 날마다 줄어들었으며, 황패는
힘써 교화를 한 뒤에 그 죄를 벌하였다.

　　황패는 업무 처리의 주안점을 성취와 안정에 두었다. 장리(長吏) 허승(許
丞)이 늙고 병든 데다가 귀까지 먹자 보좌관[督郵][167]이 쫓아내자고 했다.
황패가 말했다. "허승은 청렴한 이서이다. 비록 늙었지만 아직 절하고
일어나며 보내고 맞이하는 일을 할 수 있다. 듣지 못하는 것이 무슨 방해가
되겠는가? 잘 도와주거라." 현명한 자를 잃지 않으려는 생각이었다. 어떤
자가 그 이유를 묻자 황패는 대답했다. "장리를 자주 바꾸면 전임자를
내보내고 신임자를 맞이하는 비용이 들고, 간특한 이서들이 이를 핑계로
장부를 조작하거나 재물을 도적질 할 것이다. (이렇게 되면) 공사(公私)로
들어가는 비용이 너무 많게 된다. 이는 모두 민에게서 나오는 것이다.
교체한 신임자가 현명하다면 모를까 혹 전임자만 못하다면 혼란만 초래할
뿐이다. 다스리는 방도는 심한 것만 제거할 뿐이다." 황패는 겉으로 부드러
우면서도 속으로 명석한 사람이었다. 이민들의 마음을 얻고 호구를 해마다
늘렸으니 그 다스림이 천하의 제일이었다.(『한서』[168])

　　○ 공수(龔遂)[169]는 명경과(明經科)[170]를 통해 관리가 되었다. 충성스럽

---

167) 독우(督郵) : 태수(太守)의 보좌관.
168) 『전한서』 권89, 「순리전」59.
169) 공수(龔遂) : 한나라 선제(宣帝) 때 관리. 자 소경(少卿). 황패와 더불어 선정을
　　　베풀었던 양리(良吏).
170) 명경과(明經科) : 유교 경전을 대상으로 보는 시험.

고 굳세며 큰 절개가 있었다. 해마다 발해(渤海)[171]에 기근이 들어 도적이
일어나자 선제(宣帝)[172]가 공수를 불러 태수에 임명하며 물었다. "그대는
어떻게 도적을 다스릴 것인가?" 공수가 대답했다. "발해는 바닷가에 위치하
여 너무 멀어서 성스러운 교화를 입지 못했습니다. 게다가 그곳에 사는
민들이 춥고 배고픔에 시달려도 관리들은 구휼하지 않습니다. 때문에
폐하의 민들이 협소한 땅에서 도적질을 일삼고 농간을 피우며 난을 일으킨
것입니다. 지금 신이 승리하기를 원하십니까? 장차 안정되게 만들기를
원하십니까?" 황제가 공수의 대답을 듣고 매우 기뻐하며 말했다. "현량(賢
良)을 선발한 것은 안정되게 하기 위해서이다." 공수가 말했다. "신은 마치
엉킨 실을 풀 듯 난민(亂民)을 다스려야 급박하게 해서는 안 된다고
들었습니다. 편안하게 해준 뒤에 다스릴 수 있습니다. 신은 원컨대 승상(丞
相)이나 어사(御使)[173]도 저를 법으로 구속하지 못하게 하며, 일체 모든
일을 편의에 따라 수행할 수 있도록 해주십시오." 황제가 이를 허락하고
특별히 황금을 내려주었다.

공수가 발해의 경계에 이르자 군(郡)에서는 신임 태수가 왔다는 소문을
듣고 병사를 이끌고 맞이하러 나왔지만 돌려보냈다. 그는 문서를 속현(屬縣)
으로 내려 보내 도적을 사로잡으러 가는 이서들을 폐지하고, 호미와 낫
등 농기구를 지닌 자들을 양민(良民)으로 간주하여 검문하지 말며, 병기를
지닌 자만 도적으로 간주하였다. 공수는 홀로 수레를 끌고 나가 부(府)에
도착하자 군(郡)은 화합되고 도적은 물러갔다. 발해지역에 강도들이 많았는

---

171) 발해(渤海) : 요동·산동반도를 기준으로 황해와 구분된 해역(海域).
172) 선제(宣帝) : 한나라 제6대 황제.
173) 어사(御使) : 왕명으로 특별한 사명을 띠고 지방에 파견되는 임시직. 감진어사·암
     행어사 등.

데 공수의 가르침과 명령을 전해 듣고 즉시 해산하여 무기를 버리고 대신 호미와 낫을 집어 들었다. 도적들은 모두 평민으로 돌아가 농사를 지으며 평안하게 살았다. 이어 공수는 창고를 열어 가난한 민들에게 곡식을 나눠주었으며, 선량한 이서를 선발하여 민들을 보살피고 잘 기르게 하였다.

공수는 제나라의 풍속이 사치스럽고 놀이를 좋아해서 농사짓지 않음을 보고, 직접 근검절약하고 민들에게 농업을 권장하였다. 1인당 느릅나무[楡] 1그루, 염교[174] 100본, 파 50본(本), 부추 한 전답[畦]을 심게 하고 집집마다 어미돼지 2마리와 닭 5마리를 기르도록 하였다. 민 가운데 칼을 차고 다니는 자가 있으면 그 칼을 팔아서 소를 구입하게 하고 말했다. "무엇 때문에 소와 송아지를 차고 다니는가?" 봄과 여름이 되면 논밭에 나가게 하고, 가을과 겨울에는 수확에 힘써 과실과 마름[175]을 쌓아두게 하였다. 군(郡)을 돌아다니며 살펴보니 모두 쌓아 둔 것이 있어서 이민들이 부유하게 되었고 옥송도 그치게 되었다.(『한서』[176])

○ 소신신(召信臣)[177]은 명경과(明經科)에 우수한 성적으로 급제하여 상채[178]장(上蔡長)이 되었다. 그는 민인 보기를 자식처럼 하였고, 거처함에 칭찬이 자자하였다. 이후 남양[179]태수(南陽太守)로 옮겼다. 소신신의 사람됨이 부지런하면서 방략이 있어서 민을 위해 이익을 일으키기 좋아하고 부유하게 만드는데 힘썼다. 자신이 직접 농사짓고 논밭 사이를 출입하였다.

---

174) 염교[薤] : 백합과의 여러해살이풀.
175) 마름[菱茨] : 마름과의 한해살이풀.
176) 『전한서』권89, 「순리전」59.
177) 소신신(召信臣) : 한나라 원제(元帝) 때 관리. 자 옹경(翁卿). 남양 태수(南陽太守) 등 역임.
178) 상채(上蔡) : 하남성 여남현(汝南縣) 소재.
179) 남양(南陽) : 하남성 서남부 도시.

향정(鄕亭)에서 떨어진 곳에 머물면서 편안하게 거처할 때가 드물었다. 때때로 군(郡)에 나아가 돌아다니며 물과 샘을 살피며 도랑의 물길을 통하게 하고, 수십 군데에 수문과 제언을 만들었다. 이처럼 관개시설을 확장하니 해마다 관개의 혜택을 받는 논밭이 3만 경(頃)에 이르렀고, 민들은 이득을 얻어먹고 저축하는 것에 여유가 있었다. 소신신은 물을 고르게 사용한다는 약속을 돌에 새겨 밭두렁에 세워 분쟁을 막았다.

소신신은 사치스러운 결혼과 장례를 금지하고 검약에 힘썼다. 부현(府縣)의 이서 집 자제들이 놀기를 좋아하여 농사를 짓지 않자 곧 파직시켰다. 심한 경우 불법을 기록하여 좋아하고 싫어함을 보이자 교화가 크게 행하여 군(郡)중에 농사짓지 않는 자가 없었다. 민들이 그에게 돌아가서 호구가 2배로 증가하고 도적과 옥송이 그치며 이민들이 서로 친애하였다. 사람들이 신신을 '소부(召父)'라고 불렀다.(『한서』[180])

○ 탁무(卓茂)[181]가 애·평(哀·平)[182]연간 밀[183]령(密令)에 부임하였다. 그는 민을 자식처럼 여기고 선함을 들어 이들을 교화하며, 나쁜 말을 하지 않고 이민들을 친애하니 차마 속이지 못하였다. 어떤 자가 부(部)의 정장(亭長)[184]이 자신이 보내준 쌀과 고기를 받았다고 말했다. 탁무가 물었다. "정장이 너에게 요구한 것인가? 네가 어떤 일을 청탁하기 위해서 준 것인가? 아니면 평소 은의(恩義)를 생각하여 보낸 것인가?" 민이 대답했다.

180) 『전한서』권89,「순리전」59.
181) 탁무(卓茂) : 한나라 광무제(光武帝) 때 관리. 자 자강(子康). 급사황문(給事黃門) 등 역임.
182) 애·평(哀·平) : 한나라 애제(哀帝)와 평제(平帝) 연간. B.C 6~1년, A.D 1~5년.
183) 밀(密) : 산동성 제성현(諸城縣) 소재.
184) 정장(亭長) : 10리(里)마다 정을 설치하고, 정에 장(長)을 두어 도적 체포나 조세를 거둠.

"종종 바쳤습니다." 탁무가 물었다. "바치니까 받은 것인데 무엇 때문에 말하는가?" 민이 말했다. "가만히 듣자하니 현명한 현령은 민으로 하여금 이서를 두려워하지 않게 하며, 이서들이 민에게서 취하지 않게 한다고 했습니다. 지금 제가 이서를 두려워한 나머지 물건을 보냈고, 이서가 이미 받았기 때문에 와서 말하는 것뿐입니다." 탁무가 말했다. "너는 나쁜 민이로 다. 사람들이 짐승과 달라서 함께 거처해도 혼란스럽지 않는 것은 인애예의 (仁愛禮義)가 있고 서로 공경함을 알기 때문이다. 네가 홀로 수양하지 않으 려 해도 어찌 높이 날아오르거나 멀리 달려가서 인간 세상에서 벗어날 수 있겠는가? 이서가 부당하게 힘을 써서 청하여 구하는 것은 잘못이지만 정장은 평소 착한 이서이다. 명절 때 선물을 보내는 것은 예라고 볼 수 있다." 민이 물었다. "만일 이와 같다면 율(律)에서는 무슨 이유로 금지합니 까?" 탁무가 웃으며 대답했다. "율은 대법(大法)을 세우는 것이고, 예는 민정(民情)을 따른 것이다. 이제 내가 예로써 너를 교화시키면, 너는 틀림없 이 원망함이 없을 것이다. 그러나 율로써 너를 다스리면 네가 무슨 수로 그 손과 발을 움직일 수 있겠는가? 문 안에서 작은 죄를 저지른 자는 그 벌을 논하고, 큰 죄를 저지른 자는 죽일 것이다. 돌아가서 이 점을 유념하라."

탁무가 처음 현에 부임해서 폐치(廢置)하려 하자 이민들이 비웃었다. 이웃 성(城)에서 이 소식을 듣는 자도 그렇게 할 수 없을 것이라고 하며 비웃었다. 하남군(河南郡)에서 수령을 두었지만 탁무는 꺼리지 않고 자신의 방식대로 다스렸다. 수년이 지나자 교화가 크게 시행되어 (민들이) 도로에 떨어진 물건을 줍지 않았다.(『강목(綱目)』)

○ 임연(任延)[185]이 구진[186] 태수(九眞太守)에 부임하였다. 혼례의 예법

185) 임연(任延) : 한나라 광무제(光武帝) 때 관리. 자 장손(長孫). 무위(武威)·영천 태수

이 없어 여자들은 정해진 배필에게 시집가는 법도 없고, 아이를 낳고도 아버지의 성(姓)을 알지 못했다. 이에 임연은 남자 나이 20~50세까지, 여자는 15~40세 이르기까지 서로 나이를 고려하여 배필로 삼게 하였다. 그 가운데 가난해서 혼례 예물이 없을 경우 장리(長吏)들의 봉급을 털어 도와주었다. 결혼한 자가 2천 가(家)에 이르렀다. 그 해 비와 바람이 순조롭게 내려 풍년이 들었다.(『후한서(後漢書)』[187])

○ 진식(陳寔)[188]이 태구[189]장(太丘長)에 부임하였다. 그가 덕을 닦아 맑게 하니 민들이 안정되었다. 이웃 현(縣)의 민들이 진식이 다스리는 곳으로 들어오려 하자 곧 본 사(司)로 돌려보냈다. 이서가 민들이 소송하는 것을 우려하여 금지시켰다. 진식이 말했다. "소송하는 것은 정직함을 구하는 것인데 금지한다면 이치가 어떻게 펼쳐질 것인가?" 또한 소송하는 자가 사라졌다.(『강목』)

○ 한소(韓韶)[190]가 영[191]장(嬴長)에 부임하였다. 유민(流民) 만여 호(戶)가 경내로 들어오자 창고를 열어 구휼하였다. 창고 담당 이서가 말렸지만, 한소가 말했다. "굶어 죽는 자를 살리는 것이다. 이 때문에 죄를 받는다면 웃으면서 기꺼이 땅속으로 들어가겠다."(『강목』)

(潁川太守) 등 역임.

186) 구진(九眞) : 베트남의 하노이 이남 지역.

187) 『후한서』 권106, 「순리열전」 제66. 남조(南朝) 범엽(范曄)의 저술. 후한(後漢)의 사적(史蹟)을 정리한 역사책. 기(紀)·지(志)·열전(列傳) 등 120권. 이 책 「동이전(東夷傳)」에는 부여·고구려·동옥저·예·한(韓) 및 왜(倭)의 전(傳)이 실려 있음.

188) 진식(陳寔) : 한나라 관리. 자 중궁(仲弓), 시호 문절선생(文節先生). 태구장(太丘長) 등 역임.

189) 태구(太丘) : 하남성 영성현(永城縣) 소재.

190) 한소(韓韶) : 한나라 관리. 자 중황(仲黄).

191) 영(嬴) : 산동성 성자현(城子縣) 소재.

○ 유관(劉寬)[192]이 남양 태수(南陽太守)에 부임하였다. 그는 온화하고 인자하여 너그럽게 민을 다스렸다. 그는 말했다. "형벌로 다스리면 민은 죄를 면하려고만 할 뿐 부끄러워하지 않는다." 이서와 민들이 잘못을 저지르면 단지 부들[蒲][193]로 된 회초리로 벌을 주어 부끄러움을 보였을 뿐이었다.(『후한서』[194])

○ 방삼(龐參)[195]이 한양[196] 태수(漢陽太守)에 부임하였다. 군(郡)에 사는 임당(任棠)은 지조와 절개가 있는 자였다. 방삼이 임당을 찾아갔지만 그는 아무 말도 하지 않고 부추 한 개와 물 한 사발을 병풍 앞에 갖다 놓고 아이를 안고 문아래 엎드릴 뿐이었다. 방삼이 그 숨은 뜻을 생각하여 말했다. "물은 내가 깨끗하기를 바라는 것이며, 부추를 뽑아 놓은 것은 사나운 세력을 치라는 뜻이다. 아이를 안고 문에 있는 것은 내가 문을 열고 고아를 돌보아 주라는 뜻이다." 방삼은 직책을 맡아 강한 자를 억누르고 약한 자를 돕는 은혜로운 정치를 행하여 민심을 얻었다.[197](『세설(世說)』[198])

○ 양진(楊震)[199]이 형주[200] 자사[201](荊州刺史)에 부임하였다. 왕밀(王

---

192) 유관(劉寬) : 한나라 환제(桓帝) 때 관리. 자 문요(文饒). 남양 태수 등 역임.

193) 부들[蒲] : 부들과에 속하는 다년초. 줄기와 잎으로 자리를 만듦.

194) 『후한서』 권55, 「탁로위류열전(卓魯魏劉列傳)」15, '유관전(劉寬傳)'.

195) 방삼(龐參) : 한나라 관리. 자 중달(仲達). 한양 태수(漢陽太守)·태위(太尉) 등 역임.

196) 한양(漢陽) : 감숙성(甘肅省) 소재.

197) 『후한서』 권81, 「이진방진교진교열전(李陳龐陳橋列傳)」41.

198) 세설(世說) : 세설신어(世說新語). 남조(南朝) 송나라 유의경(劉義慶)의 저술. 후한(後漢)에서 동진(東晉)에 이르기까지 귀족·문인·학자·승려들의 일화를 분류하여 수록함.

199) 양진(楊震) : 한나라 관리. 자 백기(伯起). '관서공자(關西孔子)'라 불림.

200) 형주(荊州) : 호남·호북성과 광동(廣東), 귀주(貴州), 사천(四川)의 일부를 포함한 지역.

201) 자사(刺史) : 한나라 때 정무(政務)의 감찰관. 수, 당나라 때 주지사(州知事).

密)202)이 무재(茂才)203)를 통해 창읍(昌邑)204) 현령(縣令)에 제수되었다. 그날 밤 왕밀이 금(金) 10근(斤)을 가지고 와서 내보이며 말했다. "어두운 밤이라 아무도 모를 것이다." 양진이 대답했다. "하늘이 알며 신(神)이 알고, 내가 알며 당신이 아는데, 어찌 아무도 모르겠는가?" 왕밀이 부끄럽게 생각하고 물러갔다.(『후한서』205))

○『속한서(續漢書)』에서 말했다. 이응(李膺)206)이 촉군207) 태수(蜀郡太守)에 부임하였다. 그는 상(庠)·서(序)를 수리하며 학생들이 지켜야할 규약을 설치하고 법령을 밝혔다. 은혜로움과 위엄이 함께 시행되자 촉(蜀)의 진귀한 물품이 문으로 들어오지 못하였다.

○『송사』에서 말했다.208) "포증(包拯)209)이 단주(端州)에 부임했다가 임기가 차서 돌아갈 때 벼루 하나도 가져가지 않았다." 또한 말했다. "이급(李及)210)이 항주(杭州)211)를 다스릴 때 시장에서 오중(吳中)212)의 물건을 사지 않았다."

○ 구향(仇香)213)이 포정214)장(蒲亭長)에 부임하였다. 민 가운데 진원(陳

---

202) 왕밀(王密) : 한나라 관리.

203) 무재(茂才) : 한나라 때 인재를 등용하는 시험의 한 과목.

204) 창읍(昌邑) : 산동성 소재.

205) 『후한서』 권84, 「양진열전(楊震列傳)」44.

206) 이응(李膺) : 한나라 환제(桓帝) 때 관리. 자 원례(元禮). 사례교위(司隷校尉) 등 역임.

207) 촉군(蜀郡) : 사천성 소재.

208) 『송사』 권316, 「열전」75 '포증' ; 『송사』 권298, 「열전」57 '이급'.

209) 포증(包拯) : 송나라 인종(仁宗) 때 관리. 추밀부사(樞密副使) 등 역임.

210) 이급(李及) : 송나라 신종(神宗) 때 관리. 자 유기(幼幾).

211) 항주(杭州) : 절강성 성도(省都).

212) 오중(吳中) : 강소성 오현(吳縣) 소주(蘇州).

213) 구향(仇香) : 한나라 관리. 자 계지(季智). 고성주부(考城主簿) 등 역임.

元)이라는 자의 어머니가 자식의 불효를 고발하였다. 구향이 말했다. "내가 근래 그 집을 다녀왔는데 집안이 잘 정돈되어 있었다. 이것으로 보아 그가 나쁜 자가 아님을 알 수 있다. 다만 교화가 아직 그에게 미치지 못했을 뿐이다. 어머니가 수절한 과부로 홀로 자식을 키우면서 어찌 한 때 생각으로 아들을 불효자로 만들려고 하는가?" 이 말을 들은 진원의 어머니가 뉘우치며 눈물을 흘리며 돌아갔다. 구향은 곧 직접 진원의 집을 찾아가 모자(母子)와 함께 마시면서 인륜·효행을 화복의 말에 비유하면서 깨우쳐주자 효자가 되었다. 【읍령(邑令) 왕환(王渙)215)이 말했다. "진원을 벌하지 않으면 간사함을 엄하게 주벌하는[鷹鸇]216) 뜻이 모자란 것이다." 그러자 구향이 말했다. "간사함을 엄하게 주벌하는 것은 지극한 덕으로[鸞鳳]217) 감싸는 것만 못하다."218) ○『속한지(續漢志)』】

○ 노공(魯恭)219)이 중모220)령(中牟令)에 부임하였다. 그는 효로써 민을 인도하였으며, 성심껏 다스렸다. 3년이 지나도록 곤충이 경내를 침범하지 않았고, 새와 짐승들에게까지 교화가 미쳤으며, 어린 아이도 어진 마음을 가지게 되었다. 【어린 꿩을 잡지 않음을 이른다】 어떤 정장(亭長)이 소를 빌리고 돌려주지 않자 주인이 소송을 제기했다. 노공이 소를 돌려주라고 명령했지만 정장이 듣지 않았다. 이에 노공이 탄식하며 말했다. "교화가 행해지지 않은 탓이다." 그가 끈[印綬]221)을 풀고 떠나려하자 이서들이 만류하였다.

---

214) 포(蒲) : 하북성 장원현(長垣縣) 소재.
215) 왕환(王渙) : 한나라 관리. 자 치자(稚子). 낙양령(洛陽令) 등 역임.
216) 응전(鷹鸇) : 독수리나 매가 참새를 잡듯 간사함을 엄하게 주벌함.
217) 난봉(鸞鳳) : 지극한 덕을 상징하는 상서로운 새.
218) 『자치통감』 권55, 「한기(漢紀)」47 '효환황제(孝桓皇帝)'.
219) 노공(魯恭) : 한나라 장제(章帝) 때 관리. 자 중강(仲康). 사도(司徒) 등 역임.
220) 중모(中牟) : 하남성 학벽(鶴壁) 소재.

정장이 잘못을 뉘우치고 소를 돌려주었으며, 다시 속이는 일은 없었다.[222]
(『속한서』)

　○ 종리의(鍾離意)[223]가 실읍 령(實邑令)에 부임하였다. 현에 방광(防廣)
이라는 자가 살았는데 아버지를 위해 원수를 갚고 감옥에 갇히게 되었다.
그런데 그의 어머니가 병으로 세상을 떠나자 방광은 음식도 먹지 않고
울기만 했다. 종리의가 불쌍하게 생각하여 집으로 돌려보내 장례를 치르도
록 배려하자 관리들이 반대하였다. 종리의가 말했다. "죄는 내가 받을
것이며 의리로도 너희들에게 누(累)가 되지 않을 것이다." 마침내 집으로
보냈다. 방광은 어머니의 장례를 마치고 다시 돌아와 옥에 수감되었고,
종리의는 남모르게 장계를 올렸다. 방광은 사형에서 감형될 수 있었다.(『후
한서』[224])

　○ 또 말했다. "오우(吳祐)[225]가 교동[226]상(膠東相)에 부임하였다. 안구(安
丘)[227]지방에 사는 관구장(毌丘長)이라는 자가 술에 취한 자를 만났다.
그 자가 어머니를 모욕하자 관구장은 그를 죽이고 스스로 자기 몸을 형틀에
묶었다. 오우가 관구장에게 자식이 없음을 알고 즉시 안구로 옮겨 부인을
오게 하여 함께 묵게 하였다. 마침내 부인이 임신하였다. 겨울이 끝나갈
무렵 형을 집행할 때 관구장은 손가락을 깨물어 아이의 이름을 오생(吳生)이

---

221)　인수(印綬) : 관인(官印)을 몸에 차기 위한 끈.
222)　『후한서』 권55, 「탁로위류열전(卓魯魏劉列傳)」15.
223)　종리의(鍾離意) : 한나라 관리. 자 자아(子阿). 군독우(郡督郵)·상서복야(尙書僕射)
　　　등 역임.
224)　『후한서』 권71, 「종리송한열전(鍾離宋寒列傳)」31.
225)　오우(吳祐) : 한나라 관리. 자 계영(戒英). 제상(齊相)·하간상(河間相) 등 역임.
226)　교동(膠東) : 산동성 소재.
227)　안구(安丘) : 산동성 소재.

라 짓고, 이것으로써 오우의 은혜를 갚으라고 유언을 하였다. 교수대에
목매어 죽었다.228)

○ 『당서(唐書)』229)에서 말했다. 여원응(呂元膺)230)이 기주231) 자사(蘄州
刺使)에 부임하였다. 죄수를 살피는데 한 죄수가 눈물을 흘리며 말했다.
"내일이 정월 초하루인데도 부모님을 찾아뵙지 못합니다." 여원응이 불쌍
히 여겨 형틀을 풀어주고 집으로 보내면서 돌아올 기한을 알려주었다.
옥리(獄吏)가 풀어주어서는 안 된다고 하자 여원응이 말했다. "내가 정성스
러운 마음을 다해서 사람을 대하는데 사람들이 어찌 나를 배반하겠는가?"
죄인들이 과연 돌아왔다.232)

○ 제갈량이 선주(先主)를 보좌하며 촉(蜀) 땅을 다스렸다. 이때 형법을
엄격히 적용하여 사람들이 많이 원망하였다. 이에 법정(法正)이 간언하였
다. "옛날 고제(高帝)가 관중(關中)233) 땅에 들어왔을 때 약법삼장(約法三
章)234)을 시행하여 진나라 민들에게 덕을 알게 하였습니다. 지금 군(君)께서
는 위엄과 힘을 빌어 한 주(州)를 장악하였지만, 처음으로 나라를 차지하여
아직 민들에게 은혜로 위무함을 보이지 못한 상태이고 또 빈객과 주인의
의리로 볼 때도 의당 서로 낮추어야 합니다. 원컨대 형벌을 늦추고 법금을
풀어주어서 민을 위무하십시오." 제갈량이 대답했다. "자네는 하나만 알고

228) 『후한서』 권94, 「오연사노조열전(吳延史盧趙列傳)」54.
229) 당서(唐書) : 당나라 정사(正史)를 기록한 역사책.
230) 여원응(呂元膺) : 당나라 관리. 자 경부(景夫). 태자빈객(太子賓客) 등 역임.
231) 기주(蘄州) : 호북성 소재.
232) 『신당서(新唐書)』 권162, 「열전」87 '요독고고위단여허설리(姚獨孤顧韋段呂許薛
李)'.
233) 관중(關中) : 섬서성 위수(渭水) 분지 일대.
234) 약법삼장(約法三章) : 한나라 고조(高祖)가 만든 법. '법률은 간략을 존중한다'
또는 '가혹한 법을 폐지한다'는 뜻을 담고 있음.

둘은 모르네. 진나라는 도가 없이 가혹한 정치를 펼쳤기 때문에 민들이 원망하고 필부가 통곡했다. 이로 인해 천하의 질서가 붕괴되자 고조(高祖)[235]가 넓게 민들을 구원하였다. 하지만 촉나라의 경우 유장(劉璋)[236]은 어리석고 유약해서 비록 아버지로부터 물려받은 은혜로운 정사를 시행하며 예와 법으로 제어했지만 덕정은 거행되지 않고 형정도 엄숙하지 않았다. 이에 촉 땅의 토착세력은 멋대로 권력을 휘두르게 되고 군신간 기강도 점차 무너지고 있다. 관직을 높여주는 것으로 총애하면 지위가 가장 높아지면서 반역을 꾀하고, 은혜를 베푸는 것으로 따르면 은혜가 없어지면서 업신여긴다. 폐단이 발생하는 원인은 이 때문이다. 내가 이제 법으로써 위엄을 보이고자 하니 법이 시행되면 은혜를 알 것이다. 작위를 주는 것에 제한을 두고자 하니 작위를 더해주면 영광으로 알 것이다. 이처럼 영광과 은혜가 함께 고르게 펼쳐지면 상하가 절도가 있게 된다. 다스리는 요체가 여기서 드러날 것이다."

후주(後主)에게 올린 상소문에서 말했다. "신이 지방관으로 재직하면서 특별히 재산을 관리하지 않았고, 몸에 따르는 의식은 관에 의존하여 별도의 재산을 늘리지 않았습니다. 신이 죽는 날 집안에 비단이 있고 집 밖에 남는 재물이 있어서 폐하를 저버리는 일이 생기지 않게 해주십시오."

또한 이평(李平)에게 편지를 보냈다. "내가 받은 것이라고는 곡식 80곡(斛)뿐이다. 지금 모아놓은 재산이 없고, 처에게는 부복(副服)도 없다." 세상을 떠날 당시 그가 말한 바와 같았다.

제갈량이 재상이 되어 민을 위무하며 법칙을 보였다. 관직은 간략하게 하고 직책은 때에 알맞게 제정하며, 성실하게 마음을 다해 공평하고 올바른

---

235) 고조(高祖) : 한나라 초대 황제. 성명 유방(劉邦), 자 계(季).
236) 유장(劉璋) : 한나라 관리. 익주목(益州牧) 등 역임.

도리[公道]를 베풀었다. 충성을 다해서 때를 이롭게 하면 원수일지라도
상을 내렸다. 법을 어기고 태만한 자는 친척일지라도 벌을 주었다. 죄를
자백하고 진심으로 뉘우치는 자는 죄가 무겁더라도 풀어주었다. 유언비어
를 유포하고 말을 꾸미는 자는 죄가 가볍더라도 죽였다. 착한 일은 아무리
작더라도 상을 내렸고, 악한 일은 아무리 작더라도 배척하였다. 모든 일을
사리에 맞게 잘 처리하고, 사물의 이치[物理]는 근본에 맞게 하였다. 명분에
맞게 책임을 요구하고 허위를 용납하지 않았다. 온 나라 안에서 그 위엄을
두려워하면서도 사랑해서 형정이 비록 준엄했지만 원망하는 자가 없었다.
이는 그 마음을 쓰는 바가 공평하고 권장하고 경계하는 것이 명확하였기
때문이었다.(『계한서』)

○ 서막(徐邈)[237]이 양주[238] 자사(凉州刺使)에 부임하였다. 양주는 황하
오른쪽에 위치하여 비가 적게 내리는 지역이었다. 때문에 항상 곡식이
부족하여 민들이 고통스러워했다. 이에 서막이 염전[鹽池]을 정비하여
노곡(虜穀)을 거두었다. 또한 수전(水田)을 넓게 개간하고 가난한 민을
모집해서 경작하게 하니 집마다 풍족하고 창고마다 곡식이 넘쳐났다.
이에 곧 주(州) 경계에서 필요한 군용(軍用)을 제외한 나머지로 금·비단·개·
말을 구입하였다. 국가에서 소용되는 비용을 점진적으로 거두자 민간에서
는 재산이 늘어 창고에 사사롭게 쌓아둘 수 있었다. 이렇게 한 뒤에 인의로써
민을 다스리고, 학교를 세워 가르침을 밝혔다. 호화로운 장례를 금지하고,
음사(陰祀)[239]를 중단시켰다. 선한 자를 등용하고 악한 자를 물리쳐서 교화
를 크게 실행하자 민심(民心)이 돌아왔다. 서역(西域)과 교역하고 오랑캐[荒

---

237) 서막(徐邈) : 위나라 관리. 자 경산(景山). 상서랑(尙書郞) 등 역임.
238) 양주(凉州) : 감숙성 서북부 소재. 무위(武威).
239) 음사(陰祀) : 부정한 귀신을 제사지내는 행위.

戎]240)가 조공(朝貢)을 바쳤다. 이 모두가 서막의 공훈이었다.

강가(羌柯)가 반란을 일으키자 서막이 강호(羌胡)241)와 함께 토벌에 나섰다. 작은 잘못은 죄를 묻지 않았고, 큰 죄를 저질렀으면 먼저 고하여 스스로 알게 하였다. 사형에 해당되는 자는 참수해서 두루 알렸으니 믿음으로써 복종하였고 위엄에 두려워하였다. 서막은 내려 받은 상을 장사(將士)들과 함께 나누어 가졌으며 집에 가져가는 것이 없었다.(『계한서』) 아래도 같음.

○ 두기(杜畿)242)가 하동 태수(河東太守)에 부임하였다. 군현이 피폐해지자 너그러움과 은혜로움을 높여 다스리면서 민을 번거롭게 하지 않았다. 민 가운데 송사를 내어 서로 고소하는 자가 있으면 친히 만나보고 대의(大義)로써 타일러 돌려보내 살피게 하였다. 자기 생각을 다 말하지 못한 것이 있어서 다시 나와 고소하면 향읍(鄕邑)의 부로(父老)들이 화를 내며 책망하였다. "군[두기]이 이와 같은데 어찌 그 가르침을 따르지 않는가?" 그 뒤로는 소송이 줄어들었다. (한편) 두기는 속현을 차례로 돌아다니며 효자와 정조가 곧은 부인[貞婦], 조상을 잘 모시는 손자[順孫]를 높이 선양하고 요역을 면제해주며 수시로 위로하고 격려하였다. (또한) 점차 민들에게 암소와 암말[草馬]은 물론 닭·돼지·개를 규정에 따라 기르게 하였다. 민들이 부지런히 농사를 지으니 집집마다 넉넉하게 되었다. 두기가 말했다. "민들이 살 잘게 되었으니 가르치지 않을 수 없다." 겨울에는 무예를 연마하고 또한 학궁(學宮)을 개설하여 직접 경서를 가르치니 군민(郡民)이 교화되었다.

○ 사마지(司馬芝)243)가 하남 윤(河南尹)에 부임하였다. 그는 강한 자를

---

240) 황융(荒戎) : 서쪽 변방 오랑캐.

241) 강호(羌胡) : 5호16국 시대 오호(五胡)의 하나. 서장 티베트 계통의 유목민족.

242) 두기(杜畿) : 위나라 관리. 자 백후(伯候). 상서복야(尙書僕射) 등 역임.

억누르고 약한 자를 도우며 사사로운 청탁을 행하지 않도록 가르쳤다.
그는 아랫사람들에게 말했다. "내가 가르칠 수 있지만 이서들로 하여금
범하지 않게 할 수는 없다. 이서들은 가르침을 범할 수 있지만 나로 하여금
듣지 못하게 할 수는 없다. 가르침을 베풀었는데도 범한다면 내가 능력이
없는 것이다. 가르침을 범해서 그 소식이 들린다면 이서의 화(禍)이다.
내가 위에 있으면서 능력이 부족하고, 이서들이 아래서 화를 일으킨다면
다스려지지 않을 것이다. 어찌 각자 힘쓰지 않겠는가?" 이에 하리(下吏)들이
스스로 권면하지 않는 자가 없었다.

○ 창자(倉慈)244)가 돈황245) 태수(燉煌太守)에 부임하였다. 군이 서쪽
변경에 떨어져 있고 난리로 인해 격리되어 20년째 태수가 부임하지 못하였
다. 세력 있는 가문[大姓]들이 지역을 장악하고 세력을 펼치는 것이 습속이
되었다. 창자가 부임하여 권력자를 꺾어 누르고 가난하고 힘없는 자를
구휼하여 다스려지게 되었다. 이에 앞서 소속된 성(城)에서 옥송이 많이
발생하였다. 현(縣)에서 제대로 처리하지 못할 것을 두려워하여 태수에게로
몰려갔다. 창자가 친히 가서 살피고 죄의 무겁고 가벼움을 헤아려 특별히
죽일 사안이 아니면 단지 매만 때려 보냈다. 1년에 형벌이 결정된 자가
10명에 지나지 않았다. 위나라에서는 대대로 경조246) 태수(京兆太守) 안비
(顔斐)247) 등이 혹 민을 불쌍히 여기며 옥사를 처결하였고, 혹 정성스러운

---

243) 사마지(司馬芝) : 위나라 관리. 자 자화(子華). 대리정(大理正)·대사농(大司農) 등
    역임.
244) 창자(倉慈) : 위나라 관리. 자 효인(孝仁). 돈황 태수(燉煌太守) 등 역임.
245) 돈황(燉煌) : 감숙성 서북부 소재.
246) 경조(京兆) : 장안 일대 행정구역.
247) 안비(顔斐) : 위나라 관리. 자 문림(文林). 경조 태수(京兆太守)·평원 태수(平原太守)
    등 역임.

마음을 다해 은혜를 베풀어 사랑하였다. 혹 청렴하게 몸을 다스리고, 혹 간특함을 적발하여 은폐된 잘못을 드러냈다. 이들 모두 태수에 봉해졌다.

○ 안비(顔斐)가 경조 령(京兆令)에 부임하였다. 속현(屬縣)의 천맥(阡陌)을 정리하고, 뽕나무와 과일 나무를 심게 하였다. 당시 민 가운데 수레와 소가 없는 자가 많았다. 이에 안비는 민에게 농한기에 수레를 만들 재목을 구해오게 하였다. 그리고 장인을 시켜 서로 돌아가면서 수레를 만들게 하였다. 또한 소 없는 자는 돼지와 개를 키워 그것을 팔아 소를 사게 하였다. 처음에는 민들이 번거롭게 여겼지만 1, 2년 사이에 집집마다 수레와 큰 소를 보유하게 되었다. 또한 문학을 일으켜서 이민 가운데 글을 읽는 자는 소소한 요역을 면제해 주었다. 또한 부(府) 안에 채소밭을 일구어 틈틈이 이서들이 키우게 하였다. 또 민들에게 세금을 실어올 때 수레와 소에 각기 편한 데로 땔감 2속(束)을 가져오게 하여 겨울에 붓과 벼루를 녹이게 하였다. 이에 풍속이 크게 교화되니 이서는 민을 괴롭히지 않고 민은 이서에게 구하지 않았다.(『위략(魏略)』248))

○ 부하(傅嘏)249)가 하남 윤(河南尹)에 부임하였다. 그는 안으로 황제가 거처하는 수도[帝都]를 담당하고 밖으로 경기(京畿)250)지역을 통솔하였다. 당시 다른 지방에서 온 민들이 뒤섞여 거주하고, 강성한 가문들이[虎門大族] 많았으며, 이득이 모이는 곳에 간사함이 발생하였다. 이전 윤(尹)이었던 사마지(司馬芝)는 대강을 세웠지만 너무 간략했다. 그 다음 윤이었던 유정(劉靜)은 대강의 조목들을 망라하여 세웠지만 너무 치밀하였다. 그 후임인 이승(李勝)251)은 정상적인 법규를 훼손하면서 일시의 명성을 얻었다. 이에

---

248) 위략(魏略) : 어환(魚豢)의 저술. 위나라 역사책.

249) 부하(傅嘏) : 위나라 관리. 자 난석(蘭石).

250) 경기(京畿) : 수도를 중심으로 왕실을 보위하기 위해 설치된 왕도의 외곽지역.

부하는 사마씨의 대강을 세우고 유씨의 조목을 조정하여 경위(經緯)로
삼았다. 이씨가 훼손한 것을 점차 보완하였으며, 부서별로 직무를 분담시켜
차례로 실제에 맞게 하는지 조사하였다. 그 정치는 덕교(德敎)를 근본으로
삼았으며, 법을 집행함에는 일정함이 있었다. 따라서 법이 간소하였지만
위반할 수 없었다. 사리를 살피고 실상을 파악하였기 때문에 옥송(獄訟)에
서 매질을 하지 않고도 그 진상을 알아냈다. 사소한 시혜를 베풀지 않았으며,
천거하여 승진시키거나 민에게 크게 이익을 주는 것에 대해서는 일마다
단서를 숨겨서 마치 자기가 하지 않은 것처럼 하였다. 당시에는 뛰어난
명성이 드러나지는 않았지만 서리와 민들 오래토록 편안하였다.(『계한서』)

○ 맹강(孟康)252)이 홍농253) 태수(弘農太守)에 부임하였다. 항상 청렴하
게 직책을 수행하였다. 잘하는 자는 칭찬하고 못하는 자는 격려하였다.
옥송을 줄이고 민들이 하고자하는 바에 따라 그들을 이롭게 하였다. 일을
처리함에 승낙하여 실행하지 않음이 없었다. 또한 때마다 밖에 나아가
살펴보는데, 미리 보좌관[督郵]254)에게 영접하여 대기하는 사람을 보내지
말게 하였다. 또 해당 고을의 관리들을 번거롭게 만들고 싶지 않아서
이졸(吏卒)들에게 낫을 지니며 직접 여물[馬草]을 베게 하였다. 항상 따라
다니는 자는 10여 명에 불과함.(위와 같음.)

○ 도간(陶侃)255)이 민제(愍帝)256) 때 광주257) 자사(廣州刺史)에 부임하였

---

251) 이승(李勝) : 위나라 무신(武臣). 자 공소(公昭). 하남윤(河南尹) 역임.
252) 맹강(孟康) : 위나라 관리. 자 공휴(公休). 중서감(中書監) 등 역임.
253) 홍농(弘農) : 하남성 낙양과 섬서성 상현(商縣) 사이 소재.
254) 독우(督郵) : 태수의 보좌관.
255) 도간(陶侃) : 진(晋)나라 관리. 자 사행(士行).
256) 민제(愍帝) : 서진(西晉)의 마지막 임금. 즉위 4년 만인 316년 유총(劉聰)에게 죽임
을 당함.

다. 주에 특별한 일이 없을 때 그는 아침이면 재(齋) 바깥에 백여 개의
벽돌을 운반해 놓았다가 밤이 되면 재 안으로 들여놓았다. 사람들이 그
까닭을 묻자 대답했다. "내가 바야흐로 중원에 힘을 쓰려고 하는데, 너무
나태해져 이 일을 감당하지 못할까 염려하여 스스로 노력한 것이다."

도간이 형주 자사(荊州刺史)에 임명되자 사녀(士女)들이 서로 축하하였
다.

도간의 성품은 총명하고 영민하며, 공경스럽고 근면하였다. 하루 종일
무릎을 꿇어앉아서 군부(軍府)의 여러 일들을 빠짐없이 검토하여 조금도
한가하게 지내지 않았다. 그는 항상 사람들에게 말했다. "대우(大禹)와
같은 성인도 짧은 시간[寸陰] 조차 아깝게 여겼는데, 평범한 자는 아주
짧은 시간[分陰]258)도 애석하게 여겨야할 것이다. 어찌 한가롭게 놀고
술에 흠뻑 취해 지내면서 살아서는 당대 도움도 못되고, 죽어서도 후대에
이름이 남지 않게 하여 자신을 포기할 수 있겠는가?" 여러 참모나 관속
가운데 혹 고상한 이야기와 놀이로 일을 폐하는 자가 있으면 술잔과 놀음기
구를 가져오게 하여 강물에 버리고, 군교(軍校)와 이서들에게 매를 때리며
말했다. "저포(樗蒲)259)는 돼지 키우는 노비들의 장난거리이다. 노장(老
莊)260)의 천박하고 화려함은 선왕의 법도가 아니다. 그 말들은 실용에도
도움이 되지 않는다. 군자는 그 거동과 예의(禮儀)를 바르게 해야 하는데
어찌 머리를 흐트러뜨리고 맨발로 지내면서 스스로 사리에 통달했다고
말할 수 있겠는가?" 음식을 바치는 자가 있을 때는 그 이유를 물었다.

---

257) 광주(廣州) : 광동성(廣東省)의 성도.
258) 분음(分陰) : 촌음보다 더 짧은 시간.
259) 저포(樗蒲) : 윷놀이와 비슷한 놀음의 한 가지.
260) 노장(老莊) : 노자(老子)와 장자(莊子).

힘을 들여 장만한 것이라면 비록 차림이 미흡하더라도 기쁘게 받으며, 노고를 위로하며 술 세 잔을 내려주었다. 이치에 맞지 않게 얻은 것이라면 엄중히 꾸짖고 올린 음식을 돌려보냈다.

도간이 밖에 나갔다가 어떤 자가 익지 않은 벼 한 줌을 가지고 있는 것을 보고, 무엇에 쓸 것인지 물었다. 그 자가 대답했다. "길을 지나가다가 보이기에 그저 취했을 뿐입니다." 이에 도간이 화를 내며 말했다. "너는 농사도 짓지 않으면서 장난으로 남의 벼를 해쳤구나." 그를 잡아다가 매를 쳤다. 이 일로 인해 민들은 농사일에 열심히 하였으니 집마다 넉넉하고 사람마다 풍족해졌다.

도간은 배를 만들 때 생긴 대팻밥과 댓조각을 장부에 기록하고 관리하게 했다. 사람들이 그 이유를 알지 못했다. 얼마 뒤 쌓인 눈이 녹기 시작하자 관아 앞은 진창이 되었고, 이때 톱밥을 땅에 깔았다. 환공(桓公)261)이 촉 땅을 정벌할 때 도간이 저장해 둔 댓조각으로 못을 만들어 배를 고쳤다. 작은 일에 이르기까지 면밀히 총괄하는 것이 이와 같았다.

도간이 41년간 군(軍)을 다스렸는데, 밝고 강직하게 판단하고 아주 작은 일도 잘 살펴서 사람들이 속이지 못하였다. 남릉(南陵)262)으로부터 백제(白帝)263)에 이르기까지 수천 리의 길 가운데 떨어진 물건이 있어도 함부로 가져가지 않았다.

도간이 세상을 떠났을 때 상서(尙書)264) 매도(梅陶)265)가 친구 조식(曹識)

261) 환공(桓公) : 진(晉)나라 관리 환온(桓溫). 자 원자(元子). 대사마(大司馬)·도독중외 제군사(都督中外諸軍事) 등 역임.
262) 남릉(南陵) : 섬서성 장안현(長安縣) 동남쪽 소재.
263) 백제(白帝) : 사천성과 호북성과 경계에 소재.
264) 상서(尙書) : 천자와 조신(朝臣) 간에 왕래하던 문서 담당 관직.
265) 매도(梅陶) : 진(晉)나라 관리. 대장군자의참군(大將軍諮議參軍) 등 역임.

에게 편지를 보냈다. "도공(陶公)의 기민한 정신과 거울같은 마음은 위무(魏
武)266)와 같고, 충신(忠信)스럽고 직무를 열심히 수행하는 것은 공명(孔明)
과 같아서 육항(陸杭)267) 등 여러 사람이 능히 미칠 바가 아니었다." 사안(謝
安)268)이 매번 말했다 "도공이 비록 법을 사용하였으나 항상 법 밖의 뜻을
얻었다."고 하였다.(『자치통감』269))

○ 소경(蘇瓊)270)이 제나라 문왕(文王)과 양왕(襄王) 때 남청하271) 태수(南
清河太守)에 부임하였다. 그의 성품이 청렴하고 신중하여 오이와 과일도
받지 않았다. 백성 가운데 을보명(乙普明) 형제가 논밭을 둘러싸고 서로
다투었다. 몇 년이 지나도록 판결이 나지 않았으며, 양쪽이 서로 증인으로
불러온 자가 백여 명에 이르렀다. 소경이 을보명 형제와 여러 사람을
불러 타이르며 말했다. "천하에 얻기 어려운 것은 형제요 구하기 쉬운
것은 논밭이다. 가령 논밭을 얻었어도 형제를 잃는다면 그 마음이 어떠하겠
는가?" 이렇게 말하며 눈물을 흘리니 여러 증인들도 울지 않는 자가 없었다.
을보명 형제가 머리를 숙이며 밖에서 다시 생각할 시간을 달라고 빌고는
갈라선 지 10여 년 만에 돌아와 함께 살았다.

소경은 매년 봄마다 위기(衛覬)272)·융전(隆田)·원봉(元鳳)273) 등 대유(大

---

266) 위무(魏武) : 위나라 무제(武帝). 성명 조조(曹操). 자 맹덕(孟德).

267) 육항(陸杭) : 오나라 관리. 육손(陸遜)의 둘째 아들. 대사마(大司馬)·형주목(荊州牧)
   등 역임.

268) 사안(謝安) : 동진(東晉)의 관리. 자 안석(安石). 태보(太保) 등 역임. 전진왕(前秦王)
   부견(符堅)의 군대를 비수(淝水)에서 막음.

269) 『자치통감』 권93, 「진기(晉紀)」 17.

270) 소경(蘇瓊) : 북제(北齊) 때 관리. 자 진지(珍之). 남청하 태수(南清河太守)·박륙
   태수(博陸太守) 등 역임.

271) 남청하(南清河) : 산동성 소재.

272) 위기(衛覬) : 촉나라 관리. 자 백유(伯儒).

儒)들을 모아 학교[郡學]에서 강의하게 하였으며, 이서들도 사무를 보는
여가에 강의를 받도록 하였다.

부정한 귀신을 섬기는 제사[陰祀]를 금지하고 혼례와 상례를 검소하면서
도 예에 맞게 하였다. 또한 누에치는 달이면 미리 면(綿)·명주[絹]를 하사하
여 부내(部內)에서 헤아려 모양을 갖추었으며, 병부(兵賦)의 차례도 명확한
식례로 확립하였다.

인력을 징발할 때는 일마다 먼저 살펴서, 군현의 이장(吏長)은 항상 가벼운
처벌을 가할 만한 위반도 없었다. 당시 주군(州郡)에서 사람을 보내 주현의
경계에 이르러 그 다스리는 방법을 묻지 않음이 없었다.(『북사』274))

○ 공손경무(公孫景茂)275)가 개황(開皇)276)연간에 도주277) 자사(道州刺
史)에 부임하였다. 자신의 녹봉으로 송아지와 닭, 돼지를 구입하여 혼자
살거나 쇠약하여 스스로를 보존할 수 없는 자에게 나누어주었다. 혼자
말을 타고 민간을 순찰하기 좋아하는데, 이때 민가에 들어가 민의 생업을
살펴보고 이익을 잘 도모한 자가 있으면 모였을 때 포상하여 칭찬하였다.
잘못을 저지른 자가 있으면 타이르되 드러내지 않았다. 이로 말미암아
사람들은 의(義)와 겸양을 행하고, 재화가 고르게 소통되었다. 또한 남자들
은 서로 농사일을 돕고 부녀자들은 길쌈을 도왔다. 수백 호나 되는 큰
마을이 마치 한 집안 일처럼 잘 돌아갔다.278)

○ 수나라 문제(文帝)279)때 신공의(辛公義)280)가 민주281) 자사(岷州刺史)

273) 원봉(元鳳) : 한나라 학자 환린(桓麟). 자 원봉.
274) 『북사』 권86, 「열전」74 '순리(循吏)'.
275) 공손경무(公孫景茂) : 수나라 관리. 자 원위(元蔚). 치주 자사(淄州刺史) 등 역임.
276) 개황(開皇) : 수나라 문제(文帝) 연호. 581~660.
277) 도주(道州) : 호남성 소재.
278) 『북사』 권86, 「열전」74 '순리'.

에 부임하였다. 민주의 풍속이 천연두[疫病]를 두려워하여 1명이라도 병에 걸리면 모든 가족이 피했다. 그래서 많이 죽자 공의가 명하여 환자들을 자신의 청사(廳舍)로 옮겨 놓게 하였다. 그는 밤낮으로 그 사이에 거처하면서 의약품을 갖추어놓고 몸소 보살폈다. 그들의 병세가 나아지자 곧 친척들을 불러 타일러 말했다. "죽고 사는 것은 하늘의 명인데 어찌 서로 전염되겠는가? 그랬다면 나는 오래전에 죽었을 것이다." 이에 친척들이 부끄러워하고 사과하였다. 이로부터 서로 자애(慈愛)하게 되어 풍속이 변하였다.

뒷날 신공의가 병주282) 자사(幷州刺史)로 옮겼다. 근무지에 도착하자 먼저 감옥으로 가서 10여 일 동안 옥사를 살피고 판결하였다. 새로운 송사는 그 자리에서 판결하였다. 또한 감금해야 할 사람이 있으면 공의도 청사에서 잤다. 어떤 자가 물었다. "공사(公事)에는 규정이 있는데 무엇 때문에 스스로 고통을 감내하십니까?" 공의가 대답했다. "내가 덕이 없어 민들에게 송사가 없도록 해주지도 못하면서 어찌 사람을 잡아 옥에 가두어 두고 집에서 편안히 잘 수 있겠는가?" 죄인들이 이 말을 듣고 진심으로 죄를 자백하였다. 뒷날 송사를 제기하는 자가 있으면 마을 안[鄕中]에서 깨우쳐 말했다. "이와 같이 작은 일로 어찌 군(君)을 괴롭히려 하는가?" 송사를 벌이려던 자들이 서로 양보하여 그만두는 경우가 많았다.(『북사』283))

○ 북제(北齊)284) 때 이회(李繪)285)가 고양286)내사(高陽內史)에 부임하였

---

279) 문제(文帝) : 수나라 황제. 성명 양견(楊堅). 589년 천하를 통일함.

280) 신공의(辛公義) : 수나라 문제(文帝) 때 관리. 민주 자사·병주 자사(並州刺史) 등 역임.

281) 민주(岷州) : 감숙성 민현(岷縣) 소재.

282) 병주(幷州) : 산서성 및 섬서성 연안(延安) 유림부(楡林府) 소재.

283) 『북사』 권86, 「열전」74 '순리'.

284) 북제(北齊) : 북조(北朝) 때 고양(高洋)이 세운 나라. 6대 28년 만에 북주(北周)의 무제(武帝)에게 망함(550~577).

다. 농정(農正)을 두어 농업과 개간을 권장하니 집집마다 넉넉하고 사람마다 풍족해졌다. 하간[287] 태수(河間太守) 최심(崔諶)[288]이 아우 섬(暹)[289]의 권세를 믿고 이회에게 고라니 뿔과 할미새 깃을 요구하였다. 이회가 답장하였다. "할미새는 6개의 깃촉으로 날기 때문에 하늘에 닿고, 고라니는 4발로 달려서 곧 바닷가에 이릅니다. 소관(小官)은 몸이 게으르고 손발이 둔합니다. 그래서 가깝게는 날고 달리는 것을 쫓지 못하며 멀게는 소인을 섬길 수 없습니다."[290]

○ 정관(貞觀)[291]때 최인사(崔仁師)[292]가 시어사(侍御史)[293]에 부임하였다. 그가 청주(淸州)[294]의 옥사를 살피는데 체포된 자들로 가득하였다. 도착하자마자 모든 죄수를 형틀에서 풀어주며 음식을 주고 목욕을 시킨 뒤 괴수 10여 명만 앉혀놓고 말했다. "옥사를 다스리는 방법은 어질고 너그러움을 근본으로 삼아야 하는데 어찌 스스로 문책을 면하기 위해 억울함을 알면서도 풀어주지 않겠는가? 만에 하나 잘못해서 풀어준다 해도 이 한 몸으로 10명의 죽음과 바꾸는 것이다. 이 또한 원하는 바이다." 칙사가 도착하여 여러 죄인들을 다시 심문하였는데 이들 모두가 말했다.

285) 이회(李繪) : 북제(北齊) 때 관리. 자 경문(敬文).
286) 고양(高陽) : 산동성 소재.
287) 하간(河間) : 하북성 소재.
288) 최심(崔諶) : 북제(北齊) 때 관리.
289) 최섬(崔暹) : 북제때 관리. 자 계륜(季倫). 탁지상서(度支尙書)·우복야(右僕射) 등 역임.
290) 『북사』 권33, 「열전」21.
291) 정관(貞觀) : 당나라 태종 연호. 627~649.
292) 최인사(崔仁師) : 당나라 관리. 참지정사(參知政事)·여주 자사(閭州刺史) 등 역임.
293) 시어사(侍御史) : 어사대 소속으로 백관의 감찰 담당 관직.
294) 청주(淸州) : 산동성 소재.

"최공이 공평하고 관대하여 억울함이 없습니다. 청컨대 속히 죽여주십시오." 1명도 다른 말을 하는 자가 없었다.(『자치통감』295))

○ 측천무후(則天武后)296)때 서유공(徐有公)297)이 시어사(侍御使)에 부임하였다. 그는 법을 공평하고 너그럽게 사용하고 도에 따르고 어짐에 의거하였다. 성절(誠節)을 굳게 지키고 귀함과 천함, 죽고 사는 것으로써 품행을 바꾸지 않았다.(위와 같음.298))

○ 당나라 중종(中宗)299)때 곽원진(郭元振)300)이 양주301)도독(凉州都督)에 부임하였다. 그는 감주(甘州)302)에 명하여 둔전(屯田)을 설치하고, 수륙(水陸)의 이로움을 잘 활용하여 군량(軍糧)이 수십 년간 유지되었다. 곽원진이 양주에 5년 동안 재직하면서 위무하고 제어를 잘해서 오랑캐와 중국이 두려워하고 존경하였다. 또한 법령이 잘 시행되어 소와 양을 들에서 방목하고, 도로에 물건이 떨어져도 줍지 않았다.(위와 같음.303))

○ 수나라 문제(文帝) 때 양언광(梁彦光)304)이 상주305) 자사(相州刺史)에

---

295) 『자치통감』 권192, 「당기(唐紀)」8.

296) 측천무후(則天武后) : 당나라 고종(高宗)의 황후. 국호를 주(周)로 개칭, 스스로 여제(女帝)가 됨.

297) 서유공(徐有公) : 당나라 관리. 자 홍민(弘敏). 포주사법참군(蒲州司法參軍)·사형승(司刑丞) 등 역임.

298) 『자치통감』 권205, 「당기」21 '측천순성황후중지상(則天順聖皇后中之上)'.

299) 중종(中宗) : 측천무후의 아들. 재위에 오른 지 2개월 만에 무후가 폐위시켜 방주(房州)로 유배됨.

300) 곽원진(郭元振) : 당나라 관리 곽진(郭震). 자 원진. 병부상서(兵部尚書)·중서문하(中西門下) 등 역임.

301) 양주(凉州) : 감숙성 무위(武威) 소재.

302) 감주(甘州) : 감숙성 북서부 소재.

303) 『자치통감』 권207, 「당기(唐紀)」23.

304) 양언광(梁彦光) : 수나라 관리. 자 수지(修芝). 기주(岐州)·상주 자사(相州刺史) 등 역임.

부임하였다. 그는 간특하고 은밀한 일을 신명스럽게 잘 적발해냈다. 그
지역 사람들이 매우 놀라워했다. 처음에 제나라가 멸망한 뒤 많은 선비들이
관내(關內)로 이사 왔다. 유독 기술자·상인·악호(樂戶)306)들이 도성 주변으
로 많이 옮겨와 살았다. 이로 말미암아 인정이 음흉해지고 망령되게 뜬소문
이 일어나고 소송이 빈번하게 발생하였다. 양언광은 이 같은 폐단을 혁파하
고자 자신의 봉록(俸祿)을 털어서 산동(山東)307)의 큰 선비를 초청하고,
각 향마다 학교를 세우며, 성인의 글이 아니면 가르치지 못하게 하였다.
항상 계절마다 마지막 달에는 학생들을 모아놓고, 친히 책문(策文)으로
시험을 보았다. 공부를 열심히 하여 성적이 뛰어나고 총명해서 이름이
알려진 자는 당상(堂上)에 오르게 하여 음식을 차려 주었다. 나머지 학생은
낭하(廊下)에 앉게 하였으며, 논쟁하기를 좋아하고 학업을 게을리 하는
자는 마당에 앉히고 채소를 차려주었다. 대비(大比)308)를 볼 때가 되면
빈공(賓貢)309)의 예를 거행하였으며, 교외에서 송별연[祖道]310)을 지내고
필요한 재물을 제공하기도 했다. 이에 사람들이 힘써 노력하니 풍속이
크게 고쳐졌다.

　부양(滏陽)지역에 초통(焦通)이라고 하는 자가 있었다. 그는 술주정이
심해서 예의를 갖추고 부모님을 섬기지 못하였다. 이에 사촌동생이 고소했

---

305) 상주(相州) : 하남성 임장현(臨漳縣) 서쪽 소재.
306) 악호(樂戶) : 대대로 악공(樂工) 집안.
307) 산동(山東) : 중국 동부 황해 연안 소재.
308) 대비(大比) : 3년마다 보는 과거시험. 본래 대비는 주나라에서 3년마다 1번씩
　　거행하던 호구조사를 가리킴.
309) 빈공(賓貢) : 주나라 때 사인(士人)을 뽑는 방법. 향음주례(鄕飮酒禮)에서 인재를
　　빈객(賓客)으로 천거하여 등용함.
310) 조도(祖道) : 먼 길을 떠나는 사람을 위하여 노신(路神)에게 제사지내고 송별연을
　　베풀던 일.

지만 양언광이 죄주는 대신 초통을 주학(州學)으로 데리고 가서 공자묘(孔子廟)를 구경시켰다. 당시 공자묘 안에는 매를 때리는 어머니의 힘이 쇠약해짐을 알고 슬피 우는 한백유(韓伯兪)[311]의 모습을 그린 그림이 있었다. 초통이 스스로 깨달아 잘못을 고치고 힘써 행하여 훌륭한 선비가 되었다. 덕으로 사람들을 교화시킴이 이와 같았다.(『수사(隋史)』[312])

○ 장영(張詠)[313]이 익주(益州)[314]에 부임하였다. 당시 이순(李順)[315]의 잔당(殘黨)들이 다시 크게 일어났다. 장영이 직접 상관(上官) 정등(正等)에게 가서 공격할 것을 격려하였으며, 출정에 임해서 군관들에게 술을 부어주며 말했다. "너희들은 국가의 두터운 은혜를 입었다. 이번에 출정해서 도적 무리들을 평정하고 정벌해야할 것이다. 출정을 미루어 군대를 약화시키고 쓸데없이 세월만 보낸다면 이 땅이 곧 너희들이 죽을 자리가 될 것이다." 이로 말미암아 정등이 적진 깊숙이 쳐들어가 큰 승리를 거두었다. 당시 도적들이 침탈을 할 때, 민 가운데 위협을 당하여 도적을 따르는 이가 많았다. 장영이 은혜와 신의로써 깨우쳐 민들을 다시 고향동네로 돌아오게 하며 말했다. "전날 이순(李順)이 민을 협박하여 도적으로 만들었지만 오늘날 내가 교화하여 도적을 민으로 돌려놓았다. 이 또한 괜찮지 않은가?"

장영은 소송문서[牒訴]가 올라오면 실상과 거짓을 밝혀 그 자리에서 판결해 주었다. 매번 송사를 판결할 때 실정(實情)이 가벼운데 법이 무거운

---

311) 한백유(韓伯兪) : 한나라 효자. 매를 때리는 부모의 노쇠함을 슬퍼했다는 고사가 있음[백유읍장伯兪泣杖].
312) 『수사(隋史)』 권73, 「열전」38 '순리(循吏)'. 공영달(孔穎達)·안사고(顔師古) 등이 편찬한 수나라 역사책.
313) 장영(張詠) : 송나라 관리. 자 복지(復之), 호 괴애(乖崖), 시호 충정(忠定).
314) 익주(益州) : 사천성 소재.
315) 이순(李順) : 송나라 때 농민반란을 주도한 인물. 994년 성도(成都)를 공격하여 함락시키고, 대촉(大蜀)을 세우기도 했으나 얼마 뒤 진압됨.

경우와 실정이 무거운데 법이 가벼운 경우가 생기면 판례(判例)가 될 말을 남겼다. 촉(蜀)의 사람들이 그 말들을 목판에 새겨 『계민집(戒民集)』이라고 불렀다. 풍속을 두터이 하고 효의(孝義)를 돈독히 하는 것으로써 근본을 삼았다.

장영이 다스릴 때 은혜로움과 위엄을 함께 사용하니 촉 사람들이 두려워하면서도 사랑하였다. 앞서 성(城) 안에 둔병(屯兵) 3만 명이 있었지만 반 달치 식량도 없게 되었다. 장영은 민간에 소금이 모자라서 고통 받고 있는데 창고에 여유분이 있다는 사실을 알게 되었다. 이에 소금을 방출해서 민의 어려움을 돕고, 쌀과 소금을 바꾸게 하였다. 1달도 못되어 쌀 40만 곡(斛)을 확보할 수 있었다. 장영이 2년 동안 경영하고, 조정에 글[奏文]을 올려 섬서(陝西)의 군량을 익주로 가져오는 일을 혁파하도록 하였다.

익주에는 여러 도적들을 모아서 만든 용맹군(龍猛軍)이라는 부대가 있었다. 그런데 용맹군이 궤멸되어 도적이 되자 촉 사람들이 크게 두려워하였다. 장영이 어느날 태수[鈐轄]를 불러 인부(印付)를 맡기려 했다. 태수가 크게 놀라자 장영이 말했다. "지금 도적이 이렇게 날뛰는데 편히 앉아 있는 것은 내가 직접 나가기를 바라는 것이다. 태수는 주(州)의 일을 맡아야겠다. 나는 도적을 토벌하러 출발하겠다." 태수가 크게 놀라며 말했다. "제가 가겠습니다." 장영은 성문에서 주연을 베풀고 말했다. "태수가 곧 출정하게 되므로 내가 지금 전송을 한다." 태수가 어쩔 수 없이 출병하였고, 성에서 주연을 베풀었다. 주연에서 술잔이 몇 차려 돌자 태수가 말했다. "제가 공에게 청이 있습니다." 장영이 물었다. "무엇인가?" 태수가 말했다. "병기와 양식을 요청하는 대로 모두 조달해 주십시오." 장영이 좋다고 하면서 말했다. "노부(老夫) 또한 청할 것이 있다." 태수가 물었다. "무엇입니까?" 장영이 말했다. "태수가 공을 세우지 못하고 돌아오면 이 성루 아래서 목을 벨 것이다." 태수는 두려워하며 물러가면서 말했다. "이 노인네를 보니 내 목을 베는 일도 별스럽지 않게 할 것이다." 태수는 있는 힘을 다해 격파했고, 적은 결국 평정되었다.

촉 땅은 본래 좁은데 놀고먹는 자가 많아서 약간의 장마나 가뭄만 들어도 민들은 양식이 부족하여 어려움을 겪었다. 당시 쌀 1말 값은 36전(錢)이나 되었다. 이에 여러 고을의 전세(田稅)를 시세대로 계산해보니 그 해에 쌀로 환산해서 6만 곡(斛)이나 되었다. 봄이 되자 성안의 가난한 민들을 조사하고 인구를 헤아려 식량을 받을 수 있는 증서[糧券]를 나누어주고 원래 가격대로 사먹게 하였다. 그리고 이 같은 방법을 조정에 아뢰어 영구적인 제도로 삼게 하였다. 70여 년이 지나도록 때때로 재해로 기근이 발생해도 민들이 굶주린 기색이 없었다.

익주에서는 선비를 추천하지 않아 근 20여 년 동안 학교가 쇠퇴하였다. 장영은 군(郡) 사람인 장급(張及)[316]과 이전(李畋)이 학문과 행실이 있음을 알고 불러서 격려하고 예우하였다. 이때부터 양천(兩川)[317]의 글을 숭상하는 풍습이 더욱 진작되었다.

장영은 민간의 일을 수집하고 물어서 먼 곳 가까운 곳 할 것 없이 실정을 파악하였다. 그는 보고 듣는 일을 다른 사람에게 맡기지 않았다. "저들의 좋아하고 싫어함이 나의 총명을 어지럽힐 수 있다. 다만 각각의 무리에 따라 묻고 또 물으면 일을 살피지 못할 것이 없다. 군자에게 물으면 군자를 얻는 것이며, 소인에게 물으면 소인을 얻는 것이니 각각 그 무리에 나아가 물을 것이다. 이렇게 하면 비록 사안이 작고 숨겨진 것이라 할지라도

---

316) 장급(張及) : 송나라 관리. 이전·장규(張逵) 등과 함께 학문과 행실로 천거되어 벼슬에 오름.
317) 양천(兩川) : 사천성을 동·서로 나눔.

10에 8, 9는 알 수 있을 것이다."

장영이 다시 익주에 부임하였다. 민들이 자기를 믿고 있음을 알고 엄격히 대하던 것을 너그럽게 바꾸었다. 그래도 여전히 한번 명령을 내리면 사람들이 기꺼이 받아들이지 않는 일이 없었다. 장영이 이전에게 물었다. "민들이 나를 믿는가?" 이전이 대답했다. "시랑(侍郞)의 위엄과 은혜가 민에게 미치니 민들이 다 믿고 복종합니다." 장영이 말했다. "지난번 임기 동안에는 그렇게 되지 못하였다. 이번 임기에는 응당 차츰 나아진 듯하다. 단지 이 믿음 한 가지도 5년 만에 바야흐로 성취된 것이다."(『자경편』318)

○ 장영이 항주(杭州)에 부임하였다. 어떤 부자가 장차 병들어 죽게 되었는데 그에게 3살짜리 아들이 있었다. 때문에 부자는 자신의 사위에게 재산을 주관하라고 명하고 '나중에 3/10을 나누어서 아들에게 주라'는 유서를 남겼다. 아들이 장성해서 재산문제를 놓고 소송을 제기하자 사위는 유서를 가지고 관부에 나아갔다. 장영이 말했다. "너의 장인은 지혜로운 자이다. 그때 당시 아들이 어렸기 때문에 이 같은 유서를 너에게 주었던 것이다. 그렇지 하지 않았다면 부자의 아들은 너의 손에 죽었을 것이다." 장영은 사위에게 3/10을, 아들에게 7/10을 주도록 명령하였다. 아들과 사위가 울면서 감사하며 돌아갔다.(위와 같음.)

○ 장영이 숭양(崇陽)319)에 부임하였다. 그가 채소를 등에 지고 돌아가는 마을 사람을 보고 물어서 시장에서 사오는 것임을 알았다. 장영이 노하여 말했다. "너는 농촌에 살면서 스스로 심지 않고 사다 먹는다. 어찌 이렇게 게으른가?" 꾸짖어서 매를 때려 돌려보냈다.(위와 같음.)

○ 숭양사람들은 차(茶) 재배를 생업으로 삼고 있었다. 장영이 민들에게

---

318)『자경편』권7,「사군류(事君類)」하 '선처사(善處事)'하.

319) 숭양(崇陽) : 호북성 함녕(咸寧) 소재.

명하여 차나무를 뽑고 뽕나무를 심게 하였다. 처음에는 고통스럽게 여겼지
만 뒷날 차를 전매하게 되면서 다른 현에서는 생업을 잃었지만 숭양은
뽕나무가 이미 자라서 그 이득을 얻을 수 있었다.(위와 같음.)

○ 장영이 말했다. "정치를 할 때 이서들이 다스려졌다고 말해도 다스려
진 것이 아니다. 민들이 다스려졌다고 해도 다스려진 것이 아니다. 승려와
도사가 다스려졌다고 해도 아직 다스려진 것이 아니다. 사사로운 식견이
없으며 옛 것을 배운 선비들이 다스려졌다고 해야 다스려진 것이다."(『자경
편』320))

○ 구양수(歐陽脩)321)가 장운수(張芸叟)에게 이서들에 대해서 많은 이야
기를 했다. 그가 말했다. "문학은 자신의 몸을 빛나게 하는데 그치지만
정사(政事)는 다른 사람들에게 미친다. 옛날 내가 이릉(夷陵)322)으로 좌천되
어 시간을 보낼 길이 없어서 해묵은 공문서를 반복해서 살펴보았다. 그
속엔 굽은 것과 곧은 것이 어그러지고 뒤섞인 사례가 헤아릴 수 없을
정도로 많이 들어 있었다. 없는 것을 있다고 하고, 잘못된 것을 옳다고
하고, 법을 어긴 것에 대해 사정을 봐주고, 친족을 멸하고 의를 해치는
일을 적지 않게 발견하였다. 이릉과 같이 황폐하고 멀리 떨어진 작은
지역도 이러한데 천하는 어떤지 알 만하다. 그 때 하늘을 우러르며 '내가
일을 만날 때마다 소홀히 하지 않을 것이다'고 맹세하였다."

구양수가 개봉부(開封府)323)에 부임하였다. 전임자인 포증(包拯)324)은

---

320) 『자경편』 권8, 「정사류」 '정사'.
321) 구양수(歐陽脩) : 송나라 관리. 자 영숙(永叔), 호 취옹(醉翁).
322) 이릉(夷陵) : 호북성 소재.
323) 개봉부(開封府) : 하남성의 성도(省都).
324) 포증(包拯) : 송나라 인종(仁宗) 때 관리. 추밀부사(樞密副使) 등 역임. 성품이
    강직해서 염라포로(閻羅包老)라고 불림.

위엄으로써 다스렸지만 구양수는 간단하고 쉬우며, 이치에 따르되 혁혁한 명성을 추구하지 않았다. 포증의 정치를 그에게 권하는 자가 있었다. 구양수가 말했다. "사람의 재능과 성품은 서로 다르기 때문에 자신의 장점을 활용하면 일이 이루어지지 않음이 없지만 억지로 단점을 활용하면 세(勢)가 미치지 못할 것이 틀림없다. 나 역시 장점으로 다스릴 뿐이다." 구양수는 여러 군(郡)을 다스리면서도 치적을 구하지 않고 너그럽고 간략하며 시끄럽지 않은 데에 뜻을 두었다. 이 때문에 이르는 곳마다 민들이 편하게 여겼다. 다스린 곳이 큰 군이었는데, 구양수가 부임하여 보름만 지나면 일이 10에 5, 6은 줄어들고, 한 두 달이 지나면 관청이 마치 절간처럼 조용해졌다. 어떤 자가 물었다. "정사가 너그럽고 간략한데도 일이 흐트러지거나 퇴폐하지 않는 이유는 무엇입니까?" 구양수가 대답했다. "멋대로 하는 것을 너그러운 것으로 알고, 생략하는 것을 간략한 것으로 알면 흐트러지고 퇴폐해져서 민들이 폐단을 받게 될 것이다. 내가 말하는 너그럽다는 것은 가혹하게 급히 서둔다는 뜻이 아니며, 간략하다고 번쇄하게 말하지 않는 것뿐이다."

구양수가 항상 사람들에게 말했다. "사람을 다스리는 것은 병을 치료하는 것과 같다. 사람들을 다스릴 때 관리가 재능이 있는지 없는지, 일을 잘 처리하는지 못하는지를 묻지 않는다. 다만 민들이 편하다고 일컬으면 좋은 관리이다."(위와 같음.325))

○ 장희안(張希顔)326)이 평향327)령(萍鄕令)에 부임하였다. 범연귀(范延貴)328)가 예장(豫章)329)에서 도성으로 들어가려는데 장영(張詠)이 물었다.

325) 『자경편』 권8, 「정사류」 '정사'.

326) 장희안(張希顔) : 송나라 관리. 궐주사호참군(闕州司戶參軍) 등 역임. 평향(萍鄕)에서 선정(善政)을 베품.

327) 평향(萍鄕) : 강서성 서단부(西端部) 소재.

328) 범연귀(范延貴) : 송나라 관리. 전직(殿直)으로 있다가 장영의 천거를 받음. 원문의

"올라오는 길에 좋은 관리를 보지 못하였는가?" 범연귀가 대답했다. "평향령 장희안은 비록 만나본 적은 없지만 좋은 관리임을 알 수 있었습니다. 어제 그 고을 안에 들어갔는데 들에는 게으른 농사꾼이 없고, 시장에는 놀고먹는 자가 없으며, 다리는 잘 수리되었으며 역참에서 공문을 주고받는 일[驛傳]도 잘 정비되었습니다. 밤에 여관에서 자는데 시간을 알리는 북소리를 들을 수 있었습니다. 이는 잘 다스리는 관리일 것입니다." 장영이 웃으며 말했다. "장희안은 본래 좋은 관리인데 그대도 사람을 알아보는구나." 그 날로 두 사람을 조정에 천거하였다.(『여지비고(輿地備考)』330))

○ 증천(曾泉)331)이 수현332)전사333)(水縣典史)에 부임하였다. 그는 일을 처리함에 부지런하고 능숙하였고, 학문을 권장하고 예를 일으키며 농사일을 감독하고 길쌈하는 여공(女工)을 보살폈다. 또한 가난하고 궁핍하여 소가 없는 자를 불쌍히 여겨 소를 빌려주어 경작할 수 있게 하였다. 목면(木棉)을 심을 수 없는 자에게는 목면을 빌려주어 옷감을 짤 수 있게 하였다. 때때로 향촌을 돌아다니면서 부지런한지 게으른지를 살피며, 또 민을 거느리고 황무지를 개간하여 여러 가지 곡물을 수확하고, 나무를 심어 토목공사에 대비하였다. 상인들의 길을 열어주고 포탈한 세금을 납부하게 했다. 관가에는 쌓이는 것이 있고, 민은 무거운 세금을 부담할 걱정이 없었다. 또한 남은 재화로 배를 만들어 물건을 실어 나르는데 대비하였으며, 관곽(棺槨)334)을 만들어 두었다가 장례를 도왔다. 부임한 지 3년이 지나자

범연상의 '상(賞)'자는 '귀(貴)'자의 잘못된 표기.

329) 예장(豫章) : 강서성 소재 군명(郡名).

330) 여지비고(輿地備考) : 『일통지(一統志)』의 내용을 뽑아서 만든 책.

331) 증천(曾泉) : 명나라 관리. 자 본청(本淸). 어사(御史) 등 역임.

332) 수현(水縣) : 호북성 소재.

333) 전사(典史) : 지현(知縣)의 속관(屬官). 현옥(縣獄)과 포도(捕盜)를 담당.

집집마다 넉넉하고 사람마다 풍족해졌다. 그가 민을 다스렸던 방법은 민의 힘을 이용하고 지리를 이용하여 재물을 축적하고 생활을 넉넉히 해주는 것뿐이었다.

○ 송나라 부필(富弼)335)이 청주(青州)336)에 부임하였다. 큰 기근이 들어 민들이 떠돌아다니며 먹을 것을 찾는 일이 발생하였다. 부필은 소속 부민(部民)에게 쌀을 내놓도록 권장하고 자신의 녹봉도 보탰다. 또한 공사(公私)의 집 10만 채를 확보하여 나누어 거주하게 하고, 사람들이 땔감과 물을 얻는 데에 편리하게 하였다. 관직에 결원이 생기면 얻어먹는 자에게 녹봉을 나눠주고 이들에게 민들이 모여 있는 곳에 나아가 노약자와 병들어 수척해진 자를 골라 구제하도록 했다. 그 수고한 내용을 기록해 두었다가 뒷날 조정에 보고하여 상을 받게 해주겠다고 약속하였다. 5일마다 사람을 보내 술과 고기, 밥 등으로 정성을 다해 위로하며 구제에 힘을 쏟았다. 생계에 도움이 되면 산림과 천택의 이익을 민들이 마음대로 가져갈 수 있게 했고, 큰 무덤을 만들어 죽은 자들을 묻어주고 이것을 '총총(叢塚)'이라고 불렀다. 보리농사가 풍년이 들어서 민들이 각각 멀고 가까움에 따라 양식을 받고 돌아갔다. 이렇게 해서 살아난 자가 50만여 명이나 되었고 모집하여 병사로 삼은 자가 만여 명이었다. 예전에는 재해로부터 사람을 구제하는 방법이 민들을 성안에 모아놓고 죽을 쑤어 먹이는 것이었다. 그 과정에서 사람들이 더운 김으로 인해 전염병에 걸리거나 서로 밟히고 깔리거나 혹은 며칠 동안 죽을 얻어먹으려고 기다리다가 먹지 못하고 쓰러지기도 하였다. 구제한다고 했지만 실제로는 죽이는 것이나 다름없었다. 부필이 세운

334) 관곽(棺槨) : 시신을 넣어두는 겉 널과 속 널.
335) 부필(富弼) : 송나라 관리. 자 언국(彦國), 시호 문충(文忠).
336) 청주(青州) : 산동성 임치현(臨淄縣) 소재.

이 방법은 간편하고 주도면밀했기 때문에 세상에서 전해져서 법식이 되었
다.

다스림에 필요한 행적들[政蹟] 하편(下篇)

3. 유능한 관리들의 행적들[能吏章]

○ 조광한(趙光漢)¹⁾이 젊어서 군리(郡吏)가 되었는데, 청렴결백하고 일을
잘 알고 민첩하며 선비들에게 겸손한 것으로 유명하였다.

조광한이 경조 윤(京兆尹)²⁾에 부임하였다. 신풍현(新豊縣)의 아전[椽吏]
두건(杜建)이 평소 호협(豪俠)·빈객(賓客)과 간사한 이익을 도모하였다. 먼
저 조광한이 그에게 넌지시 알아듣도록 말했지만 고치지 않았다. 이에
조광한이 잡다가 법으로 다스렸는데 그 과정에서 귀인(貴人)이 끊임없이
청탁하였다. 하지만 끝내 들어주지 않고 두건을 죽여 시장에 버려두니
수도(首都)에 사는 자들이 조광한을 칭송하였다.

조광한이 영천³⁾태수(潁川太守)로 자리를 옮겼다. 영천지역의 호걸과
세력 있는 가문[大姓]들은 서로 혼인관계를 맺고 있었으며, 관리들은 무리

---

1) 조광한(趙光漢) : 한나라 관리. 자 자도(子都). 경조 윤(京兆尹)·영천 태수(潁川太守)
   등 역임.
2) 경조 윤(京兆尹) : 한나라 때 수도 장안 동쪽을 관할하던 관직. 경조는 천자가
   계시는 땅. 우부풍(右扶風)·좌풍우(左馮翊) 등과 함께 삼보(三輔). 좌풍우는 장릉(長
   陵) 북쪽, 우부풍은 위성(渭城) 서쪽을 다스림.
3) 영천(潁川) : 하남성 임영현(臨潁縣) 소재.

짓기 좋아하였다. 조광한은 이를 걱정하여 대책을 마련하였다. 그는 이속
가운데 쓸 만한 자들을 격려하여 고소관련 기록들을 접수하고 조사하여,
죄목에 해당되면 법에 따라 처벌하였다. 조광한은 일부러 그 말을 누설하여
서로 원망하게 만들었다. 또한 이서를 시켜 항통(缿筩)⁴⁾을 설치하게 하여
【항(缿)의 음(音)은 '항(項)'으로 마치 오늘날 동전을 담는 단지와 같다. 병에는 작은
구멍이 있어서 넣을 수는 있어도 꺼낼 수는 없다】 투서(投書)가 들어오면 이름을
삭제하고, 호걸과 세력 있는 가문의 자제들이 말한 것이라고 속였다. 이렇게
한 뒤에 세력있는 가문들이 집집마다 서로 원수처럼 여겨 간사한 당(黨)이
흩어지고 없어져 풍속이 크게 개선되었다. 조광한은 이민이 서로 간특함을
고발하게 하여 자신의 심복[耳目]으로 삼았다. 이 때문에 도적이 발생하지
않았으며 도적질을 하더라도 곧 잡히고 말았다.

　경조 윤은 태수의 직책인데 온화한 얼굴로 선비를 대접하고 위로하고
천거하여 대우하는 것이 은근하고 잘 갖추어졌고, 정사를 추진함에 그
공을 아랫사람들에게 돌리면서 말했다. "아무개가 고을을 도와 일한 것은
내가 따라갈 수 없다." 그 행하는 것이 정성에서 나왔다. 이것을 본 관리들은
속마음을 털어놓고 감추지 않았으며, 모두 쓰이기를 원하여 어려운 상황에
서도 빠져나가지 않았다. 조광한은 총명하여 그 능력의 마땅함과 힘을
기울이고 있는지의 여부를 알아내서, 혹 어긋난 자가 있으면 먼저 듣고
좋게 타이르고 그래도 고치지 않으면 체포하였다. 심문에서 빠져나갈
수 있는 죄인이 없었고, 심문을 시작하면 즉시 자백하였다.

　조광한의 인물됨은 강건하고, 천성은 관리의 직무[吏職]에 밝아서 이민
을 만나는 일에 전념하다가 혹 밤을 새워 다음날 아침에 이르기도 하였다.
그는 또한 미끼 던지는 방법을 잘 써서 실정을 파악하였는데, 정세를

---

　4) 항통(缿筩) : 비밀의 문서를 넣거나 밀고할 때 사용하는 투서함.

탐지하는 방법으로 다음의 사례가 있다. 가령 말 값을 알기 위해서 먼저
개 값을 물어보고, 양 값을 물어보고 또 소 값을 물어본 뒤에 말 값을
물어보았다. 그 값들을 참작하여 유(類)에 따라 비교해 보면 말 값이 비싼지
싼지 실정을 정확히 알 수 있기 때문이었다. 조광한만이 정밀하게 행할
수 있었다. 이와 같은 풍모를 본받으려는 자가 있었지만 여기에 미치지
못하였다.

조광한은 군(郡) 안의 도적과 동네 건달들의 근거지와 이서들이 약간의
뇌물을 받고 요구하는 등의 일에 대하여 알고 있었다. 실제로 장안(長安)[5]의
소년 몇 명이 마을의 으슥한 빈 집에 모여서 사람을 협박하여 털자고
모의했는데 말을 채 끝나기도 전에 조광한이 이서를 시켜 체포하여 다스리
니 자백하였다.

부자(富子) 소회(蘇回)가 낭(郎)이 되었는데 도적 2명이 소회의 집을 노략
질하여 협박하였다. 잠시 뒤 조광한이 이서를 거느리고 (소회의) 집에
도착하여 뜰아래 서서 장안 승(長安丞) 공사(龔奢)를 시켜 집 문[堂戶]을
두드리며 도적을 회유하였다. "경조 윤 조군이 두 분께 부탁하니 인질을
죽이지 말라. 그는 숙위(宿衛)하는 신하이다. 인질을 풀어주고 자수하면
양쪽 모두에게 좋을 것이다. 다행히 사면령(赦免令)이 내리면 풀려날 수
있을 것이다." 도적 2명이 크게 놀랐다. 평소 조광한의 명성을 듣고 있었던
터라 집 문이 열리자마자 당 아래로 내려가 머리를 조아렸다. 조광한이
무릎을 꿇고 사례하며 말했다. "다행히 모두 살 수 있게 되었다." 두 도적을
잘 대접하고 감옥에 수감하였다. 또한 이서들에게도 거듭 훈계해서 술과
고기를 내려주라고 했다. 겨울철이 되어 죽여야 할 때 미리 관을 준비하여
장례 준비를 마치고 그 사실을 알려주었지만 그들은 말했다. "죽어도 여한

5) 장안(長安) : 섬서성 위수(渭水) 남쪽 소재.

이 없습니다."

조광한이 호도 정장(湖都亭長)을 불러들였다. 호도 정장이 서쪽으로 군(郡)의 경계에 이르자 그곳 정장이 웃으며 말했다. "관아에 도착하거든 조군에게 아주 고맙다고 인사나 전해주시오." 호도 정장이 도착하여 조광한과 함께 사무에 대해 말을 나누었다. 그 일을 마치고 조광한이 말했다. "경계에서 만난 정장이 내게 고맙다는 인사를 전했다던데 왜 전하지 않는가?" 호도 정장은 머리를 조아리고 사실 그런 일이 있었다고 했다. 조광한이 말했다. "돌아가는 길에 내 대신 그 정장에게 감사의 말과 맡은바 직무를 열심히 수행할 것이며, 경조 윤이 당신의 고마워하는 뜻을 잊지 말고 전해주시오." 신명스럽게 간사함을 적발함이 이와 같았다. 【한서.6) 그 몸을 인질로 삼아 겁을 주어 재물을 취하고자 했다】

○ 윤옹귀(尹翁歸)7)는 법률을 밝게 익혔으며, 시리(市吏)8)가 되어서는 공정하고 청렴하여 보내준 음식도 받지 않으니 많은 상인들이 두려워하였다. 동해 태수(東海太守)에 부임하여 그곳을 다스렸다. 그는 이속과 민들 가운데 어진 자와 어질지 못한 자, 간사하고 사특한 죄명을 밝게 살펴 알고 있었다. 현마다 장부를 만들게 하여 직접 그 현의 정사를 보고 받았다. 급박하다는 평판이 있으면 조금 풀어주고 이민들이 조금이라도 해이해지면 곧 문서를 펴서 현마다 교활한 이서와 세력이 강한 민[豪民]을 잡아들여 그 죄를 다스려서 일벌백계하였다. 이속과 민들이 두려움에 떨고 스스로 자신의 행동을 고쳐 새롭게 하여 동해가 크게 다스려졌다.

---

6) 『전한서』 권76, 「조윤한장양왕열전」46.

7) 윤옹귀(尹翁歸) : 한나라 선제(宣帝) 때 관리. 자 자형(子兄). 동해 태수 등 역임.

8) 시리(市吏) : 시령(市令) 밑에 소속된 관리. 시승(市丞)·시괴(市魁)·시리(市吏)가 있음. 시(市)의 세금을 징수하거나 질서를 유지함.

윤옹귀가 우부풍(右扶風)9)에 부임하였다. 청렴하고 공평한 자를 임명하며 간사한 자를 미워하였다. 높은 지위를 주고 예로 대접하며, 좋아하고 싫어함을 함께 하였다. 자신을 배신한 자에게는 벌을 내려서 동해에 있을 때처럼 다스렸다. 간사한 죄명을 현마다 비치된 문서에 이름을 적어두게 하였다. 오(伍)중에 도적이 발생하면 윤옹귀는 곧바로 해당 현의 장리를 불러 간특하고 교활한 주동자들의 이름을 말해주며 유사한 방법을 이용하여 도적이 지나거나 돌아가는 곳을 추적하였다. 그러면 항상 윤옹귀의 말대로 되어 잘못되는 일이 없었다. 힘없는 자에게는 너그럽게 대하고, 세력이 강한 자에게는 엄격하게 대하였다. 수도 사람들은 그의 위엄을 두려워하였고, 부풍은 크게 다스려졌다. 윤옹귀는 형벌을 사용하여 다스렸지만 청결하게 스스로를 지켰으며 사사로움을 말하지 않고 또한 온화하고 겸손하여 사람들에게 교만하지 않았다. 윤옹귀가 세상을 떠났을 때 그의 집은 가난하고 남겨진 재산은 없었다.(『한서』10))

○ 선제(宣帝) 때 장창(張敞)11)이 발해(渤海)와 교동(膠東)12)지역에서 발생한 도적을 다스리겠다고 상소문을 올렸다. 천자가 장창을 교동 상(膠東相)에 임명하였다. 장창이 스스로 청하였다. "도적이 들끓는 군(郡)에서 상과 벌로써 다스리지 않으면 선을 권장하고 악을 징계할 수 없습니다. 이속 가운데 도적을 추적하여 체포하는데 공적이 있는 자는 삼보(三輔)13)보다 더 특별히 대우해주십시오." 천자가 허락하였다. 장창이 교동에 도착하여

9) 우부풍(右扶風) : 경조 윤·좌풍우(左馮翊)과 함께 삼보(三輔).

10) 『전한서』 권76, 「조군한장양왕열전」46.

11) 장창(張敞) : 한나라 선제(宣帝) 때 관리. 자 자고(子高). 경조 윤·태원 태수(太原太守) 등 역임.

12) 교동(膠東) : 산동성 소재.

13) 삼보(三輔) : 경조 윤, 좌풍익(左馮翊), 우부풍(右扶風).

상을 걸고 도둑에게 서로 잡거나 죽여 죄를 면제받게 하였다. 이서들 가운데 도적을 잡은 공으로써 현령(縣令)에 선임된 자만도 수십 명에 이르렀다. 이로 말미암아 도적이 흩어져서 저희들끼리 서로 잡아 죽였다. 이민들이 화평하게 되었으며, 나라는 평온해졌다.

장창이 경조 윤에 부임하였다. 장안(長安)의 시장에 도둑이 늘어나 여러 상인들이 고통스러워하였다. 장창이 장안의 부로(父老)를 통해 도둑 두목 몇 명에 대하여 알아보았다. 이들은 평소에는 온후하고 외출할 때도 시중드는 아이를 거느리고 말을 타고 다니는 등 마을에서는 장자(長者)로 알려진 사람들이었다. 장창은 이들을 불러서 문책하고 죄를 용서해주고 여러 도둑들 잡아서 스스로 속죄하라고 했다. 두목들이 말했다. "지금 하루아침에 소집해서 관부로 나오게 하면 여러 도둑들이 놀랄 것입니다. 원컨대 저희에게 이서의 직책을 내려주십시오." 장창이 그들을 이서에 임명하고 돌아가 쉬게 하며 술자리를 베풀어 주었다. 도둑들이 와서 축하하였고, 그들이 술에 취하자 두목들이 옷자락에 붉은 표시를 하였다. 이서들은 마을 입구에 앉아 있다가 나오는 자를 조사하여 붉게 표시가 된 자들 결박해서 하루 만에 수백 명을 잡았다. 그들의 범행을 추궁하였다. 혹은 1명이 백여 차례나 범행을 저지르기도 하였는데 모두 법에 따라 처벌하였다. 이로 말미암아 큰북을 울리는 일이 적어지고 시장에는 도둑이 사라졌다. 천자가 장창에게 상을 내려주었다.

장창의 사람됨이 민첩하고 빨랐으며 상벌을 명확하게 실행하였다. 악을 보면 곧 잡아들이되 때때로 법을 넘어 풀어주는 대담함도 있었다. 경조(京兆)를 다스릴 때 조광한의 통치방식을 따랐지만 방략과 심복을 두고 활용하는 것이나 죽이고 간사함을 금지하는 방법은 조광한만 못하였다. 장창은 본래 『춘추』를 공부하여 경술(經術)로써 자신의 정치를 보충해서 자못

유가(儒家)적인 면모가 있었다. 종종 현인을 높이고 선을 드러냈으며, 전적
으로 처벌만 사용하지 않았다. 그래서 자신을 보존할 수 있었으며 형벌을
받아 죽는 것을 면하였다. 【풍익(馮翊)14)에서는 2백석(石)의 졸사(卒史)를 두었다.
이것은 '특별 대우'를 의미한다. ○ 『한서』15)】

○ 설선(薛宣)16)이 우풍익(右馮翊)에 부임하였다. 고릉 령(高陵令) 양담(陽
湛)과 역양17)령(櫟陽令) 사유(謝游)는 욕심이 많고 교활하고 공손하지 못해
서 해당 군(郡)에 걸쳐 여러 폐단을 초래하였다. 전임(前任) 우풍익이 여러차
례 조사했지만 결론을 내리지 못하였다. 설선이 일을 맡자 양담이 배알하러
왔다. 이에 설선은 술과 안주를 차려놓고 예의를 잘 갖추어 접대하면서
은밀히 그 죄상을 알아보았다. 양담이 잘못을 뉘우치자 이내 직접 문서를
작성하여 간특함을 낱낱이 밝힌 다음 봉해서 건네주면서 말했다. "이서와
민들이 당신에 관해 조목조목 말한 것이 첩에 적힌 내용과 같다. 내가
수령을 존경하고 중히 여겨 차마 폭로할 수 없기에 조용히 손수 써서
알려준다. 스스로 진퇴를 결정하기 바란다." 양담이 자신이 지은 죄를
알고 즉시 인부(印付)를 풀어 이서에게 주고 끝내 원망하지 않았다. 사유는
자신이 대유(大儒)로서 명성이 있다고 자부하며 설선을 홀대하였다. 설선이
편지를 보내 그의 죄를 드러내어 꾸짖었다. 사유는 편지를 받자 즉시
인부를 풀고 물러났다.

설선이 군(郡)에서 사는 이서와 민들의 죄명을 파악하면 곧 해당 현의
장리(長吏)들에게 알려주고 형벌을 집행토록 하였다. 그리고 경계하여 말했

---

14) 풍익(馮翊) : 좌풍익. 장릉 북쪽을 다스림.

15) 『전한서』 권76, 「조윤한장양왕열전」 제46.

16) 설선(薛宣) : 한나라 관리. 자 공군(贛君). 임회 태수(臨淮太守)·승상(丞相) 등 역임.

17) 역양(櫟陽) : 섬서성 임동현 소재.

다. "부(府)에서 스스로 발각하여 형벌을 집행하지 않는 것은 현을 대신해서 다스리고 싶지 않기 때문이다. 현령과 장리의 이름을 빼앗을 것이다." 장리들이 기뻐하면서도 두려워하였다. 설선은 장리들에게 상벌을 명확하게 집행하고, 공평하게 법을 적용하여 시행하였다. 설선은 어디에서나 조리 있게 잘 가르쳐 알아들을 수 있었고, 인자하게 상대편의 뜻을 잘 배려하며 사람을 사랑하고 이롭게 해주었다. 설선의 성품은 주도면밀하면서도 조용하여 생각마다 이서들의 직무를 살펴서 그들이 편안한 바를 궁리하였다. 아래로 재용(財用)과 붓 벼루에 이르기까지 계획을 세워 편하게 사용하면서도 낭비를 줄였다. 이민들이 그를 칭송하였으며 군(郡)은 깨끗해지고 잡음이 없었다.

　뒷날 설선의 아들 설혜(薛惠)[18]가 팽성[19]령(彭城令)에 부임하였다. 설선이 팽성을 지나가다 다리와 우정(郵政)이 정비되지 않은 것을 보았다. 설혜의 능력이 없다고 판단하고, 여러 날을 머물면서도 끝내 아들에게 관리 업무를 묻지 않았다. 설혜는 자신의 다스리는 방법이 아버지 마음에 들지 않음을 알아차리고, 문하(門下)의 이서를 보내어 이직(吏職)에 대해서 가르쳐주지 않은 의도를 물었다. 설선이 웃으며 말했다. "관리의 도는 법령을 스승으로 삼는다. 물어서 아는 것은 가능하지만 능력이 있고 없고는 자신이 본래 갖고 있는 자질이다. 어찌 배울 수 있겠는가?" 많은 사람들이 설선의 말이 옳다고 하였다. 【'애리'(愛利)는 인(仁)을 소중히 여기고 이(利)를 편안케 여기는 것이다. ○ 위와 같다】

　○ 순제(順帝)[20] 때 장강(張綱)[21]이 광릉[22] 태수(廣陵太守)에 부임하였다.

---

18) 설혜(薛惠) : 설선의 아들. 자 군채(君采). 팽성령(彭城令) 등 역임.
19) 팽성(彭城) : 강소성 서주시(徐州市) 부근의 옛 이름.
20) 순제(順帝) : 후한(後漢) 제8대 황제.

광릉의 도적 장영(張嬰)23)이 양주(楊州)24)와 서주(徐州)25) 등지에서 노략질
하였다. 장강이 혼자서 수레를 타고 장영의 산채(山寨)에 이르자 크게
놀라 달아나 문을 닫았다. 장강이 문 밖에서 이서와 병사들을 돌려보내고
10여 명만 남겨두고 장영에게 글을 보내어 서로 만나기를 청했다. 장영이
곧 나와 배알하자 장강이 맞이하여 윗자리에 앉히고 타일러 말했다. "전후
(前後)의 태수들이 탐욕과 포학을 많이 자행했기 때문에 공(公) 등이 분을
품고 서로 모이게 되었다. 죄는 진실로 태수에게 있다. 그러나 공의 행동도
또한 의로운 것이 아니다. 주상(主上)께서는 인자하고 성스러워 교화의
덕으로써 반란의 무리를 복종시키려 했기 때문에 나를 보냈다. 지금은
전화위복의 기회이다. 의리를 듣고도 복종하지 않는다면 천자가 진노하여
형주(荊州)·양주·연주(兗州)26)·예주(豫州)27)의 대병(大兵)이 구름처럼 모여
들어 몸과 머리가 두 동강이 나고 제사도 끊길 것이다. 이 둘 사이의
이로움과 해로움을 공이 깊이 생각해 보라."

　장영이 그 말을 다 듣고 울면서 말했다. "먼 지방의 어리석은 민들이
억울한 침탈을 견디지 못하여 서로 모여 구차히 살아왔습니다. 이제 현명한
태수의 말을 들으니 곧 우리들이 다시 살 수 있는 기회입니다." 이어서
인사하고 자기 진영으로 돌아갔다. 다음날 그가 만여 명과 처자를 데리고

---

21) 장강(張綱) : 한나라 관리. 자 문기(文起).
22) 광릉(廣陵) : 강소성 강도현(江都縣) 소재.
23) 장영(張嬰) : 후한(後漢) 순제(順帝) 때 양주(楊州)·서주(徐州) 등지에서 반란을 일으
　　킨 인물.
24) 양주(楊州) : 강소성 중서부 소재.
25) 서주(徐州) : 강소성 북서쪽 소재.
26) 연주(兗州) : 하북성·산동성 일대 설치된 주.
27) 예주(豫州) : 하남성 소재. 우(禹)가 구획한 9주의 하나.

손을 결박하여 항복해 왔다. 장강은 혼자 수레를 타고 산채에 들어가 술잔치를 베풀고 무리들을 흩어 보내되 그들이 가는 대로 내버려두었다. 친히 거처할 집을 정해 주고 토지를 선정해주고 자제 가운데 이서가 되고자 하는 자는 모두 불러들였다. 민심이 기꺼이 복종하여 남쪽 고을들이 편안하게 되었다.

당시 장리(長吏) 가운데 정치에 능력이 있는 자로 낙양 령(洛陽令) 임준(任峻),28) 기주29) 자사(冀州刺史) 소장(蘇章),30) 교동 상(膠東相) 오우(吳祐)31)가 있었다. 임준은 문무 관리를 잘 선발하여 각자 그 쓰임을 다하였다. 간사함을 적발하여 발을 붙이지 못하게 하니 민간에서 관리를 두려워하지 않았다.

소장(蘇章)의 친구 가운데 청하32) 태수(清河太守)가 있었다. 소장이 부(部)에 나아가 그 친구의 부정을 살피고자 하였다. 이에 술자리를 마련하였는데 매우 즐거웠다. 태수가 기뻐하며 말했다. "사람에게는 모두 하나의 하늘이 있는데, 나에게는 유독 하늘이 둘입니다." 소장이 말했다. "오늘 저녁 소유문(蘇孺文)과 옛 친구가 함께 술 먹는 것은 사사로운 은혜이며, 내일 기주 자사로서 일을 처리하는 것은 공법(公法)이다." 드디어 그 죄를 바로잡자 주의 경계에 이르기까지 모두 숙연해졌다.

오우의 정치는 어질고 간소함을 숭상하였다. 민들이 차마 속이지 못하였다. 색부(嗇夫)33) 가운데 손성(孫性)이라는 자가 있었다. 그가 사사롭게

---

28) 임준(任峻) : 한나라 관리. 자 백달(伯達). 도정후(都亭侯)·장수교위(長水校尉) 등 역임.

29) 기주(冀州) : 하남성 정정현(正定縣) 소재.

30) 소장(蘇章) : 한나라 관리. 자 유문(孺文).

31) 오우(吳祐) : 한나라 관리. 자 계영(季英). 효렴(孝廉)으로 천거되어 제상(齊相)·하간 상(河間相) 등 역임.

32) 청하(清河) : 하북성과 산동성 일대 소재.

33) 색부(嗇夫) : 향에서 소송과 부세 담당 관리.

민으로부터 돈을 거두어 시장에서 옷을 사서 자신의 아버지에게 갔다.
손성의 아버지가 노하여 말했다. "이와 같은 태수가 있는데 어찌 차마
속인단 말이냐?" 아들을 재촉하여 돌아가 죄를 받도록 하였다. 손성이
부끄럽고 두려운 마음에 자수하면서 아버지의 말을 전하였다. 오우가
말했다. "네가 아버지를 위하려다가 더러운 이름을 얻게 되었다. 허물을
살펴봄에 어짐을 알 수 있는 경우이다." 손성을 돌려보내 그 아버지께
대신 감사드리게 하고 옷을 보내주었다.(『강목』)

　○ 위나라 전예(田豫)34)가 호오환 교위(護烏丸校尉)에 부임하였다. 그는
오랑캐[선비족]가 하나로 단합되는 것이 중국에게 이롭지 않다고 생각하였
다. 먼저 그들을 이간질시켜서 서로 원수가 되어 싸우게 만들었다. 오랑캐를
방어할 때는 항상 오랑캐들이 겸병하는 것을 억눌렀으며, 강성하고 교활한
무리들을 해산시켰다. 전예는 도망자나 간사한 도둑 가운데 호(胡)를 위해
계책을 꾸며 관(官)을 이롭지 못하게 한 자들에 대해 계획을 짜서 이간시켜
흉악하고 간사한 음모가 이루어지지 못하게 하였다. 모여 사는 오랑캐들은
편안하지 못하였다. 전예는 청빈하고 검소하여 상을 받으면 장사(壯士)에게
나누어주었다. 집은 항상 가난하고 재물이 없었다.(『한서』)

　○ 위나라 육발(陸晷)35)이 상주36) 자사(相州刺史)에 부임하였다. 그의
정치는 깨끗하고 공평하며, 강한 자를 억누르고 약한 자를 도와주었다.
상주 안에 명망 있고 비중 있는 자들을 예로써 대접하며 정사를 묻고
방략을 요청하였다. 이와 같이 자문해 주는 자 10명을 '십선(十善)'이라고

---

34) 전예(田豫) : 위나라 관리. 자 국양(國讓). 남양 태수(南陽太守)·병주 자사(幷州刺史)
　　등 역임.
35) 육발(陸晷) : 후위(後魏) 때 관리.
36) 상주(相州) : 하남성 임창현(臨漳縣) 소재.

불렀다. 또한 여러 현(縣)에 사는 세력이 강한 가문에 소속된 백여 명을 양자로 삼고 친절히 대접하고 은근히 권하면서 의복을 내려주어 집으로 돌려보내 자신의 심복[耳目]으로 삼았다. 그러자 간특함을 적발하고 숨겨진 일을 밝혀냄에 증거가 드러나지 않는 법이 없었다. 민들이 신명스럽게 여겼으며, 위협하고 도적질하는 자가 없어졌다.(『북사』37))

○ 북제(北齊) 때 팽성 주(彭城主) 고유(高淯)38)가 창주39) 자사(滄州刺史)에 부임하였다. 그의 정치는 엄격히 살피는 것을 위주로 하였다. 이로 인해 부(部)내가 숙연해졌다. 수령과 참좌(參佐)에서 서리에 이르기까지 고유의 왕래를 수행할 때 식량은 각자 마련하였다. 고유는 민간에서 일어난 일은 아주 사소한 것도 다 알고 있었으며, 어느 땅이 습한지 비옥한지도 알고 있었다. 현(縣) 주부(主簿) 장달(張達)40)이 주(州)에 왔다가 밤에 남의 집에 들어가 닭국을 먹은 일이 있었다. 고유가 이 사실을 알고 수령을 모이게 하고 그에게 말했다. "닭국을 먹고 왜 돈을 지불하지 않는가?" 장달이 즉시 죄를 자백하였다. 온 주 안에 고유의 신명함이 알려졌다.

또한 어떤 자가 유주(幽州)41)로부터 당나귀에 사슴 고기를 말린 포[鹿脯]를 싣고 와서 창주의 경계에 이르게 되었는데, 당나귀와 포를 도둑맞았다. 다음날 아침 이 사실을 고유에게 고하였다. 고유는 좌우(左右) 및 부(府)의 부하[僚吏]에게 명령하여 가격에 구애받지 않고 시장의 포를 모두 사들였다. 그 중에서 주인은 자신의 포를 발견하였고, 범인을 체포할 수 있었다.

---

37)『북사』권28,「열전」16.
38) 고유(高淯) : 북제(北齊) 때 관리. 자 자심(子深). 북제(北濟) 고조(高祖) 고환(高歡)의 5남.
39) 창주(滄州) : 하북성 남피현(南皮縣) 동남쪽 소재.
40) 장달(張達) : 북제(北齋) 때 관리.
41) 유주(幽州) : 북경 부근 소재.

고유가 정주[42) 자사(定州刺史)에 부임하였다. 어떤 자가 흑색 바탕에 등에 흰 털이 난 소를 도둑맞은 사건이 발생하였다. 고유가 거짓으로 상부(上符)에 소가죽을 시가에 2배를 주고 사들일 것이라 소문을 내고, 도둑이 팔기 위해 소를 가져올 때를 살펴서 잡아들였다.

또한 왕씨 성(姓)을 가진 어떤 노모(老母)가 홀로 외롭게 3무(畝)의 땅에 채소를 키웠는데, 자주 도난당하였다. 고유는 곧 비밀리에 사람을 보내 채소에 '엽(葉)' 자를 쓰게 하였다. 다음날 시장에 나가 '엽'자가 쓰여 있는 채소를 발견하고 범인을 잡아들였다. 그 뒤로 경내에 도적이 사라졌다.(『북사』[43))

○ 위나라 효문제(孝文帝)[44) 때 이숭(李崇)[45)이 형주[46) 자사(荊州刺史)에 부임하였다. 군대를 동원하여 이숭을 전송하라는 칙서가 내려졌다. 이숭이 말했다. "변방사람들은 화목하지 않은 것은 본래 자사에게 원한이 있기 때문이다. 하지만 일단 조칙을 선포하게 되면 군대를 동원할 필요는 없다." 이숭은 다른 사람들이 두려움을 품지 않도록 스스로 조심하면서 기병 수십 명을 거느리고 가서 조서를 선포하고 위로하였다. 사람들은 즉시 복종하였고, 변방지역은 평온해졌다. 잡혀온 제나라 사람들을 돌려보내자 남쪽 사람들이 그의 은덕에 감사하였다. 양쪽 국경에서 교대로 화평해서 봉수(烽燧)의 경계가 사라지게 되었다.

이숭이 연주 자사(兗州刺史)에 부임하였다. 연주 지역에 도둑이 많이

---

42) 정주(定州) : 사천성 소재.

43) 『북사』 권51, 「열전」39.

44) 효문제(孝文帝) : 북위(北魏) 제6대 황제.

45) 이숭(李崇) : 위나라 효문제(孝文帝) 때 관리. 자 계장(繼長), 시호 무강(武康). 상주 자사(相州刺史) 등 역임.

46) 형주(荊州) : 호남·호북성과 광동(廣東)·귀주(貴州)·사천의 일대 소재.

발생하자 마을마다 누각 1채씩을 짓게 하였다. 그곳에 북을 매달아 놓고 도둑이 나타나면 북채 2개로 마구 치게 하였다. 그러면 사방 여러 마을에서 그 북소리를 듣고 주요 길목을 지키게 하였다. 북소리가 순식간에 백리 밖으로 퍼져나가 도둑을 발견하면 곧 잡아들이게 하였다. 여러 주에서 누각을 만들고 북을 설치하는 일은 이숭으로부터 시작되었다.

연창(延昌)[47] 초 이숭이 강주[48] 도독(江州都督)에 부임하였다. 수춘(壽春)[49]에 사는 구태(苟泰)라는 자에게 3살 난 아들이 있었다. 어느날 도적을 만나 잃어버리게 되었다. 수년 동안 어디에 있는지 모르다가 같은 현(縣)에 사는 조봉백(趙奉伯)이란 자의 집에 있다는 사실을 알게 되었다. 이에 구태가 소장을 내어 고발하자, 양쪽이 자기 자식이라고 주장하였다. 이때 이웃 사람 모두가 증인으로 나서니 군현(郡縣)에서는 도저히 판단할 수 없었다. 이숭은 두 아버지와 아이를 각기 다른 곳에 감금해 두고, 수십 일 뒤에 말했다. "자네 아이가 병들어 갑자기 죽었다. 가서 초상을 치르거라." 구태는 이 말을 듣자마자 부르짖으며 슬퍼했지만 조봉백은 탄식만 할 뿐 애통한 기색이 없었다. 이숭이 그 모습을 살펴보고 아이를 구태에게 돌려주었으며, 조봉백에게는 속인 죄상을 힐문하였다. 죄를 자백하며 "먼저 아들 하나를 잃어 망령되게 아들로 삼았습니다."라고 하였다.

정주(定州)의 떠돌이[流人] 해경빈(解慶賓) 형제가 어떤 사건에 연루되어 양주(楊州)로 유배되었다. (그런데) 동생 사안(思安)이 역(役)을 지지 않고 도망쳐 고향으로 돌아왔다. 형 경빈이 나중에 역을 추징당할까 두려워서 동생 이름을 명부(名簿)에서 지워버리려 했다. 이를 위해 성 바깥에 시체를

---

47) 연창(延昌) : 후위(後魏) 선무제(宣武帝) 연호. 512~515.

48) 강주(江州) : 강서성에 소재.

49) 수춘(壽春) : 안휘성 수현(壽縣) 소재.

두고 동생이 살해당한 것이라고 속여 장례를 지냈다. 사람들이 자못 사안과 비슷해서 구분하지 못하였다. 또한 여자 무당 양씨(楊氏)가 귀신을 보았다고 하면서 사안이 해를 입을 때 겪은 고통과 굶주림을 대신 말했다. 그리고 경빈은 같은 군병(軍兵)이었던 소현보(蘇顯甫)와 이익(李益) 등을 동생의 살해범으로 무고하여 주(州)에다 소송을 제기하였다. 두 사람은 매를 못 이기고 죄를 인정하였다. 옥사가 장차 마무리될 무렵 이숭이 의심스럽게 여겨 판결을 중지하였다. 그리고 비밀리에 주(州)에서 얼굴이 알려지지 않은 2명을 경빈에게 보내 외지에서 들어온 척 하며 말을 걸었다. "내가 북쪽 주(州)에 살고 있을 때 어떤 자가 방문하여 머물게 해주었다. 밤중에 함께 이야기를 나누었는데 이상한 점이 있어 곧 힐문하자 자신은 역을 지지 않고 도망친 병사로서 성(姓)은 해(解)이고 자(字)는 사안이라고 하였다. 당시 관아로 보내려고 하자 체포될 것을 괴로워하면서 말했다. '경빈이라는 형이 있는데 양주(楊州)의 상국성(相國城) 안에 살고 있으며 형수의 성은 서(徐)씨요 이름은 탈(脫)입니다. 불쌍히 여겨서 당신들이 형에게 이 사실을 자세히 말하면 우리 형이 듣고 많은 보상을 해줄 것이오. 나를 인질로 잡고 있다가 형이 보상하지 않는다면 그때 가서 관(官)에 보내도 어찌 늦겠습니까?' 그래서 이렇게 방문해서 그 뜻을 전하는 것이다. 동생을 얼마나 보고 싶겠는가. 응당 동생을 찾아가 만나야 할 것이다. 믿지 못하겠으면 나를 따라가서 직접 동생을 확인합시다." 이 말을 들은 해경빈은 크게 놀라서 안색이 창백해졌고, 잠시 기다리라고 하였다. 두 사람이 이 사실을 갖추어 이숭에게 보고하고, 해경빈을 잡아다가 문초하였다. 잠시 뒤 이익 등에게 묻자 스스로 거짓으로 자백했다고 하였다. 몇일 사이에 동생 사안 역시 사람들에게 잡혀왔으며, 이숭은 여자 무당을 잡아다 백대를 때렸다. 이숭의 옥사를 정밀하게 판단하는 것이 이와 같았다.[50]

○ 송나라 부염(傅琰)[51]이 무강[52] 령(武康令)에 부임했다가 산음[53] 령(山陰令)으로 자리를 옮겼다. 가는 곳마다 유능하다는 명성이 자자하였다. 사람들이 그를 '부성(傅聖)'이라고 불렀다. 그가 산음에 재직할 때 바늘 파는 할머니와 사탕(沙糖) 파는 할머니가 단사(團絲)[54]를 놓고 싸움을 벌였다. 실을 기둥에 걸어두고 채찍질하고 가만히 살펴보니 쇳가루가 보였다. 이에 사탕 파는 자를 벌하였다.

농부 2명이 닭을 놓고 싸움을 벌였다. 부염이 각자에게 닭에게 무엇을 모이로 주는지 물었다. 1명은 쌀이라고 했고 다른 1명은 콩이라고 했다. 이내 닭의 배를 갈라보니 쌀이 나왔다. 콩이라고 말한 자에게 죄를 주니 현 안에 신명스럽다는 소문이 돌았다. 더 이상 도둑질이 발생하지 않았다.

부염 부자가 현저하게 뛰어난 치적을 이루었다. 이때 사람들이 말했다. "여러 부씨에게는 『이현보(理縣譜)』가 있어 자손 대대로 전승되며 다른 사람에게는 보여주지 않는다." 염의 아들 홰(翽)[55]가 관리가 되었는데 역시 유능하다는 명성이 있었다. 건강[56] 령(建康令) 손염(孫廉)이 물었다. "당신은 간특함을 적발해서 자백시키고, 은혜로써 교화하는 데에 신명스러운 능력을 갖고 있습니다. 어떻게 해서 그렇게 할 수 있었습니까?" 부홰가 대답했다. "다름이 아니라 근면하고 청렴할 뿐이다. 청렴하면 법이 저절로

---

50) 『북사』 권43, 「열전」31.

51) 부염(傅琰) : 송나라 관인. 자 계규(季珪). 익주 자사(益州刺史)와 남군내사(南郡內史) 등 역임.

52) 무강(武康) : 절강성 호주(湖州) 소재.

53) 산음(山陰) : 절강성 소흥현(紹興縣) 소재

54) 단사(團絲) : 여러 홑의 실을 꼬아 한 겹으로 만든 것.

55) 부홰(傅翽) : 송나라 관리. 증조부 승우(僧祐), 아버지 염(琰)의 뒤를 이어 뛰어난 치적을 남김.

56) 건강(建康) : 감숙성에 소재한 군명(郡名).

행해지고, 근면하면 일마다 다스려지지 않음이 없을 것이다. 법이 저절로
행해지면 관리가 속일 수 없으며, 일이 저절로 다스려지면 지체되거나
의혹되는 일이 없을 것이다. 이렇게 되면 다스려지지 않으려 해도 그렇게
될 수 있겠는가?"

당시 유현명(劉玄明)57)이 유능한 관리로서 명성이 높았다. 부홰가 후임으
로 산음 령이 되어 유현명에게 물었다. "원컨대 지난날의 정치를 새 영윤(令
尹)에게 말해주십시오." 유현명이 대답했다. "나에게는 기이한 방법이 있는
데 그대의 가보(家譜)에도 실리지 않은 것이다. 내가 떠날 때 보여주겠다."
이윽고 부홰가 부임해 오자 유현명이 말했다. "현령이 되어서 매일 한
되 밥만 먹고, 술은 마시지 않는 것이 제일가는 방법이다."

부홰의 아들 기(岐)가 양나라에 벼슬하여 시신58) 령(始新令)에 부임하였
다. 현(縣)에서 서로 싸우다가 살인사건이 발생하였다. 군(郡)에서 범인을
잡다가 심문하였지만 끝내 죄를 시인하지 않았다. 현으로 이송하였는데
부기가 곧 형틀을 벗겨주고 부드럽게 심문하자 곧 자백하였다. 법에 따라
사형에 처해야 했지만 마침 겨울철이라 범인을 풀어 집에 돌려보내려
하였다. 옥리가 말리면서 말했다. "옛날에는 이런 일이 있었으나 지금은
행할 수 없다." 부기가 말했다. "그가 신의를 저버리면 현령이 벌을 받겠다."
이윽고 풀어주었으며, 그 죄수는 기일에 맞춰 돌아왔다. 태수가 이 같은
일에 깊이 감탄하고 신기하게 여겼다. 뒷날 부기가 그만두고 떠나게 되자
고을 사람들이 경계에 나와서 절하여 전송하며 소리내어 울었다.(『남사(南
史)』59))

---

57) 유현명(劉玄明) : 남북조(南北朝)시대 제나라 관리. 산음령(山陰令) 등 역임.
58) 시신(始新) : 안휘성 소재.
59) 『남사(南史)』 권70, 「열전」제60 '순리(循吏) : 부염'.

○ 당나라 대종(代宗)60) 때 공부(貢賦)61)가 창고[府庫]에 들어오지 않고, 허비되는 일이 헤아릴 수 없었다. 이에 유안(劉晏)62)이 천하의 재부(財富)를 담당하였다. 그는 추진력이 있는데다가 지혜가 많아서 재화를 변통하는데 여러 가지 묘책을 강구하였다. 그는 비싼 가격을 주고 말을 잘 타는 사람들을 모집하여 사방의 물가를 차례로 보고하게 했다. 비록 멀리 떨어진 지역일지라도 몇 일 안에 모두 도달하였다. 식화(食貨)의 경중(輕重)을 제어하는 권한이 장악되자 국가가 이익을 확보하게 되었고, 천하에 재물이 아주 귀하거나 흔해지는 걱정이 없게 되었다. 그는 많은 일을 처리하기 위해서는 인재를 얻어야 한다고 생각하였다. 반드시 일에 능통하고 빠르며 청렴하면서도 성실한 선비를 선발하였다. 회계장부를 검토하고 돈과 곡식을 출납하는 일은 사류(士類)에게 맡기고, 이서들에게는 문서나 장부를 작성하게 하였다. 그가 항상 말했다. "사(士)는 이익보다 명예를 중시하기 때문에 청렴한 자가 많다. 이서들은 명예보다 이익을 중시하므로 탐욕스러운 자들이 많다." 하지만 유안만이 그렇게 행할 수 있었으며, 다른 사람이 본받는 경우 유안을 따라가지 못하였다. 수천 리 떨어져 있는 속관(屬官)이 마치 눈앞에서 명령을 받들듯 감히 속이는 일이 없었다.

또한 유안은 호구가 늘어야 부세도 증가한다고 생각하고, 재물을 관리함에 있어서 민을 사랑하는 것을 최우선으로 여겼다. 여러 도에 지원관(知院官)을 각각 설치하여 매달 주현(州縣)의 눈과 비, 풍년과 흉년 등의 상황을 관에 보고하게 했다. 그래서 풍년이 들면 시세보다 높은 가격에 쌀을

---

60) 대종(代宗) : 당나라 제8대 황제.
61) 공부(貢賦) : 국가에 바치는 현물과 세금.
62) 유안(劉晏) : 당나라 관리. 자 사안(士安). 이부상서(吏部尙書)·동평장사(同平章事) 겸 강회상평사(江淮常平使) 등 역임. 특히 안사(安史)의 난 뒤에 고갈된 재정을 회복하는데 크게 공헌함.

사들이고, 흉년이 들면 시세보다 싸게 내다팔게 하였다. 간혹 곡식을 잡화(雜貨)로 바꾸어 관용으로 공급하는 경우 풍년이 든 곳에서 팔게 하였다. 지원관은 먼저 곡식이 잘 익지 않는 것을 살피고, 어느 달에 이르러 얼마를 감면해주어야 하고, 어느 달에 이르러 얼마를 구휼해주어야 한다고 미리 보고하였다. 해당시기가 되면 유안은 주현의 신청을 기다리지 않고 주청하여 구휼하였다. 그러므로 민의 급함에 대응함에 때를 놓쳐 유민이 발생한 뒤에 실시한 일이 없었다. 이로부터 민들은 편안해졌고, 호구가 늘어났다.

유안은 소금을 전매하는 권한을 법으로 확정하여 군국(軍國)을 위한 비용으로 충당하였다. 유안은 관인들이 많으면 민들이 동요할 것으로 우려하여 염전(鹽田)이 있는 지역에 염관(鹽官)을 두어 소금을 거두어서 상인들에게 팔게 하였다. 거래가 끊겨 소금 값이 오르면 가격을 낮추기 위해 내다팔았다. 이것을 '상평염(常平鹽)'이라고 불렀으며, 관에서는 소금을 팔아 이익을 얻고 민들은 소금이 모자라지 않게 되었다.

이에 앞서 관동(關東)63)의 곡식을 운반하는데 대략 1곡(斛)당 8말 정도만 남았다. 유안이 형편에 맞게 관가 소유의 배[官船]를 만들어 선원[漕卒]을 훈련시키고, 강(江)·변(汴)·하(河)·위(渭)의 물가를 따라서 창고를 설치하여 돌아가며 서로 수급하게 하였다. 배 10척을 1강(綱)으로 편성하고, 이를 군장(軍將)이 통솔하게 하였다. 10번 운반해서 실수가 없으면 우수한 공로를 인정하여 요로관(擾勞官)의 관작을 내려주었다. 이로부터 한 됫박도 가라앉은 적이 없었다. 유안이 배를 건조할 때 매 척마다 돈 1천민(緡)을 지불하자 어떤 사람이 너무 비싸다고 하였다. 유안이 말했다. "큰 것을 계산하는 자는 작은 비용을 아깝게 여기지 않는다. 일을 집행하는 자는 사사로운 비용을 아끼지 않아서 관물(官物)을 견고하게 만들어야 한다."

---

63) 관동(關東) : 산해관(山海關) 동북 지방.

뒷날 비용을 정확히 계산하여 인색하게 지급하자 배는 점점 무르고 얇아졌으며, 조운(漕運)은 마침내 없어지고 말았다. 유안의 사람됨이 근면해서 급한 일이든 아니든 간에 그 날로 일을 처리하여 지체한 적이 없었다.(『자치통감』[64])

○ 호장유(胡長孺)[65]가 원나라 지대(至大)[66] 연간에 영해 주부(領海主簿)에 부임하였다. 나쁜 소년들이 동암(銅巖)이라는 곳에 숨어 있다가 길을 지나다니는 사람을 노략질하여 근심이 되었다. 관에서는 이들을 막지 못하였다. 호장유가 장사치 옷을 입고 종에게 물건을 지고 따르게 하였다. 그리고 은밀히 군졸 10명에게 지시하여 그 뒤를 밟게 하였다. 호장유가 도착하자 바위 속에 숨어 있던 도둑들이 뛰어나와 재물을 요구하였다. 장유가 공손한 말씨로 사정하는 사이에 뒤 따르던 군졸들이 도적들을 모두 사로잡았다. 잡아들인 도적들에게 나머지 잔당들을 일러바치게 하고, 이들 모두 법에 따라 처단하였다. 이로부터 밤에 다녀도 걱정이 없었다.

민 가운데 어떤 자가 요강을 지고 밭에 가서 거름을 주다가 우연히 군졸의 옷에 묻혔다. 그러자 군졸이 민을 때려 상처를 입히고 요강을 깨고 가버렸는데 그 이름을 알지 못하였다. 매 맞은 민이 관아에 와서 고소하자, 공[호장유]은 무고하였다고 하면서 겉으로 화난 척하며 시장에 결박해 놓았다. 그리고 측근들에게 몰래 정탐하도록 시켰다. 지난번 민을 때린 자가 지나가다가 손가락질하며 즐거워하였다. 그 자를 붙잡아 배속된 곳에 데리고 가서 오줌통을 물어주게 하였다.

여러 할머니들이 부도(浮屠)가 모셔진 암자에 모여서 불경을 외우며

---

64) 『자치통감』 권226, 「당기」42.
65) 호장유(胡長孺) : 원나라 관리. 자 급중(汲仲).
66) 지대(至大) : 원나라 무종(武宗) 연호. 1308~1311.

복을 빌었다. 이때 한 할머니가 옷을 잃어버렸다. 마침 호장유가 향(鄕)으로
나오는 것을 보고 그 할머니가 고소하였다. 장유는 여러 할머니들의 합장한
손바닥 위에 보리를 올려놓고 처음과 같이 불상 주위를 돌면서 불경을
외우라고 명하였다. 그리고 자신은 눈을 감고 이빨을 부딪치며 귀신을
부르는 채 하면서 말했다. "내가 신으로 하여금 살피도록 했다. 옷을 훔친
자는 몇 바퀴 도는 사이에 보리에 싹이 날 것이다." 할머니 1명이 여러
번 손바닥을 펴고 보리를 들여다보았다. 호장유는 그 할머니를 지목하여
잡아다 묶고 훔친 옷을 돌려주도록 하였다.

    호장유가 상급기관에 가서 일을 보고 돌아왔다. 이서가 와서 농간을
부린 자들이 있는데 여러 번 심문해도 자백하지 않는다고 보고했다. 그러자
호장유가 말했다. "이것은 아주 쉬운 일이다. 너희들은 밤새도록 책상
밑에 숨어 있거라." 날이 밝자 농간을 부린 자들을 불러다 심문하니 그들의
말이 더욱 완강하였다. 호장유가 거짓으로 영장(令長)에게 물었다. "듣자하
니 조정에서 조서(詔書)가 내려온다고 하는데 어찌 맞으러 가지 않느냐?"
그런 뒤 예졸(隷卒)들에게 소리 질렀다. "농간질한 자들을 동서 양쪽 기둥에
다 묶어라." 그리고 관아를 비우고 나가버렸다. 관아 마당에 사람들이
안보이자 농간질한 자들이 서로 말했다. "일이 이 지경에 이르렀으니 죽더
라도 승복하지 않으면 장차 저절로 풀려날 것이다." 그 말이 끝나자마자
책상 밑에 숨어 있던 이서가 튀어 나왔다. 농간질한 자들이 놀라서 머리를
조아리고 죄를 받았다.

    영가(永嘉)67)지역에 사는 민 가운데 보물 구슬[珠步瑤]을 형에게 맡겨
둔 자가 있었다. 돌려받으려 했지만 형수가 그것을 아까워하여 도둑맞았다
고 거짓말을 했다. 여러 차례 소송을 했지만 구슬을 돌려받지 못하였다.

---

67) 영가(永嘉) : 절강성 소재.

이에 고소하자 호장유가 말했다. "너는 우리 고을 백성이 아니다." 꾸짖어서 돌려보냈다. 얼마 뒤에 도둑을 잡아 다스리면서, 호장유가 도둑에게 형이 받은 구슬이 장물이라고 무고하게 했다. 그리고 그 형을 관아로 잡아들이자 힘써 변명했다. 호장유가 물었다. "너희 집에 정말로 이 물건이 있다면 어째서 무고라고 하느냐?" 형이 당황하면서 말했다. "있습니다. 정말로 가지고 있습니다." 아우가 맡겨둔 구슬을 증거로 제시하였다. 그 동생을 불러서 구슬을 보여주면서 "너희 집 물건이 아니던가?"라고 묻자 동생이 "그렇습니다."라고 했다. 마침내 그것을 돌려주었다. 그가 일을 처리하는 것은 이와 같은 유형이 많았다.(『이학통록(理學通錄)』[68])

○ 황종(況鍾)[69]이 선덕(宣德)[70]연간에 소주[71]지부(蘇州知府)에 부임하였다. 해당 군(郡)은 일 많고 까다로워서 다스리기 어렵다고 알려진 곳이었다. 이에 황종 등 9명을 발탁하여 지부(知府)로 임명하였다. 그리고 조서[璽書]를 주어 편의대로 일을 처리할 수 있는 권한을 주고, 역마(驛馬)를 타고 임지에 내려가도록 하였다. 황종이 처음 정사를 볼 때 순박하며 말이 적은 듯 하였다. 이서가 문서를 가져오면 합당한지의 여부를 전혀 묻지 않고 곧바로 재결하였다. 그리고 몰래 잘못된 점을 기억해두었다. 통판(通判)[72] 조침(趙沈)이 방자하고 오만하여 황종을 무시했지만 그의 뜻을 따를 뿐 바로잡지 않았다.

---

68) 이학통록(理學通錄) : 송계원명리학통록(宋季元明理學通錄). 주자 이래 송·원·명대 성리학자들의 행적을 정리한 책.

69) 황종(況鍾) : 명나라 관리. 자 백률(伯律). 황청천(況靑天). 예부랑중(禮部郎中)·소주지부 등 역임.

70) 선덕(宣德) : 명나라 선종(宣宗) 연호. 1426~1435.

71) 소주(蘇州) : 강소성 양자강 남쪽 소재.

72) 통판(通判) : 명나라 때 지방관. 군(郡)의 정치를 감독하는 직책.

한 달쯤 지난 어느 아침 주위 사람들에게 명하여 향과 촛불, 책상을 준비하게 하고 아울러 예생(禮生)⁷³⁾을 부르고 요속(僚屬) 이하까지 모두 모이게 한 다음 이와 같이 말했다. "내가 조정의 칙명을 가지고 있는데 아직 선포하지 않았다. 이제 선포하겠다." 이윽고 칙명을 읽는 가운데 요속의 불법이 있거든 편의대로 잡아 죄를 물으라는 내용이 들어 있자 여러 이서들이 놀랐다. 선포의 예가 끝나자 당(堂) 위에 앉아 이로(里老)를 불러 말했다. "내가 들으니 군(郡) 사람들이 매우 교활해서 매번 선한 사람을 모함한다고 한다. 내게 선한 이를 드러내고 악한 자를 다스리는 방법이 있다. 비록 강단 있고 엄정한 사람[閻羅老子]의 능력은 없지만 선한 자와 악한 자를 구분하여 처리할 것이다. 지금 부탁하건대 여러분들은 속히 착한 집안[善戶]과 악한 집안[惡戶]을 나누어 보고하라. 선한 자는 우대하고 향음례(鄕飮禮)의 손님으로서 대접하겠지만 악한 자는 민을 위해서 죽일 것이다. 내가 선과 악의 2가지 문서를 갖추어 두고 여러분들을 기다리겠다." 또 부(府)의 이서들을 불러 나오게 하여 이전 일을 자세히 들추면서 큰 소리로 말했다. "아무 날 어떤 일을 아무개 네가 이와 같이 처리했다. 이는 재물 얼마를 도적질한 것 같은데 그렇지 않은가? 또 아무 날에는 아무개가 이러이러한 일을 했다."

여러 이서들이 놀라 굴복하여 감히 변명하지 못하였다. 황종이 끌어낼 것을 명하면서 말했다. "나는 번거로움을 오래 참지 못한다." 그 자의 옷을 벗기고 힘센 하인 4명에게 이서를 들어서 공중에 던져 올려 떨어져 죽도록 하였다. 하인들이 처음에는 낮게 던지자 황종이 크게 성내며 말했다. "내가 백성을 위해서 도적을 죽이거늘 너희 개나 쥐 같은 놈들이 나로 하여금 잔혹한 위엄을 보이도록 하느냐. 높이 던져 떨어져 죽게 하라.

---

73) 예생(禮生) : 제사나 연향(宴享) 때 예의(禮儀)를 찬(贊)하는 자.

그렇지 않으면 너희 놈들이 죽을 것이다." 하인들이 두려워서 명령대로 하여 6명을 그 자리에서 죽였다. 백정[屠人]에게 명하여 죽은 자의 머리털을 잡고 끌어다가 시장에 내다버렸다. 다시 관속 가운데에서 탐욕하고 포악한 자와 어리석고 나약한 자 10여 명을 내쫓았다. 이민들이 놀라고 무서워 떨며 마음을 고쳐 명령을 잘 받들었다. 소주 사람들이 황종을 '황청천(況靑 天)'이라 불렀다.(『황명통기(皇明通紀)』74))

○ 위나라 곽회(郭淮)75)가 안정(安定)76)에 부임하였다. 매번 강호(羌胡)77) 가 투항해 올 때마다, 곽회가 곧 먼저 사람들을 시켜 친척과 이웃·남녀의 숫자, 나이의 많고 적음 등을 묻게 하였다. 그리고, 하나하나 만나보고 그 속사정을 알아보며, 주도면밀하게 신문(訊問)하였다. 모두 신명스럽다 고 하였다.(『한서』78))

4. 억울한 옥사[誣獄]79)를 해결함[決獄章]

○ 후위(後魏)80)때 이혜(李惠)81)가 옹주82) 자사(雍州刺史)에 부임하였다.

---

74) 황명통기(皇明通記) : 명나라 진건(陳建)의 저술. 중국 역대의 흥망성패를 다룬 책.

75) 곽회(郭淮) : 위나라 장군. 자 백제(伯濟).

76) 안정(安定) : 하북성 심현(深縣) 서남쪽 소재.

77) 강호(羌胡) : 5호 16국 시대 오호(五胡)의 하나. 서장 티베트 계통의 유목민족.

78) 『속후한서(續後漢書)』 권45, 「열전」42 '위신(魏臣)'.

79) 무옥(誣獄) : 죄도 없는 사람을 죄가 있는 듯이 꾸며 내는 옥사.

80) 후위(後魏) : 북위(北魏). 북조(北朝) 최초의 나라. 선비족(鮮卑族)의 탁발규(拓跋珪) 가 강북에 세운 나라.

81) 이혜(李惠) : 후위(後魏) 때 관리. 정남대장군(征南大將軍)·청주 자사(淸州刺史) 등 역임.

82) 옹주(雍州) : 섬서·산서·감숙·산동 일대 소재.

땔감을 짊어진 자와 소금을 짊어진 자가 양가죽[羊皮] 하나를 두고 각자
자신의 등에 대는 물건이라고 하면서 싸웠다. 이혜가 이서들에게 말했다.
"이 가죽을 두들겨보면 그 주인을 알 수 있다." 아랫사람들이 아무 말도
하지 못했다. 이혜가 가죽을 자리 위에 올려놓고 막대기로 두들기게 하니
약간의 소금가루가 나왔다. 서로 싸우던 자들에게 그것을 보이자 나뭇짐
진 자가 죄를 자백하였다.(『북사』)

○ 후주(後周)83)의 우중문(于仲文)84)이 안고85) 태수(安固太守)에 부임하
였다. 임씨(任氏)와 두씨(杜氏) 두 사람 집에서 각각 소를 잃었다. 뒤에
소 1마리가 나타나자 서로 다투게 되었다. 우중문은 이에 양쪽 집에서
각각 소떼를 몰고 오게 하고 찾아낸 소를 풀어놓자 임씨의 소떼 속으로
들어갔다. 또 사람을 시켜 그 소에 조금 상처를 내게 했다. 임씨는 한탄하고
슬퍼했지만 두씨는 태연하였다. 두씨가 곧 죄를 자백하였다.(위와 같음.)

○ 『남사(南史)』에서 말했다. 송나라 고헌지(顧憲之)86)가 건강87) 령(建康
令)에 부임하였다. 당시 도둑과 주인이 소를 놓고 다투었다. 고헌지가
소의 고삐를 풀어주고 가는 대로 내버려두자 소가 본래 주인집으로 돌아갔
다. 도둑이 죄를 자백하였다.

○ 당나라 장작(張鷟)88)이 하양89) 위(河陽尉)에 부임하였다. 나그네 1명

83) 후주(後周) : 오대(五代)의 주요 국가. 곽위(郭威)가 후한(後漢)을 멸하고 세운 나라.
84) 우중문(于仲文) : 북주(北周) 관리. 자 차무(次武). 하남도행군총관(河南道行軍摠
管)·좌익위대장군(左翊衛大將軍) 등 역임.
85) 안고(安固) : 절강성 소재.
86) 고헌지(顧憲之) : 남북조시대 송나라 관리. 자 사사(士思). 상서이부낭중(尙書吏部
郎中)·예장내사(豫章內史) 등 역임.
87) 건강(建康) : 남경(南京)의 옛 이름.
88) 장작(張鷟) : 당나라 관리. 자 문성(文成), 호 부휴자(浮休鷟). 사문원외랑(司門員外
郎) 등 역임.

이 나귀와 안장을 잃어버려서 사흘 동안 찾아다녔지만 찾지 못하여 현(縣)에 신고하였다. 장작이 매우 급하게 추궁하자 도둑이 밤에 나귀를 놓아주고 안장은 감추었다. 장작이 당나귀에게 여물을 주지 않고 고삐를 풀어놓고 밤에 가보니 나귀가 지난 밤 먹이 주던 곳으로 찾아갔다. 그 집을 수색하여 풀 더미 속에서 안장을 찾았다.

○ 황패(黃覇)가 영천 태수(潁川太守)에 부임하였다. 어떤 부잣집에 형제가 살았는데 동생 부인이 임신하고 형수도 역시 임신을 했다. 형수는 유산(流産)을 했지만 그 사실을 숨기고 있다가 동생 부인이 사내아이를 낳자 빼앗아 자기 자식으로 삼았다. 황패에게 나아가 송사를 벌였다. 황패가 사람을 시켜 그 아기를 데리고 와서 두 동서에게 데리고 가게 하였다. 맏동서는 아기를 사납게 잡는 반면 손아래동서는 상처라도 입을까 두려워하는 모습이 애처로웠다. 이에 황패가 맏동서를 꾸짖으며 말했다. "네가 재물을 탐내어 이 아이를 얻고자 하는구나." 맏동서가 죄를 자백하였다.(『풍속통(風俗通)』90))

○ 당나라 장윤제(張允濟)91)가 무양92)령(武陽令)에 부임하였다. 그는 덕교(德敎)로써 가르침을 베풀고 민들을 위로하였다. 이웃 고을인 원무현(元武縣)93)에 암소를 가지고 처가에 의탁해 사는 자가 있었다. 8, 9년 사이에 암소가 10여 마리의 소를 낳았다. 장차 따로 나가 살기 위해서 소를 달라고 했지만 주지 않았다. 이에 여러 번 소송을 했지만 판결하지 못하였다.

---

89) 하양(河陽) : 호북성 소재.
90) 풍속통(風俗通) : 풍속통의(風俗通議). 후한(後漢)대 응소(應劭)의 저술.
91) 장윤제(張允濟) : 당나라 관리. 형부시랑(刑部侍郎)·유주 자사(幽州刺史)·무성현남(武城縣南) 등 역임.
92) 무양(武陽) : 하남성 무양현(武陽縣) 소재
93) 원무(元武) : 하남성 소재.

그러자 경계를 너머와 고소하였다. 장윤제가 말했다. "너희 수령도 있는데
어찌하여 여기에 왔는가?" 그 자는 눈물을 흘리며 돌아가려 하지 않고
그 까닭을 말했다. 장윤제가 주위사람들을 시켜 그 자를 묶고 머리에
포(布)를 뒤집어씌웠다. 그리고, 처가 마을로 가서 소도둑을 잡았다고 하면
서 이 마을 소들이 어디서 왔는지 자세히 물었다. 처가에서는 이유도
모른채 사건에 연루될까 겁이 나서 말했다. "이는 사위집 소들입니다."
장윤제는 사위를 뒤집어씌운 포를 벗기고 말했다. "이 자가 사위이니 소를
돌려주라."

　○ 당나라 배자운(裵子雲)이 신향94) 령(新鄉令)에 부임하였다. 부민(部民)
인 왕공(王公)이라는 자가 변방을 지키기 위해 집을 떠났다. 이때 암소
6마리를 외삼촌 이진(李雖)의 집에 맡겨 두었다. 5년간 맡아 기르는 사이에
송아지 30마리를 낳았다. 왕공이 돌아와 소를 찾으니 외삼촌이 말했다.
"암소 2마리는 이미 죽었다." 늙은 암소 4마리만 돌려주자 왕공이 고소하였
다. 자운은 그를 옥에 가두고 소도둑을 잡는다고 하면서 이진이 이르자
꾸짖어 말했다. "도둑이 너와 함께 소 30마리를 훔쳐서 너의 집에 감추어
두었다고 한다. 그래서 너를 불러 같이 대질시키는 것이다." 머리에 포를
씌운 왕공을 데려와서는 이진에게는 빨리 실토하라고 명하였다. 이진이
말했다. "소는 조카의 암소가 낳은 것입니다. 도둑질한 것이 아닙니다."
자운은 왕공이 쓴 포를 벗기게 하였다. 이전은 놀라 곧 소를 돌려주었다.
온 고을이 뛰어난 통찰력에 머리를 숙였다.

　○ 당나라 조화(趙和)가 강음95)령(江陰令)에 부임하였다. 회음(淮陰)96)지

역에 농부 2명이 이웃에 살고 있었다. 동쪽 이웃이 서쪽 이웃에게 집문서를
잡히고 돈 백만 민(緡)97)을 빌리고, 뒷날 돈을 갚고 집문서를 도로 찾기로
했다. 뒷날 우선 8천 민을 갚고 다음 날 잔금을 다 갚고서 집문서를 찾기로
기약만 하고 영수증을 받아두지 않았다. 다음날 다시 잔금을 받으러 갔는데
서쪽 이웃이 전날 돈 받은 일이 없다고 잡아뗐다. 증인도 없고 또한 입증할
문서도 없기 때문에 조화에게 고소하였다. 조화가 한 가지 계책을 생각해
냈다. 어느날 도적 잡는 이서 몇 사람을 불러 공문을 주며 회음에 가서
다음과 같이 말하게 했다. "강음 지역 도적을 심문한 문서에 자기들과
같은 악인(惡人)이 그곳에 있다고 했다. 이름과 생김새가 모두 서쪽 이웃을
지목하고 있으니 잡아가야겠다." 그 자가 잡혀오자 조화가 꾸짖으며 물었
다. "어째서 강음에 와서 도적질을 했느냐?" 잡혀온 자가 울면서 대답했다.
"저 같은 농부는 배를 저을 줄도 모릅니다." 조화가 말했다. "도적질한
물건 가운데 금붙이와 비단이 많이 있다. 이는 농가에 있을 만한 물건이
아니다." 그 자가 대답했다. "벼는 농사지어서 얻은 것이고 비단은 제
집 베틀에서 짠 것입니다. 돈은 동쪽 이웃이 빌려간 것을 도로 받은 것입니
다." 조화가 말했다. "네가 도적이 아니라면 어째서 동쪽 이웃이 준 8천
민을 숨기고 속였느냐?" 동쪽 이웃을 불러다 대질시키자, 그 자가 부끄럽고
두려워 드디어 죄를 자백하였다. 이에 묶어서 그 자가 살고 있는 고을로
데려가 추징하여 지급토록 하였다.

　○『소설(小說)』에서 말했다. 대임(戴臨)이 동양98) 령(東陽令)에 부임하였
다. 다른 고을에 사는 민이 재산을 나누어 친척집에 맡겨 두었다. 그런데
친척집에서 숨기고 내주지 않았다. 그 자가 여러 차례 고소했지만 바로잡지

---

97) 민(緡) : 10냥을 꿴 돈꿰미.
98) 동양(東陽) : 절강성 소재.

못했다. 대임이 잘 다스린다는 소문을 듣고 억울함을 풀어줄 것을 하소연하
였다. 대임이 말했다. "나와 너는 지역이 다르니 법으로 처리하기 어렵다.
물건의 이름과 건수를 적어놓고 가거라." 반년 뒤 현(縣)에서 강도를 잡았는
데, 그 자에게 거짓으로 장물을 친척집에 갖다 놓았다고 말하게 했다.
이에 그 집사람을 잡아다 옥에 가두고 심문하자 울면서 대답했다. "강도가
말하는 금과 비단은 친척이 갖다 둔 것입니다." 대임이 즉시 사람을 보내
일전에 고소한 민을 찾아서 물건을 확인하고 모두 돌려주었다.

○ 당나라 이걸(李傑)이 하남99) 윤(河南尹)에 부임하였다. 어떤 과부가
자기 자식이 불효를 저질렀다고 고소하였다. 그 자식은 스스로 변명하지
못하고 어머니에게 죄를 입었으니 죽여 달라고 했다. 이걸은 아들의 억울함
을 알아차리고 어머니에게 물었다. "너는 과부로 혼자 산 지가 10년이나
되고 자식은 하나 뿐이다. 이제 그의 죄가 죽음에 이르는 데도 후회하지
않겠는가?" 과부가 대답했다. "무뢰하고 불손합니다. 어찌 다시 애석해
하겠습니까?" 이걸이 다시 말했다. "잘 알았다. 관을 사와 아들의 시신을
가져가도록 하라." 그리고 사람을 보내 몰래 엿보게 하였다. 과부가 나가서
어떤 도사(道士)에게 말했다. "일이 다 끝났다. 곧 관이 도착할 것이다."
그 때 도사가 문 밖에서 서 있었는데, 이걸이 몰래 도사를 잡아 한번
심문하니 자백했다. "나는 과부와 사통(私通)해 왔는데 아들이 방해하자
없애려고 한 것입니다." 그 아들은 놓아주고 어머니와 도사를 죽여서 한
관에 넣어주었다.(『당서(唐書)』)

○ 오장거(吳張擧)100)가 구장101) 령(句章令)에 부임하였다. 어떤 부인이

───────────────

99) 하남(河南) : 주나라 수도 낙양(洛陽).
100) 오장거(吳張擧) : 삼국시대 오나라 관리. 자 자청(子淸).
101) 구장(句章) : 절강성 소흥현(紹興縣) 남동쪽 소재.

남편을 죽이고 집에 불을 질렀다. 남편의 집안에서 의심하여 관에 고소했지
만 부인은 죽인 사실을 인정하지 않았다. 이에 오장거는 돼지 2마리를
가져다 그 중 1마리는 죽이고, 다른 1마리는 살려둔 채로 장작에 태웠다.
죽은 돼지의 입안에는 재가 없고, 살아 있던 돼지 입에서는 재가 나왔다.
이와 같은 실험결과에 의거하여 남편의 입을 살펴보니 재가 없었다. 이
같은 사실로 부인을 심문하니 곧 죄를 자백하였다.[102]

○ 심괄(沈括)[103]의 『몽계필담(夢溪筆談)』[104]에서 말했다. 장승(張昇)[105]
이 윤주(潤州)[106]에 부임하였다. 어떤 부인이 남편이 집을 나간 지 수일이
지나도록 돌아오지 않았다. 부인은 채소밭의 우물 가운데 죽은 자가 발견되
었다는 소문을 듣고 가서 보고 통곡하며 말했다. "내 남편이다." 관에
알리자 장승이 이웃사람을 모아서 우물에 나가 확인하게 했다. 하지만
우물이 너무 깊어 판별할 수 없었다. 장승이 물었다. "다른 사람은 판별할
수 없는데 부인 혼자서 남편이라고 하니 어찌된 일인가?" 부인을 힐문하자
간사한 자가 남편을 죽였으며 부인이 그 자와 함께 공모했다는 사실을
알아냈다.

○ 장준(莊遵)[107]이 양주 자사(楊州刺史)에 부임하였다. 고을을 살피며
다니다가 곡(哭) 소리를 들었는데 두려워할 뿐 슬퍼하는 기색이 없었다.
그래서 무슨 일인지를 물었다. "불이 나서 사람이 죽었습니다." 장준이

102) 『절옥귀감(折獄龜鑑)』 권6, 「핵간(覈姦)」.
103) 심괄(沈括) : 송나라 학자. 자 존중(存中), 호 몽계옹(夢溪翁). 한림학사(翰林學士)
　　등 역임.
104) 몽계필담(夢溪筆談) : 송나라 심괄(沈括)의 저술. 과학사 연구의 중요한 자료.
105) 장승(張昇) : 삼국시대 위나라 관리. 자 언진(彦眞).
106) 윤주(潤州) : 강소성 진강현(鎭江縣)에 설치했던 주명(州名).
107) 장준(莊遵) : 한나라 관리. 자 군평(君平). 양주 자사(楊州刺史) 등 역임.

의심스럽게 생각하고 이서[吏守]를 시켜 시체를 잘 지키게 하였다. (그런데) 파리가 머리에 모여 들었다. 상투를 해쳐보니 쇠못이 박혀 있었다. 그 부인을 잡아다가 심문을 하여 간사한 자와 함께 남편을 죽인 사실을 밝혀냈다.

○『고려사』에서 말했다. 이보림(李寶林)[108]이 성주 목사[109](星州牧使)에 부임하였다. 길을 지나다가 부인의 곡소리를 듣고 말했다. "곡소리가 슬프지 않고 마치 기쁜 듯 하다." 이에 부인을 잡아가 심문하였다. 과연 간사한 자와 함께 남편을 죽인 사실을 밝혀냈다.[110]

○ 당나라 두아(杜亞)[111]가 유양(維楊)[112]에 부임하였다. 부유한 민이 아버지가 죽자 계모(繼母)를 제대로 받들지 않았다. 정월 초하룻날 아들이 술잔을 올려 계모의 장수를 빌자 계모도 아들에게 술잔을 내렸다. 그러자 아들이 독이 있다고 의심하면서 술잔을 땅에 엎어버리고 계모를 욕하였다. 계모는 가슴을 치며 승복하지 않고, 관아에 나아가 소송을 제기하였다. 두아가 꾸짖으며 물었다. "네가 계모에게 올린 장수를 기원하는 술은 어디서 가져온 것이냐?" 아들이 대답했다. "큰 며느리가 가져온 것입니다." 두아가 또 물었다. "계모가 너에게 준 이 잔은 또한 누가 준 것이냐?" 아들이 대답했다. "역시 큰 며느리가 준 것입니다." 두아가 물었다. "큰며느

---

108) 이보림(李寶林) : 고려말기 문신. 이제현(李齊賢)의 손자. 사간(司諫)·남원부사(南原府使)·경산부사(京山府使)·대사헌(大司憲) 등 역임.

109) 목사(牧使) : 목(牧)에 파견한 지방관.

110)『고려사(高麗史)』권110,「열전」23 '이제현(李齊賢)'.『고려사』는 기전체(紀傳體)로 쓰여진 고려시대사. 여러 차례 개수(改修)를 거쳐 문종 원년(1451)에 완성되었다. 사마천의『사기』에 따라 세가(世家), 지(志), 연표, 열전, 목록 등 총 139권 100책.

111) 두아(杜亞) : 당나라 관리. 자 차공(次公). 교서랑(校書郎)·회남절도사(淮南節度史) 등 역임.

112) 유양(維楊) : 호북성 남동부 양주(揚州) 소재.

리는 누구냐?" 아들이 대답했다. "제 부인입니다." 두아가 꾸짖으며 물었다.
"독은 네 아내로부터 온 것인데 어찌하여 계모를 무고하느냐?" 아들과
며느리를 나누고 심문하니 부부가 어머니를 무고하기로 공모한 사실을
밝혀냈다. 이들을 법에 따라 처벌하였다.

○ 송나라 손장경(孫張卿)113)이 화주(和州)114)에 부임하였다. 민들 가운
데 동생이 피살되어 소송을 낸 자가 있었다. 장경은 그 자의 말이 실정에
부합되지 않음을 파악하고 물었다. "너의 호(戶)가 몇 등이냐?" 또 물었다.
"너의 가족이 몇 명이냐?" 그 자가 대답했다. "단지 동생 1명과 처자가
있을 뿐입니다." 그러자 장경이 말했다. "동생을 죽인 자는 형이다. 재산을
독차지하려 했던 것이다." 조사해보니 과연 그러하였다.

○ 위나라 호질(胡質)115)이 상산116) 태수(常山太守)에 부임하였다. 동완
(東莞)117)의 선비 노현(盧顯)을 살해한 자를 잡으려 했지만 잡지 못했다.
호질이 말했다. "이 선비는 특별히 원수진 자가 없으니 젊은 부인 때문에
죽었을 것이다." 이웃에 사는 젊은이들을 소집하였는데 그 가운데 서리
이약(李若)이라는 자가 있었다. 그가 호질을 보자 얼굴색이 동요하였다.
실정을 추궁하자 죄를 자백하였다.(「위지(魏志)」118))

○ 위나라 고유(高柔)119)가 정위(廷尉)120)에 부임하였다. 호군영(獲軍營)

---

113) 손장경(孫張卿) : 송나라 인종(仁宗) 때 관리. 자 차공(次公). 화주지사(和州知史)·병
　　부시랑(兵部侍郎) 등 역임.
114) 화주(和州) : 안휘성 소재.
115) 호질(胡質) : 삼국시대 위나라 관리. 자 문덕(文德). 진위장군(振威將軍)·정동장군
　　(征東將軍) 등 역임.
116) 상산(常山) : 하북성 정정현(正定縣) 남쪽 소재.
117) 동완(東莞) : 광동성 소재.
118) 『삼국지(三國志)』「위지(魏志)」 권27.
119) 고유(高柔) : 삼국시대 위나라 관리. 자 문혜(文惠). 치서시어사(治書侍御史)·정위

의 병사 두예(竇禮)가 최근 외출했다가 복귀하지 않자 군영에서는 도망친 것으로 간주하였다. 그 부인 영씨(盈氏)와 자녀들이 억울하다고 송사를 제기했으나 거들떠보지 않았다. 그래서 정위에게 나아가 억울함을 호소하였다. 고유가 물었다. "남편이 죽었는지 어떻게 아는가?" 부인이 대답했다. "남편은 경솔하거나 교활해서 집안을 돌보지 않는 그런 사람이 아닙니다." 또 고유가 물었다. "남편에게 원수진 사람이 있지 않았는가?" 부인이 대답했다. "남편은 착해서 원수가 없었습니다." 또 고유가 물었다. "남편이 사람들과 돈 거래한 적이 없는가?" 부인이 대답했다. "같은 군영의 초자문(焦子文)에게 돈을 꿔준 적이 있어 받으려고 했지만 아직 받지 못하였습니다." 당시 초자문이 어떤 일에 연루되어 감옥에 있었다. 고유가 그를 불러 연루된 사안을 묻는 중에 돈을 빌린 적이 있는지 물었다. 초자문이 대답했다. "혼자 살면서 가난했지만 감히 남에게 돈을 빌린 적은 없습니다." 고유가 초자문의 얼굴색이 동요하는 것을 보고 말했다. "네가 두예의 돈을 빌린 적이 있는데 어찌하여 없다고 하는가?" 초자문은 일이 탄로 난 것을 괴이하게 여기면서 제대로 대답하지 못했다. 고유가 꾸짖으며 말했다. "네가 이미 두예를 죽였구나. 빨리 자백하는 것이 좋을 것이다." 초자문이 고개를 조아리며 자백하였다.

○ 당나라 정관(貞觀)[121] 연간에 위주(衛州)[122]의 판교점(板橋店)[123] 주인 장적(張逖)의 부인이 친정에 갔다. 이때 위주 호위병사 양정(楊正) 등 3명이 판교점에 투숙하고 새벽 3~5시[五更] 즈음 일찍 출발하였다. 그런데

(廷衛) 등 역임.

120) 정위(廷尉) : 정위감(廷尉監)과 정위평(廷尉平). 옥송(獄訟)과 의옥(疑獄) 담당.
121) 정관(貞觀) : 당나라 태종 연호. 627~649.
122) 위주(衛州) : 하남성 준현(濬縣) 소재.
123) 판교(板橋) : 강소성 소재.

간밤에 어떤 자가 호위병사의 칼을 훔쳐 장적을 죽이고 칼집에 넣어두었으나 양정 등은 이 사실을 알아차리지 못하였다. 날이 밝자 점인(店人)들이 양정 등을 좇아가 칼을 빼앗아 살펴보니 피가 흥건히 묻어 있었다. 이에 양정 등을 잡아 가두고 심문하자 고통을 못 이겨 거짓으로 자백하였다. 그러나 상부에서 이를 의심스럽게 여겨 어사(御使) 장상(蔣常)을 파견하여 다시 조사하게 하였다. 장상이 도착하자 판교점 인근 사람 중 나이가 15세 이상인 자들을 한 자리에 모아놓고 숫자가 부족하다며 해산시켰다. 다만 80여세 할머니 1명만 남겨두었다가 해가 저물자 풀어주었다. 장상은 전옥(典獄)124)을 시켜 할머니를 비밀리에 살피게 했다. "노파가 나가면 반드시 노파에게 말을 거는 자가 있을 것이다. 즉시 그 자의 이름을 기록하고 사실을 누설하지 말라." 과연 노파와 이야기를 나누는 자가 있어 그 이름을 기록하였다. 다음날도 이와 같이 하였는데 사흘 동안 모두 동일 인물이었다. 이때 남녀 3백여 인을 소집하고 그 가운데 노파와 이야기를 나눈 자를 불러내고 나머지는 놓아 보냈다. 그 자를 심문해서 장적의 부인과 공모하여 남편을 모의해서 죽인 사실을 알아냈다.

○『당서(唐書)』에서 말했다. 당나라 한사언(韓思彦)125)이 병주(幷州)126)에 부임하였다. 어떤 도적이 사람을 죽였는데 그 자가 누구인지 알 수 없었다. 그러던 중 술에 취한 오랑캐[胡人] 1명이 피 묻은 칼을 지니고 있다가 체포되어 고문을 받고 죄를 자백하였다. 한사언은 이를 의심스럽게 여기고 아침에 수백 명의 아이들을 불러 모았다가 저녁에서야 해산시켰다.

---

124) 전옥(典獄) : 송사(訟事)와 형벌을 맡은 관리.

125) 한사언(韓思彦) : 당나라 관리. 자 영원(英遠). 검남순찰사(劍南巡察使)·하주사마(賀州司馬) 등 역임.

126) 병주(幷州) : 산서성 및 섬서성의 옛 연안(延安)과 유림부(楡林府) 소재.

그러기를 3차례나 반복하고 나서 아이들에게 나아갈 때 물었다. "혹시 묻는 자가 있었냐?" 모두 '있다'고 대답했다. 즉시 그 자를 찾아 잡아다 심문하여 진짜 도적을 잡았다.

○ 송나라 여공작(呂公綽)[127]이 개봉부(開封府)에 부임하였다. 남편이 외출한 밤에 도적이 들어와 부인의 손목을 자르고 도망쳤다. 이 사건으로 수도 사람들이 놀라 소란스러웠다. 여공작이 말했다. "남편의 원수가 아니면 이렇게 할 수 없다." 곧 남편에게 병사를 보내 추궁해서 같은 군영에 소속된 한원(韓元)이라는 자를 붙잡았다. 간사한 죄상을 밝히고 사형에 처하였다.

○ 향민중(向敏中)[128]이 낙양[西京]에 부임하였다. 어떤 스님이 저녁 무렵 어떤 마을을 지나가다가 잘 곳을 구했는데, 문 밖의 수레 안에서 잘 수 있게 되었다. 그날 밤 도둑이 들어 부인을 잡아 자루에 넣고 담장을 넘어 달아났다. 승려가 마침 이 광경을 목격했지만 주인이 다음날 자신을 의심할까 두려워 그 밤에 달아났다. 도망치다가 그만 버려진 우물에 빠졌는데 그곳에 부인이 살해된 채 버려져 있었다. 부인의 피가 스님의 옷에 묻었다. 주인이 종적을 따라 추적하여 스님을 잡아가다 관에 넘겼다. 스님은 매질을 이기지 못하고 죄를 자백했다. 장물과 칼은 우물곁에 두었는데 누가 가졌는지 알지 못한다고 했다. 향민중이 증거물을 찾지 못한 것을 의심하여 비밀리에 사람을 보내 도적의 행방을 쫓게 하였다. 그 과정에서 촌점(村店)에서 식사하게 되었다. 그곳에 사는 노파가 향민중이 보낸 사람이 부(府)에서 온 것은 알았지만 관리인줄 모르고 물었다. "승려 아무개가

---

127) 여공작(呂公綽) : 송나라 관리. 자 중우(仲祐). 한림시독학사(翰林侍讀學士) 등 역임.
128) 향민중(尙敏中) : 송나라 관리. 자 상지(常之). 동평장사(同平章事)·좌복야(左僕射) 등 역임.

옥에 갇혔는데 어찌 됐습니까?" 이서가 거짓으로 대답했다. "지난밤 태(笞)
를 맞다가 죽어 시장에 버려졌다." 노파가 탄식하며 말했다. "그렇다면
말해도 괜찮겠다. 저 부인은 사실 마을에 사는 젊은이 아무개가 죽인
것이다." 이서가 그 자가 어디 있는지 묻자 노파가 사는 집을 알려주었다.
이서가 그 집에서 가서 범인을 체포하고 장물도 찾아내어 누명을 쓴 승려는
비로소 풀려날 수 있었다.(『자경편』)

○ 『신당서(新唐書)』[129]에서 말했다. 유숭귀(劉崇龜)[130]가 남해(南海)[131]
에 부임하였다. 부유한 상인의 아들이 강가에 배를 대고 뭍 쪽을 바라보니
높은 대문 집 가운데 아름다운 여인이 있었다. 소년이 그녀를 보고 말했다.
"오늘밤 집에 찾아가겠다." 여자 역시 싫은 기색이 없었다. 그날 밤 과연
여자가 문을 열어두었는데, 소년이 도착하기 전에 도둑이 방안에 들어왔다.
여자는 이 사실을 알지 못하고 기쁜 마음에 나아갔다. 도둑은 발각되었다고
생각하여 칼로 찔러 죽이고, 그만 칼을 놓아둔 채 황급히 도망쳤다. 얼마
뒤 소년이 들어왔는데 바닥에 고인 피를 밟고 바닥에 넘어졌다. 죽은
여자를 발견하고, 배로 도망가 그 날 밤 닻을 풀고 출항하였다. 다음날
여자 집에서 종적을 추적하여 강 언덕에 이르게 되었다. 강가에 사는
자가 말했다. "어떤 손님의 배가 급히 출항했다." 이에 여자 집에서 고발하였
다.

유숭귀는 사람을 보내 젊은이를 잡아다가 형틀에 묶고 신문하였다.
이전 상황은 실토했지만 살인은 부인하였다. 유숭귀가 범인이 남긴 칼을

---

129) 신당서(新唐書) : 25사(史)중 하나. 송나라 인종(仁宗) 때 구양수·송기(宋祁) 등이
    구당서(舊唐書)를 개수(改修)하여 225권으로 편찬.
130) 유숭귀(劉崇龜) : 당나라 관리. 자 자장(子長). 청해군절도사(淸海軍節度使) 등 역임.
131) 남해(南海) : 광동성 소재.

보니 도살할 때 쓰는 칼이었다. 그가 명령을 내려 말했다. "△날 대연회를
열 것이다. 관할지역의 도살업자는 다 모이도록 하라." 모두 모아 놓고
도살하는 모습을 살펴보고, 이윽고 돌려보내며 칼은 두고 다음날 다시
오라고 했다. 그리고 살인자의 칼을 어떤 사람의 것과 바꿔쳤다. 다음날
여러 푸줏간 주인들이 칼을 달라고 청해서 받았는데 유독 한 사람만이
자기의 칼이 아니라고 하였다. 이에 그 자를 불러 심문하자 말했다. "이것은
내 칼이 아니고 아무개의 칼입니다." 급히 가서 그 자를 잡아오려 했지만
이미 도망치고 없었다. 이에 다른 사형수 1명을 상인의 아들이라고 하고
밤에 죽이자 도망친 자가 이 소식을 듣고 돌아왔다. 그 자를 잡아다 법에
따라 처리하였다. 상인의 아들은 밤중에 남의 집에 들어간 죄로 곤장을
맞았다.

○『북사』에서 말했다.[132] 위나라 사마열(司馬悅)[133]이 예주[134] 자사(豫
州刺史)에 부임하였다. 상채(上蔡)지역에 사는 동모로(董毛奴)가 돈 5천을
지니고 가다가 길에서 죽었다. 어떤 자가 장제(張堤)가 겁박해서 빼앗은
것으로 의심하였는데, 실제로 장제의 집에서 돈 5천이 발견되었다. 장제가
매 맞는 것을 두려워하여 거짓으로 자백하였다. 사마열이 의심하여 동모로
의 형에게 물었다. "사람을 죽여서 돈을 차지했다면, 경황이 없어서 흔적을
남겼을 텐데 무슨 물건을 발견한 것이 있는가?" 대답했다. "칼집이 하나
있습니다." 사마열이 이것을 가져다 살펴보고 말했다. "이것은 시골에서
만든 것이 아니다." 주(州)안에서 칼 만드는 장인들을 불러다 놓고 칼집을

132)『북사』권29,「열전」17.
133) 사마열(司馬悅) : 북위(北魏) 관리. 자 경종(慶宗). 영주 자사(郢州刺史)·예주 자사(豫
州刺史) 등 역임.
134) 예주(豫州) : 하남성 지역.

보여주었다. 그 중 곽문(郭門)이라는 자가 자신이 만들었으며, 작년에 도성 사람 동급조(董及祖)에게 팔았다고 하였다. 사마열이 동급조를 잡아다 힐문 하자 죄를 자백하였다.

○ 후한(後漢) 때 주우(周紆)[135]가 소릉(召陵)[136]에 부임하였다. 정연(廷掾)[137]이 주우의 엄격하고 밝은 것을 싫어하여 망신을 주려 했다. 정연이 새벽녘에 길가에서 죽은 자를 발견하고 손발을 잘라 절 문에 세워 놓았다. 주우가 소식을 듣고 그 곳에 가서 웃으면서 이야기를 나누는 듯하며 은밀히 시신을 살폈다. 시신의 입과 눈에서 벼 까끄라기가 있는 것에 주목하고, 문을 지키는 자를 비밀히 불러서 물었다. "누가 볏단을 싣고 성으로 들어왔는가?" 대답하였다. "오직 정연뿐입니다." 또 병졸[鈴下][138]에게 물었다. "나와 죽은 사람이 웃으며 말을 나누었다고 의심하던 자가 있는가?" 대답하였다. "정연이 태수께서 그랬다고 의심하였습니다." 정연을 잡아다 심문하자 죄를 자백하였다.(『후한서』[139])

○ 근래 어떤 자가 호남[140] 령(湖南令)에 부임하였다. 경(境)내 양인(良人) 집안 여자가 밭에 나아가 목면(木棉) 꽃을 따고 있었다. 이때 같은 동네 서당에서는 선비[士族]들이 모여 공부하였다. 선비 중 수재 1명이 길을 지나다가 그 여자를 보고 꼬드겼는데, 그녀 역시 싫어하지 않았다. 둘은 저녁에 만날 것을 약속하였다. 그런데 두 사람이 알지 못하는 사이에 그 말을 마을에 사는 노비가 엿들었다. 여자가 저녁에 문을 열어놓고

---

135) 주우(周紆) : 한나라 관리. 자 문통(文通). 발해 태수(渤海太守) 등 역임.

136) 소릉(召陵) : 하남성 언성(偃城) 소재.

137) 정연(廷掾) : 현령(縣令)의 일을 돕는 하급관리.

138) 영하(鈴下) : 시위(侍衛)에 종사하는 병졸.

139) 『후한서』 권107, 「혹리열전(酷吏列傳)」67.

140) 호남(湖南) : 호남성.

기다렸는데, 노비가 먼저 들어갔다. 여자가 데리고 들어가다 비로소 그 자가 선비가 아니라는 사실을 알고 힘껏 저항하였다. 노비는 일이 발각될까 두려워하여 여자를 죽이고 도망갔다.

잠시 뒤 선비가 도착했는데 여자가 이미 죽은 것을 알고 깜짝 놀라 피 묻은 발로 서당으로 돌아왔다. 다음날 여자 집에서 흔적을 따라 남자를 잡아 관아에 고발하였다. 하지만 군수는 의심하며 판결을 내리지 않았다. 군수는 몰래 직접 믿을 만하고 영리한 자를 밤에 여자의 빈소에 보내 마치 여자 귀신의 소리처럼 슬프게 곡을 하며 간간이 원망하는 소리를 내게 하였다. 작은 소리로 마치 귀신이 말하듯 했다. "내가 귀신이 되어 나를 죽인 자를 죽일 것이다. 하지만 나를 위해 불공을 드리거나 혹 나를 위해 제사를 지낸다면 혹 원한이 풀릴 수도 있을 것이다." 이 소문을 전해들은 노비는 두려운 나머지 산에 들어가 불공을 드리고, 또 밤중에 빈소에 나아가 제사를 드렸다. 마침내 그 자를 체포하여 죄를 자백 받았다.

○ 송나라 주수창(朱壽昌)[141]이 낭주(閬州)[142]에 부임하였다. 세력있는 가문 가운데 옹자양(雍子良)이란 자가 여러 사람을 죽였지만 세력을 믿고 뇌물을 써서 죽음을 면하였다. 이때 또 다시 사람을 죽였는데, 마을 사람을 매수하여 대신 감옥에 보냈다. 주수창이 의심하여 죄수를 데려다 은밀히 물었지만 죄수는 일관되게 자신이 죽였다고 대답하였다. 그러자 주수창이 말했다. "너는 남을 위해 죽으면서 후회할 일을 남기지 말아야 할 것이다. 듣자하니 옹자양이 돈 10만을 주고 네 딸을 며느리로 삼겠다고 하던데, 네가 죽고 나서 배반하면 어떻게 할 것인가?" 죄수는 낯빛을 바꾸며 울면서 사실을 고하였다. 옹자양을 잡아다 법에 따라 처리하였다.

---

141) 주수창(朱壽昌) : 송나라 관리. 자 강숙(康叔).
142) 낭주(閬州) : 호남성 상덕현(常德縣) 소재.

○ 송나라 후영(侯詠)143)이 괵주144) 참군(虢州參軍)에 부임하였다. 그 지역의 지배세력 가운데 조보(趙寶)라는 자가 사람을 죽였다. 머슴[傭人]을 무고하여 대신 죽게 하고, 또한 이서를 매수하여 그 자를 죄인으로 만들었다. 후영이 이 같은 실상을 판별하여 올바르게 밝혔다. 온 군(郡)이 신명스럽다고 하였다.

○ 구양엽(歐陽曄)145)이 단주(端州)146)에 부임하였다. 민들이 배[舟]를 놓고 다투다가 사람이 죽었는데 아직 판결을 내리지 못하였다. 구양엽이 죄수를 풀어주고 음식을 먹인 뒤 집으로 돌려보냈다. 오직 1명만 옥에 가두니 얼굴빛이 동요하였다. 구양엽이 말했다. "살인자는 네놈이다. 내가 음식 먹는 것을 보니 모두 오른손으로 먹는데 너만 왼손으로 먹었다. 죽은 자의 오른쪽 갈비 부분에 상처가 있으니 네가 죽인 것이 분명하다." 죄수가 자백하였다.(『구양공집(歐陽公集)』)

○『송사』에서 말했다. 전유제(錢惟濟)147)가 강주(絳州)148)에 부임하였다. 당시 민 가운데 뽕나무 잎을 따는 자가 있었다. 강도가 이를 빼앗으려다가 뜻을 이루지 못하자 스스로 오른쪽 팔뚝에 상처를 내고 뽕따던 사람을 살인자로 무고하였다. 관원이 판결을 내리지 못하자 전유제가 이들을 면전(面前)에 불러 놓고 음식을 주었다. 강도가 왼손으로 숟가락과 젓가락

---

143) 후영(侯詠) : 송나라 관리. 자 기복(奇復). 녹사참군(錄事參軍)·대리평사(大理評事) 등 역임.

144) 괵주(虢州) : 하남성 노씨현(盧氏縣) 소재.

145) 구양엽(歐陽曄) : 송나라 관리. 자 일화(日華). 구양수의 숙부. 태자중윤(太子中允)·상서도관원외랑(尙書都官員外郞) 등 역임.

146) 단주(端州) : 광동성 소재.

147) 전유제(錢惟濟) : 송나라 인종(仁宗) 때 관리. 자 암부(嚴夫). 강주지사(絳州知事)·보정군유후(保靜軍留後) 등 역임.

148) 강주(絳州) : 산서성 남서부 소재.

을 들자 유제가 말했다. "다른 사람이 칼을 휘둘렀다면 위쪽 상처는 깊고
아래쪽은 가벼울 것이다. (그런데) 지금 아래쪽 상처가 깊고 위쪽이 가벼운
것으로 보아 왼손을 사용했음이 분명하다. 네가 자신의 왼손을 사용하여
오른쪽 팔뚝에 상처를 입힌 것이다." 무고한 자가 스스로 자백하였다.

○ 오대(五代)149)때 어떤 자가 물건을 팔러 나갔다가 집에 돌아와 보니
부인이 살해당하고 머리가 없어졌다. 처가에서는 사위를 잡아 관에 송부하
였고, 가혹하게 심문하여 거짓으로 자백을 받았다. 종사(從事)가 의심하여
판결을 늦추고 재조사를 청하였고, 태수가 허락하였다. 종사는 경내(境內)
에서 장례업자를 불러 최근 인가(人家)에서 거행된 장례와 무덤 소재를
직접 조사하고 또한 혹시 의심스러운 장례가 있었는지를 물었다. 어떤
자가 말했다. "근래 권세를 지닌 집안 장례를 치렀는데 유모[嬭子]가 죽었다
고 했습니다. 새벽3~5시[五更]즈음에 담 너머로 관이 나아가는데 관속에
아무것도 없는 것처럼 가벼워 보였습니다. △곳에 묻었습니다." 급히 사람
을 보내 무덤을 파 보니 단지 여자 머리만 들어 있었다. 즉시 그 남편에게
시신을 대질시켰다. 자신의 아내가 아니라고 하였다. 이에 권세가를 불러들
여 심문하였다. 그러자 유모를 죽여 급히 머리만 장례 지냈으며, 그 (유모의)
시신을 양가집 부인으로 바꾸어 놓고, 그녀를 사사롭게 첩(妾)으로 삼았다
고 했다. 권세가를 죽여 시장에 내다버리고, 남편은 살인혐의에서 벗어날
수 있었다.(『옥당한화(玉堂閑話)』150))

○ 송나라 때 태평주(太平州)151)에서 일어난 사건이다. 부인과 젊은이가

---

149) 오대(五代) : 당·송나라 사이 53년 동안 등장했던 5개국. 후당(後唐)·후량(後梁)·후
     주(後周)·후진(後晉)·후한(後漢).
150) 옥당한화(玉堂閑話) : 오대(五代) 때 왕인유(王仁裕)의 저술. 당나라 말부터 오대에
     이르기까지 기이(奇異)한 이야기들을 채록하여 편찬한 책.
151) 태평주(太平州) : 안휘성 소재.

함께 길을 가다 비를 만나자 오래된 사당으로 들어가 비를 피했다. 그곳에는 이미 여러 명의 사람이 비를 피해 들어와 있었다. 젊은이가 술에 취해 잠이 들었는데, 뒤늦게 깨어보니 사람들은 모두 사라지고, 부인은 목이 잘린 채 피살되었다. 크게 놀라 소리치다가 붙잡혀 관아로 호송되었다. 젊은이는 매를 이기지 못해 강간하려다가 말을 듣지 않자 부인을 죽이고 그 머리를 칼과 함께 강물에 버렸다고 거짓으로 자백하였다. 마침내 죄를 받아 죽었다. 얼마 뒤 남편이 여릉(廬陵) 우희장(優戲場)에서 우연히 자기 부인을 목격하였다. 같이 있던 악공[伶]들이 도망치자 쫓아가 체포하여 법에 따라 죄를 주었다. 지난번 목이 없는 시체는 원래 사당에 있던 사람의 것이었다. 악공들이 그 머리를 자르고 부인의 옷을 입히고 부인을 데리고 떠났던 것이다.

○ 선성(宣城)과 흡현(歙縣) 사이에서 어떤 강도가 밤에 길을 가던 나그네를 죽였다. 시체는 길가에 버리고 목만 가지고 도망쳤다. 새벽 무렵 어떤 자가 이곳에 이르러 피 묻은 발로 급히 도주했다가 체포되어 옥사에 갇히고 말았다. 그 뒤 반년동안 판결이 나지 않자 담당관리[有司]가 이서들을 엄격히 독려하여 그 머리를 찾고 사건을 종결지으려 했다. 이서들이 여기저기 찾아다니다가 마침 병이 나서 굴 속에 누워있던 거지를 발견하고 머리를 베어 담당관리의 명령을 완수했다. 죄수 역시 오랜 고문을 이기지 못하고 자백하고 죽었다. 반년 뒤에야 비로소 강도가 잡혀 사건의 전모가 드러났다. 베어간 머리는 흡현의 경계에 묻어 두었다. 담당관리가 급히 머리를 얻어서 옥안을 종결시키려 했기 때문이었다.

○ 송나라 이남공(李南公)152)이 장사현(長沙縣)153)에 부임하였다. 그곳

---

152) 이남공(李南公) : 송나라 신종(神宗) 때 관리. 자 초로(楚老). 용도각직학사(龍圖閣直學士) 등 역임.

에서 싸움이 벌어졌는데 갑(甲)은 힘이 세고 을(乙)은 허약하였다. 그런데 모두 파랗고 붉은 색을 띤 상처를 입었다. 이남공이 이들을 앞에 불러다 놓고 상처를 손가락으로 문지르면서 말했다. "을의 것은 진짜이고 갑의 것은 가짜다." 심문해보니 그 말이 맞았다. 남방지역에 '거류(欅柳)'라는 나무가 있는데 그 잎을 기름진 피부에 문지르면 파랗고 붉은 색을 띠게 되어 마치 맞아서 난 상처와 같았다. 혹은 껍질을 벗겨내고 가로로 피부에 붙이고 열을 가하면 마치 때려서 생긴 상처처럼 물로 씻어도 떨어지지 않았다. 그러나 맞아서 난 상처는 피가 엉겨서 딱딱하지만 가짜 상처는 그렇지 않았다.

○ 송나라 가창령(賈昌齡)154)이 요주(饒州)155) 부량위(浮梁尉)에 부임하였다. 그 지역 풍속이 죽음을 가볍게 여겨서 사람들 사이에 원한이 있으면 종종 먼저 독초[野葛]156)를 먹고 죽으면서 원수진 자를 무고하는 경우가 있었다. 가창령이 곧 진짜인지 거짓인지를 판별하였다.

○ 송나라 이처후(李處厚)157)가 여주(廬州)158)에 부임하였다. 민 가운데 매 맞아 죽은 자가 있었는데, 입증할 만한 상처가 없었다. 우연히 한 노인을 만났는데 그 노인이 말했다. "한낮 태양 아래 시체를 붉은 기름을 바른 우산으로 가렸다가 물을 뿌리면 상처가 나타날 것이다." 이 말대로 하자 과연 상처가 나타났다.

---

153) 장사현(長沙縣) : 호남성 소재.
154) 가창령(賈昌齡) : 송나라 관리. 자 연년(延年). 태상소경(太常少卿) 등 역임.
155) 요주(饒州) : 강서성 소재.
156) 야갈(野葛) : 독초의 일종. 구문(鉤吻)·호만등(胡蔓藤)·단장초(斷腸草) 등으로 불리움.
157) 이처후(李處厚) : 송나라 관리. 자 재지(載之). 태상박사(太常博士)·다세제거(茶稅提擧) 등 역임.
158) 여주(廬州) : 안휘성 소재.

○ 고려시대 부인이 남편을 죽인 옥사가 발생했다. 시체를 검시했으나 상처가 없었다. 형관(刑官)이 그 때문에 괴로워하였다. 부인이 이유를 묻자 정황을 설명하였다. 부인이 말했다. "시체를 방 가운데 두고 파리가 모여드는 곳을 살펴보십시오." 형관이 그 말을 따랐는데, 과연 배꼽 가운데 작은 침이 꽂혀 있었고, 이로써 그 죄를 다스렸다. 형관의 부인도 두 번째 시집온 것이기에 간사함이 있었을 것으로 의심해서 내쫓았다고 한다.

○ 『소설(小說)』에서 말했다. 강남(江南)의 부자 상인에게 부인이 있었다. 상인이 두 사람을 강가에서 만나기로 약속하고 시간이 되어 강가에 갔는데 그들이 먼저 와 있었다. 그들은 상인의 돈이 많은 것을 알고 서로 짜고 상인을 죽여서 강물에 던져버렸다. 그리고, 모르는 척 부자 상인 집에 가서 부인을 삼랑(三娘)이라 부르며 물었다. "서로 만나기로 약속을 했는데 오지 않았는데 무슨 일이 있습니까?" 부인이 대답했다. "얼마 전에 나갔습니다." 두 사람이 그 이유를 힐문하고 관에 고발하였다. 부인이 죽으면 그 집 재산을 함께 나누어 차지할 수 있기 때문이었다. 옥사가 오래되어 판결이 나지 않자 관리가 와서 심문하면서 말했다. "상인 집 문 앞에 도착하여 삼랑이라고 부른 것은 이미 그 집에 주인이 없다는 사실을 알았기 때문이다." 그들을 심문하여 죄상을 알아내고 법에 따라 처리하였다.

○ 고려시대 정운경(鄭云敬)[159]이 복주[160]판관(福州判官)에 부임하였다. 주(州)의 승정(僧正)[161]이 옹천(瓮川)[162] 역로(驛路)에서 도적을 만나 매를 맞아 거의 죽을 뻔 했다. 역리(驛吏)가 그 경위를 묻자 승정이 대답했다.

---

159) 정운경(鄭云敬, 1305~1366) : 고려시대 문신. 정도전(鄭道傳)의 부친. 복주판관(福州判官)·형부상서(刑部尙書)·검교밀직제학(檢校密直提學) 등 역임.

160) 복주(福州) : 안동(安東).

161) 승정(僧正) : 절의 일을 담당하는 승려 관리.

162) 옹천(瓮川) : 옹천(瓮泉). 경상북도 안동시 북후면 일대.

"내가 약간의 베 필(匹)을 가지고 어떤 사람의 집에 들어갔습니다. 이때 밭에 거름을 주는 자가 술을 먹는 것을 보았으며, 그곳에 도착해서는 김매는 자를 보았습니다. 몇 걸음 가는데 어떤 자가 뒤에서 버럭 소리를 지르며 말했습니다. '나는 김매는 사람이다. 당신을 불러 같이 말하려는데 왜 대답하지 않는가?' 미처 대답하기도 전에 저를 때리고 베를 빼앗아 가버렸습니다." 역리가 승정을 부축하여 인가(人家)에 들어갔지만 얼마 지나지 않아 승정이 죽었다. 역리는 김매는 자를 잡아 주에 고발하고 밭매는 자가 죄를 자백하여 옥사가 일단락되었다. 이때 정운경이 밖으로부터 돌아와서 말했다. "승정을 죽인 자는 이 자가 아닐 것입니다." 목사(牧使)가 대답했다. "이미 자백하였다." 정운경이 말했다. "어리석은 민이 심문의 고통을 견디다 못해 공포에 질려 말실수를 한 것입니다." 목사가 말했다. "공이 이 일을 처리하라."

정운경이 거름 주던 땅주인에게 물었다. "내가 듣건대 네가 일하는 사람에게 밥을 주던 날 승정이 다가오자 그의 베를 언급한 자가 있다고 하던데 숨기지 말라." 주인이 대답했다. "어떤 자가 자리에 있었는데 승정이 가진 베가 술값이 될 만 하다고 했습니다." 이에 그 자와 부인을 붙잡아오게 하고, 남편을 밖에 두고 부인을 먼저 심문하였다. 정운경이 물었다. "내가 들으니 △월 △일에 네 남편이 너에게 약간의 베를 주었는데 어디서 얻었다고 하더냐?" 그 부인이 대답했다. "△월 △일 남편이 베를 가지고 돌아와서 '베를 빌려간 자가 이를 돌려주었다'고 했습니다." 정운경이 남편에게 빌려간 자가 누구냐고 묻자 제대로 대답하지 못하고 죄를 자백하였다. 목사와 마을 사람들이 놀라며 어떻게 알았느냐고 묻자 정운경이 대답했다. "도적은 자신의 종적을 감추고 사람들이 알까 두려워합니다. '나는 김매는 사람이다'고 한 것은 속임수입니다."(『고려사』163))

○ 또 『고려사』에서 말했다.[164] 정운경이 전주 목사(全州牧使)에 부임하였다. 결혼해서 가정을 꾸리던 스님이 하루는 밖에 나아갔다가 산길에서 피살되었다. 그 부인이 관에 고소하였으나 증거가 없어서 오랫동안 판결을 내리지 못하였다. 정운경이 부임했는데도 부인이 계속 호소하였다. 운경이 물었다. "사통(私通)한 자가 있느냐?" 부인이 대답했다. "없습니다. 다만 이웃에 사는 부인이 없는 남자가 저를 희롱하며 '노승이 죽으면 일이 성취될 것이라'라고 했습니다." 그 남자와 어머니를 잡아 오게 하였다. 남자를 밖에 있게 하고 먼저 어머니를 국문하였다. 정운경이 물었다. "△월 △일 아들이 집에 있었느냐 아니면 밖에 있었느냐?" 어머니가 대답했다. "그날 자식이 밖에서 돌아와서 '내가 피곤합니다. 친구와 함께 술을 마셨더니 취했습니다'라고 하였습니다." 정운경이 즉시 그 남자에게 함께 술 먹은 자가 누구냐고 묻자 아무 말도 못했다. 과연 그 자가 스님을 죽인 살인범이었다.

○ 석진(石晉)[165]때 관씨현(冠氏縣)[166] 사원[僧院]에 철로 만든 불상이 있었다. 높이가 한 길이 넘고 속은 텅 비어 있었다. 하루는 문득 철로 만든 불상이 교리와 계율을 말한다 하여 스님들과 일반 사람들이 구름같이 모여 시주를 하였다. 삼위(三衛)로 있던 장로(張輅)가 그 요사함을 추궁하고자 사람들을 데리고 절을 에워쌌다. 스님들을 밖으로 내보내고 몰래 승방(僧房)을 열어보니 구멍이 하나 뚫어져 있었다. 그 구멍은 불좌(佛座)아래로 통해 있었다. 곧 구멍을 따라 불상 안으로 들어가서 준엄한 목소리로

163) 『고려사』 권121, 「열전」34 '양리(良吏) : 정운경'.
164) 『고려사』 권121, 「열전」34 '양리 : 정운경'.
165) 석진(石晉) : 오대(五代) 후진(後晉)의 별칭. 석경당(石敬瑭)이 세웠기 때문에 석진으로 부름.
166) 관씨현(冠氏縣) : 산동성 소재.

여러 스님들의 죄악을 열거하고 그 괴수를 붙잡아 죽였다.

○ 송나라 인수현(仁壽縣)에 이서 홍씨(洪氏)가 살고 있었다. 이웃사람들의 토지가 탐나서 (종이를) 차(茶)로 염색하여 오래된 것처럼 보이는 거짓 문서를 만들어 현에 소송을 제기하였다. 현령(縣令) 강(江)아무개가 즉시 받은 종이를 펴고 말했다. "오래된 종이라면 속이 흰색이어야 할 것이다. 그런데 이 종이의 겉과 속이 같은 색이다. 이는 위조된 것이다." 그 자를 심문하자 과연 자백하였다.

○ 당나라 장작(張鷟)167)이 하양168)위(河陽尉)에 부임하였다. 여원(呂元)이란 자가 창감(倉監) 풍침(馮忱)의 문서를 위조하여 창고의 곡식을 몰래 훔쳐 먹었다. 풍침은 이를 인정하지 않았지만 여원은 정상적으로 타먹은 것이라고 주장했다. 이에 장작은 여원이 고발한 문서를 가져다가 양쪽 윗부분을 가리고 단지 한 글자만 남겨 놓고서 말했다. "이것이 너의 글씨가 맞으면 곧 맞다 하고 그렇지 않으면 곧 아니라고 하라." 여원은 아니라고 했다. 가린 곳을 치우니 여원이 올린 고발장이었다. 그래서 먼저 곤장 50대를 판결하였다. 또 여원에게 위조한 풍침의 문서에서 두 글자만 보여주며 묻자 맞다고 대답했다. 이내 가린 곳을 치우자 곧 위조한 문서였다. 이에 여원이 죄를 자백하였다.

○ 송나라 낭간(郎簡)이 두주(竇州)169)에 부임하였다. 이서 1명이 죽었는데 그 아들이 나이가 어렸다. 그러자 데릴사위가 거짓으로 문서[文券]를 위조하여 땅을 차지하였다. 그 아들이 성장해서 여러 차례 소송을 제기했지만 고쳐지지 않자 조정에 고소하였다. 조정에서는 이 문제를 낭간에게

---

167) 장작(張鷟) : 당나라 관리. 자 문성(文成), 호 부휴자(浮休鷦).
168) 하양(河陽) : 하남성 맹현(孟縣) 소재.
169) 두주(竇州) : 광동성 신의현(信宜縣) 소재.

내려 보내 처리하도록 하였다. 낭간이 옛 문서를 내보이며 물었다. "네 장인의 글씨가 맞는가?" 사위가 그렇다고 했다. 이어 위조된 문서를 보여주자 앞의 것과 글자체가 달랐다. 이에 사위가 죄를 자백하였다.

○ 한나라 설선(薛宣)[170)]에게 일어난 일이다. 어떤 자가 비단 1필을 가지고 시장으로 가다가 비를 만났다. 비단을 펴서 덮어썼는데 뒤에 오던 사람이 함께 쓰기를 청하였다. 그런데 비가 개자 비단이 서로 자기 것이라고 다투었다. 설선에게 고소하자 설선은 비단을 잘라 각기 절반씩 주게 하였다. 그리고 이서를 시켜 뒤를 따라가 살피게 하였다. 뒷사람은 태수가 내려줬다고 말한 반면 원래 주인은 계속 억울해하였다. 이에 설선이 뒷사람을 심문하여 그 죄상을 밝혔다.(『풍속통』)

○『자경편』에서 말했다.[171)] 송나라 장제현(張齊賢)[172)]이 중서(中書)[173)]에 부임하였다. 당시 친척 간에 재산을 나눈 것이 불공평하여 다투었다. 장제현이 물었다. "네가 받은 재산이 저들보다 적다고 생각하기 때문이 아니냐?" 모두 그렇다고 대답하였다. 장제현이 즉시 판결하였다. 갑(甲)은 을(乙)의 집을 차지하며 을은 갑의 집을 차지하게 하고 문서를 서로 교환하게 하였다.

○ 조선시대 우의정 이완(李浣)[174)]은 무신(武臣)으로서 옥사를 다스리고 도적을 잡는데 신명스럽다는 소리를 들었다. 형조판서가 되었을 때 백성

---

170) 설선(薛宣) : 한나라 관리. 자 공군(贛君). 임회 태수(臨淮太守)·승상 등 역임.

171) 『자경편』권8, 「정사류」 '정사'.

172) 장제현(張齊賢) : 송나라 관리. 자 사량(師亮). 병부상서(兵部尙書)·동중서문하평장사(同中書門下平章事) 등 역임.

173) 중서(中書) : 궁정의 문서·조칙(詔勅) 담당 관직.

174) 이완(李浣, 1602~1674) : 본관 경주(慶州), 자 징지(澄之), 호 매죽헌(梅竹軒). 병조판서·우의정 등 역임. 효종을 도와 북벌(北伐)에 힘씀.

1명이 명관(名官) 이증(李增)과 더불어 송사를 벌였다. 이완은 그 백성의 편을 들었는데, 어느날 저녁 백성이 사라졌고 끝내 찾지 못했다. 이에 이증이 죽었다고 의심하여 많은 상금을 내걸고 시체를 찾으려 했다. 이를 위해 강의 위아래에 쇠갈고리 같은 기계를 설치했지만 열흘이 지나도록 찾지 못하였다. 이완은 별도로 사람을 시켜 살피게 하면서 은밀히 당부했다. "사람들 가운데 행동이 처음과 끝이 한결같은 자가 있으면 잡아오도록 하라." 고을 사람들은 혹 3, 4일이나 혹 6, 7일을 헤매다가 지쳐서 돌아갔다. 그런데 어떤 사람만 처음부터 끝까지 사람들 사이에 끼어 이젠 찾기 어렵다며 떠들고 다녔다. 그 자를 잡아다 심문하니 과연 그가 살인자였다. 시체를 찾게 되었고, 이증은 옥에 갇히게 되었다.

5. 도적을 잡아들임[治盜章]

○ 북제(北齊)[175] 임성왕(任城王) 고개(高湝)[176]가 병주[177] 자사(幷州刺史)에 부임하였다. 어떤 부인이 물가에서 빨래하고 있었다. 말을 타고 가던 행인이 새 신으로 바꾸어 신고 가기에 부인이 그가 버린 헌 신을 가지고 관에 신고했다. 고개가 성안에 사는 여러 노파들을 불러놓고 헌 신을 보이면서 물었다. "말을 탄 어떤 자가 길을 가다가 도적을 만나 살해되고 이 신만 남겨놓았다. 그의 일가(一家)되는 사람이 없는가?" 그러자 노파가 가슴을 부여잡고 통곡하며 말했다. "우리 아이가 어제 이 신을 신고 처가에

---

175) 북제(北齊, 550~577) : 남북조시대 선비족 출신 고환(高歡)이 건국한 나라.

176) 고개(高湝) : 북제(北齊) 신무제(神武帝)의 10남 임성왕(任城王). 병주 자사(幷州刺史)·대승상(大丞相) 등 역임. 원문의 '高譜'는 『북제서(北齊書)』에 따라 '高湝'로 바로잡음.

177) 병주(幷州) : 산서성 및 섬서성의 옛 연안(延安)과 유림부(楡林府) 소재.

갔습니다." 즉시 그 자를 잡아들였다.(『북사』)

○『북사』에서 말했다. 주나라 양진(楊津)[178]이 기주[179] 자사(岐州刺史)
에 부임하였다. 어떤 자가 비단 3백 필을 가지고 가다가 성 밖 10리에서
도적에게 약탈당하였다. 그 사람이 고발하자 양진이 하교하였다. "△색
옷을 입은 자가 △색 말을 타고 가다가 성 동쪽 10리 지점에서 피살되었다.
그 자의 이름을 모르니 가족이 있으면 빨리 시체를 거두거라." 노파 1명이
곡소리를 내며 나와서 자기 아들이라 하였다. 이에 범인을 잡고 아울러
비단도 다시 찾았다.

○ 위나라 원정(元禎)[180]이 남예주[181] 자사(南預州刺史)에 부임하였다.
당시 대호산(大胡山)[182]에 사는 만족(蠻族)[183]이 노략질을 하자 원정이
만족의 추장을 불러 놓고 활쏘기를 구경시켰다. 먼저 측근 가운데 활
잘 쏘는 사람 20여 명을 뽑았다. 원정이 직접 두어 대를 쏘아 명중시킨
다음 측근에게 명하여 차례대로 쏘게 하였다. 그 중 1명은 사형수로서
군인으로 변장시켜 활을 쏘게 하고, 명중시키지 못하자 원정이 그 자리에서
목을 베었다. 추장 등이 그 위엄에 복종하였다. 또 미리 측근을 시켜 사형수
10여 명을 뽑아 만족의 옷을 입히고 노략질하던 적의 정찰병으로 가장시켰
다. 원정이 자리에 앉으면서 일부러 눈을 들어 하늘을 쳐다보고 바람이
약간 불자 만족의 추장에게 말했다. "날씨가 조금 사나워지는 것을 보니

---

178) 양진(楊津) : 북위(北魏) 때 관리. 자 나한(羅漢). 기주(岐州)·화주(華州)·정주 자사(定
   州刺事) 등 역임.
179) 기주(岐州) : 섬서성 봉상현(鳳翔縣) 소재.
180) 원정(元禎) : 북위(北魏) 때 관리. 조군왕(趙郡王) 간(幹)의 아들.
181) 남예주(南預州) : 안휘성 소재.
182) 대호산(大胡山) : 안휘성 소재.
183) 만족(蠻族) : 중국 남부지역에 살았던 종족. 남만(南蠻).

노략질하는 도적이 경내에 들어온 것 같다. 10여 명 정도에 불과하며 서남쪽 50리쯤에 있을 것이다." 즉시 기병에게 잡아오도록 명하니 과연 10명을 결박해 왔다. 원정이 여러 만족들에게 말했다. "너희들이 향리에서 도적질을 하였으니 죽어 마땅하다." 그러자 만족들이 머리를 조아렸다. 원정이 즉시 그들의 목을 베고 만족의 추장을 달래서 보냈다. 이때부터 경내에서 횡포를 부리며 노략질하는 일이 사라졌다.

○ 당나라 여원응(呂元膺)[184]이 악양(岳陽)[185]에 부임하였다. 여원응이 밖에 나갔다가 문득 길가에 상여 1대가 서 있고 남자 5명이 상복을 입고 따르는 광경을 보았다. 여원응이 말했다. "멀리 가는 장례 행차라고 보기엔 너무 화려하고, 가까이 가는 것치곤 너무 간소하다. 이는 간악한 무리일 것이다." 관 속을 수색하자 무기로 가득 차 있었다. 그들이 말했다. "강을 건너 재물을 약탈하려고 일부러 상여로 위장하였습니다. 그래야 우리를 건너게 해주는 사람들이 의심하지 않을 것이라고 여겼습니다." 여원응이 철저히 추궁하자 또 강 건너편에서 모이기로 약속했던 같은 무리 수십 명이 더 있었다. 모두 잡아들여 법에 따라 처결하였다.

○ 유공작(柳公綽)[186]이 양양[187]절도사[188](襄陽節度使)에 부임하였다. 흉년이 들었는데 이웃 지방이 더욱 극심하였다. 상복을 입은 어떤 자가 곡을 하며 글을 올려 말했다. "3대에 걸친 12기의 무덤을 무창(武昌)[189]으로 옮기려합니다. 진리(津吏)[190]에게 말해서 통과시켜 주십시오." 유공작이

---

184) 여원응(呂元膺) : 당나라 관리. 자 경부(景夫). 태자빈객(太子賓客) 등 역임.

185) 악양(岳陽) : 호남성과 산서성에 걸쳐 소재.

186) 유공작(柳公綽) : 당나라 관리. 자 관(寬). 병부상서(兵部尙書) 등 역임.

187) 양양(襄陽) : 호북성 소재.

188) 절도사(節度使) : 당나라 때 지방의 민정과 군정을 담당하는 최고 책임자.

189) 무창(武昌) : 호북성의 성도.

즉시 정찰병을 시켜 그 자를 잡아 오게 하였다. 널을 뜯어 속을 보니 쌀로 채워져 있었다. 흉년에 이장할 때 3대에 걸쳐 무덤 12기를 한꺼번에 옮기지 않기 때문에 그것이 거짓임을 알 수 있었다.

○ 전진(前秦)[191]의 부융(符融)[192]이 기주 목사(冀州牧使)에 부임하였다. 어떤 노모가 저녁 무렵 강도를 당했다. 지나가던 행인이 쫓아가 강도를 붙잡아주었다. 그런데, 강도가 도리어 행인을 강도라고 무고하였다. 부융이 말했다. "두 사람이 함께 뛰어 먼저 봉양문(捧陽門)을 나갔다 오는 자가 도둑이 아닐 것이다." 두 사람이 뛰어갔다 돌아오자 부융이 정색을 하고 늦게 도착한 자에게 말했다. "네가 도둑이다." 그 잘못을 들추고 적발함이 이와 같았다. 부융의 성품이 예리하여 그 사건을 정확히 파악하고 도둑이 잘 달렸다면 결코 행인에게 잡히지 않을 것이라고 생각하였다. 이로써 헤아려 보건대 앞서 달리는 자가 쫓아가 도적을 잡은 사람이었다.

○ 당나라 태평공주(太平公主)[193]가 금보(金寶)가 박힌 기물을 잃어버렸다. 측천무후(則天武后)[194]가 빨리 범인을 체포하라고 했다. 당시 호주[195] 별가[196](湖州別駕) 소(蘇)아무개가 숨겨진 것을 잘 적발하는 것으로 유명했다. 그가 무후에게 말했다. "청컨대 부(府)와 현(縣)에 여유를 주고 도둑 잡는 포졸들을 신의 지휘에 맡기신다면 수일 내로 도둑을 잡겠습니다."

---

190) 진리(津吏) : 나루와 배의 왕래 담당 이서.
191) 전진(前秦) : 5호 16국의 주요 국가. 저족(氐族)의 추장 부건(符健)이 세운 나라.
192) 부융(符融) : 전진(前秦)시대 관리. 자 박휴(博休). 태자태보(太子太保)·정남대장군(征南大將軍) 등 역임.
193) 태평공주(太平公主) : 당나라 고종의 딸. 측천무후 소생.
194) 측천무후(則天武后) : 당나라 고종의 황후.
195) 호주(湖州) : 절강성 오흥(吳興) 소재.
196) 별가(別駕) : 자사(刺史) 밑의 관직. 별승(別乘).

무후가 허락하였다. 소아무개는 이졸들에게 경계를 내려 동북쪽 문을
살피게 하였다. 이때 오랑캐 10여 명이 상복을 입고 묘지로 향해 나아갔다.
그들이 새로 조성한 무덤에서 제사를 올리고 곡을 하는데 슬픈 기색이
없었다. 또 무덤을 따라 돌며 서로 쳐다보며 미소를 지었다. 이에 그들을
사로잡고, 무덤을 파서 관을 열어보니 그곳에 보물이 있었다. 무후가 무슨
방법으로 도둑을 잡았냐고 묻자 소아무개가 대답했다. "신이 고을에 부임하
던 날 오랑캐들이 장사지냈습니다. 보자마자 도둑인줄 알았지만 장례지내
는 곳이 어디인지 알지 못했습니다. 지금은 청명(淸明)197)으로써 성묘할
때입니다. 도둑들이 성 밖으로 나갈 것이라고 생각했고, 마침내 그 행적을
찾았습니다. 도둑들이 곡을 했지만 슬퍼하는 기색이 없어서 장사 지내는
것이 아님을 알았습니다. 무덤 주위를 돌며 서로 쳐다보고 미소를 짓은
것은 보물이 손상되지 않아서 기뻐한 것입니다. 지난번 급하게 도둑을
잡으려 했다면 도둑들은 보물을 가지고 도망쳤을 것입니다."

○ 당나라 회주(懷州)198)의 동행성(董行成)이 도둑을 잘 잡았다. 어떤
자가 하양(河陽)199)의 가게에서 나귀 1마리와 짐꾸러미를 도둑질해서 날이
샐 무렵 회주에 도착했다. 동행성이 시장에서 도둑을 보고 꾸짖어 말했다.
"도둑놈아! 나귀에서 내리거라." 나귀에 타고 있던 도둑이 즉시 승복하였다.
잠시 뒤 나귀 주인이 종적을 쫓아 이르렀다. 어떤 자가 물었다. "어떻게
도둑인줄 알았습니까?" 동행성이 대답했다. "이 나귀는 급히 오느라 땀을
흘렸으니 먼 길 가는 사람이 아님을 알 수 있었다. 사람들을 보자 나귀를
끌고 멀리 비켜가려 했다. 이 때문에 그가 도둑인줄 알았다."

197) 청명(淸明) : 24절기 중 하나. 4월 5~6일 경.
198) 회주(懷州) : 하남성 비양현(泌陽縣) 소재.
199) 하양(河陽) : 하남성 하양현(河陽縣) 소재.

○ 장영(張詠)이 강녕부(江寧府)200)에 부임하였다. 어떤 스님이 계첩(戒牒)201)을 보이며 내보내줄 것을 요구하였다. 장영이 계첩을 자세히 살펴보고 사리원(司理院)202)에 보내 사람을 죽인 도적이 아닌지 살피게 하였다. 군(郡)의 관료들은 그 이유를 몰랐다. 장영이 스님에게 물었다. "스님이 된 지 몇 년째인가?" 대답했다. "7년 되었습니다." 또 물었다. "그런데 어째서 이마에 두건을 쓴 흔적이 있는가?" 스님은 깜짝 놀라 황급히 머리를 조아리며 자백하였다. 백성 1명이 스님과 동행했는데 스님을 길에서 죽이고, 그 사부(祠部)203)의 계첩을 취하여 스스로 머리를 깎고 중이 되었던 것이다.(『명신록(名臣錄)』)

○ 북주(北周)204)의 한포(韓褒)205)가 옹주 자사(雍州刺史)에 부임하였다. 이 지역에는 도적들이 많았는데 몰래 살펴보니 모두 세력이 강한 자들이 도적질을 일삼고 있었다. 그는 겉으로 모르는 척하고 이들을 잘 예우하며 말했다. "나는 본래 서생(書生) 출신이다. 어찌 도적 다스리는 일을 알겠는가? 내가 믿는 것은 경(卿)들이 함께 걱정해 주는 것일 뿐이다." 사납고 간교하여 고을에 근심이 되는 자들을 모두 불러 주수(主帥)206)로 삼아 지역을 나눠주었다. 그리고 도적이 나타났는데도 잡지 않으면 고의로 놓아 준 죄로 벌하기

---

200) 강녕(江寧) : 남경(南京).

201) 계첩(戒牒) : 스님들이 계를 받았다는 증명서.

202) 사리원(司理院) : 형옥을 담당하는 기관.

203) 사부(祠部) : 사사(祠祀)·천문(天文)·국기(國忌)·복축(卜祝) 및 스님의 부적(簿籍)을 담당.

204) 북주(北周, 556~581) : 중국 북조(北朝)의 하나. 북위(北魏)가 동서로 분열한 뒤, 서위(西魏)의 우문각(宇文覺)이 공제(恭帝)의 선양을 받아 세운 나라.

205) 한포(韓褒) : 북주(北周) 때 관리. 자 홍업(弘業). 옹주 자사(雍州刺史)·봉주 자사(鳳州刺史) 등 역임.

206) 주수(主帥) : 국읍(國邑)에 설치된 총대장(總大將).

로 했다. 이에 각 지역에 배치된 여러 주수들은 두려워하여 자수하며 말했다. "전날에 발생했던 도적질은 우리들이 한 짓입니다." 자신들이 데리고 있던 무리들의 이름을 열거하고 혹 도망가 숨어 지내는 자의 소재지 역시 털어놓았다. 한포는 곧 도둑의 명단을 보관하고 이어 큰 방문(榜文)을 써서 주(州)의 문에 붙여 놓았다. "스스로 도적질한 죄를 아는 자는 빨리 자수하라. 그러면 죄를 용서해 줄 것이다. 이 달이 다 가도록 자수하지 않는 자는 사형에 처하고 재산을 몰수하여 앞서 자수한 자에게 상으로 주겠다." 10일 사이에 여러 도둑들이 자수하였다. 한포가 이름이 적힌 문서를 가져다 비교해 보니 틀림이 없었다. 이에 그 죄를 용서하여 새 사람이 되도록 하자 그 많던 도둑들이 모두 사라졌다.(『북사』207))

○ 북제(北齊) 장화원(張華原)208)이 연주 자사(兗州刺史)에 부임하였다. 그는 재간과 책략이 있고 다스리는데 통달한 사람이었다. 연주지역에 부임하자 널리 자신의 심복을 포진시키고 위엄과 법금으로써 다스리게 했다. 경내에 있는 큰 도적과 이웃 주에서 망명한 3백여 명이 나와서 화원에게 귀부(歸附)하였다. 화원은 이들을 은혜와 신의로써 위로하고 고향으로 돌려보내자 사람들이 감격하였다.

○ 근래 어떤 자가 양근 군수(楊根郡守)에 부임하였다. 이 지역에 도적이 빈번히 출몰하자 군수는 항상 토착인들이 왕래할 때 가만히 그 고을에서 의심스러운 자를 물어보고 개인적으로 기록해두었다. 조적(糶糴)209)과 부역(賦役) 때문에 사람들이 모였을 때 그 의심스러운 사람들을 불러다가 엄히 훈계하거나 혹 체포하여 다스렸다. 그러자 여러 도적들이 신명스럽게

207) 『북사』 권70, 「열전」5.
208) 장화원(張華原) : 북제때 관리. 자 국만(國滿). 좌복사(左僕射) 등 역임.
209) 조적(糶糴) : 봄에 환곡을 나눠주고 가을에 이자를 붙여 거둬들이는 일.

생각하여 감히 근처에 나타나지 않았으며, 전에 있던 도적들도 자취를
감추었다.

○ 후위(後魏) 때 고겸지(高謙之)[210]의 자(字)는 도양(道讓)이었다. 그가
하음[211] 령(河陰令)에 부임하였다. 어떤 자가 주머니에 기와 조각과 자갈을
넣고 (이것을) 황금으로 속여 다른 사람에게서 말을 사 가지고 도망쳤다.
고겸지가 그 자를 잡아오라는 영을 내리고 죄수 1명에게 칼을 씌워 말시장
에 세워 놓고, 거짓으로 말을 산 도적을 처벌한다는 소문을 퍼뜨렸다.
그리고 한편으로 몰래 사람을 시켜 시장에서 사사로이 수군거리는 자를
살피게 하였다. 어떤 자가 기뻐하며 말했다. "이제는 다시 근심이 없게
되었다." 그 자를 잡아 심문하여 죄를 자백 받았다.(『북사』)

○ 후한(後漢) 때 모용언초(慕容彦超)[212]가 운주(鄆州)[213]에 부임하였다.
모용언초가 창고를 설치하여 물건을 담보로 돈을 빌려주었다. 어느 간사한
백성이 가짜 은(銀) 2정(錠)[214]을 맡기고 돈 10만을 빌려갔다. 담당 이서는
오래 지난 다음에야 비로소 그 사실을 발견하였다. 모용언초가 그 사실을
알고 몰래 담당 이서를 시켜 밤에 창고의 담벽을 뚫고 그곳에 보관해
둔 금·은·비단을 다른 곳으로 옮기고 도둑맞았다고 거짓 보고하게 했다.
모용언초가 곧 시장에 방(榜)을 붙이고 사람을 시켜 도둑을 잡게 하였다.
한편, 민들에게 각자 자기가 맡겨두었던 물건을 신고하면 변상해 준다고

---

210) 고겸지(高謙之) : 후위(後魏) 때 관리. 자 도양(道讓). 하음령(河陰令)·주전도장사(鑄
    錢都將長史) 등 역임.
211) 하음(河陰) : 하남성 소재.
212) 모용언초(慕容彦超) : 오대(五代) 후한(後漢)의 관리. 진령군절도사(鎭寧軍節度使)
    등 역임.
213) 운주(鄆州) : 산동성 동쪽 소재.
214) 정(錠) : 금이나 은 따위의 작은 덩어리의 무게를 헤아리는 데 쓰는 단위.

하였다. 민들이 앞 다투어 맡긴 물건을 말했다. 얼마 뒤에 가짜 은을 맡겼던 자를 알아내고 잡아서 그 죄를 자백 받았다.

○ 후한(後漢) 때 우후(虞詡)²¹⁵⁾가 조가²¹⁶⁾장(朝歌長)에 부임하였다. 그는 부임하자 영(令)을 내려 장사(壯士)를 3등급으로 나누어 모집하였다. 이서 이하가 각기 아는 사람을 천거하도록 하였다. 상급(上級)은 사람을 공격하고 겁탈한 자, 중급은 사람에게 상처를 입히고 도적질한 자, 하급은 상복(喪服)을 입고 집안 일을 돌보지 않는 자로 정하였다. 이렇게 해서 모집한 백여 명에게 잔치를 베풀어주고 죄를 사면해주었다. 그들에게 도적 무리 속에 들어가 약탈하게하고, 이때 매복시킨 군사를 풀어 수백 명을 잡아 죽였다. 또 가난한 사람 가운데 바느질 잘하는 자를 몰래 도적들에게 보내 옷을 만들 때 색깔 있는 실로 옷깃을 꿰매게 했다. 그들이 시장이나 마을에 내려오면 그때마다 색실을 증거로 이서들이 잡아들이게 하였다. 이로 말미암아 도적들이 놀라 흩어지고 민들이 신명스럽다고 칭송하였다. (『후한서』²¹⁷⁾)

○『송사』에서 말했다.²¹⁸⁾ 상역(桑懌)²¹⁹⁾이 영안(永安)²²⁰⁾을 돌아다니며 감찰하였다. 명도(明道)²²¹⁾ 말년 경서(京西)²²²⁾에 가뭄이 들고 메뚜기 떼로 인한 재해가 발생하였다. 여기에 더해 악명 높은 도적 23명이 출몰하였다.

---

215) 우후(虞詡) : 후한(後漢) 때 관리. 자 승경(升卿).

216) 조가(朝歌) : 하남성 북부 소재.

217) 『후한서』 권88, 「우부개장열전(虞傅蓋臧列傳)」48.

218) 『송사』 권325, 「열전」84.

219) 상역(桑懌) : 송나라 관리. 합문지후(閤門祗候)·경원노병마도감(涇原路兵馬都監) 등 역임.

220) 영안(永安) : 사천성 봉절현(奉節縣) 소재.

221) 명도(明道) : 송나라 인종(仁宗) 연호. 1032~1033.

222) 경서(京西) : 하남부 낙양(洛陽).

이에 추밀원(樞密院)에서 상역을 불러 도적의 명단을 주며 체포하도록
했다. 상역은 목책(木柵)을 닫고 겁을 먹은 척하며, 밤마다 병졸 몇 명과
도적 옷으로 변장하고 도적들이 잘 다니던 민가에 들어갔다. 늙은이와
어린이가 모두 달아났지만 노파만 남아 도적들에게 음식을 만들어 주었다.
상역이 돌아와 목책을 닫고 있다가 사흘 뒤 먹다 남은 음식을 노파에게
주자 진짜 도적인지 알고 조금씩 말을 나누었다. 도적 얘기를 하자 노파가
말했다. "저들이 상 전직(桑殿直)²²³)이 온다는 소문을 듣고 도망쳤는데
요즈음 영문(營門)을 닫고 나오지 않는 것을 보고 차츰 돌아오고 있다."
또 말했다. "아무개는 어느 곳에 있고 아무개는 어느 곳에 있다." 사흘
뒤 또 가서 많은 물건을 주며 사실대로 말했다. "내가 상 전직이다. 나를
위해 도적이 확실하게 거처하고 곳을 살피되 절대로 누설하지 말라." 군사
를 나누어 보내 도적을 모조리 잡아들였다.

○ 포증(包拯)²²⁴)이 천장²²⁵)현(天長縣)에 부임하였다. 어떤 자가 자기
집에 도둑이 들어 소 혀를 잘라 갔다고 말했다. 포증이 소 주인에게 집으로
돌아가 도살하여 팔도록 은밀히 지시하였다. 이윽고 어떤 자가 와서 사사롭
게 소 잡는 자가 있다고 고발하였다. 포증이 말했다. "어찌하여 소 혀를
잘라 놓고 또 고발하려 하느냐?" 도둑이 놀라 죄를 자백하였다.(『송사』²²⁶))

○ 송나라 전화(錢龢)²²⁷)가 가흥현(嘉興縣)²²⁸)에 부임하였다. 어떤 시골
백성이 도둑이 소를 죽였다고 하소연했다. 전화가 말했다. "빨리 집으로

---

223) 전직(殿直) : 전정(殿廷)을 시위(侍衛)하는 무관.
224) 포증(包拯) : 송나라 인종(仁宗) 때 관리.
225) 천장(天長) : 안휘성 소재.
226) 『송사』 권316, 「열전」75.
227) 전화(錢龢) : 송나라 관리. 자 절중(晉仲). 비각직학사(秘閣直學士) 등 역임.
228) 가흥(嘉興) : 절강성 동북부 소재.

돌아가 아무 말 하지 말고 소를 잡아 마을 사람들에게 고기를 나눠 주거라. 혹 원한이 있는 자가 있으면 고기를 2배로 주거라." 소 주인이 그 말대로 하였다. 다음날 쇠고기를 가지고 와서 사사롭게 도살했다고 고발하는 자가 있었다. 전화가 곧 그 자를 잡아서 심문하였다. 그가 소를 죽인 사람이었다.

○ 『고려사』에서 말했다.229) 이보림(李寶林)230)이 성주(星州)231)에 부임하였다. 어떤 자가 이웃 사람이 자기 소의 혀를 잘랐다고 고소하였다. 이웃 사람은 이 사실을 인정하지 않았다. 이보림은 그 소의 목을 마르게 해놓고 물에 장(醬)을 타 두고서 동네 사람들에게 말했다. "차례로 소에게 물을 마시게 하되 소가 물을 마시려 하거든 곧 중지시켜라." 동네 사람들이 명령대로 했다. 고소당한 자의 차례에 이르자 소가 놀라서 달아났다. 그 자를 심문하니 죄를 자백하였다.

○ 위나라 국연(國淵)232)이 자리를 옮겨 위군233) 태수(魏郡太守)에 부임하였다. 비방하는 투서가 올라왔는데, 조조(曹操)234)가 이를 싫어하여 그 주모자를 꼭 밝히려 했다. 국연이 투서를 감추고 밖으로 드러나지 않게 청하였다. 투서 내용 중에 『이경부(二京賦)』235)가 많이 인용되었다. 국연이 공조(功曹)236)에 말했다. "위군(魏郡)은 크고 수도[都輦]에 속해 있지만

---

229) 『고려사』 권110, 「열전」 23 '이제현(李齊賢)'.

230) 이보림(李寶林) : 고려말 문신. 본관 경주(慶州). 제현(齊賢)의 손자. 시호 문숙(文肅). 남원부사(南原府使)·경산부사(京山府使) 등 역임.

231) 성주(星州) : 경상북도 성주군 소재.

232) 국연(國淵) : 위나라 관리. 자 자니(子尼). 사공연속(司空掾屬)·태복(太僕) 등 역임.

233) 위군(魏郡) : 하남성 소재.

234) 조조(曹操) : 위나라 시조. 자 맹덕(孟德). 시호 무황제(武皇帝).

235) 이경부(二京賦) : 후한(後漢) 장형(張衡)의 작품. 동경부(東京賦)와 서경부(西京賦).

236) 공조(功曹) : 인재 추천과 공로를 기록하는 관리.

학자가 적다. 따라서 똑똑하고 나이 어린 자를 선발하면 내가 스승에게
나아가 배우게 하겠다." 공조에서 3명을 뽑았다. 이들을 보내기에 앞서
불러놓고 훈계했다. "학문이 아직 『이경부』에는 미치지 못했구나. 이 문장
은 박학다식한 작품임에도 불구하고 세상 사람들이 소홀히 여기기 때문에
가르치는 스승이 적다. 그러니 이 문장을 읽을 수 있는 사람을 구할 수만
있다면 나아가서 배우도록 하라." 비밀리에 지시를 내려 10여일 만에 그것
을 읽을 수 있는 사람을 찾아냈고, 그에게 가서 수업을 받게 하였다. 한편
이서를 시켜 그에게 청하여 전문(箋文)237)을 짓게 하고 그 필체를 투서와
비교해 보니 같은 사람이 쓴 글씨였다. 그를 잡아다 조사해서 실상을
자세히 알 수 있었다.(『계한서』)

○ 송나라 왕안례(王安禮)238)가 개봉부(開封府)에 부임하였다. 어떤 자가
투서를 써서 어느 부잣집이 역모를 꾸미고 있다고 고발하자 도성 사람들이
두려워하였다. 왕안례는 그럴 리 없다고 생각했다. 수일 뒤에 지시를 내려
근원을 조사하며 증거를 찾았지만 부잣집 사건은 근거가 없었다. 그래서
원수진 일이 있는지 물었다. 수개월 전에 종이[狀紙]239)를 파는 마생(馬生)
이라는 자가 돈을 빌려달라고 했지만 거절당하자 원망한 일이 있었다고
했다. 이에 다른 일을 빌미로 마생을 은밀히 불러다가 이름을 쓰게 하고,
이를 익명서의 글자와 비교해 보니 조금도 틀리지 않았다. 그를 국문하여
자백을 받았다.

○ 북주(北周) 때 유경(柳慶)240)이 옹주 별가(雍州別駕)에 부임하였다.

---

237) 전문(箋文) : 나라에 길흉(吉凶)의 일이 있을 때 신하(臣下)가 임금께, 임금이 그
    어버이의 장수를 위해 올리던 사륙체(四六體)의 글.

238) 왕안례(王安禮) : 송나라 관리. 자 화보(和甫). 왕안석의 동생. 중대부(中大夫)·상서
    우승(尙書右丞) 등 역임.

239) 장지(狀紙) : 관공서에서 사용하는 보통 품질의 종이.

호씨(胡氏) 집이 약탈 당하자, 이 일로 이웃 사람들이 많이 잡혀 갔다. 유경은 도적들이 오합지졸이기 때문에 속임수를 써서 잡을 수 있다고 생각했다. 이름을 숨기고 쓴 글[匿名書]을 써서 저녁에 관아 대문에 방을 붙였다. "우리들이 함께 호씨 집을 약탈했지만 무리들이 많고 섞여 있어 끝내 누설될까 두렵다. 이제 자수하고 싶지만 죽을까 두려울 뿐이다. 먼저 자수한 자의 죄를 면해준다면 곧 와서 고하고자 한다." 이에 다시 면죄첩(免罪帖)을 붙여놓았다. 이틀 뒤 노(奴) 1명이 손을 뒤로 묶은 채 면죄첩 아래 와서 자백하였다. 이로 인해 그 무리를 모조리 잡아들였다.(『북사』)

○ 『오지(吳志)』에서 말했다. 오나라[241] 진표(陳表)[242]가 장수가 되었다. 관청 물건을 훔친 자가 몇 명이 있었는데 시명(施明)이란 자만을 잡아 심문하였다. 시명은 본래 건장하고 사나워 죽기를 각오하고 죄를 자백하지 않았다. 정위(廷尉)가 진상이 밝혀지지 않은 옥사[疑獄]로 처리하여 보고하였다. 손권(孫權)[243]이 진표를 시켜 실정을 조사토록 하였다. 진표는 형틀을 벗기고 음식을 대접하고 목욕도 시켜주며 그의 환심을 샀다. 이에 시명은 죄를 자백하고 관련된 무리들을 모두 말하였다. 진표는 이 사실을 위에 보고하여 시명을 석방하고 나머지 무리들을 죽였다.

○ 주나라 세종(世宗)[244]때 고방(高防)[245]이 채주(蔡州)[246]에 부임하였다.

---

240) 유경(柳慶) : 북주(北周) 때 관리. 자 경흥(更興). 상서좌복야(尙書左僕射) 등 역임.
241) 오(吳) : 삼국시대 주요 국가. 손권(孫權)이 세운 나라.
242) 진표(陳表) : 삼국시대 오나라 관리. 자 문오(文奧). 신안도위(新安都尉)·도향후(都鄕侯) 등 역임.
243) 손권(孫權) : 삼국시대 오나라 왕. 자 중모(仲謀).
244) 세종(世宗) : 후주(後周) 2대왕. 폐습을 혁파하고 천하를 통일함.
245) 고방(高防) : 후주·송나라 때 관리. 자 수기(修己). 추밀학사(樞密學士)·상서좌승(尙書左丞) 등 역임.
246) 채주(蔡州) : 하남성 소재.

관내에 왕의(王義)라는 자가 강도를 당하였는데 5명을 체포하여 추궁하고 장물을 찾아내었다. 이미 증거가 확보되어서 사형에 처하려했다. 그러나, 고방은 옥사가 잘못 처결된 것으로 의심했다. 장물을 살펴보고 왕의를 불러 잃어버린 적삼과 바지가 같은 단의 베로 만든 것인지 물었다. 그렇다고 대답하였다. 고방이 장물 천의 길이, 넓고 좁음, 올의 성기고 촘촘함을 비교했지만 같지 않았다. 죄수들이 그제야 비로소 억울하다고 호소하였다. 왜 죄를 자백했는지 묻자 "매를 견딜 수 없어 그저 빨리 죽고 싶었을 따름입니다."라고 했다. 며칠 뒤에 진짜 범인이 잡혔고, 5명은 석방되었다. (『송사』)

○ 송나라 소엽(邵曄)[247]이 봉주[248]녹사(蓬州錄事)에 부임하였다. 당시 양전(楊全)이 봉주 자사로 있었는데 성질이 사납고 경솔하였다. 부민(部民) 13명이 강도죄로 무고 당하여 사형에 처하게 되었다. 소엽이 잘못됨을 알아차리고 다시 조사할 것을 청하였지만 허락하지 않았다. 이내 2명을 처형하고 나머지는 감옥으로 돌려보냈는데 다음날 진짜 도적이 잡혔다.

○ 후당(後唐)[249]때 공순(孔循)[250]이 장원현(長垣縣)[251]에 부임하였다. 큰 도적 4명이 있었는데 자산이 넉넉하였다. 그런데 막상 잡혀온 자는 가난한 민 4명이었다. 세도가와 옥리(獄吏)가 뇌물을 받고 짜 맞춰 옥사를 만들어 심문도 하지 않고 사형을 확정하였다. 공순은 죄수들이 한 마디 말도 없는 것을 의심스럽게 생각하였다. 그러다가 죄수들이 담장을 지날 때마다 자주 머리를 돌리는 것을 보았다. 이에 공순은 실정이 제대로

---

247) 소엽(邵曄) : 송나라 관리. 자 일엽(日葉). 광주 지부(廣州知府) 등 역임.
248) 봉주(蓬州) : 사천성 소재.
249) 후당(後唐) : 오대 때 주요 국가. 돌궐출신 이존욱(李存勗)이 세운 나라.
250) 공순(孔循) : 후당의 관리. 추밀부사(樞密副使)·횡해절도사(橫海節度使) 등 역임.
251) 장원(長垣) : 하남성 소재.

밝혀지지 않았다고 의심하였다. 다시 죄수를 불러 심문하니 실제로 억울한 점이 있었다. 또한 앞장선 옥리가 죄수 목에 씌워진 형구(刑具)를 높이 치켜 올렸기 때문에 말할 수 없었다. 죄수들이 주변 사람들을 물리기를 청하고 사정을 자세히 진술하였다. 곧 큰 도적 4명은 잡혀 처벌되었다. 가난한 민들은 억울함을 씻을 수 있었다.

○ 화몽(和嶸)252)이 오대(五代) 때 일어난 일을 기록하였다.

○『송사』에서 말했다.253) 범정사(范正辭)254)가 강남 전운부사(江南轉運副使)255)에 부임하였다. 요주(饒州)256)에서 도적 떼가 부유한 민들의 재산을 약탈한 사건이 발생하였다. 14명을 체포해서 판결을 받아 사형에 처하게 되었다. 범정사가 그것이 진실이 아님을 눈치채고 다시 심문하였다. 이윽고 진짜 도적 떼의 소재를 고발하는 자가 있어 잡아다 법에 따라 처벌하고 14명은 풀어주었다.

○ 또『송사』에서 말했다.257) 조진(趙積)258)이 익주259) 전운사(益州轉運使)에 부임하였다. 공주(邛州)260) 포강현(浦江縣)에서 강도를 잡다가 놓친 사건이 발생하였다. 관원에서 평민 수십 명을 잡아 가두고 고문하여 강제로

---

252) 화몽(和嶸) : 송나라 학자. 자 현인(顯仁). 아버지 화응(和凝)과 함께『의옥집(疑獄集)』을 펴냄. 숭인현감(崇仁縣監)·지리검원(知理檢院) 등 역임.

253)『송사』권304,「열전(列傳)」63.

254) 범정사(范正辭) : 송나라 관리. 자 직도(直道). 강남전운부사(江南轉運副使)·시어사지잡사(侍御史知雜事) 등 역임.

255) 전운부사(轉運副使) : 각 도의 재부(財賦)를 수도로 옮기는 전운사 밑의 직명.

256) 요주(饒州) : 강서성 소재.

257)『송사』권288,「열전」47.

258) 조진(趙積) : 송나라 관리. 자 단보(單父), 시호 희질(僖質). 이부시랑(吏部侍郎)·예부상서(禮部尙書) 등 역임.

259) 익주(益州) : 사천성 소재.

260) 공주(邛州) : 사천성 소재.

자백을 받았다. 또한 죄인이 진술한 말[供辭]을 맞추니 의심할 데가 없었다. 조진이 그 억울함을 의심하여 사실을 밝히고 평민들을 석방시켰다.

○ 당나라 때 염제미(閻濟美)²⁶¹⁾가 강남²⁶²⁾에 부임하였다. 뱃사람이 삯을 받고 상인의 물건을 실었는데 짐이 매우 많았다. 그 가운데 은(銀) 10정(錠)이 화물 가운데 비밀리에 숨겨져 있었다. 뱃사람이 몰래 엿보았다가 상인이 강기슭으로 올라가자 그 틈을 타서 은을 훔쳐서 배가 정박한 곳의 물속에 감춰두었다. 배가 밤에 출발하여 진(鎭)에 이르자 상인이 화물을 검사하였다. 비로소 은이 없어진 사실을 알게 되었다. 상인이 드디어 뱃사람을 잡아 고소하였다. 염제미가 상인에게 물었다. "당신은 언제 어느 곳에 묵었는가?" 상인이 대답했다. "이곳에서 백 리 떨어진 포구입니다." 염제미가 무사를 시켜 뱃사람과 함께 수색하게 하고, 몰래 무사에게 말했다. "필시 뱃사람이 강물 속에 숨겨두었을 것이다. 너는 노 젓는 사람을 동원하여 갈고리를 물 속에 넣어 끌어 올릴 것이다. 물건이 틀림없이 있을 것이다. 네가 건져내면 후한 상을 주겠다." 무사가 염제미의 명령에 따라 갈고리를 물에 넣자 은상자가 걸려나왔고, 은은 온전하였다. 염제미가 심문하자 뱃사람이 죄를 자백하였다.

○ 당나라 위고(韋皐)²⁶³⁾가 검남(劍南)²⁶⁴⁾에 부임하였다. 어느날 여관에 부자 상인이 묵었는데 재물이 1만(萬)에 이를 정도였다. 그런데 병이 들자 주인이 상인을 독살하고 몰래 재물을 차지하여 부자가 되었다. 위고가

---

261) 염제미(閻濟美) : 당나라 관리. 윤주 자사(潤州刺史)·절서관찰사(浙西觀察使)·공부
　　　상서(工部尙書) 등 역임.

262) 강남(江南) : 절강·복건·강서·호남지역 총칭.

263) 위고(韋皐) : 당나라 덕종(德宗) 때 관리. 자 성무(城武). 동중서문하평장사(同中書門
　　　下平章事)·검교태위(檢校太尉) 등 역임.

264) 검남(劍南) : 사천성 소재.

이 사실을 알아차렸다. 한편 북쪽 지방에서 온 소연(蘇延)이라는 자가 촉(蜀)땅에 장사하러 왔다가 병들어 죽었다는 보고가 들어왔다. 위고가 그 문서를 조사해 보니 이미 여관 주인이 변조하였다. 위고가 그 과정을 캐고 몰래 마을 사람들을 조사하니 진술 내용이 크게 달랐다. 드디어 여관 주인을 조사하고 함께 일하는 자를 심문하자 즉시 승복하였다. 이들이 속여서 감춘 돈이 수천 민(緡)이었으며, 이를 이서 20여 명과 함께 나누어 가졌다. 모두 법에 따라 처벌하도록 명하니 이로부터 검남지방에서 뜻밖에 죽는 나그네가 없게 되었다.

○ 왕촉(王蜀)265)때 허종예(許宗裔)266)가 검주(劍州)267)에 부임하였다. 관내 민들이 도둑을 맞았는데 등불 아래서 얼굴을 알아두었다가 새벽에 고발하였다. 1명을 잡고 보니 장물이라곤 실타래와 명주실 꾸러미뿐이었다. 허종예가 죄수를 끌어내어 심문하자 억울하다고 하소연하면서 말했다. "실타래와 명주실 꾸러미는 제 집 물건입니다." 이는 도둑맞은 사람의 주장과 달랐다. 이에 두 집의 실 감는 물레를 가져다가 실타래로 크기를 비교해 보았다. 죄수 집의 물레바퀴와 지름이 같았다. 또 명주실을 감을 때 그 속으로 무엇을 썼느냐고 물었다. 1명은 살구씨라 하고 다른 1명은 실패라고 하였다. 서로 마주보고 실을 풀어 보니 살구씨가 나왔다. 죄인이 말한 바와 같은 것이기에 도둑맞은 사람이 도둑을 잘못 알아본 죄를 인정하였다.

○ 근세에 무인(武人) 우홍규(禹弘圭)268)가 죽산269) 부사(竹山府使)에

---

265) 왕촉(王蜀) : 당나라 말 왕건(王建)이 세운 전촉(前蜀).
266) 허종예(許宗裔) : 5대10국 전촉(前蜀) 때 관리.
267) 검주(劍州) : 사천성 소재.
268) 우홍규(禹弘圭) : 조선 영조(英祖)대 무인.
269) 죽산(竹山) : 경기도 용인과 안성 소재.

부임하였다. 우홍규가 용인현(龍仁縣)에 갔다가 그 고을에 사는 어떤 자가 소 판 돈 10냥을 옆에 두었다가 도둑맞은 일이 벌어졌다. 소 판 자가 도둑을 쫓아가자 그 자 또한 자기 돈이라고 하였다. 드디어 현 관아에 와서 송사를 하게 되었다. 현령이 물었다. "돈꿰미의 끈을 무엇으로 하였느냐?" 훔친 자는 대답했지만 소 판 자는 말하지 못했다. 이에 훔친 자에게 돈을 내어 주었다. 우홍규가 그것을 보고 의심스럽게 여겨 자신이 처리하겠다고 다시 요청하였다. 그는 두 사람의 사는 곳을 물은 뒤 이들을 따로 가두었다. 비밀리에 사람을 보내 두 사람의 아내를 잡아다가 물었다. 소 판 자의 아내는 남편이 소를 팔러 장에 갔다고 말했다. 훔친 자의 아내는 자기 남편이 빈손으로 장에 갔다고 하였다. 드디어 훔친 자를 심문하여 사실을 알아내자 온 고을이 탄복하였다.

○ 근세 아무개 수령이 △고을에 부임하였다. 어떤 양반 소유 조상의 무덤이 있는 산[先山]에 매우 긴요한 곳에 있었다. 이곳에 다른 사람이 몰래 시체를 매장한 사건이 발생하였다. 범인을 잡지 못하여 감영과 고을에는 그동안 올린 고발장이 계속 쌓여 책을 이룰 정도였다. 아무개 수령이 거짓으로 화를 내며 말했다. "근래 묘지를 쓴 일로 생기는 송사[山訟]는 금지하지 않아도 될 곳을 지나치게 금지하는 데에서 비롯되었다. 실로 오래된 폐단이다." 그 문서를 빼앗아 즉시 불태워 버리고, 양반을 꾸짖어 돌려보냈다. 얼마 뒤에 몰래 장례 지낸 자가 나타나 무덤에 봉분(封墳) 쌓기를 청하였다. 그는 멀리 떨어져 있지 않는 곳에 사는 상민[常漢]이었다. 그를 잡아 가두고, 그 양반을 불러서 상민이 보는 앞에서 무덤을 파가게 하였다.

항통법(缿筒法)

○ 관장은 여러 정령(政令)을 모두 잘 처리할 수 없다. 그렇다고 해서 외부 사람이 올바르게 간언하지도 못하니 스스로 살피지 않는다면 간사한 이서배가 혹 중간에서 멋대로 일을 처리하게 된다. 그렇게 되면 비록 민의 원망이 날마다 발생해도 집무실[黃堂] 깊숙이 거처하고 있기 때문에 들어서 파악할 도리가 없다. 결국 망측한 욕을 당하는 경우가 많이 발생하였다. 그렇다고 사인(私人)을 보내 탐문하려 해도 자세히 알 수 없다. 오히려 민들이 의심하며 "사인을 보내 남의 사정을 몰래 알아내려고 하니 돈을 바쳐야 할 것 같다."라고 비방할 것이다. 혹 다른 지역 사람을 이용하여 몰래 알아내는 것도 역시 폐단이 없을 수 없다. 옛사람들이 사용했던 항통법을 쓰는 것보다 더 좋은 방법이 없다. 항통법으로 민간에서 발생하는 여러 폐단과 관정(官政)의 득실을 자세히 알아보고, 때에 맞게 처리하는 것이 훨씬 좋은 방법이다.

○ 이른바 항통은 혹 작은 병이나 혹 대나무 통 등 얻기 쉬운 재료로 만들어 사용한다. 항통은 굳게 밀봉하고 겉에 작은 종이가 겨우 들어갈 만한 구멍을 내며, 또한 밖에서 꺼낼 수 없도록 한다. 이렇게 만든 항통을 각 면(面)의 규모를 고려하여 1, 2개 혹은 2, 3개를 보내되 이장(吏長)에게

서로 전하여 마을에 달게 하고, 한 달이 지난 뒤 항통을 거두어 열어
본다.

○ 관정(官政)에 혹 잘못된 점이 있으면 즉각 고쳐야 할 것이다. 고치지
못한 민폐가 있으면 즉시 바로 잡는다. 그 가운데 혹 사사로운 원한으로
무고하는 내용도 있다. 이 또한 그대로 믿어서도 안 된다.

○ 관리의 이름이 항통에 들어 있다면 그들을 잡아들여 분부해야 할
것이다. "너희들은 무슨 침탈의 폐해를 저질렀기에 항통 가운데 이름이
들어 있는가? 이후로도 이와 같이 이름이 들어 있으면 허와 실을 묻지
않고 엄하게 다스릴 것이다." 이렇게 말한다면 간사한 이서들은 민을 호랑
이처럼 두려워하여 감히 멋대로 침탈할 생각을 갖지 못할 것이다.

○ 양반의 이름이 항통에 들어 있다면 즉시 면임(面任)¹⁾에게 전령(傳令)을
보내야 할 것이다. "본 면(面)의 아무개 성(姓)을 가진 양반의 이름이 항통에
많이 들어 있다. 과연 이 사람이 아무개 누구이며, 진짜 법을 어긴 일이
있는가? 상세히 조사하여 보고하고, 죄를 다스릴 수 있는 증거를 확보하라."
이렇게 전령을 보내면 면임이 감히 이름을 적어 서류로 보고하지 못하고
단지 알지 못한다고 보고할 것이다. 그러나 양반은 스스로 두려워하여
위축될 것이고, 간사한 이서들은 그 지역의 지배세력들과 함께 농간을
부리지 못할 것이다.

○ 도적의 이름이 항통에 들어 있다면 즉시 본 동(洞)에게 명백히 조사하
게 한다. 그러면 도적에 대한 근심이 저절로 없어질 것이고 민폐 역시
제거될 것이다. 이것이야말로 민을 다스리는 한 가지 방도이다.

○ 달마다 항통을 내려 보내면 폐단이 없어지지 않을 것이다. 부임

---

1) 면임(面任) : 수령을 도와 면에서 공공사무를 수행하던 직임. 풍헌(風憲)·약정(約
正)·존위(尊位)·권농(勸農)·집강(執綱)·도유사(都有司) 등으로 불림.

초에 2, 3차례 연속해서 보내서 그 지역의 풍토와 민속이 어떤지를 자세히
살피고 그 뒤에 1년에 2, 3차례만 보내는 것이 좋을 것이다.

함부로 소나무 베는 일을 금지하는 절목들[禁松作契節目]

○ 하나, 국가가 각 읍에서 함부로 소나무 베는 일을 금지하기 위해 거듭 훈계한 적이 한두 번이 아니다. 때문에 본 현(縣)의 대소(大小) 민인들도 소나무 베는 일을 엄격히 금지하고 있음을 잘 알고 있다. 하지만 만일 절목을 반포하지 않는다면 어리석은 민 가운데 법에 어두운 자가 죄를 짓게 되는 경우가 생길 것이다. 또한 교활한 이서들이 금지하는 법을 악용하여 간사한 짓을 꾸밀 것이다. 이 때문에 절목을 조항 별로 반포하여 대소 민인들이 그대로 따라 행하도록 한다.

○ 하나, 금지하는 법령을 늦추거나 급히 하는 데에서 폐단이 생긴다. 소나무를 기르는 일은 이용후생(利用厚生)과 관련된 것이다. 관(官)에서 엄히 금지하려 한다면 부정을 적발해야 하며, 그런 뒤에야 법을 어겨 소나무를 베었는지의 여부를 파악할 수 있다. 그러나 부정을 적발하는 조치를 취하면 시끄러워져 폐단이 야기된다. 때문에 각 동(洞)에서는 경계를 나누어 정하고 '금송계(禁松契)'를 결성하여 각각의 동리(洞里)에서 자발적으로 벌목을 금지하고 소나무를 잘 기르는데 힘쓰게 한다.

○ 하나, 각각의 동리에서는 일 처리에 밝은 2명을 뽑아 도유사(都有司)로 삼되 1년마다 교체한다. 집이 들어앉은[家坐] 순서에 따라 매일 산을 순찰할 2명을 차례로 정한다. 나누어진 경계가 넓으면 1명을 추가하였다.

○ 하나, 산지기[山直]는 민들이 고통스러워서 피하려는 역(役)이다. 때문에 역을 여러 달에 걸쳐 수행하도록 편파적으로 정해놓고, 뇌물을 써서 역을 면하는 폐단을 야기해서는 안 된다. 마치 서울에서 좌경(坐更)[1]하는 법과 같이 집이 들어앉는 계(契)의 순서에 따라 남정(男丁)의 수를 돌아가며 배정해야 한다. 그렇게 산지기가 정해지면 산을 순찰하여 소나무를 함부로 베는 자를 관가에 잡아들인다. 이로써 죄의 무겁고 가벼움을 헤아려 벌 주는 근거로 삼아야 한다.

○ 하나, 각 동리의 나누어진 경계는 종전의 동리 경계에 의거하여 시행하고, 각 동리가 벌목을 금지하는 구획을 나누어 맡도록 한다.

○ 하나, 사대부 집안의 산소 금양처(山所禁養處)와 각 가문의 묘지기와 권찰(權察)[2]의 묘호(墓戶)도 또한 계(契)에 포함시킨다.

○ 하나, 양반 묘소의 소나무를 본주인이 자른 경우라도 금령을 위반한 것으로 처리한다.

○ 하나, 산택(山澤)은 본주인에게 맡겨서 관리하고 벌목하게 한다. 예전부터 개인적으로 기르던 것들을 각 이(里)의 금송계(禁松契)에 포함시킨다. 관할하는 경계 내에서 1년초(草) 이외의 것을 함부로 베는 것은 절대로 금지한다. 산 전체가 황폐화 되는 폐단을 막아야 한다.

○ 하나, 산사(山寺)가 있는 곳에서도 역시 경계를 정해서 각 절의 스님을 시켜 각자 임무를 정하여 벌목을 금지하되, 일체 동리의 규약에 의거하여

---

1) 좌경(坐更) : 궁중의 보루각(報漏閣)에서 밤에 징과 북을 쳐서 시간을 알리는 일.
2) 권찰(權察) : 특정 임무를 살피는 임시 관직.

거행한다.

○ 하나, 각 이(里)에서는 과부[끔史]와 환자를 제외한 모든 가호(家戶)를 위치한 순서에 따라 계의 명단[契案]을 정비하고, 관(官)에서 나누어준 절목을 베껴 그 달 그믐까지 관에 바치게 해서 이(里) 이름 위에 도장을 찍어준다.

○ 큰 소나무, 중간 크기 소나무, 작은 소나무를 함부로 베는 자를 처벌하는 법률이 엄중하다. 그런데도 지금 촌민들이 풀줄기처럼 여겨 멋대로 베고 있다. 벌레가 갉아먹는 피해뿐만 아니라 날마다 도끼질 당하고 있다. 사람들에게 처벌규칙을 잘 알도록 한다.

○ 하나, 심어 놓은 어린 소나무를 벤 자는 매 1그루에 태(台) 10대로 벌하고, 6그루 이상은 위에 보고하고 다스린다.

○ 하나, 자생하는 어린 소나무를 벤 자는 1그루에 태 50대로 벌하고, 2그루 이상은 위에 보고하고 다스린다.

○ 하나, 자생하는 작은 소나무를 벤 자는 1그루 이상이면 위에 보고하고 다스린다.

○ 하나, 중간 크기 소나무와 큰 소나무는 살았든 죽었든 간에 1그루를 벤 자는 잡아 가두고 위에 보고한다. 소나무 가지를 꺾은 자는 1짐에 태 20대, 3짐 이상은 위에 보고하고 다스린다.

○ 하나, 소나무를 사용하여 울타리를 두르고 다리를 수리하며 물길을 막은 자는 소나무를 벤 자로 간주하여 죄를 논하고 다스린다.

○ 하나, 다른 계(契)에서 경계를 넘어 와서 소나무를 벤 자는 본 동 사람들이 모를 리가 없다. 발견되는 데로 잡아들여 다스리며, 소나무를 벤 자가 거처하는 이(里)의 담당자도 함께 처벌한다.

○ 하나, 1년이 지나도록 경계 내에 소나무 모종이 잘 자라나지 않은

것이 많을 때에는 해당 계의 도유사의 죄를 무겁게 논하여 다스린다.

　○ 하나, 도유사가 교체될 때 새로 뽑힌 담당 관리[有司]와 함께 소나무 뿌리의 유무를 살펴서 장부에 기록한다. 서로 수기(手記)를 교부하여 전·후 임자 사이에 자신의 책임을 미루는 폐단을 제거한다.

　○ 하나, 소나무를 함부로 베지 못하게 하는 정책은 민들을 이롭게 하려는 것이다. 관에서 별도의 소임을 정해서 벌목을 금지하게 한다면 직임을 빙자하여 소란을 일으킬 것이다. 이렇게 되면 이로운 혜택이 미치기도 전에 근심과 해로움이 먼저 생기는 폐단이 발생한다. 지금 각 동리에 계를 결성하게 하는 뜻이 여기에 있다. 각 계에서 소임을 맡은 사람들은 이 같은 뜻을 유념하면서 거행하도록 한다.

　○ 하나, 금지하는 법령은 법령이 발효되기 이전과 이후를 잘 분간하여 시행해야 한다. 절목들이 반포된 뒤에도 소나무를 함부로 베어 법령을 범한 자가 있으면 발견하는 데로 죄를 묻고 다스려야 한다. 하지만 직임을 맡은 자들이 법령이 발효되기 이전의 일로 민들을 협박하여 술과 음식 접대를 받고, 뇌물을 받는다면 무거운 형률로 처벌해야 한다. 이점을 유념하고 시행하라.

　○ 하나, 후미진 곳에 위치한 마을과 깊은 산중에 있는 마을일지라도 관에서 직접 부정한 정황을 적발했거나, 다른 일로 인해 드러나 적발했거나, 혹 소나무 뿌리를 벤 흔적이나, 혹 가지를 잘라 간 흔적이 있어 적발한 경우 그렇게 한 범인은 법률에 의거하여 처벌한다. 해당 마을의 담당 관리[有司]와 산지기도 처벌한다.

때에 알맞은 조치[時措]

1. 어진 정치를 행함[爲政章]

○ 고려(高麗) 현종(顯宗)[1] 9년(1018)에 주(州)와 부(府)의 관원(官員)들이 받들어 거행할 6가지 조항을 정하였다. 첫째, 민의 질병과 고통을 살핀다. 둘째, 지방 향리[長吏][2]의 능력 여부를 살핀다. 셋째, 도둑의 간특하고 교활함을 살핀다. 넷째, 민이 금령(禁令)을 범하는지를 살핀다. 다섯째, 민의 효제(孝悌)와 청렴하고 결백함을 살핀다. 여섯째, 아전이 돈과 곡식을 멋대로 하여 손실을 냈는지 살핀다.[3]

우왕(禑王)[4] 원년(1375)에 수령의 업무성적 평가법[考績法][5] 5가지를 교서(敎書)로 내려 보냈다. 그것은 농토 개간, 호구 증가, 부역 균평, 소송[詞

---

1) 현종(顯宗, 992~1031) : 고려 8대 왕. 군현제를 강화, 왕권을 바탕으로 한 중앙집권적 정치체제 확립.
2) 장리(長吏) : 고려시대 외관(外官)을 보조하여 지방 행정의 말단을 담당한 향리층. 외리(外吏).
3) 『고려사』 권75, 「지(志)」제29 '선거(選擧)3 : 전주(銓注)'.
4) 우왕(禑王, 1364~1389) : 고려 32대 왕.
5) 고적법(考績法) : 고적출척지법(考績出陟之法). 관원과 이속(吏屬)의 근무성적을 평가하여 인사에 반영하는 법규.

訟] 간략, 도적 제거였다.6) 창왕(昌王)7)이 즉위하자(1388) 조준(趙浚)8)이 상소를 올려 농토 개간, 호구 증가, 소송 간략, 부역 균평, 학교 번성[興隆] 등 5가지 일로써 주(州)와 군(郡)을 순찰하여 수령을 파면하거나 승진시키는 근본으로 삼자고 했다.

조선시대 들어서『경국대전(經國大典)』9)에는 2개가 늘어나 7가지로 되었다. 농사와 양잠 증대, 호구 증가, 학교 번성, 군정(軍政) 정비, 부역 균평, 소송 간략, 간사함 제거 등이었다.10) 고려의 제도에 비교하여 훨씬 자세해졌다. 수령은 항상 7가지 일을 몸으로 익히고 유념해야 한다.

○ 한 나라의 흥망은 민들의 기쁨과 근심에 달려 있고, 민들이 기뻐하거나 근심하는 것은 수령이 어질고 어질지 못한 데에 달려 있다. 그런데 조정(朝廷)으로부터 수령에 임명되어 고을 다스리는 책임을 맡았는데 어찌 습속에 얽매여 옛날 '순(循)'·'양(良)'의 다스림을 생각하지 않는가? 법도를 따르고 기이함을 숭상하지 않는 것을 '순(循)'이라고 하고, 자애롭고 어질며, 간편하여 번거로움과 가혹함을 일삼지 않는 것을 '양(良)'이라고 한다. 이 2글자의 뜻을 알고 정치를 행한다면 생각하여 얻은 바가 많을 것이다.

○ 물을 잘 관리하는 자는 물길을 내어 순탄하게 흐르게 하고, 교화를 잘하는 자는 민을 어루만져 진정시킨다. 물이 순탄하게 흐르면 제방이

---

6)『고려사』권75,「지」제29 '선거3 : 전주'.

7) 창왕(昌王, 1380~1389) : 고려 33대 왕. 우왕의 아들. 이성계 등에 의해 폐위되어 살해됨.

8) 조준(趙浚, 1346~1405) : 본관 평양, 자 명중(明仲), 호 병재(兵齋)·송당(松堂). 조선 건국에 공을 세움. 판문하부사(判門下府使)·영의정부사(領議政府使) 등 역임.

9) 경국대전(經國大典) :『경제육전(經濟六典)』의 원전(原典)과 속전(續典), 그 뒤의 법령을 종합하여 만든 통일 법전. 편제와 내용은 이(吏)·호(戶)·예(禮)·병(兵)·형(刑)·공(工)의 순서로 되어 있고, 각 전마다 필요한 항목으로 분류하여 규정함.

10)『경국대전』「이전(吏典)」 '고과(考課)'.

무너질 염려가 없으며, 민이 진정되면 법[憲章]을 어기지 않는다. 그러므로 나쁜 습속을 고쳐 좋은 방향으로 개선하고, 민들이 가르침에 복종하여 의(義)에 따르는 것은 수령이 밝게 살펴서 그렇게 된 것이 아니라 '순(循)'·'양(良)'에 바탕했기 때문이다.

○ 충성과 공정, 청렴과 근면, 삼가함, 이상 5가지는 수령으로 갖추어야할 지극히 중요한 덕목이다. 충성스러우면 나라를 배신하지 않고, 공정하면 사사로움에 따르지 않고, 청렴하면 마음이 편안하고, 근면하면 일을 잘 분변하고, 삼가 함이 있으면 몸가짐과 일처리가 망령되지 않게 될 것이다.

○ 잘 다스리기 위해서는 세속의 실정을 잘 알아야 한다. 지금 세속에는 3종류의 수령이 있다. 첫째 세력 있는 수령[勢吏], 둘째 능력 있는 수령[能吏], 셋째 탐욕스러운 수령[貪吏]이다. 세력 있는 수령이란 어떤 자인가? 세력을 배경으로 권력을 믿고 모든 일을 자기 멋대로 조종해도 관찰사는 입을 다물고 암행어사는 종적을 감추고 만다. 이에 세력 있는 수령은 감세(減稅)와 방역(防役)[11]문제에 있어서 혹 능력을 발휘하여 명예를 얻기도 한다. 능력 있는 수령이란 어떤 자인가? 임금의 총애를 받는 권세가를 잘 섬기고 재능을 뽐내어 없는 것을 있는 것으로 만들어낼 수 있고, 동쪽을 깨서 서쪽을 보충할 수 있어서 한결같이 명예를 얻는데 뜻을 둔다. 탐욕스러운 수령이란 어떤 자인가? 교묘하게 명목을 만들어서 온갖 방법으로 민을 침탈하고 이익을 추구하여 자신만을 살찌우는데 전념한다.

세력 있는 수령은 할 수 없고, 능력 있는 수령은 해서는 안 되며, 탐욕스러운 수령은 차마 할 수 없다. 세력이 없기 때문에 조심스럽게 법을 지키고, 현란한 능력이 없기 때문에 본분을 지키며, 탐욕이 없기 때문에 청렴해야 한다. 삼가하고, 본분을 지키고, 청렴한 것, 이 3가지가 선비의 본 모습이

11) 방역(防役) : 곡식을 바치고 입역(立役)을 면제받는 일.

아니겠는가?

○ 부임해서 다스리게 될 때에는 전임자의 치적을 고려하여 민을 풀어주거나 조여야 한다. 어짐과 사나움, 청렴과 탐욕, 너그러움과 엄격함을 이전의 정치에 따라 주의하여 본받을 것이다. 옛날 한연수[12]가 영천 태수에 부임하였다. 그는 전임자였던 조광한[13]이 붕당을 없애려다가 민들끼리 서로 원수지게 만든데 비해[14] 지혜롭게 대처하여 화평하게 만들었다. 한연수의 뒤를 이어 황패[15]가 예의를 지켜 사양하는 아름다운 풍속을 잘 따라서 전과 다름이 없이 잘 통치하였다. 가장 본받을 만한 사례이다. 그러나 전임자와 교대할 때 친분 또한 중요하다. 비록 잘못된 일이 있더라도 상황에 따라 고치되 흔적이 남지 않게 한다. 또한 그 단점을 들추어내어 자신의 능력으로 삼아서는 안 된다.

○ 모든 정령(政令)과 관련된 것은 먼저 강령을 이해하는 데 있다. 그런 뒤에야 자연히 정신이 집중되고 여유가 생겨서 일마다 잘 처리할 수 있다. 그러므로 옛사람이 말했다. "사람들에게 규구(規矩)[16]를 줄 수 있어도 잘 다루는 솜씨는 가르쳐 줄 수 없다."[17] 지금 여기서 제시한 별도의 법 가운데 허다하게 나열된 말들은 규구의 방도에 불과하다. '교(巧)' 한 글자는 시행하는 자가 어떻게 임시변통하여 사용하는지에 달려 있다. 법이 아무리 좋아도 잘못 사용하면 효력이 없을 뿐 아니라 폐단이 발생한다. 따라서

---

12) 한연수(韓延壽) : 한나라 관리. 자 장공(長公). 영천 태수(潁州太守) 등 역임.
13) 조광한(趙光漢) : 한나라 관리. 자 자도(子都). 경조 윤 등 역임.
14) 조광한은 무리짓고 편가르는 폐습을 없애기 위해서 이민들을 모아놓고 서로 고발하게 했다. 그러나 이로 인해 원수가 된 자들이 늘어남.
15) 황패(黃覇) : 한나라 관리. 자 차공(次公). 승상(丞相) 등 역임.
16) 규구(規矩) : 지름이나 선의 거리를 재는 도구.
17) 『맹자』「진심(盡心)」하.

편의에 따라 참작하여 사용하되, 혹 별도의 법만을 편중되게 믿다가 폐단이
발생하지 않게 해야 한다. 이른바 강령의 법이란 청렴하고 결백함이 으뜸이
고, 삼가고 신중함이 그 다음이며, 사건의 본말을 종합하여 자세히 밝히는
것과 씀씀이를 억제하고 절약하는 것이 3번째이다. 장부 결재는 그 밖의
일이다. 밤낮으로 생각해야 할 일은 '위에서 덜어내어 아래에 보태준다
[損上益下]'와 '재물을 흩어서 은혜 베푸[散財爲惠]'는 정치를 급선무로
삼는다. 또 고을의 등급이 각각 다르고 민의 정서가 옛 풍속을 편안하게
여긴다. 때문에 매사에 먼저 앞선 사례를 묻고, 크게 잘못된 일이 아니면
그대로 실행해야 할 것이다. 그 가운데 혹 몰래 횡령하는 짓은 행해서는
안 되므로 즉시 고쳐 없앤다. 그밖에 자신에게 이롭다고 판단되는 일들은
단 칼에 베어버린다. 의복과 음식에 관한한 태수임을 자처하지 말고, 항상
평생 가난한 서생으로서 옛 모습을 잊지 않아야 한다. 마음이 흔들리거나
빼앗기지 않고 일을 처리할 때도 공명정대해야 한 고을의 일을 잘 처리할
수 있다.

○ 수령이 지켜야 할 것은 청렴함과 근면함밖에 없다. 청렴함이란 내
분수 안의 일이지만, 사람들과 얽히고 형세에 몰리게 되면 점차 자유로울
수 없다. 평소 가난했던 자는 처자식의 울부짖음이 있고, 부유한 자는
입을 만족시키고 몸을 기르려는 욕구가 있다. 좋은 평판을 바란다면 잘
대접해서 손님들을 즐겁게 하고, 결탁에 힘쓴다면 뇌물을 많이 줘서 서로
통하려 할 것이다. 심한 경우 자식을 시집 장가보낼 때 비단 자루와 돈궤가
오갈 것이다. 이렇게 되면 비록 청렴하려 해도 그렇게 할 수 없다. 때문에
중요한 것은 검소함을 숭상하는 일이다. 민을 다스릴 때도 집에 있을
때처럼 하고, 관청의 재물을 쓸 때에도 자기의 재물을 쓰는 것처럼 아껴
써야 한다.

　한편 근면함은 직책을 맡았으면 당연히 그렇게 해야 할 일이다. 하지만 수령의 총명은 한정된 반면 일은 끝이 없기 때문에 수령 자신의 정신을 다해서 모든 간특함을 막아내는 일은 쉽지 않다. 게다가 술과 여색을 즐기며, 시나 짓고 바둑이나 둔다면 소송은 더욱 지체되고, 사무는 더욱 번잡해진다. 이러한 상황에서 이서배들이 문서를 갖추어 오고 나서야 비로소 머리를 숙여 결재하니 끝내 구차해질 뿐이다. 이것은 마음을 맑게 하고, 새벽에 일어나서 정사를 처리하는 것만 못하다. 그러기 위해서는 술과 여색으로 자신을 피곤하게 만들어서는 안되며, 질펀하게 노는 일로써 자신을 해롭게 해서도 안 된다. 또한 어떤 일을 해결해야 하는지, 어떤 서류를 보고해야 하는지, 어떤 부세를 마련해야 하는지, 어떤 애로사안을 해결해야 할지 그때그때 살펴서 신속히 처리해야 한다. 내일을 기다리라고 말하지 않는다면 처리되지 않을 일이 없을 것이며, 내 마음도 편안해질 것이다.

　○ 요즘 들어 명분이 문란해지고 상하가 서로를 해친다. 풍속이 날로 나쁘게 변하고 나라의 명맥[國脈]이 점점 깎여 나가는 것은 이로부터 연유한다. 그런데 한 부류의 사람들이 '강자를 누르고 약자를 도와준다[抑强扶弱]'는 말을 만들어냈다. 이는 잘못된 일을 바로잡아 정상으로 돌리는 것과는 거리가 있다. 그들은 항상 귀한 자가 천한 자를 학대하고, 윗사람이 아랫사람을 침해한다는 것만 염려하고, 천한 자가 귀한 자를 능멸하고 아랫사람이 윗사람을 해롭게 한다는 것은 근심하지 않는다. 이 같은 폐해는 흙으로 만든 산이 무너지고 기와가 깨지는 것과 같은 상황을 초래하여 끝내 수습할 수 없을 것이다.

　○ 오늘날 국가가 안정된 지도 오래되었다. 번창하면 가운데가 막히고 법이 오래되면 폐단이 생긴다. 관장은 당장에 문제가 없는 것을 편안히

여기고 민들은 훔치거나 게으른 데에 익숙하다. 따라서 잘 다스리고자
하는 자는 자산18)이 정나라를 다스리고 공명19)이 촉나라를 다스렸던 법을
우선시해야 마땅함을 얻을 것이다.

○ 수령에 임명된 뒤에 먼저 부임할 곳을 방문한다. 이때 관할지역의
넓이[幅員]가 얼마이고 【면(面)·촌의 수, 사방도로의 거리】 전결(田結)은 얼마이
며, 【실전(實田)·잡탈(雜頉)20)은 얼마】 가호(家戶)는 얼마인지. 【양반·상호(常戶)
는 얼마】 군졸이 얼마이고, 【번군(番軍)·정군(正軍)·아병(牙兵)·속오군(束伍軍)21)·
보인(保人)22)이 얼마】 전곡(錢穀)이 얼마이며 비용은 얼마인지. 창고는 어느
면(面)에 있고, 환자곡(還上穀)은 △석이며, 이노(吏奴)가 △명인지. 옥수(獄
囚)가 △명이고, 진상(進上)은 △건이며, 봉록(俸祿)이 △곡인지. 요새[關防]
는 어느 곳이고, 【진량(津梁)·험애(險隘)·봉대(烽臺)가 몇】 시장이 어느 곳에
있으며, 학궁(學宮)은 어느 구역에 있는지. 【서원·강당이 몇】 신단(神壇)은
△곳이고, 【사직(社稷)·여단(厲壇)23)·서낭[城隍] 및 기타 기도처】 절은 △곳이며,
【승니(僧尼)가 △명, 응세(應稅)가 △】 역원(驛院)이 △곳인지. 【역졸(驛卒)이 △명,
역마(驛馬)가 △마리, 주막이 △개란 것도 포함됨】 경계는 어느 군과 접해 있으
며, 민들은 어떤 업종에 익숙한지. 【혹 농업 혹 공업 혹 상업】 곡식은 어떤
종자가 적합하고, 【혹 답곡(畓穀) 혹 전곡(田穀)】 토질은 무슨 물종이 알맞은지.

---

18) 자산(子産) : 춘추시대 정나라 정치가. 성명 공손교(公孫僑), 자 자산.

19) 공명(孔明) : 삼국시대 촉나라 정치가. 성명 제갈량. 자 공명.

20) 잡탈(雜頉) : 공식적으로 국역이 면제되는 사유 이외의 잡다한 이유.

21) 속오군(束伍軍) : 임진왜란 중에 군역이 없는 양인, 천인 장정을 지방단위로 편제하
여 평상시에는 훈련을 받고 유사시에는 동원되도록 조직한 지방군.

22) 보인(保人) : 정군(正軍)으로 번상(番上)한 집의 가족을 재정적으로 도우는 비번자
(非番者).

23) 여단(厲壇) : 여제를 올리는 제단. 여귀는 돌림병에 죽거나 제사를 받지 못하는
귀신.

【혹 상(桑)·마(麻)·지(紙)·면(綿) 혹 산골짜기에서 나는 물산[峽産] 혹 해산물[海錯] 혹 과목(果木)】 폐단이 있는데 고쳐지지 않은 것은 무슨 법이고, 송사 가운데 해결되지 않은 것은 어떤 사건인지를 하나하나 그 고을 이서배들과 전임자에게 상세히 묻고 폐단을 고쳐서 민을 편안하게 해줘야 한다. 그렇게 하기 위해서는 무엇보다 주도면밀하게 방법을 생각해야 한다. 관가의 음식 맛이 좋은지 나쁜지, 관용(官用)의 많고 적은지에 대해서는 일체 입에 올리지 않는다. 또 이런 생각들이 마음속에 싹트지 않게 한다. 그런 뒤에야 유학(儒學)의 가르침을 저버리지 않을 것이며, 사대부의 풍모와 뜻도 잃지 않을 것이다.

○ 정치는 너그럽게 해야 하지만 너그러움이 지나치면 해이해지기 쉽다. 정치는 엄격해야 하지만 엄격함이 지나치면 포학하게 된다. 따라서 너그럽되 해이하지 않고, 엄격하되 포학하지 않은 뒤에야 일을 이룰 수 있다. 이 같은 원칙들은 일을 처리하고 다른 사람들과 접할 때 체험하게 될 것이다.

2. 정사를 살피는 몸가짐[持身章]

○ 수령은 먼저 자신의 몸을 수양해야 한다. 몸을 닦지 않으면 여러 기강이 해이해진다. 몸을 닦을 땐 무엇보다 먼저 욕심을 버려야 하고, 폐정(弊政) 개혁을 민을 사랑하는 으뜸으로 삼아야 한다.

○ 수령이 너무 강건하면 꺾이고, 너무 부드러우면 일이 제대로 안되기 때문에 강건함과 부드러움을 알맞게 사용해야만 민을 다스릴 수 있다. 사람의 기질이 같지 않기 때문에 지나치게 강건한 자는 항상 부드러움으로 구제하고, 지나치게 부드러운 자는 항상 강건함으로 제재해야 한다. 사씨(謝

氏)²⁴⁾가 말했다. "성질이 편벽되어 극복하기 어려운 곳을 먼저 극복해야
한다."²⁵⁾ 이 일은 일마다 성찰한 뒤에 달성할 수 있다. 평소에 함양공부가
부족하면 근본도 견고하지 못하고, 성찰공부도 중간에 끊어질 것이다.

○ 중궁(仲弓)은 마음이 너그럽고 도량이 크며 간략하고 중후(重厚)했다.
때문에 공자가 말했다. "군왕의 자리에 앉을 만하다."²⁶⁾ 너그러우면 많은
사람을 얻을 수 있고, 도량이 넓으면 사람들을 포용할 수 있다. 간략하면
일을 번거롭게 처리하지 않고, 중후하면 행동을 함부로 하지 않았다. 이것이
사람을 다스릴 수 있는 근거가 된다.

○ 공사(公事)를 돌보고 남은 시간이 있으면 독서를 통해 의리를 강구(講
究)하거나 혹 문서[文案]를 열람하여 옥송(獄訟)의 실정과 전곡(錢穀)의
지출 및 용도를 살핀다. 바쁜 가운데도 틈을 내어 즐기고 노는 데에 마음을
써서 방탕해져서는 안 된다.

○ 수령은 관의 사무를 급선무로 삼아 이를 처결하는 데 마음을 써야한다.
즐겁게 놀며 시나 읊조리는 일이 비록 맑은 풍치이지만, 역시 잘 헤아려
처리하라. 요즘 문장가나 혹은 고위관료 출신 수령 가운데 일을 제대로
처리하지 못하면서 수령의 정치로 마음 쓸 필요가 없다고 하거나 비천한
일은 돌볼 필요가 없다고 한다. 이렇게 정사를 돌보는 데에 소홀하니
도대체 무슨 마음인가?

○ 음식은 배부르기만 하면 되고 옷은 몸만 가리면 되며, 처자식과
노복들은 춥고 배고픔만 벗어나면 된다. 수령은 자신을 받드는 일을 가볍게

---

24) 사씨(謝氏) : 송나라 학자 사량좌(謝良佐). 자 현도(顯道). 정호(程顥)의 제자. 심학의
    선구자.
25) 『논어』 「안연」.
26) 『논어』 「옹야」.

해야 민들에게 혜택이 미칠 수 있으며, 자기 가족을 살찌우는 일을 늦추어야 민을 위할 수 있다. 국가가 당신을 수령으로 선택하여 권력을 위임한 것은 민을 잘 다스리기 위해서이다. 그런데 지금 관가의 물건으로 자기 집안[私家]을 경영하고, 민으로 하여금 자신을 받들게 하고, 나머지 일에 대해서는 모른다고 하면 이것을 과연 충성이라 하겠는가? 그러므로 수령은 청렴한 뒤에야 민들에게 죄를 짓지 않을 것이고, 충신도 될 수 있다.

○ 관아의 음식은 쓸데없이 그릇 수만 늘려서 풍성하게 만들어서는 안 된다. 세상에서 넉넉하게 자신을 봉양하는 자는 관장으로서 체면치레를 하지 않을 수 없다고 한다. 하지만 이는 잘못된 습속이다.

○ 여색은 반드시 몸을 망치게 하며, 말 역시 자기를 해칠 수 있다. 때문에 이 2가지는 옛날 사람들도 깊이 경계하였다. 또 읍비(邑婢)와 몰래 간통하는 일은 국법27)에서도 금하였는데 근래의 수령들은 거리낌 없이 행하고 있다. 또한 총애하는 첩에게 뇌물 주는 행위가 공공연히 행해져서 이서[吏任]들의 등용여부[黜陟]와 옥송(獄訟)의 승소·패소 여부가 여기서 결정된다. 참으로 통탄스럽고 근심스러울 뿐이다.

○ 마음을 황폐하게 만들고 일을 망치는 것 가운데 술보다 심한 것이 없다. 항상 술을 경계하고 손님과 친구들이 술을 마시자고 해도 함부로 마셔서는 안 된다.

○ 가족들이 거주하는 곳[內衙]의 노비들은 절대 외부 사람들과 서로 통하게 해서는 안 된다. 이를 어길 경우 엄중히 다스려야 한다. 사람의 마음이 편안하면 간특함이 생기고 수고로워야 공경하는 마음이 생긴다. 상민(常民)의 마음은 본래 뜻이 정해져 있지 않다. 때문에 마음 편히 거처하면서 일이 없거나 오래 되어 편안하고 즐거우면 남자는 싸우고, 여자는

---

27)『경국대전』「형전(刑典)」‘추단(推斷)’.

음란해지는 폐단이 많이 발생한다. 이를 없애기 위해서는 처소의 노비에게 정해진 일을 주어 한가롭게 노는 일이 없도록 해야 한다.

○ 관아 소속 사인(私人)으로서 정사에 간여한 자가 있으면 작은 일이라면 꾸짖고, 큰일이면 쫓아낸다. (하지만) 공의(公義)와 사정(私情) 2가지가 잘 행해지도록 해야 할 것이다. 공자는 말했다. "사람으로서 인(仁)하지 못한 것을 너무 심히 미워해도 난(亂)을 일으킨다."[28]

○ 수령이 식솔을 지나치게 많이 거느리고 다니는 것은 국법에서도 금지하였다. 대동법(大同法)[29]이 시행되기 전에는 수령의 봉급[月俸]이 없었기 때문에 자제들을 많이 거느리고 다녔고, 관사(官舍)를 어지럽히는 의리에 맞지 않은 상황이 발생했다. 지금은 봉급이 지급되어 부모를 섬기고 자식을 기를 수 있다. 따라서 가족을 데리고 다니는 것도 괜찮지만 그래도 형세를 고려하여 처신해야 한다. 그러나 시집간 딸을 거느리고 가는 일은 금지하고 있으며, 형제의 처와 자매 중 출가한 자도 금하고 있는데 하물며 다른 사람은 어떻겠는가?

○ 부모님을 봉양하는 음식 이외에 비루하게 자신을 살찌우는 일은 없애야 한다. 또한 일을 거행할 때 일체 사사로운 정에 이끌려서는 안 되기 때문에 외부사람을 절대 안으로 들여서는 안 된다. 또한 관아의 딸린 식솔들이 먹는 음식은 매달 초하루에 계산해서 구입하고, 스스로 장만하도록 엄하게 명(命)한다.

○ 명나라 태조(太祖)[30]가 여러 신하들에게 타일러 가르쳤다[諭示]. "관

---

28) 『논어』「태백(泰伯)」.

29) 대동법(大同法) : 공납(貢納)을 폐지하고 전결(田結) 1결당 쌀 12두를 거두는 제도. 광해군대 경기도를 시작으로 숙종(肅宗)대 이르러 황해도까지 확대 실시됨.

30) 태조(太祖) : 명나라의 제1대 황제인 홍무제(洪武帝, 1328~1398). 본명 주원장(朱元璋), 자 국서(國瑞).

리는 책임의 크기가 같지 않더라도 자신의 직책에 충실해야 한다." 옛날 범문정공[31]이 관직에 있을 때 매일 하는 일을 식록(食祿)과 서로 부합되게 하였다. 혹 다하지 못한 일이 있으면 다음날 보충해야만 편안하게 여겼다. 어진 자와 군자가 국가에 대하여 이와 같이 마음을 다했다. 조정에 어찌 잘못된 일이 있으며, 천하가 어찌 다스려지지 않겠는가?

○ 녹봉을 위해 벼슬살이하는 것은 본래 의(義)를 해치는 일은 아니다. 다만 염려되는 점은 명성과 이익에 빠지기 쉽다는 사실이다. 내게 있는 것[義]을 요체[脊粱]에 붙어 있게 하지 못한다면 구덩이 속으로 떨어질 것이다. 여기서 벗어나려면 먼저 제대로 알고[眞知] 실천하는데 굳은 뜻을 두어야 한다. 그렇게 되면 내 안의 것은 더욱 중요하게 되고 바깥은 가볍게 여기지 않아도 저절로 그렇게 될 것이다.

○ 재물을 탐한다는 소리를 듣는 자는 돈이나 포(布)만을 가득 실어서 그런 것이 아니다. 살림살이를 지나치게 많이 운반하기 때문이다. 어찌 지혜롭다 할 수 있겠는가? 【최간재(崔艮齋)[32]가 말했다. "내가 전라 관찰사로 있을 때 사람들이 혹 나를 '삼한(三閑)'이라 불렀다. '삼한'이란 문서가 한가하고, 공방(工房)이 한가하며, 기생의 풍류[妓樂]가 한가한 것을 이른다. 사실 호남[33]은 처리해야할 문서가 많기로 유명한 지역이다. (그래서) 업무 시간과 상관없이 매번 문서가 도달하여 접수되면 즉시 판결문[題辭]을 내려주었다. 때문에 책상에는 처리되지 않은 문서가 없었으며, 문에는 체류된 소송이 없었다. 따라서 감영(監營)에 있을 때에도 독서할 시간이 있었다. 이는 재주 없는 자도 힘써 행할 수 있는 일이다. 그릇과 살림살이는 평소에 내가 숭상하는 바가 아니었다. 혹 친구들의 그릇·살림살이에 대한 간청이

31) 범문정공(范文正公) : 송나라 관리 범중엄(范仲淹). 자 희문(希文).
32) 최간재(崔艮齋, 1650~1735) : 최규서(崔奎瑞). 본관 해주(海州), 자 문숙(文叔), 호 간재·소릉(少陵)·파릉(巴陵). 예조판서·대제학 등 역임.
33) 호남(湖南) : 전라도. 벽골제 이남.

절박할 때도 있었다. 하지만 한 번 그렇게 해주면 청을 저버리기 어렵게 되고, 이로 인해 공역(工役)이 몹시 번잡해진다. '음악을 좋아하되 너무 지나침이 없게 함이 양사(良士)가 돌아보고 돌아보는 바이다'[34]고 하였다. 이는 평소 내가 마음에 간직하는 말이다. 만약 삼가지 않았다면 방탕하기 쉽기 때문에 살림살이와 음악, 이 2가지만큼은 '한가로움에서 벗어나지 않는다[不蹴閑]' 3글자를 적용하였다. 사람들이 그렇게 말한 것은 이 때문이었다."】

○ 청렴한 관리가 실행하는 정치가 인정(人情)에 가깝지 않는 경우가 있다. 자신의 청렴함을 지키기 위해 깨끗하고 엄격해야 한다. 그렇다고 구차하고 각박한 정치를 실행한다면 이 또한 경계해야 할 일이다.

3. 일에 대처하는 마음자세[處事章]

○ 마음을 깨끗이 하고 정사를 줄여 나아가는 것은 벼슬에 있을 때 몸을 수양하는[修身] 요령이다. 옛사람이 말했다. "천하에는 원래 아무런 일이 없는 것인데, 변변치 못한 사람들은 소란스럽게 만든다."[35] 이는 일 꾸미기를 좋아하는 자를 경계하기 위한 말이다.

○ 알선하고 변통할 만한 재주도 없으면서 일 꾸미기를 좋아하여 경장(更張)하는 마음을 가진다면 폐단이 미처 제거되기 전에 민들이 먼저 병들 것이다.

○ 요즘 사람들은 본래 재주도 없으면서 수령이 되면 '능력 없다'는 조롱을 싫어하여 반드시 한 가지 일을 해보려고 한다. 그러나 일의 차례나 갈피도 정하지 못하고 끝내 폐단만을 초래하였다. 차라리 하지 않음만 못하다. 스스로 일을 수행할 재능이 없다면 예전과 같이 할 뿐이다.

---

34) 『시경』 「국풍(國風)」 '당(唐) : 실솔(蟋蟀)'.

35) 『자치통감』 권212, 「당기」28.

○ 평상시 함양(涵養)공부를 하지 않으면 일에 닥쳐서는 손발만 바쁠 뿐이다. 일이 발생했을 때에도 마치 일이 없는 것처럼 하고, 큰 일이 벌어졌어도 마치 작은 일처럼 힘써 행해야 한다. 지금 이 마음이 주재할 수 있도록 힘쓴다면 사무가 사람을 압도하는 일은 없을 것이다. 옛날 사람들이 낯빛과 음성의 변화 없이 국가를 태산 반석 위에 올려놓고 안정시킬 수 있었던 것은 이 방법을 사용했기 때문이다.

○ 우리나라 사람들은 기질이 가볍고 의지가 약하기 때문에 무슨 일이든 급박하게 하지 않으면 어그러진다고 생각한다. 정치하는 자가 알아두어야 할 점이다.

○ 일을 처리할 때 서둘러서는 안 된다. 빨리 서두르다 보면 빠뜨리는 일이 생기기 때문이다. 술이 취한 뒤에는 더욱 조심해야 한다.

○ 몹시 기쁘거나 노여울 때는 항상 중용(中庸)에서 벗어나는 근심이 생길 수 있다. 따라서 기쁜 상황에서 일을 처리할 땐 방종하지 않을까 걱정하고, 노여운 상황에서 일을 처리할 땐 잔혹하지 않을까 염려해야 한다. 옛사람이 말했다. "기쁠 때에는 사람에게 주는 일이 없어야 하고, 노여울 때에는 편지에 답하는 일이 없어야 한다." 이것이 기쁨과 노여움을 처리하는 방법이다.

○ 복잡하여 처리하기 곤란한 일이 생기면 생각하고 또 생각하여 의리로써 해결책을 모색해야 한다. 그렇게 생각하고도 해결책을 얻지 못하면 일단 제쳐두었다가 다시 생각할 기회를 기다려야지 결코 경솔하게 처리해서는 안 된다. 당장 관으로부터 일을 잘 처리한다는 평가를 받을지는 모르지만 민들로부터 오랫동안 원망을 받게 된다. 어찌 신중하지 않을 수 있겠는가? 옛사람이 말했다. "선배들은 일 처리를 널리 하며 상세한 것이 많다. 반면 후배들의 일 처리는 빠뜨리고 소략한 것이 많다."[36] 수령이

되어 민을 다스릴 때 빠뜨리고 소략함을 경계해야 할 것이다.

○ 일에는 수많은 단서가 있지만 그것은 다만 옳고 그름, 이 2가지뿐이다. 하지만 옳은 것 중에서도 그른 것을 구하고, 그른 것 중에서도 옳은 것을 구해야 한다. 옳고 그름 가운데 또한 경중(輕重)이 있다.

○ 모든 일에는 옳고 그름을 판단하는 요체가 있다. 그 기준을 한번 잃게 되면 일은 중도(中道)를 얻지 못할 것이다. 가령 형제간에 송사가 발생하면 형이 비록 잘못했더라도 먼저 아우를 다스려야 한다. 이는 명분을 밝히는 가르침이 판단의 요체이기 때문이다. 상하가 서로 싸울 때에는 윗사람이 비록 잘못했더라도 먼저 아랫사람을 다스려야 한다. 이는 분수를 지키는 도리가 판단의 요체이기 때문이다. 모든 일에 적용시켜 보면 그렇지 않은 일이 없을 것이며, 일을 처리할 때 판단의 요체를 찾아야만 현혹되거나 난처해지는 근심이 없을 것이다.

○ 명령·지용(支用)[37]·소송 등 일체 실행해야 할 일들은 매일매일 기록해 두었다가 때때로 살펴봄으로써 잊어버리는 것에 대비해야 한다. 일을 처리한 뒤에는 잘 구분해 둔다.

○ 모든 정사에는 알맞은 원칙을 세워야 한다. 정사를 처리할 때에는 공평함이 원칙이 되고, 민을 다스릴 때에는 사랑이 원칙이 된다. 아랫사람을 부릴 땐 믿음이, 사람을 임명할 땐 현명함이 원칙이 된다. 재물을 사용할 때에는 절약이, 부세와 요역을 부과할 때는 균등함이, 옥송을 처리할 땐 신중함이 원칙이 되어야 한다. 일의 단서가 아무리 많아도 각각의 일마다 처리하는 원칙이 있다. 이에 따라 부지런히 힘쓰고 게을리 하지 않는 것이 또한 여러 원칙의 공통된 바탕이다.

---

36) 『소학』 외편 「가언」5, '광경신(廣敬身)'.
37) 지용(支用) : 관사에 필요한 물품의 지급·지출.

○ 어떤 일이 닥쳤을 때 두려워 피할 마음을 먹어도 피할 수 없으며 만약 피하게 되면 끝에 가서 수습하기 어렵다. 옛날 훌륭한 장수는 급히 격문[羽檄]이 오가고 군사 기밀을 논의하는 상황 속에서도 이야기를 나누며 조용한 태도로 대처하는 여유가 있었다. 이러한 담대한 역량을 갖고 있었기 때문에 사물에 사로잡히지 않았다. 오한(吳漢)[38]과 주연(朱然)[39]은 하루 종일 조심하며 적을 마주 대하듯 했다. 조조(曹操)[40]는 적을 앞에 두고도 편안하고 한가로운 것이 마치 싸우지 않는 듯하였다. 이것이 조조가 성공한 이유이다.

○ 처세를 위해서는 번거로움을 견뎌내야 하는데 수령 업무를 볼 땐 더욱 그렇다. 번거로움을 견뎌내면 식견과 도량이 늘어난다. 하지만 한번 급한 성질을 부리면 얻지 못할 것이다. 정사는 바삐 처리하면 착오가 많이 생기기 마련이다. 하물며 수령 업무를 수행하는데 뜻대로 되지 않은 일이 많을 것이다. 이때 분한 마음에 일을 조급히 처리한다면 마치 강과 바다에 뛰어드는 격이 될 뿐이다. 아! 인간세상이 예전 같지 않고 우주도 결함이 있으니 세상이 번잡하도다.

○ 이런 말이 있다. "일의 원인은 설명하지 않고 먼저 사람을 꾸짖으며, 도리는 묻지 않고 사람에 따라서 일을 한다."[41] 이는 군자로서 성찰해야할 말이다. 조급하고 기량이 떨어지는 사람은 경계의 말로 삼아야 한다. 그러나 실심(實心)공부가 없다면 소략함을 면하지 못할 것이다.

---

38) 오한(吳漢) : 한나라 광무제(光武帝) 때 관리. 대사마(大司馬)·광평후(廣平侯) 등 역임.
39) 주연(朱然) : 삼국시대 오나라 관리. 자 의봉(義封). 좌대사마(左大司馬)·우군사(右軍師) 등 역임.
40) 조조(曹操) : 위나라 시조. 자 맹덕(孟德). 시호 무황제(武皇帝).
41) 『설부(說郛)』 권76, 「금대서(錦帶書)」 '무견식(無見識)'.

○ 한 마디 말이 천지조화를 해치고, 한 가지 일이 평생의 복을 끊어버릴 수도 있다. 따라서 일을 처리할 때는 잘 점검해야 한다.

○ 요즘 세태를 살펴보건대 기강은 무너지고 풍속은 더럽혀져서 잘못된 습관이 쌓여 이미 고질병이 되었다. 이러한 때 한 가지라도 일을 벌인다면 폐단이 발생한다. 따라서 어쩔 수 없이 해야 할 일 가운데 좋은 결과를 기대되는 일을 제외하고는 옛날처럼 해야 한다. 조그마한 잘못이 발생하지 않도록 하는 것만 같지 못할 것이다.

4. 풍속을 바로잡음[風俗章]

○ 다스릴 때는 먼저 인심과 풍속이 어떤지를 살피고, 교화를 베풀어야 한다. 산천이 구별되고, 풍토와 기질이 지역마다 다르기 때문에 정치와 교화[政敎]를 베푸는데 마음을 둔 사람이라면 한 나라의 풍속을 파악하면서 다스리는 방도를 생각하지 않을 수 없다.

경기42)지역의 풍속은 인색하고 야박하다. 이익을 따르고 손해를 피하려는 성향이 상인보다 심하다. 때문에 인정의 두터움과 성실함으로써 교화시켜야 한다.

호서43)지역은 가볍고 교만하여 거짓으로 예모(禮貌)를 꾸며서 법망을 피한다. 때문에 몸가짐을 신중히 하고 충성스럽고 근실함으로써 교화시켜야 한다.

호남44)지역은 공교[巧]하고 가벼워 얼굴은 성실한 듯하지만 뒤돌아서서

---

42) 경기(京畿) : 서울 근교 지역.
43) 호서(湖西) : 충청도. 호(湖)는 의림지(義林池).
44) 호남(湖南) : 전라도. 벽골제 이남.

속인다. 때문에 엄격하고 신중하며, 성신(誠信)으로써 교화해야 한다.

영남[45]지역은 질박하고 거칠지만, 예의(禮義)를 좋아하고 풍속을 바꾸기 쉽다. 때문에 예교(禮敎)를 두텁게 하여 교화시켜야 한다.

해서[46]지역은 강건하여 힘을 믿고 사나움을 부리고, 상대를 능멸하고 사람을 업신여긴다. 때문에 강직하고 씩씩함과 과단성으로 교화해야 한다.

관서[47]지역은 공손하고 슬기로우며 예의를 지키고 윗사람을 잘 따르고, 일을 맡기면 잘 처리한다. 때문에 정직과 온화함으로 교화시켜야 한다.

영북[48]지역은 완고하고 사나워서 성질이 오랑캐와 같고 사냥을 생업으로 삼고 있다. 때문에 웅장하고 용맹스러움과 과단성으로 교화해야 한다.

영동[49]지역은 꾸밈이 없고 소박하고 정직하며, 성실하고 신중하고, 정성스럽게 일을 수행한다. 때문에 너그러움과 편안함으로써 교화시켜야 한다.

팔도의 풍속이 대개 이와 같다. 하지만 예의를 지켜 사양하여 인도하고 충신(忠信)으로써 대접하며, 청렴하고 신중함으로써 스스로 처신한다면 애초부터 남북의 차이는 문제될게 없다.

우리나라는 천하의 동쪽에 위치하였기 때문에 목(木)의 기운이 많고 인(仁)이 드높다. 인이란 나약한 데로 흐리기 쉬워서 변통할 줄 모르기 때문에 의(義)로써 다스려야 한다. 『서경』「홍범(洪範)」[50]에서 말했다. "여섯 번째 삼덕(三德)은 평안해서 마음에 근심이 없는 자는 바르고 곧은

---

45) 영남(嶺南) : 경상도. 문경새재 남쪽. 혹은 교남(嶠南).

46) 해서(海西) : 황해도.

47) 관서(關西) : 평안도. 마천령(摩天嶺) 서쪽.

48) 영북(嶺北) : 함경도. 마천령 북쪽.

49) 영동(嶺東) : 강원도. 대관령 동쪽.

50) 홍범(洪範) : 『서경』「주서」의 편명. 홍범은 세상의 큰 규범, 구주는 9조목의 큰 법. 주나라 무왕이 기자(箕子)에게 선정(善政)의 방법을 묻자 홍범구주로 교시함.

것으로 다스리며, 억세어 따르지 않는 자는 굳셈으로 다스린다. 화목하여 잘 따르는 자는 부드러움으로 다스리며, 성정(性情)이 가라앉아 외모에 드러나지 않아 중용에 미치지 못한 자는 굳셈으로 다스린다. 너무 드러나서 중용에서 벗어난 자는 부드러움으로 다스려야 한다.”51) 민을 다스리는 방법으로 이보다 좋은 것은 없다.

○ 천리 안의 풍속이 같지 않고, 백리 안의 풍속도 다르다. 혹 한 도 안에서도 산·들판·바다·연못에 따라서 습속이 같지 않다. 심지어 한 동네 안에서도 읍리(邑里)와 향촌의 민풍(民風)이 크게 다르다. 물건을 거래하는 곳의 민심은 속이거나 거짓되며, 농사짓는 곳의 민심은 검소하며 질박하다. 따라서 민을 다스리는 자는 혹 사랑보다 위엄을 앞세워야 할 때도 있고, 혹 덕을 먼저 베푼 뒤에 형(刑)을 적용해야 할 때도 있다. 형세를 살펴 처리해야 할 것이다.

옛날 유중영(柳仲郢)52)이 경조 윤에 부임하였다. 북사(北司)53)의 아전이 곡식 바치기로 한 약속을 어기자 장살(杖殺)함으로써 정령(政令)과 호령을 엄히 밝혔다. 그런데 뒷날 하남 윤(河南尹)54)이 되어서는 너그럽고 은혜로운 정치를 펼쳤다. 어떤 사람이 물었다. “수도에 있을 때와 같지 않습니다.” 유중영이 대답했다. “수도에서는 억누르는 것을 우선해야 했지만 지방을 다스릴 때에는 은혜와 사랑을 근본으로 삼아야 한다.”55)

또 최언(崔鄢)56)이 협(陜)57)지역을 다스릴 때에는 너그럽게 하였고, 악

---

51) 『서경』「주서」‘홍범’.

52) 유중영(柳仲郢) : 당나라 관리. 자 유몽(諭蒙).

53) 북사(北司) : 환관(宦官)이 업무를 보던 관아.

54) 하남(河南) : 주나라 수도 낙양(洛陽).

55) 『산당고기(山堂肆考)』 권64, 「신직(臣職)」‘정호엄명(政號嚴明)’.

56) 최언(崔鄢) : 당나라 관리. 자 당략(唐略). 검교이부상서(檢校吏部尙書) 등 역임.

(鄂)58)지역을 다스릴 때에는 엄격하게 다스렸다. 그가 말했다. "협은 땅이 척박하고 민들이 가난하기 때문에 이들은 돌보되 동요할까 걱정하였다. 악의 땅은 비록 기름지지만 민들이 사납기 때문에 위엄을 사용하지 않고서는 다스릴 수 없었다." 장영59)이 촉(蜀)60)을 다스릴 때 처음에는 엄하게 하다가 뒤에 민들이 자기를 믿는다고 확신하자 너그럽게 다스렸다. 이것은 풍속에 따라 변해야 한다는 사실을 알았기 때문이다.

○ 수령의 임무는 해당 고을의 풍속을 관찰하여 민간의 실상과 거짓이 항상 눈앞에 있듯이 잘 파악해야 한다. 이 때문에 옛날 수령은 직접 시골 구석구석[鄕曲]까지 순행하였다. 아무리 깊고 궁벽한 골짜기일지라도 이르지 않는 데가 없었다. 이는 무엇보다 먼저 본받아야 할 것이다. 봄과 가을철 따뜻할 때나 혹 농사의 풍흉을 살필 때 적은 무리만 거느리고 직접 각 면(面)을 돌아다니며 민들의 고통을 묻거나 혹 간특함을 적발하거나 혹은 숨겨서 빠뜨리는 것을 찾아낸다. 그리고 때로는 풀 위에 앉아 논밭 사이에서 민들의 고통을 묻기도 하고, 혹은 말을 멈추고 도로 가에서 송사를 처리하기도 한다. 혹은 향사(鄕師)를 불러 경사(經史)를 강론하거나 혹 면임(面任)을 불러다 교령(敎令)을 실행하기도 한다. 이렇게 하면 모든 일들이 잘 수행될 뿐 아니라 풍류도 즐길 수 있을 것이다.

---

57) 협(陝) : 하남성 협현(陝縣) 소재.
58) 악(鄂) : 하북성 무창현(武昌縣) 소재.
59) 장영(張詠) : 송나라 관리. 자 복지(復之), 호 괴애(乖崖).
60) 촉(蜀) : 사천성 일대.

5. 민인을 다스리는 방법[臨民章]

○ 다스리는 자는 '차마하지 못하는 마음[不忍之心]'을 가지고 어진 정치를 펼쳐야 한다. 이때 마치 갓난아기를 보호하듯이 한다면 비록 적중하지 못하더라도 여기서 멀리 벗어나지는 않을 것이다. 정백자(程伯子, 程顥)가 현에 부임하였다. 그는 앉아 있는 곳에 '민 보기를 마치 상처 난 사람을 돌보듯 하였다[視民如傷]'61)라고 하는 4글자를 적어 두었다. 또 말했다. "낮은 관직에 있는 자라 할지라도 만물을 사랑하는 마음을 갖는다면 민을 구제할 수 있을 것이다."62) 이 말을 체득하여 유념해야 한다.

○ 옛사람이 다스림에 대해 말했다. "민을 사랑할 뿐이다." 민을 사랑하는 데에는 여러 가지 방법이 있다. 눈앞의 해로움도 구제해야 하지만 오래도록 지속될 수 있는 방법을 생각해야 한다. 작은 어짊은 은혜가 되지 못하며, 지나친 사랑으로 민들이 오만해져서 명령을 따르지 않는 것 역시 사랑하는 것이 아니다.

○ 인심이 불순한 이유는 항상 윗사람이 격동시키기 때문이다. 사람의 본성은 선을 좋아하고 악을 미워한다. 민의 정서는 편안한 것을 좋아하고 번거로움을 싫어한다. 물을 잘 다스리는 자는 물이 흐르는 형세에 따라 인도하고, 민을 잘 다스리는 자는 민정(民情)에 따라 순하게 만든다. 만일 물 흐르는 형세를 어긴다면 물은 멋대로 흐를 것이며, 민정을 거스른다면 민들은 원망하고 어긋날 것이다. 『대학』에서 말했다. "민들이 좋아하는 것을 좋아하고, 민들이 싫어하는 것을 싫어하니 이것을 민의 부모가 되는 도리라고 한다."63) 민을 다스리는 자는 먼저 민심의 싫어하는 바를 살펴보

---

61) 『서경』 「주서」 '여형(呂刑)'.
62) 『근사록』 권10, 「정사」.
63) 『대학』 전문10장 '석치국평천하'.

아야 한다.

○ 이 백성들은 삼대(三代)의 올바른 도리를 행하던 자들이기 때문에 착해지거나 악해지는 것은 윗사람의 가르치고 교도함에서 비롯되었다. 그런데 오늘날 정치하는 자들은 항상 말하기를 '인심이 좋지 못하다'고 하면서 민을 형벌로 위협한다. 그래도 인심이 더욱 따르지 않으면 심지어 '반드시 죽여야 한다'는 말까지 한다. 애초 이들은 정치와 교화의 미치지 못함이 있는 것을 알지 못한 채 인심과 싸우려고만 한다. 인심과 힘써 싸우는 것이 가능하겠는가? 정성을 다할 뿐이다.

○ 민을 대할 때에는 항상 지극한 정성과 측은한 마음을 가져야 한다. 한 가지 일에도 민심이 싫어하는 바를 살피며, 명령 하나에도 민심이 따르는 여부를 살펴야 한다. 내가 하고 싶은 바를 구하지 말고, 민심을 따른다면 민들이 비록 어리석지만 시간이 지나면 이것을 알게 될 것이다. 민들이 나를 믿은 뒤에야 가르침을 행할 수 있다.

○ 오늘날 민심은 좋지 않은데, 수령된 자는 그 원인을 찾지 않고 항상 민을 속이려고만 한다. 혹 달콤한 말로 유혹하다가 끝내 실질적인 은혜는 베풀지 못하며, 혹은 형장(刑杖)으로써 위협하여 원망함을 구휼하지 못한다. 조적(糶糴) 한 가지만 보아도 그렇다. 흉년이 든 해 조정에서 환곡을 반만 받게 하는 영[半捧令]을 내리면 관장은 민들에게 알아듣게 타이르고 임금의 덕의(德意)를 선포해야 한다. 하지만 민들이 관망하면서 안낼까 두려워하여 반만 받게 하는 영을 반포하지 않은 채 하나같이 각박하게 독촉하여 합친 수가 반이 되면 그친다. 민들이 혜택을 고르게 받지 못하게 되니, 이는 위로 임금의 명령을 어기고 아래로 민들을 속임이 심한 것이다. 모든 일을 미루어 보아도 그렇지 않음이 없었다. 어떻게 민들이 믿고 따르겠는가?

○ 다스릴 때는 민의 사정[下情]과 통하도록 하는 것이 급선무이다. 간사한 이서와 교활한 향임(鄕任)들이 매번 중간에서 가로막고 아첨하며 말하였다. 어떻게 민의 사정이 위로 전달되겠는가? 장영(張詠)은 촉 땅을 다스릴 때 아무리 먼 곳의 민사(民事)도 파악하였다. 그는 듣고 보는 일을 다른 사람에게 맡기지 않았다. 그가 말했다. "저들의 좋아하고 싫어함이 나의 총명을 어지럽힐 수 있다. 각각의 무리에서 묻고 또 물으면 일을 살피지 못할 것이 없다. 군자에게 물으면 군자를 얻는 것이며, 소인에게 물으면 소인을 얻는 것이다. 각각 그 무리에 나아가 물을 것이다. 이렇게 하면 비록 사안이 작고 숨겨진 것이라 할지라도 10에 8, 9는 알 수 있을 것이다."[64] 이 말은 맞는 말이다.

○ 천하의 모든 일은 인심에 근본하지 않은 것이 없다. 인심의 화합을 잃게 되면 모든 일이 잘못된다. 하나의 현(縣)은 비록 작지만 이서와 민이 각각 상하의 체계를 갖추고 있기 때문에, 민의 위에 있으면 인심을 살펴서 그들이 뜻을 거스르거나 원망하는 지경에 이르지 않도록 해야 한다. 인심을 얻는 방법에는 다른 것이 없다. 내가 먼저 마음으로 민을 사랑하며 만물을 사랑하는 것을 중심으로 삼고, 상벌과 호령을 공정하게 집행하여 사사로움이 없게 하면 인심은 자연히 기뻐할 것이다. 옛사람이 말했다. "공평함만이 사람을 복종시킬 수 있다."

○ 문왕(文王)[65]은 위대한 성인임에도 불구하고 민 보기를 마치 상처 난 사람을 보살피듯 하였다. 이윤(伊尹)[66]은 위대한 현인임에도 불구하고

---

64) 『송사』 권293, 「열전」 52.
65) 문왕(文王) : 주나라 시조. 무왕(武王)의 아버지.
66) 이윤(伊尹) : 은나라 탕왕(湯王) 때 현신(賢臣). 탕왕을 도와 걸왕(桀王)을 멸망시키고 선정을 베풂.

필부 1명이라도 있어야 할 곳을 얻지 못하면 마치 시장에서 매를 맞는 것처럼 불안스러워 했다. 성현도 이와 같거늘 평범한 인간으로서 민을 편안하게 해주는 직책을 맡고서 게을리 하거나 소홀히 해서야 되겠는가? 장차 '민 보기를 상처 난 듯 애처롭게 여겨서 마치 자신이 시장바닥에서 매를 맞는 것처럼 여겼다[如傷若撻]'는 4글자를 저울처럼 의지하여 항상 눈앞에 두고, 위엄을 마치 질병처럼 두려워한다면 민들이 조금은 편해질 것이다.

○ 요즘 세상에서는 명예를 구하는 것이 습속이 되어 버렸다. 때문에 자신을 내세우는 선비는 혹 굽은 것을 바로잡다가 너무 지나치기도 한다. 그래 놓고는 민을 편안하게 만들고, 민을 사랑하는 정치를 명예를 구하는 일이라 치부하고 이를 행하지 않는다. 아! 예로부터 지금까지 정치란 민을 편안하게 하고 민을 사랑하는 것에 불과할 뿐이다. 명예를 구한다고 하여 시행하지 않는다면 이는 예의 없이 식사하다가 밥을 흘리는 자를 보고 먹기를 그만두는 것과 무엇이 다르겠는가? 저들이 명예를 구한다면 나는 실질[實]을 구하는 것이다. 그 사이에 무슨 마음을 쓸데가 있겠는가?

○ 우리나라에는 민들을 괴롭히는 정치가 하나 둘이 아니다. 비록 위에서 민을 사랑하는 마음을 갖고 있다 하더라도 시행되는 바가 없다. 하물며 민을 사랑하는 마음이 민을 괴롭히는 정치에 못 미쳐서야 되겠는가? 상하 내외가 민을 괴롭혀서 스스로를 살찌우고 있는데도 지금 인을 시행하고 은혜를 베풀어 물과 불에 빠진 민을 구원하지 않고 욕심만을 채우기 위해 구구한 언어와 문자에만 얽매여 가만히 있으려고만 한다.

○ 관리가 되어서 좋지 못한 일을 처음으로 만들어내어 그것이 전례가 되는 것을 주의해야 한다. 예전에도 토산물을 바치는 공납으로 인해 지방에 끼치는 폐해가 끝이 없었다. 곽남(郭南)67)은 상숙현(常熟縣)68)이 부드러운

쌀[軟粟]로 인해 걱정거리가 생길 것을 염려하여 부드러운 쌀의 종자를
버리도록 명하였다. 장영은 숭양현(崇陽縣)[69]이 차의 전매지가 될 것을
염려하여 차나무를 뽑고 뽕나무를 심도록 하였다. 손백순(孫伯純)[70]은
조정에서 요청한 화살대[箭簳] 대신에 해주(海州)[71]의 청주[醅]·아교[膠]
를 올리지 않았다. 그 이유는 정례가 되면 해마다 청주와 아교로 대납하는
문제가 생기기 때문이었다. 우리나라는 근래 은점(銀店)의 폐단으로 인해
민들의 사정이 매우 괴롭다. 때문에 원래 있던 고을이라면 조심스럽게
감독하되 혹 신설하려는 경우가 있다면 이를 막아야 할 것이다.

6. 인재를 임명함[任人章]

○ 비록 백 리를 다스리려 해도 인재를 얻어야 제대로 다스릴 수 있다.
자유[72]가 담대멸명[73]을 얻었기 때문에 무성(武城)을 다스릴 수 있었다.
황패[74]가 허승[75]을 임명했기 때문에 영천[76]을 다스릴 수 있었다. 복자천[77]
이 선보[78]를 다스릴 때 스승으로 섬길 자도, 친구로 교유할 자도, 역(役)을

---

67) 곽남(郭南) : 명나라 관리.

68) 상숙현(常熟縣) : 강소성 소재.

69) 숭양현(崇陽縣) : 호북성 함녕(咸寧) 소재.

70) 손백순(孫伯純) : 송나라 관리. 자 순효(舜孝).

71) 해주(海州) : 강소성 북부 장미하(薔薇河) 소재.

72) 자유(子游) : 공자 10대 제자. 본명 언언(言偃), 자 자유.

73) 담대멸명(澹臺滅明) : 공자 제자. 자 자우(子羽).

74) 황패(黃覇) : 한나라 관리. 자 차공(次公). 승상(丞相) 등 역임.

75) 허승(許丞) : 한나라 때 영천(潁川)의 장리(長吏).

76) 영천(潁川) : 하남성 임영현(臨潁縣)에 있는 강.

77) 복자천(宓子賤) : 공자 제자. 노나라 사람.

시킬 자도 있었다. 그래서 복자천은 거문고를 탈 뿐 당 아래로 내려오지 않고서도 다스릴 수 있었다. 민을 돌보고 사직을 받들어야 할 책임을 맡은 자는 이것을 급선무로 삼아야 한다.

○ 고을을 다스릴 때 유식한 향소(鄕所)79)를 얻으면 큰 도움이 될 것이다. 한 고을의 공론을 취해서 선택해야 한다. 향소를 잘 뽑지 못하더라도 좌수(座首)80)만은 조심성 있고 공평한 사람으로 얻어야 한다. 이를 위해 미리 보고 듣고, 그 이름을 기록해 둔다. 부임한 뒤에는 시간을 갖고 자세히 살펴 지금 일을 맡고 있는 향임이 적합하지 않으면 모양 좋게 교체하되 일이 생기면 그들에게 자문을 구한다. 한 면(面)의 공론을 모아 풍헌(風憲)81)을 선택하되 공평하고 청렴하며 근면하고 건실한 자를 골라서 임명한다. 약정(約正)82)과 이장(里長)83)은 별도로 부민(富民) 가운데에서 근면하고 건실한 자를 선택한다. 부민은 조금 법을 두려워하고 자신을 아끼며 일을 판별할 줄 알아서 민을 침탈하는 경우가 드물다. 따라서 이들을 대할 때는 일반 민과 달리 대우하며, 상으로 권면하고 형벌로 징계한다. 수령은 매번 폐단을 줄이고 민을 편하게 해주는 뜻으로 그들을 정성껏 타이르고 깨우쳐서 내 마음이 어디에 있는지를 잘 알게 한다.

---

78) 선보[單父] : 산동성 선현(單縣) 남쪽 소재.

79) 향소(鄕所) : 향촌의 풍속을 바로잡고, 향리를 감찰하며, 민간에 정령을 전달하고, 수령의 자문을 맡던 기관. 향정(鄕正), 좌수(座首), 별감(別監) 등으로 구성.

80) 좌수(座首) : 향안에 입록된 사족(士族) 중 50세 이상 덕망이 있는 자 중에 선발하여 향소를 운영함.

81) 풍헌(風憲) : 각 면내의 수세(收稅)·차역(差役)·금령(禁令)·권농(勸農)·교화 등 일선 행정 실무 담당.

82) 약정(約正) : 향약(鄕約)의 직임으로서 풍속을 교정함. 도약정(都約正)과 부약정(副約正).

83) 이장(里長) : 이(里)를 대표하여 일을 맡아보는 사람.

○ 인재를 임명하는 방법은 임명한 뒤에 의심하지 않는 마음을 보여주어 저들이 비록 잘못을 저질러도 스스로 부끄럽게 만드는 것이다. 수령은 자신이 아끼는 자일지라도 단점을 알아야 하고 미워하는 자일지라도 장점을 알아야 한다. 그런 뒤에야 한 쪽으로 치우쳐 믿거나 임명하는 잘못이 없을 것이다.

○ 고을마다 풍헌 1명을 두고 고을의 크고 작은 일을 맡긴다. 민간에서 발생하는 소송 가운데 작은 사안을 스스로 처리하게 한다. 매달 초하루가 되면 길흉에 관계되는 모든 일, 민이 도망가거나 사망한 일을 보고하도록 한다. 효열(孝烈)과 민간의 급한 업무, 군국(軍國)에 관련된 중대한 사안들이 발생하면 수시로 보고하도록 한다. 또한 약정(約正)을 두어 전정(田政)과 수세(收稅), 조적(糶糴)과 농사 일 등을 맡게 하고, 영장(營將)[84]을 두어 군정(軍政)과 금령(禁令), 도적을 추적하여 잡는 일을 맡긴다. 권농관(勸農官)[85]을 두어 크고 작은 관의 명령을 전달하거나 정해진 기한 내 세금을 내게 독려한다. 이 밖에 여러 명목의 직임은 없앤다. 풍헌이 한 고을의 일을 전적으로 맡게 되면 자기 멋대로 농간을 피울 수 있다. 따라서 수시로 비밀리에 살피고 경계하여 큰 죄를 저지르면 벌을 내리고 쫓아낸다. 또한 보고해야할 고을 일을 보고하지 않거나 없애야할 폐단을 없애지 않는 경우가 생길 수 있기 때문에 지속적으로 감독하고 관찰해야 할 것이다.

○ 옛사람이 말했다. "어진 자를 구하기는 수고롭지만 그를 임명하면 편안해진다." 어진 자를 임명하여 수고로운 일을 나누면 편안해질 것이다. 이서들에게는 각자 담당하는 소임이 있고, 풍헌 역시 각자 맡은 고을을

---

84) 영장(營將) : 각 도의 지방군대를 관할하기 위하여 설치한 진영(鎭營)의 정3품 당상직 장관(將官). 조련(操鍊)·무기·습진 등의 실무를 맡음.

85) 권농관(勸農官) : 농사를 독려하고, 농작의 답험(踏驗)에도 관여하여 전세(田稅)에 영향을 줌.

전담하면 수령은 그 대강(大綱)만을 총괄할 뿐이다. 주자가 말했다. "벼슬에 나아가 자신은 항상 한가해야 하고 이서들은 바빠야 치적을 이룰 수 있다. 자신이 바쁘면 이서들이 농간을 부리지만 이서들이 바쁘면 폐단을 저지를 겨를이 없다."[86]

○ 관장은 사인(私人)을 심복으로 삼을 수 없다. 천인의 마음은 이익을 보면 이를 따르기 때문에 차츰 하리(下吏)들과 한 통속이 된다. 이보다 심하게 관장의 총명함을 가로막는 것은 없다. 반드시 경계해야 한다. 요즘 사람들은 혹 친히 믿을 만한 자를 시켜 민의 사정을 몰래 알아내려 한다. 그 자가 모두 현명하지 않을 것이니 미리 살펴서 망령되게 일을 처리하지 않도록 해야 한다.

○ 민의 사정을 몰래 알아내는 일은 폐할 수 없다. 옛사람이 적발하는데 신명스러웠던 것은 이 방도를 사용했기 때문이다. 이서·군교(軍校)·사인(私人)들을 잘못 조종하게 되면 그 해로움이 끊이지 않을 것이다. 먼저 관교(官校)들에게서 다짐을 받고 내 보낸 다음 친히 믿을 만한 자에게 허와 실을 정확히 알아오게 한 뒤에 시행해야 할 것이다.

○ 옛말에 이르기를 "민과 친한 자로 수령만한 이가 없다."고 하였다. 그러나 민과 더 친한 자로 향소(鄕所)만한 것이 없다고 생각한다. 옛날 완평(完平) 이공(李公)[87]이 관서(關西)지방의 고을에 부임했는데 치적이 가장 뛰어나 관찰사[方伯]로 승진하게 되었다. 어떤 사람이 다스리는 요체에 대해서 묻자 대답했다. "나는 좌수 1명을 임명하여 여러 정사를 그에게 묻고 실행하였다. 내가 무엇을 했겠는가? 그저 승낙만 했을 뿐이다." 향소의

---

86) 『주자어류』 권106, 「주자」3.
87) 완평이공(完平李公) : 이원익(李元翼, 1547~1634). 본관 전주(全州), 자 공려(公勵), 호 오리(梧里). 우의정 등 역임.

소임이 막중하기 때문에 향소에 적합한 자를 얻어 민사(民事)를 맡긴다.
장관(將官)에 적합한 자를 얻어 군정을 맡기고, 관청 감관(官廳監官)88)에
적합한 자를 얻어 출납을 맡긴다. 연분 감관(年分監官)89)에 적합한 자를
얻어 전정(田政)을 맡긴다. 이렇게 하면 수령은 앉아서 휘파람을 불고
있어도 된다. 고을이 아무리 작아도 돌보아야할 정사는 매우 복잡하다.
사람을 임명하지 않고 모든 일을 책상 위에서 혼자 처리하려 한다면 총명함
이 미치지 못한 곳에서 이서들이 기회를 틈타 농간을 부려 기만할 것이다.
【국가는 대간(臺諫)을 눈과 귀로 삼고, 재상을 팔과 다리[股肱]로 삼는다. 큰 것으로
작은 것에 비유하자면 향소가 지방관에 대해서 역시 그러하다. 『논어』에서 말했다.
"담대멸명은 다닐 때에 지름길을 이용하지 않고 공적인 일이 아니면 언(偃)의 집에
오지 않았다."90) 담대멸명은 스스로를 지키는 선비에 불과할 뿐 뛰어난 재주나 계책을
가진 자가 아니었다. 그렇다면 자유가 무엇 때문에 이렇게 말한 것일까? 아마도 그
마음이 공정했기 때문일 것이다. 그래서 행동할 때 도리에서 어긋난 일을 바로잡는
도움을 받을 수 있고, 이목의 밖에 있는 사물의 실정을 알 수 있었다. 이는 실로
국가에 대해 유익한 '법도 있는 세가[法家]'와 '보필하는 현사[拂士]'91)에 다름이 없다.
청렴하며 바르고 스스로를 지키는 사람을 얻어 청렴하며 공정하게 일을 살피고 물건을
아끼고 민을 사랑하는 등의 일을 맡겨 내가 다하지 못할 일을 보좌하도록 해야 한다.
근세 한지(韓祉)92)가 의주 부윤[灣尹]에 부임하였다. 그는 매번 어떤 일이 생기면
여러 비장(裨將)93)과 유향(留鄕), 그리고 그 아래의 이서들에게 물어보고 거행하였다.

88) 관청감관(官廳監官) : 전곡을 담당하는 관리.
89) 연분감관(年分監官) : 세곡(稅穀)을 담당하는 관리.
90) 『논어』「옹야」.
91) 필사(拂士) : 임금을 정도(正道)로써 보필하는 현사(賢士).
92) 한지(韓祉, 1675~?) : 본관 청주(淸州), 자 석보(錫甫), 호 월악(月嶽). 태동(泰東)의
    아들. 충청도관찰사 등 역임.
93) 비장(裨將) : 감사(監司)·유수(留守) 등을 보필하는 관원.

이는 본받을 만한 일이다】

7. 사람들을 상대함[接物章]

○ 사람을 상대할 때 존비와 귀천을 막론하고 공경함을 위주로 해야 한다. 일을 주관할 때는 믿음을 주는 것이 중요하다.

○ 사람을 상대하는 방법에는 각각 일정한 법칙이 있다. 공자가 향당(鄕黨)에 있을 때에는 진실한 태도로 사람들을 대하고, 종묘와 조정에 있을 때에는 똑똑하게 말하되 삼가하듯 하였다. 조정에서 하대부(下大夫)와 말을 나눌 때 강직하게 하였고, 상대부(上大夫)와 말할 때 화기애애 하였다. 또한 의관을 바르게 하고, 바라보는 것을 높이면 사람이 쳐다보고 두려워하였다.94) 이 같은 점을 알고 있다면 생각하여 얻는바가 많을 것이다.

○ 강하고 억센 자를 누를 때 권세와 지위가 있다고 해서 겁내서는 안 된다. 어질고 준걸한 자를 예우할 때 미약하고 천하다고 해서 소홀히 대해서는 안 된다.

○ 관장은 사람들이 자기에게 아첨하는 것을 보고 기뻐한다. 이런 습관을 길러서는 안 된다. 수령의 식구[衙眷]는 나를 사랑하는 자요, 관속들은 나를 두려워하는 자들이다. 빈객들은 나에게 요구하는 것이 있는 자들이기 때문에 칭찬하는 말로 나를 감동시키려할 것이다. 이치에 밝고 의지가 굳은 자가 아니면 이런 말에 미혹되기 쉽다. 장충정공95)이 말했다. "정치하는 도리는 부리(府吏)들이 '잘 다스려집니다'고 해도 옳지 않다. 서민(庶民)들이 '잘 다스려집니다'고 해도 옳지 않다. 스님과 도인(道人)들이 '잘 다스려집

---

94) 『논어』「향당(鄕黨)」.

95) 장충정공(張忠定公) : 송나라 관리 장영(張詠). 시호 충정(忠定).

니다'고 해도 옳지 않다. 식견에 사사로움이 없고 옛 것을 배우는 선비들이
'잘 다스려집니다'고 해야 잘 다스려진 것이다."96) 이 말이 맞다.

○ 상관을 접대할 때에는 예를 다해야 한다. 모든 일이 의리에 부합되도록
힘써야 하니 그렇게 하면 상대방도 나를 능멸하지 못할 것이다. 세상에
오만한 사람들은 등급을 알지 못하여 예모(禮貌)를 잃는 경우가 많다.
이는 매우 잘못된 일이다. 『주자어류』97)에서 말했다. "직경(直卿)98)이 말했
다. '자회(子晦)99)가 수령이 되었을 때 상관을 찾아가지 않았기 때문에
당시 윗사람에게 미움을 받았습니다. 이 같은 지절(志節)에 감복할 따름입
니다' 그러자 선생이 말했다. '상관을 찾아가는 것은 옳지 않다. 그렇다고
해서 윗사람을 모시면서 다투는 것도 옳지 않다.'" 우리나라의 경우 김학봉
(金鶴峯)100)의 사례가 있다. 그는 본래 강직한 사람이었지만 수령이 되어서
는 매번 상관이 고을의 경계에 이르렀다는 소식을 들으면 관대(冠帶)를
갖추고 공문(公門)에서 기다렸다고 한다.

○ 상관을 섬길 때 비록 예를 다해야 하지만 국가와 민에게 이익이
되는 일로 불가피하게 다투어야할 경우에는 온순해서는 안 된다. 간청하는
일은 반드시 승낙을 얻어내야 한다. 들어주지 않으면 벼슬을 버리고 떠나는
것이 옳다. 구차스럽게 얼마 안 되는 녹봉에 연연해서는 안될 것이다.

○ 동료와 함께 있을 때에는 너그럽게 대해야 한다. 동료 관리가 어질지
못하여 비리를 저질러 간섭하게 될 경우 처음에는 의리로써 논변하되

96) 『자경편』 권8, 「정사류」 '정사'.
97) 주자어류 : 주자와 문인들의 문답을 정리한 책. 35문목(門目)의 140권으로 출간됨.
98) 직경(直卿) : 황간의 자(字). 호 면재(勉齋). 주자 문인이자 사위.
99) 자회(子晦) : 요덕명(廖德明)의 자(字). 주자 문인.
100) 김학봉(金鶴峯, 1538~1593) : 김성일(金誠一). 본관 의성(義城), 자 사순(士純), 호
학봉. 이황의 문인. 병조좌랑·이조좌랑 등 역임.

뜻을 거스르지는 말아야 한다. 그러나 끝내 고치지 않는다면 매우 난처할 것이다. 저들의 무례함이 나와는 관계없다. 다만 너그럽고 온순한 태도로 처신할 뿐이다. 그들과 함께 교제한다면 끝내 같은 부류의 사람이 될 것이다.

○ 옛사람들은 전임자와 후임자 간의 의(義)를 매우 중시하였다. 그러나 오늘날에는 이와 같은 도리가 없어져서 매번 전임자의 단점을 폭로하려고 만 한다. 이는 후덕한 풍속이 아니다. 만일 크게 패역(悖逆)한 일을 저지르지 않았다면 가려주고 보호해 주어야 할 것이다. 정지화(鄭知和)101)가 경기도 광주 부윤(廣州府尹)에 부임하였다. 전임 부윤이 뇌물사건에 연루되어 옥에 갇혔다. 정공에게 이 사실을 조사하도록 명하고, 자신이 직접 문서와 장부 [文簿]를 살폈다. 그 과정에서 한 가지 구제할 수 있는 근거를 찾아내자 정공이 기뻐하며 말했다. "전임자와 후임자의 의는 본래 형제와 같은 것인데, 이것으로 목숨을 구할 수 있게 되었다." 드디어 관찰사에게 힘써 변호하여 죽음만은 면하게 해주었다. 선배들의 처사가 이와 같았다.

○ 자신이 다스리는 지역에 살고 있는 친구가 혹 큰 죄를 저질렀을 경우 사사로운 정으로 돌보아서는 안 된다. 그러나 처리할 때에는 온순하게 하여 부득이 한 조치임을 보여주어야 한다. 작은 사안이라면 자세히 말해준다. 일을 공정히 집행하려는 내 마음이 잘 드러난다면 그도 역시 번거롭게 하지 않을 것이다. 오늘날 사람들은 혹 친구에 대해서 그 허물을 엿보아 다른 사람에게 위엄을 세우려 한다. 또 사사로운 정을 돌아보지 않는다는 명예를 구하려고만 한다. 이는 소인의 일이다.

○ 수령에 임명되는 날부터 몸은 이미 공가(公家)의 소유이다. 때문에

___
101) 정지화(鄭知和, 1613~1688) : 본관 동래(東萊), 자 예경(禮卿), 호 남곡(南谷)·곡구 (谷口). 우의정 등 역임.

해야 할 일은 오직 나랏일[國事]이다. 사사롭고 옳지 않은 청탁은 일체 받지 않는다. 미리 친구들과 서로 약속하기를 '무리한 요구를 억지로 따르지 않을 것이며, 또 어물쩍 끊지 못하는 일을 하지 않을 것이다'라고 해서 그들이 나를 어렵게 대하도록 만드는 것이 좋다. 모든 일에는 옳고 그름의 2가지가 있을 뿐이다. 일을 처리할 때 옳고 그름을 밝혀야 할 것이다. 제갈량[諸葛武侯]이 말했다. "내 마음은 저울과 같아서 결코 사람 때문에 경중(輕重)을 바꾸지 않았다." 또 포증102)이 정치할 때 권세가에게 뇌물 바치는 일이 없었기에 당시 사람들이 말했다. "뇌물이 없는 것은 염라대왕 같은 포증이 있기 때문이다." 이것을 본받아야 할 것이다.

○ 친구의 요구에 일일이 응하는 것은 참으로 쉽지 않다. 있으면 주고 없으면 안 주면 될 것이다. 오직 내 마음이 부끄럽지 않으면 된다. 일체 다른 사람의 의도에 따르게 된다면 공정함을 해칠 것이다. 비록 저들이 요구하더라도 성심껏 대해야지 눈썹을 찌푸리고, 미워하여 냉대하는 낯빛을 지어서 좋은 관계를 끊어서는 안 된다. 공정한 의리와 사사로운 정이 함께 실행될 수 있도록 해야 한다.

○ 사람이란 자신을 받드는 일을 각박하게 한 뒤에야 다른 사람에게 미칠 수 있다. 안영(晏嬰)103)이 제나라 정승에 있을 때 여우 가죽옷 1벌로 30년을 지냈다. 이로 인해 3족(族)을 구휼하였으며, 제나라 선비로서 식사를 대접받은 자가 3백여 명이나 되었다. 범중엄104)은 평생 베푸는 것을 좋아하였다. 의전(義田)105)을 설치하여 여러 족속을 구제했지만 정작 자신이 죽었

---

102) 포증(包拯) : 송나라 인종(仁宗) 때 관리.

103) 안영(晏嬰) : 춘추시대 제나라 대부. 자 평중(平仲).

104) 범중엄(范仲淹) : 송나라 관리. 자 희문(希文).

105) 의전(義田) : 가난한 친척을 구휼하기 위해 마련한 토지.

을 때에는 염습(殮襲)[106]할 옷이 없었다. 어찌 대장부라 하지 않을 수 있겠는가?

근래 감사(監司) 한지(韓祉)가 청렴하고 근검하게 자신을 지키며 일족을 넉넉하게 구휼하였다. 그는 전의(全義)수령에 재직하면서 조상의 무덤[先塋]에 철마다 드리는 제사[時祭]를 지낼 때 그 옆에 같이 묻혀 있던 허다한 먼 친척[傍親]들의 후손들에게도 제물을 보냈다. 그가 말했다. "우리 선조로부터 보면 가까운 친척이다. 어찌 서로를 구분하여 넉넉하고 부족한 차이를 두겠는가?" 그 일을 죽을 때까지 실행하였다. 이들은 자기 몸을 기르는 데에는 각박했기 때문에 그 은택이 이와 같이 남들에게 미칠 수 있었다.

○ 관아에 잡인(雜人)이 출입하는 것을 금지하는 것을 너무 야박하게 하면 도리어 가까운 친척과 절친한 친구들이 길에서 낭패를 볼 수 있다. 그렇게 하는 것이 어찌 인정이겠는가? 옛말에 이르기를 "문에 손님을 세워두어서는 안 된다."고 했다. 어찌 잡인의 출입을 막았겠는가? 그러나 근래에는 세상의 도리가 옛날과 달라서 간간이 어지럽게 드나드는 사람이 있다. 이런 사람들은 막지 않을 수 없다. 하지만 비록 어지럽게 드나드는 사람이라 할지라도 나에게 어찌 이들을 접대할 적당한 방도가 없겠는가? 잡인의 출입을 금지한 뒤에야 가능하겠는가?

8. 이서를 제어함[御吏章]

○ 이서배를 제어하는 방법은 자신을 규율하는데 있다. 자신을 규율하는 방법은 공정하고 청빈하며, 밝고 위엄을 보이는 것뿐이다. 공정하면 사사로운 정에 흐르지 않고, 청빈하면 재물로 유혹하기 어렵다. 밝으면 속이기

---

106) 염습(殮襲) : 시신을 씻긴 뒤에 옷을 입히고 염포(殮布)로 묶는 일.

어렵고, 위엄이 있으면 범하기 어렵다. 공평한 마음을 가지면 공정해지고, 욕심이 적으면 청빈해진다. 살피고 관찰하여 옳고 그름을 분변하면 밝아지고, 장엄하면서도 묵묵하며 상벌에 신뢰가 있게 하면 위엄이 생긴다. 그 사이에 어질고 너그러운[仁恕] 정치도 베풀어야 할 것이다.

○ 부임한 뒤에 먼저 약속을 분명히 하고 의리로써 깨우쳐야 한다. 나랏일은 극진히 하지 않을 수 없고, 민사(民事)는 불쌍하게 여기지 않을 수 없다. 뇌물 받는 짓은 공공연히 행할 수 없고, 문서[文記]는 고칠 수 없다. 또한 향약의 의례(儀禮)처럼 선과 악을 별도로 기록할 문적을 만든 뒤 자주 닦고 경계하여 착한 일을 행한 자를 상을 주고, 나쁜 일을 저지른 자에게 죄를 준다. 그렇게 하면 '교화를 먼저하고 죽이는 것을 뒤에 하는 정치[先敎後殺之政]'를 행할 수 있을 것이다.

○ 판서(判書) 이원정(李元禎)[107]이 광주 부윤(廣州府尹)에 부임하였다. 부(府)에 소속된 이서들의 성(姓)이 그와 같았다. 부임한 다음날 이원정이 '질청[作廳]'【작(作)은 속음(俗音)에 질(秩)로 읽는다. 이서들이 거처하는 집을 '질청'이라고 부른다】에 잔칫상을 차려놓고 이서 가운데 같은 종친인 자들을 모아서 함께 즐겁게 놀았다. 잔치가 끝날 무렵 이들에게 잘못을 저지르거나 죄 짓지 말 것을 거듭 당부하자 감격하여 진심으로 이원정을 받들며 서로 권면하고 경계하였다. 이 때문에 이원정의 치적이 가장 두드러졌다.

○ 이서와 군졸은 공적인 일로 부르는 것을 제외하고 그들과 함께 말 한 마디도 나누어서는 안 된다. 자주 타이르는 말을 하게 되면 교령(敎令)이 미처 실행되기도 전에 수령의 속마음을 노숙한 이서들이 먼저 간파하고 말 것이다. 관장이 새로 부임하면 처음에는 이서들이 두려워하다가 시간이

107) 이원정(李元禎, 1622~1680) : 본관 광주(廣州), 자 사징(士徵), 호 귀암(歸巖). 정구(鄭逑)의 문인. 이조판서 등 역임.

흘러 낮이 익게 되면 업신여기기 쉽다. 이와 같은 일은 경계하여 처음부터 끝까지 한결같아야 할 것이다.

　○ 노숙하고 간사한 이서들은 성신(誠信)으로 대해야 한다. 조금이라도 거짓되고 가식적인 마음으로 대하면 그들은 나에게 배로 갚을 것이다. 옛사람이 말했다 "공정함은 밝은데서 생기고 청렴함은 위엄에서 생긴다."[108] 공정함과 청렴함, 이 두 글자는 이서를 제어하고 민을 다스리는 큰 줄기이다.

　○ 설문청[109]이 군졸 1명을 부렸다. 민첩해 보여 일을 많이 시켰더니 하인들이 곧 군졸을 좇아 따를 기미를 보였다. 그래서 그를 쫓아내며 말했다. "관직을 맡은 자는 공명정대해서 조금이라도 편벽됨이 있어서는 안 된다. 편벽됨이 있으면 사람들이 엿보아 그것을 알게 된다."[110] 이 말은 명언이다.

　○ 윗자리에 있는 자는 아주 너그러워야 한다. 너그러우면 많은 사람을 얻을 수 있다. 이것이 성인의 가르침이다. 그러나 항상 너그럽기만 하면 권병(權柄)[111]이 아래로 옮겨가 이서들이 이를 농단할 것이다. 권병이 항상 나에게 있다면 너그럽다고 해서 무슨 문제가 될 것인가?

　○ 옛사람들이 정치할 때에는 민들이 이서를 보지 못하였다. 이서가 민간에 있으면 멋대로 위엄을 부리고 뇌물을 받는 폐단이 발생하기 때문에 수시로 이를 살피고 발견되는 데로 엄하게 다스린다. 소위 면주인(面主人)[112]들은 일체 엄격히 거듭 훈계한다. 명(命)을 주어 고을에 내려가게

108) 『어람경사강의(御覽經史講義)』 권15, 「시경」.
109) 설문청(薛文淸) : 명나라 학자 설선(薛瑄). 자 덕온(德溫), 호 경헌(敬軒), 시호 문청.
110) 『독서록』 권2.
111) 권병(權柄) : 권력으로 사람을 마음대로 좌우할 수 있는 힘.
112) 면주인(面主人) : 주(州)·부(府)·군(郡)·현(縣)과 면(面)을 오가던 심부름꾼.

할 일이 생기면 다녀올 시간을 촉박하게 정해준다. 민폐를 끼쳤는데도 면임(面任)이 보고하지 않으면 역시 그 죄를 다스린다.

○ 이서들 역시 민이기 때문에 그들이 사는 터전을 잃게 해서는 안 된다. 하지만 이서들을 풀어주면 민을 침탈하기 때문에 위세를 엄히 하지 않을 수 없다. 근래 하리(下吏)를 제어함에 2가지 잘못이 있다. 하나는 지나치게 엄격하고 각박하여 이서들이 자신을 보존하지 못하게 만든 것이다. 또 하나는 지나치게 너그럽게 멋대로 풀어놓아 민들이 피해를 보고 있다. 이 모두 잘못되었다. 우리나라 법에 따르면 이노(吏奴)는 녹봉[廩料]이 없기 때문에 스스로 입을 것과 먹을 것을 마련하면서 날마다 관문(官門)에서 역을 부담해야 했다. 이것은 불충분한 법전 조항이다. 관속들이 생활을 유지하기 어렵게 만든 폐단은 반드시 변통해야 하며, 이서들이 저지른 과오 역시 너그럽게 용서해야 한다. 관을 속이고 민을 병들게 한 것만 일체 엄중히 처벌한다.

○ 근래 관리들이 물건을 사들일 때 발생하는 폐단은 값을 적게 주고 물건을 많이 받았다. 이 때문에 이서들이 감당하지 못하였다. 관장이 민을 침탈하는 이서를 금지해야 하는데 스스로 이익을 벗겨 먹어서야 되겠는가? 이와 같은 일은 폐단이 발생할 때마다 바로 잡아야 할 것이다.

○ 사상채(謝上蔡)[113]가 응성(應城)[114]의 수령으로 부임하였다. 호문정(胡文定)[115]이 그곳을 지나가다가 사상채를 만나기 위해 문에 들어섰다. 이서와 군졸들이 마치 흙과 나무로 만든 사람처럼 관아 뜰 아래 서 있는

---

113) 사상채(謝上蔡) : 송나라 학자 사양좌(謝良佐). 자 현도(顯道). 상채(上蔡)선생.

114) 응성(應城) : 호북성 소재.

115) 호문정(胡文定) : 송나라 학자 호안국(胡安國). 자 강후(康候), 호 무이선생(武夷先生). 정이천을 사숙(私淑). 정문(程門)의 제자 사상채·양귀산 등과 교분 나눔.

것을 보았다. 그 위엄과 신의로써 이서와 군졸의 마음을 감복시켰기 때문에 그렇게 서 있었던 것이다.

○ 간사한 이서들이 관장을 속이는 것을 보면 항상 관장의 명령에 의거해서 (민들을) 풀었다 조였다 한다. 포증은 경조 윤으로 재직할 때 밝게 살피는 것으로 유명했다. 어떤 민이 곤장[杖脊]116)에 해당하는 죄를 범하였다. 이서들이 그 자로부터 뇌물을 받고 말했다. "경조 윤이 나에게 부탁하여 죄상을 문책하도록 할 것이다. 너는 울부짖으며 스스로를 변론하라." 얼마 뒤 심문하게 되자 죄인은 이서의 말대로 했다. 이서는 죄인을 꾸짖으며 말했다. "곤장이나 받지 무슨 말이 그렇게 많은가?" 포증이 권세를 부리는 장리(杖吏)라고 하면서 특별히 죄인의 죄를 너그럽게 다스렸다.117) 포증조차 죄인이 이서를 매수한 사실을 몰랐다. 소인들의 간사한 계책은 막기 어려운 것이다.

○ 관패(官牌)를 자주 내리면 이서들이 이를 빌미로 간사한 계책을 부리며 심지어 위조하기도 한다. 문서 처리가 복잡할 때는 자세히 살펴본 뒤에 인장(印章)을 찍는다. 부득이한 일이 아니면 절대로 관패를 내려줘서는 안 된다.

○ 관속을 대하거나 민을 대할 때 절대 일에 앞서 화를 내서는 안 된다. 죄가 있건 없건 간에 사건이 발각된 뒤에 다스려야 한다. 민을 대할 때에는 사랑을 위주로 하며, 관속을 대할 때에는 위엄을 위주로 해야 한다. 비록 사랑으로 대하더라도 민들로 하여금 명령을 따르지 않을 수 없게 해야 한다. 위엄있게 하더라도 관속들로 하여금 지탱하고 보존할 수 있게 만들어야 할 것이다. 또한 품관(品官)118)을 너무 친밀하거나 너무 소원하게 대해서

116) 장척(杖脊) : 척추부위를 곤장으로 치는 형벌.
117) 『절옥귀감』 권5, 「징악(懲惡)」.

도 안 된다.

○ 관가의 계집종은 일일이 조사하고[點考] 예에 따라서 일을 시키되 수청(隨廳)【세속(世俗)에서 눈앞에서 잔심부름시키는 것을 '수청'이라고 한다】들게 해서는 안 될 것이다. 또한 관아에 묵던 손님[衙客]과 통하게 해서도 안 된다. 중요한 손님이거나 먼 곳에서 온 오래된 친구와 서로 즐겁게 노는 경우가 아니면 계집종을 시켜 앞에서 악기를 잡도록 해서는 안 된다.

○ 아무리 교활한 이서라 할지라도 수령 자신의 올바른 처신에 감복된 자라면 멋대로 악한 짓을 저지르지 못할 것이다. 한갓 엄격함만으로 이렇게 할 수 없다. 예전에 한연수119)가 이서들이 서약을 어길 경우 통렬히 자신을 책망했다. 때문에 그들이 부끄러워하고 뉘우쳤다. 위패(魏霸)120)는 이서들이 잘못을 저지르면 먼저 훈계하되 고치지 않으면 쫓아냈다. 혹 다른 이서의 장점을 칭찬하여 나머지 이서들이 분발하도록 했다. 이서들은 부끄러워하고 스스로 자신들의 잘못을 말했다. 이는 덕으로 사람을 교화시키는 방법이다.

○ 과묵함은 이서들을 다스리는 중요한 방법이다. 나주[錦州]의 박정(朴炡)121)이 남원 부사(南原府使)에 부임하였다. 신임부사를 맞이하러 나온 이서들이 본부(本府)에 사사롭게 알렸다. "나이 어린 양반이 말도 않고 웃지도 않은 채 오뚝하게 앉아 있으니 그 마음을 헤아리기 어렵다." 당시

118) 품관(品官) : 향소의 좌수, 별감.
119) 한연수(韓延壽) : 한나라 관리. 자 장공(長公). 영천 태수(潁州太守) 등 역임.
120) 위패(魏霸) : 한나라 관리. 자 교경(喬卿). 거록 태수(鉅鹿太守)·광록대부(光祿大夫) 등 역임.
121) 박정(朴炡, 1596~1632) : 본관 반남(潘南), 자 대관(大觀), 호 하석(霞石). 1623년 인조반정에 참여하여 정사(靖社) 공신3등에 책록. 강원도관찰사·남원부사 등 역임.

이 말이 전해져서 사람들이 웃었다. 과묵하면 쉽게 그 마음을 살펴볼 수 없기 때문이다. 그런데 어떤 일에 직면해서도 아무 말 없이 과묵하기만 하면 이는 하찮은 기술[黔驢]122)이니 오래되면 자연히 드러나게 될 것이다.

○ 향소에 인재를 얻은 뒤에 여러 이서들의 능력을 살피는 일을 전적으로 맡긴다. 향소를 시켜 이서들의 행동거지를 살피고 가르쳐 그 장점을 높이고 단점은 나무라서 그치게 한다. 간사한 짓을 벌이다가 죄를 받은 자가 자신의 죄를 반성하고 징계 받는다면 지난 잘못은 생각하지 말고 스스로 새로워질 수 있는 길을 열어주어야 한다. 하지만 관원을 속이고 온 고을을 능멸하며, 자신만을 위해 민을 침탈한 자 가운데 가르쳐도 깨닫지 못하고 벌을 받아도 고치지 않는 자가 있다면 그 사실을 관아에 알려 다스리도록 한다. 한편 정직하게 관원을 섬기고, 곧음으로써 소임을 살피며, 관의 물건을 훔치지 않고, 민폐를 저지르지 않는 자 역시 관아에 알린다. 그들에게 호장(戶長)123)과 이방(吏房), 또는 좋은 직임을 맡긴다. 오랫동안 재직하며 하리(下吏)를 거느리게 하여 다른 이서들이 본받게 한다.

○ 여러 고을의 이서들은 민 가운데 뛰어난 자들이기 때문에 일방적으로 법으로 억압하지 말고 교화로 인도해야 할 것이다. 이서 가운데 나이가 어리고 재주와 식견이 있는 자를 선발하여 가르친다. 책을 읽을 때에는 일정한 과정을 정해주며, 『결송유취(決訟類聚)』124)와 『무원록(無冤錄)』125)

---

122) 검려지기(黔驢之技) : 하찮은 솜씨와 힘. 중국 검주(黔州)의 사람이 나귀를 끌고 갔다. 나귀를 처음 본 호랑이가 그 울음소리에 두려워하였다. 하지만 나귀가 별것 아님을 알고 잡아먹었다는 고사.

123) 호장(戶長) : 향리들이 수행하던 말단 실무행정을 총괄.

124) 결송유취(決訟類聚) : 조선 명종(明宗)대 김백간(金伯幹)의 저술. 『사송유취(詞訟類聚)』와 같은 내용의 법률서로서 이후 부록의 자구(字句)나 내용의 첨삭을 더함.

125) 무원록(無冤錄) : 원나라 왕여(王與)의 저술. 법의학서·법률서. 세종대 최치운(崔致雲)이 왕명을 받아 주해(註解)한 『신주무원록』이 간행되었다. 영·정조 연간에

등을 읽게 하여 익숙하게 처리할 수 있게 한다. 이들 가운데 재주가 뛰어난
자를 발탁하여 좋은 직책을 주어 권면한다.

○ 다스리는 방법은 너그럽게 민을 위무하고 엄하게 이서를 단속하는
것이다. 이는 대체(大體)로서 바꿀 수 없다. 그러나 이서들도 나의 동포이기
에 엄하게 단속만 하고 사생활을 구휼하지 않는다면 그들은 살 터전을
잃고 원망하게 된다. 이것이 어찌 한결같이 보고 모두 같이 어질게 대하는
것이겠는가? 또한 엄함과 가혹함은 서로 비슷하지만 실제로는 같지 않다.
때문에 엄하면 아랫사람들이 두려워하여 감히 멋대로 못하지만 가혹하면
아랫사람들이 원망하여 편안하지 못할 것이다. 두려움과 원망함은 다르기
때문에 내가 베푸는 것의 득실을 알 수 있다.

9. 재물을 운용함[用財章]

○ 재물을 잘 운용하는 것은 수령에게 중요한 일이다. 관가에서 날마다
쓰는 용도는 매우 많고 다양하다. 때문에 재물과 곡식, 잡물에 대해 매일
절약하여 사용함을 마음에 새겨두어야 할 것이다. 잠시라도 방심하면
불필요하게 낭비하게 될 것이니 조심해야 한다.

○ 관청에서 사용하는 잡물들을 거둘 때에는 수령이 직접한다. 절대로
바치는 양을 늘리거나 함부로 취해서 사사롭게 사용해서는 안 된다.

○ 사용할 재물의 양은 1년 단위로 정하되 12개월로 나누어 정해서
사용한다. 【윤달이 끼면 한 달을 더 한다】 매 달 사용하는 용도는 그 달에
배정된 수량 안에서 사용한다. 또한 한 달 분량을 셋으로 나누어 그 하나를

다시 첨삭하고 주석을 달아 『중수무원록』을 편찬했다. 1792년(정조 16)에는 서유
린(徐有隣)이 번역본인 『무원록언해』를 편찬되는 등 여러 차례 증보 번역 간행됨.

10일 안에서 사용하되 항상 여유분을 남겨둔다. 절대로 다 써버려서는 안 된다. 한 달 사용양이 모자라면 미리 용도를 계산하여 어떤 일에서든 절약하여 남겨야 한다. 절대로 다음 달에 사용할 양을 앞 당겨 사용해서는 안 된다. 한 번이라도 다음 달치를 미리 사용하게 되면 그 공백을 메우기 매우 어렵다. 체직되거나 파직되는 일이 생긴다면 장차 어떻게 조처하겠는 가? 이런 폐단을 알지 않으면 안 된다. 재물을 사용할 때에는 잉여분을 남겨둔 뒤에야 부득이 하게 손님을 대접할 때 소요될 재화와 갑작스럽게 필요한 물건을 확보할 수 있다.

○ 예전에 수령들은 봉록(俸祿)이 없고 모곡(耗穀)126)만 취했기 때문에 율곡(栗谷)127)선생이 조여식(趙汝式)128)에게 보낸 서문(序文)에서 모곡을 셋으로 나누어 절약해서 사용하라고 말했다. 【⅓은 아속(衙屬)에게 들이고, ⅓은 사객(使客)129)과 친구들을 대접하는 드는 비용으로, ⅓은 잉여로 남겨둔다】 지금 대동법이 시행되면서 수령들은 월름(月廩)130)을 받게 되었고, 모곡도 ⅓만 쓰게 되었다. 【⅓은 호조(戶曹)에, ⅓은 순영(巡營)에 바치기 때문이다】 따라서 예전 방식에 따라 월봉의 ⅓은 식구[齊眷]의 봉양으로, ⅓은 사객·빈객의 음식비용[支供]으로, 필요한 모든 지출의 비용으로 쓴다. 모곡은 항상 남겨

---

126) 모곡(耗穀) : 양곡을 대여해주고 받을 때 손실부분을 보충하기 위해 더 받는 곡식.
127) 율곡(栗谷) : 이이(李珥, 1536~1584). 본관 덕수(德水), 자 숙헌(叔獻), 호 율곡·석담(石潭). 형조·병조판서 등 역임.
128) 조여식(趙汝式) : 조헌(趙憲, 1544~1592). 본관 배천(白川), 자 여식, 호 중봉(重峯)·도원(陶原)·후율(後栗). 이이·성혼(成渾)의 문인. 사헌부감찰 등 역임. 임진왜란 당시 금산전투에서 전사함.
129) 사객(使客) : 봉명사신(奉命使臣). 임금의 명령을 받들고 지방이나 외국으로 가던 사신.
130) 월름(月廩) : 달마다 수령이 직접 받아 지출하는 비용. 월급으로 받는 곡식.

두어 뜻하지 않은 용도에 대비해야 할 것이다.

○ '벼슬살이는 머슴살이와 같다'는 속담이 있다. 오늘은 관직에 있지만 내일은 무슨 일을 할지 모른다. 수령에 부임한 초반에 남은 재물을 헤아려 먼저 부쇄마(夫刷馬)131) 비용으로 둔다. 그렇게 하면 급한 일이 생겨도 낭패 볼 염려가 없다.

○ '중기(重記)'라고 하는 것을 【세속에서 일용하기(日用下記)의 총수를 '중기'라 고 한다】 매월 10일마다 정리해 둔다면 비록 뜻하지 않게 체직되거나 파직되 는 일이 생겨도 지체하거나 궁색해질 염려가 없다. 말고삐를 잡고 길을 떠나는 것이 어찌 경쾌하지 않겠는가?

○ 재물을 사용하는 방법이 너무 방만하면 지속되기 어렵고, 너무 아끼면 인색해진다. 때문에 그 중도를 취하기란 매우 어렵다. 한 고을이 비록 작더라도 수령 자신에게 관련된 것은 검소하게 처리하면 연말이 되어 그 남은 것으로 무엇이든 할 수 있다. 사리사욕을 채우려 한다면 날마다 만금(萬金)을 들여와도 오히려 부족하다. 좋은 일은 도저히 못할 것이다.

○ 관직에 있으면서 친구의 안부를 묻고 물건을 줄 때는 가난한 자에게 주어야 한다. 이는 사용하고 남은 것을 활용해야지 절대 관에서 사용하는 물건을 내주어서는 안 된다. 또한 뒷날 벼슬을 도모하기 위해 권세가에게 아첨하여 기쁘게 할 희귀한 물건을 많이 준비하는 일로 인해 식자(識者)들에 게 욕을 먹어서도 안 된다. 남을 도와주는 일은 가난한 자를 넉넉하게 해주고, 부자에게 야박하게 하는 것이다.

○ 재물을 허비하는 이유는 가족을 항상 데리고 다니는 일, 왕래하는 일, 손님을 맞이하며 보내는 일, 부탁하는 일, 기물[器用]을 만드는 일, 진기한 물건을 모으는 일 때문이다. 그 용도가 떨어질 때가 되면 간사한

131) 부쇄마(夫刷馬) : 각 지방에 관용(官用)으로 배치해두던 말.

이서들이 이 틈을 노려 수령의 뜻에 영합하려한다. 이서들은 재물을 만들어내는 방법이라고 하면서 수령을 유인하여 민들의 재물을 빼앗을 교묘한 명목을 만들어낸다. 그 폐단을 이루 다 말할 수 없다. 수령 중에는 평소받은 것이 더러운 것임을 알면서도 묻지 않거나 또는 현명하지 못하여재정과 부세의 이로움과 병통 됨을 알지 못한 채 받는 경우도 있다. 알면서도받는 자나 모르고 받는 자 모두 이서들과 한 통속이 되어 관물(官物)을도둑질하고 민들의 재물을 빼앗았다. 탄식하지 않을 수 없다.

○ 각 고을의 수령 가운데 관물을 사사롭게 사용하는 자가 헤아릴 수없을 정도로 많다. 돈 천냥과 목면(木棉) 백동을 한 해 용도로 계산하면서도많다고 여기지 않는다. 이와 같은데도 감히 군주가 쓸데없이 많이 쓴다고할 수 있겠는가?

10. 농사와 양잠을 권장함[農桑章]

○ 왕자(王者)의 정치는 농사에 힘쓰는 것을 최우선 과제로 삼는다.때문에 순(舜)이 구관(九官)을 임명함에 곡식 파종을 다른 교령보다 우선하였다. 맹자가 정치를 논할 때에도 학교를 제산(制産)의 뒤에 두었다.[132]「홍범」[133]에서 말했다. "이미 부유해진 뒤에야 비로소 착하게 된다."[134]『논어』에서 말했다. "부유해진 뒤에 가르칠 수 있다."[135] 『관자』에서 말했다. "의식이 넉넉해져야 예절을 안다."[136] 상앙(商鞅)[137]은 개간령(開墾令)

---

132) 『맹자』「양혜왕(梁惠王)」상.
133) 홍범(洪範):『서경』「주서」의 편명.
134) 『서경』「주서」‘홍범’.
135) 『논어』「자로」.
136) 『관자』권1,「목민」1.

을 제정하여 밭 가는데 힘썼으며, 한나라에서는 역전과(力田科)138)를 두었
다. 왕도(王道)나 패도(覇道) 가릴 것 없이 한결같이 농사를 급선무로 삼았다.
　『경국대전』에서 말했다.139) "농사는 밭 갈고 일찍 씨 뿌리며, 잡초 제거를
부지런히 해야 한다. 수령은 농사를 권면하되 때에 맞춰 밭을 갈고 김매기하
며, 부족한 것을 도와주어야 하고 역에 차출하거나 노동력을 징발하지
말아야 한다. 관찰사는 수령들의 근면함과 게으름을 살펴 성적을 매겨야
한다." 또 "각 면마다 권농관을 두되 근면한 자를 선택하여 농사일을 수행하
는데 마음을 쓰도록 한다. 권농관으로 하여금 논밭을 묵히거나 황폐하게
만들지 않게 한다. 병든 가호의 논밭은 친족이나 이웃들로 하여금 경작하게
하여 묵히거나 황폐하게 만들어서는 안 된다." 그 법을 세운 뜻이 지극하였
다. 오늘날 권농의 정치는 문구만 갖추어져 있을 뿐 실질적인 효과가
없다. 우리나라 사람의 시에서 말했다. "임금이 비록 민들을 걱정하여
교서를 내리지만 주현에서는 한낱 빈종이 조각으로 보네." 어찌 탄식하지
않을 수 있겠는가?
　○ 수령은 법전에 의거하여 각 동(洞)마다 권농관 1명을 두어야 한다.140)
【면(面)은 너무 넓어서 돌아다니며 살피기 불편하므로 지금은 각 동마다 둔다】 권농
관은 재산이 넉넉하고, 근면한 자를 가려서 임명한다. 다른 요역(繇役)을
덜어주어 권농업무에만 전념할 수 있게 해준다. 권농관을 모아놓고 단속하

137) 상앙(商鞅) : 전국시대 위나라 정치가. 진나라 효공(孝公)을 도와 변법(變法)을
　　단행하여 부국강병을 이룸.
138) 역전과(力田科) : 한나라의 관리 임용 방식. 농사일을 잘하는 민을 관리에 등용하여
　　농사를 장려함.
139) 『경국대전』「호전(戶典)」'무농(務農)'.
140) 『경국대전』에는 각 면마다 권농관을 두게 규정되어 있음(『경국대전』「호전」
　　'무농').

여 말했다. "묵히거나 황폐해진 토지가 있으면 죄를 받을 것이다. 논밭 가는 시기를 놓쳐도 죄를 받을 것이다. 종자를 지급 받지 못한 자가 있으면 너희들이 관에 알려 처리하도록 한다. 소를 빌리지 못한 자가 있으면 너희들이 관에 알려 다스릴 것이다. 또한 제언을 쌓을 만한 곳이 있으면 미리 쌓게 할 것이다. 도랑을 수리할 곳이 있으면 제때 수리해야 한다. 이렇게 하지 못하면 너희들을 엄중히 처벌할 것이다." 이 같은 약조(約條)를 열거하고 권농관이 서명한다. 그 다음 봉초(捧招)[141]의 사례에 따라 비치해 둔다. 그들의 근면하거나 태만한 행실을 살펴 권면하거나 징계하는 정치를 거행한다. 『경국대전』 '장권(獎勸)' 조항에서 말했다.[142] "농업에 특별히 힘쓴 자는 매년 본조(本曹)에 계록(啓錄)[143]하여 권장하되, 농사와 양잠[農桑]·식목[種植]·목축[畜牧]의 유(類)와 같이 한다." 선대 왕들[祖宗朝]의 농사에 힘쓰는 정치가 이와 같았다.

○ 농사에 힘쓰는 정치는 농사짓는 소를 우선으로 삼았다. 소를 함부로 죽이는 일을 금지하는 법[牛禁法]을 자세히 밝혀 소가 없으면 농사짓기 어렵다는 뜻을 널리 알린다. 멋대로 소를 도살하는 자가 있으면 법률에 따라 엄히 다스린다. 경내 사람들이 소를 매매할 때에도 권농관의 수결[手票]이 있어야만 허락하며, 수결이 없는 자는 도적으로 간주하여 벌을 준다. 【여러 읍에서 이 방법을 사용하면 소도둑이 사라질 것이다】

○ 각 동의 권농관에게 명령하여 소를 보유한 가호의 대장을 만든다. 그 다음 논밭을 경작할 때가 되면 소 주인에게 먼저 자신의 논밭을 경작하게 한다. 그 뒤 소 없는 사람들의 논밭을 경작하게 빌려준다. 가령 한 마을에

---

141) 봉초(捧招) : 죄인에게 구두로 진술을 받음.
142) 『경국대전』 「호전」 '장권(獎勸)'.
143) 계록(啓錄) : 임금에게 올린 각종 계문(啓聞) 모음.

10호(戶)가 살고, 경작할 논밭 10결(結)이 있다. 소를 보유한 자가 3명, 소가 없는 자가 7명이면 권농관은 논밭을 경작할 날짜를 헤아려 순서를 정한 다음 경작하게 한다. 경작이 끝나면 관에 다음과 같이 보고한다. "△마을은 △일부터 시작하여 △일 날 밭 갈기가 끝났다."【논[水田]·밭[旱田]· 조경전(早耕田)·만경전(晩耕田)으로부터 근경전(根耕田)144)·면화밭[綿田]에 이르기까지 등급별로 나누어 각각 보고한다】 관에서는 수시로 몰래가서 살펴보되 혹 시간이 있으면 (수령이) 직접 논밭을 돌아보면서 해당 고을의 사람들을 불러놓고 권농관의 능력여부를 징험하여 상이나 벌을 준다.【송나라에서는 주현(州縣)으로 하여금 해마다 술과 고기를 싣고 교(郊)145)에 나아가 부로(父老)들을 맞이하여 논밭을 경작하는데 힘을 다하라는 뜻을 널리 알렸다. 그 뜻이 매우 좋으니 시험해 보아야 할 것이다】

○ 봄에 땅을 갈고 여름에 김을 매는 것은 그 대강을 말한 것이다. 지역에 따라 남북 간에 차이가 나기 때문에 농사도 일찍 짓고 늦게 짓는 차이가 발생한다. 그 풍토에 따라야 할 것이다. 그러나 보통 사람의 정서가 느긋해서 항상 때를 놓치는 폐단이 있다. 차라리 절기보다 빠를지언정 늦어서는 안 된다. 서두를지언정 느긋해서는 안 되는 것이 농업정책[農政]이다. 토맥(土脈)이 풀려야 씨뿌리고 경작할 수 있다. 씨뿌리기는 빨리 해도 나쁘지 않다. 빨리 씨를 뿌리면 바람과 차가운 기운을 이겨내어 가을에도 열매가 잘 맺는다. 흙의 기운을 먼저 받아 뿌리가 굳게 내리기 때문이다. 가령 부임한 고을의 풍속이 △절기(節期)를 조종(早種)146)의 시기로 삼는다면 관에서는 권농관에게 명령을 전하여 해당 절기보다 10여

144) 근경전(根耕田) : 이모작할 수 있는 논밭.
145) 교(郊) : 왕성으로부터 백리 거리의 지역.
146) 조종(早種) : 제철보다 일찍 여무는 벼.

일 앞서 씨를 뿌리게 한다. (그렇게 해야) 해당 고을의 풍속에 따라 씨 뿌릴 때가 되면 그 일이 이미 끝나게 되어 만에 하나라도 때를 놓칠 염려가 없게 된다.

○ 매년 정월이면 각 동마다 권농관을 차출하고, 1년 동안의 농업정책을 논밭을 갈고 김을 매기 전에 미리 계획을 세운다. 가뭄에서 벗어나는 방법은 수리시설을 갖추는 것만큼 좋은 것이 없다. 세운 지 오래되어 낡고 허물어진 제언(堤堰)147)이나 규모는 작지만 조금이라도 물을 저장할 수 있는 저수지가 있다면 해당 동민에게 명령을 전하여 본격적인 농사철에 앞서 고치도록 한다. 규모가 큰 사업이라면 관에 보고하고 민을 동원하여 수리하도록 한다.

○ 당나라 말엽 장전의(張全義)148)가 동도149) 윤(東都尹)에 부임하였다. 동도는 해골이 땅을 뒤덮고 가시나무가 무성하여 거주하는 민들이 1백 호가 안됐다. 장전의는 먼저 수하의 군졸 18명에게 기(旗) 하나와 방(榜) 하나를 지급하여 18개 현에 파견하였다. 황폐해진 마을로 내려간 군졸들은 그곳에 깃발을 꽂고 방을 내걸고 사방으로 흩어진 민들을 불러 모아 곡식을 심고 가꾸는 일을 권장하였다. 그러자 여러 고을의 호구(戶口)가 모두 돌아왔고, 고을마다 뽕나무와 삼나무가 잘 자라고 빈 땅이 없게 되었다. 이때 마침 장전의가 밖으로 나아가 논밭에서 곡식이 자라는 모습을 보고, 말에서 내려 부하들과 함께 자세히 살펴보았다. 누에와 보리를 잘 거둔 사람이 있으면 친히 그 집에 가서 노인과 어린이를 불러 차와 비단을 내려주었다. (반면) 전토를 황폐하게 만든 자는 여러 사람 앞에서 장(杖)을

---

147) 제언(堤堰) : 물을 저장하기 위해 하천이나 골짜기 등지에 쌓은 둑.
148) 장전의(張全義) : 오대(五代) 때 양나라 관리. 자 국유(國維).
149) 동도(東都) : 하남성 낙양(洛陽).

때렸다. 혹 남의 소를 해친 자가 있으면 이웃 마을 사람을 불러놓고 꾸짖었
다. 이로 인해 집집마다 먹고 남는 곡식이 쌓이게 되어 부유해졌다.[150]
뒷날 민들을 소생시키고 농업과 누에치기를 권장하려는 자가 있다면 이것
을 본받아야 할 것이다.

○ 수리사업을 일으키기 위해서는 수차(水車)보다 좋은 것이 없다. 수차
의 제도는 『태서수법(泰西水法)』[151]보다 좋은 것이 없다. 그 방법은 간단해
서 실행하기 쉽기 때문에 솜씨와 식견이 있는 자에게 방법을 연구하여
시행토록 한다. 물길은 낮고 논밭이 높다면 수차를 수로(水路) 입구에
설치하고 수차 근방의 민호(民戶)를 헤아려 정한 다음 그들로 하여금 운전하
여 물을 퍼 올리게 한다. 【만력(萬曆)[152]연간에 서양인 웅삼발(熊三拔)[153]이 수차
에 대한 5가지 법을 정리하였다. 첫째 용미거(龍尾車)[154]로 강하(江河)의 물을 끌어올린
다. 작은 것은 논밭에 물을 댈 수 있고 큰 것은 성(城)에 물을 댈 수 있다. 둘째 옥형거(玉衡
車)로 우물의 물을 끌어올린다. 셋째 항승거(恒升車)이다. 넷째 쌍승거(雙升車)는 옥형거
와 같지만 보다 신속하게 사용할 수 있다. 다섯째 수고(水庫)는 아무리 높은 산성이라도
곡식을 쌓듯 물을 저장할 수 있다. 이미 설명이 있고 또 그림도 있다. 그 책은 『태서수법』
이다. 그 사용법이 지극히 간단하여 시행하기 쉬우니 민을 이롭게 하는 보물이다.
글이 워낙 많아서 다 기록할 수가 없다. 근세에 충청도 덕산(德山)의 선비 이희환(李羲
煥)[155]이 처음으로 용미거를 만들었다. 경기도 안산(安山)의 이조환(李祖煥)이 그 제작

150) 『자치통감』 권257, 「당기」 73.
151) 태서수법(泰西水法) : 이탈리아 선교사 웅삼발[熊三拔, 본명 우르시스(Sabbathino
de Ursis)]이 서양식 농사법을 중국에 소개하기 위해 저술한 책. 서광계(徐光啓)의
『농정전서(農政全書)』 권19~20에 실려 있음.
152) 만력(萬曆) : 명나라 신종(神宗) 연호. 1573~1619.
153) 웅삼발(熊三拔) : 이탈리아 선교사 우르시스(Sabbathin De Ursis, 1575~1620)의
중국이름. 저서로는 『간평의설(簡平儀說)』·『태서수법(泰西水法)』·『표도설(表度
說)』 등이 있음.
154) 용미거(龍尾車) : 낮은 곳의 물을 높은 곳으로 퍼 올려 논에 물을 대는 기구.

법을 전수받았다고 한다】

○ 농사와 뽕나무는 민을 이롭게 하는 일이다. 그 공이 같음에도 불구하고 혹 농사는 권장하면서도 뽕나무는 힘써 심지 않는다. 한탄스러울 뿐이다. 뽕나무를 심을 때 대·중·소·잔(殘)·독(獨)으로 가호를 구분하여 80주(株)에서부터 10주에 이르기까지 울타리 밑이나 밭두렁에 심게 한다. 권농관이 자세히 살펴서 심은 나무 숫자를 파악하여 보고한다. 근래 인심이 교활하여 관에서 혹 조사할 때 가지를 꺾어 꽂아두고서 눈앞에서 구차하게 속이는 일이 있다. 이 같은 일이 습관이 된다면 끝내 실효를 거둘 수 없다. 그렇게 하는 자를 관에 보고하여 죄를 다스려야 한다. 10월 달이 뽕나무 심기에 가장 좋고【10월[建亥]156)은 나무가 생장하기 때문이다】 그 다음으로 얼음이 녹은 뒤가 좋다. 매번 봄과 가을에 지시문[帖文]을 내려 거듭 훈계하여 조사하도록 할 것이다.

○『경국대전』에서 말했다.157) "여러 고을의 옻나무와 뽕나무, 과일나무의 그루, 닥나무 밭과 왕골 밭, 대나무[箭竹]158) 생산지를 문서로 만들어 본조(本曹)와 본도(本道), 본읍(本邑)에 비치해 두고, 재배하여 키운다." 또한 "지방에서는 금산(禁山)159)을 정하여 나무를 베는 것과 불을 지르는 것을 금지한다. 매년 봄이 되면 어린 소나무를 심거나 혹 종자를 뿌려 키우고, 연말이 되면 그것이 몇 그루나 되는지 기록하여 중앙에 보고한다[啓聞].

---

155) 이희환(李羲煥) : 조선후기 실학자. 여주(驪州) 이씨(李氏) 일족. 예산(禮山) 고덕(古德)에 거주하면서 박물학(博物學)에 힘씀. 이익(李瀷)의 실학사상을 계승하여 가학(家學)을 이룸.
156) 건해(建亥) : 동지(冬至)가 있는 달의 전 달. 10월 달.
157) 『경국대전』 권6,「공전(工典)」'재식(栽植)'.
158) 전죽(箭竹) : 화살을 만드는 대나무. 전소(箭篠).
159) 금산(禁山) : 산에 들어가 함부로 나무를 베는 것을 금지함.

법을 어길 경우 산지기는 장 80대, 해당 관리는 장 60대를 친다." 이와
같이 법을 세운 뜻이 매우 엄격했으나 근래에는 전혀 실행되지 않았다.
때문에 숲이 우거진 산이 없고, 한 아름 되는 큰 나무가 없다. 해변의
들 가운데 위치한 고을에는 하루 종일 걸어도 쉴 수 있는 나무 그늘이
없다. 참으로 한심스럽다.

　수령은 관부(官府)로부터 시작하여 관에서 관리하는 도로[官道] 양 옆에
홰나무·버드나무·소나무·전나무를 심고, 근처에 사는 사람들을 시켜 나무
를 지키고 잘 키우게 한다. 길옆에는 매 3리(里) 혹은 5리마다 홰나무
3그루씩을 심어 나그네가 쉴 수 있는 장소도 만든다. 뽕나무 이외 모든
과일나무와 닥나무, 옷나무는 민간에서 긴요하게 사용되는 것이기 때문에
민을 감독하여 심게 한다. 이들 나무에서 발생하는 이익은 민들이 사용하게
하며, 관에서는 그 이익을 침탈할 뜻이 없음을 널리 알린다. 또한 약조(約條)
를 만들어 두었다가 뒤에 부임해 오는 자에게도 보여주어야 할 것이다. 【지
금은 대동법이 시행되므로 과일과 땔나무와 같은 종류에도 가격이 정해져 있기 때문에
더욱 민들을 침범할 수 없다】 연못 주변의 둑에 연꽃을 심는 것도 또한 그러하
다. 【연꽃을 심은 못에는 횃불을 만드는 재료를 징수하는 폐단이 발생한다. 연줄기로
횃불을 만들면 관솔[松明][160]보다 좋기 때문이다. 지금은 심지 않을 뿐만 아니라
저절로 자라나는 것도 주변에 사는 집에서 자르고 캐어내어 그 역사(役事)를 피하려
한다. 어찌하면 좋겠는가?】

　○ 귤이 회수(淮水)[161]를 건너면 탱자가 된다고 한다. 나무를 심는 것은
남북에 따라 다르다. 그러나 남북을 가리지 않고 또한 재배할 수 있는

---

160) 관솔[松明] : 소나무 송진이 나무줄기와 엉기면서 생긴 것. 불을 붙여 촛불이나
　　 등불 대신 사용.
161) 회수(淮水) : 강소성 소재.

품종도 있다. 따라서 풍토가 다르다는 말만 믿고 게으른 민들이 하는 대로 그냥 두어서는 안 될 것이다. 【이(李)선생이 말했다. "요즘 산성은 높은 곳에 있기 때문에 이익을 얻을 수 없다. 어떤 사람이 말했다. '대추나무·밤나무·뽕나무·옻나무를 많이 심어 민들이 과수원[果園]을 만들 수 있게 허락하고 쓸데없는 나무들은 잘라내야 한다.' 그 뜻은 매우 좋지만 그렇게 할 경우 산성이 쉽게 노출되어 사람들이 엿보게 될 것이다. 지금 바닷가의 소나무[海松]가 잘 자라는 것이 소나무와 마찬가지로 실질적인 이익이 생기므로 생계에 도움이 된다. 사방에 바닷가의 소나무를 심어서 키우면 또한 산성을 가려 보호할 수도 있다."】

○ 가축을 기르고 채소를 심는 일 역시 거듭 훈계해야 한다. 소나 말 이외에 닭이나 개 등도 길러 번식시키며, 생강·토란·파·마늘·오이·가지·무·배추처럼 사람들이 먹을 수 있는 것들을 밭고랑을 나누어 심게 한다. 토란과 배추 등이 많이 재배되면 재화를 모을 수 있으며 또한 기근으로부터 민들을 구제할 수도 있다.

○ 경내에 개간할 수 있거나 혹 제언을 쌓아 물을 댈 수 있는 곳이 있다면 직접 방문하여 살펴보고 때에 맞추어 그렇게 함으로써 민을 이롭게 한다. 오늘날에 민산(民産)을 제정하는 방도를 갑자기 말하기 어렵지만 이 2가지의 일만으로도 크게 민산을 일으킬 수 있다. 우리나라는 압록강[162]을 기준으로 동쪽 지역은 산이 많기 때문에 큰 가뭄이 들더라도 수십 개의 성이 연달아 붉은 땅으로 변하는 처참한 지경에는 이르지 않는다. 이는 곳곳마다 계곡이 있어서 물을 댈 수 있기 때문이다. 그러나 호남우도[右道][163] 일대는 바다와 연결된 평평한 육지이다. 때문에 냇물에 소금기가

---

162) 압록강(鴨綠江) : 한반도 북부와 중국 동북지방의 국경을 이루면서 황해로 흘러 들어가는 강.

163) 호남우도[右道] : 서울에서 볼 때 호남지방을 좌우로 나누어 무주·진안·남원 등지를 호남좌도, 김제·정읍·나주 등 평야지역을 우도로 규정.

있는 조수(潮水)가 섞여서 논밭에 물을 댈 수 없다. 그래서 제언이 유독 호남지역에 많이 설치되었다.

유반계(柳磻溪)[164]가 말했다.[165] "호남의 벽골(碧骨)[166]·눌지(訥池)[167]·황등(黃登)[168] 등의 제언은 규모가 크기 때문에 민들의 이익도 매우 컸다. 하지만 지금은 이들 제언이 폐기된 지 오래되었다. 이 제언들을 고쳐서 다시 사용한다면 노령(蘆嶺)[169] 위쪽에 위치한 7, 8개의 군(郡)은 흉년이 들어도 민들이 마을을 버리고 떠도는 걱정이 영원히 사라지게 된다. 민에게 많은 이익을 줄뿐만 아니라 국가의 세금도 증가될 것이다. 어찌 뛰어난 계책이 아니겠는가? 이런 뜻으로 감사에게 말했다. '지금 흉년이 들었는데 곡식을 지원하고 민들을 모집한다면 정부(丁夫)를 뽑을 필요 없습니다. 뿐만 아니라 한편으로 흉년을 구제하고 다른 한편으로 이익을 얻을 수 있으니 일거양득입니다' 그러나 감사가 이 계책을 사용하지 않았다. 호남 사람들이 지금까지도 한탄하고 있다."

○ 옛날 현명하고 능력 있는 수령이 한 지역에서 이익을 일으켜 민이 실제 혜택을 받게 되는 것은 어느 경우나 열심히 노력한 결과였다. 공수[170]가 발해를 다스릴 때 농업과 양잠을 장려하였다. 민 가운데 칼을 지니고

---

164) 유반계(柳磻溪) : 조선후기 실학자 유형원(柳馨遠, 1622~1673). 본관 문화(文化), 자 덕부(德夫), 호 반계. 『반계수록(磻溪隨錄)』을 통해 전면적인 제도개혁을 주장함.

165) 『반계수록(磻溪隨錄)』 권1, 「전제(田制)」상 '분전정세절목(分田定稅節目)'.

166) 벽골(碧骨) : 벽골제(碧骨堤). 전북 김제읍(金堤邑)에 소재한 저수지.

167) 눌지(訥池) : 눌제(訥堤). 전북 정읍군(井邑郡) 고부면(古阜面)에 소재한 저수지.

168) 황등(黃登) : 황등제(黃登堤). 전북 익산(益山)·전주(全州) 부근에 소재한 저수지.

169) 노령(蘆嶺) : 전북 정읍시와 전남 장성군 북이면(北二面) 사이의 도계(道界)를 이루는 고개.

170) 공수(龔遂) : 한나라 선제(宣帝) 때 관리. 자 소경(少卿).

다니는 자가 있으면 그에게 송아지를 사게 했다. 봄에 논밭에 나아가 농사를 짓도록 권장하며 겨울이 되어 소출에 세금을 부과해도 민들이 잘 살았다.171)

소신신172)이 남양173)을 다스릴 때에도 민을 위해 이익을 일으키는 것을 좋아해서 직접 농사를 권면하였다. 이에 직접 논밭에 나아갔기 때문에 한가롭게 앉아 있을 때가 드물었다. 그는 돌아다니면서 샘물을 발견하고 수로를 개통하여 물 공급지역을 넓혀 나아갔다. 이에 민들이 이로움을 얻어 농사에 힘쓰지 않는 자가 없었다.174)

또 임연175)이 구진176)에 부임하였다. 구진의 습속이 활을 쏘아 사냥하는 것을 본업으로 삼았다. 소를 이용하여 농사짓는 법을 알지 못하여 매양 곤궁하게 살았다. 이에 임연이 농기구를 만들어 개간하는 법을 가르쳤다. 매년 농지가 확대되어 민들이 넉넉하게 살 수 있게 되었다.177)

신찬(辛纂)178)이 하내(河內)179)에 부임하였다. 그는 농업과 양잠을 권장하면서 직접 사람들을 살피고, 부지런한 자는 비단을 상으로 내려주었고, 게으른 자는 죄를 물었다.180)

---

171) 『전한서』 권89, 「순리전」59.

172) 소신신(召信臣) : 한나라 원제(元帝) 때 관리. 자 옹경(翁卿).

173) 남양(南陽) : 하남성 서남부 소재.

174) 『전한서』 권89, 「순리전」59.

175) 임연(任延) : 한나라 광무제(光武帝) 때 관리. 자 장손(長孫). 무위(武威)·영천 태수 등 역임.

176) 구진(九眞) : 베트남 하노이 이남 지역.

177) 『후한서』 권106, 「순리열전」 제66.

178) 신찬(辛纂) : 수나라 관리. 형주 자사(荊州刺史) 등 역임.

179) 하내(河內) : 황하 북쪽 하남성 일대.

180) 『농상집요(農桑輯要)』 권1, 「전훈(典訓)」 '선현무농(先賢貿農)'.

주자[朱文公]가 남강(南康)181)에 부임하였다. 방(榜)을 내걸어서 민들을 권면하였다. 밭을 갈고 거름을 주며 씨앗을 뿌리며 풀 베는 절차에서부터 삼과 콩 등을 심고 저수지를 고치는 일에 이르기까지 자세히 알려주지 않는 것이 없었다. 그리고 직접 들판에 나아가 돌아보며 가르침을 따르지 않는 자를 벌하였다.

이렇게 한 것이 어찌 의도하는 바 없이 번거로움을 좋아해서였겠는가? 보통 사람의 성품은 인도하면 스스로 힘쓰지만 그대로 두면 태만해진다. 옛 선현들이 말했다. "비록 낮은 벼슬에 있더라도 사람을 사랑하는 마음을 가지면 사람들을 구제할 수 있다." 하물며 지금 감사나 수령의 책임을 맡은 사람이라면 이룰 수 있는 권병(權柄)을 가지고 있다. 한 지방의 잘 살고 못 사는 여부는 본인에게 달려 있다. 마음을 다해 민을 어루만지고 구휼한다면 어찌 옛사람에 미치지 않겠는가?

○ 농사일은 때에 맞춰 서두르는 자는 빨리 얻을 것이며, 힘을 많이 들이는 자는 많이 얻을 것이다. 그러므로 농정에서 중요한 바는 때를 놓치지 않고, 민들의 힘을 빼앗지 않는데 있다. 여러 가지 곡식들은 각각 심을 시기가 있다. 그 때를 놓치면 끝내 한 해 농사를 회복할 수 없다. 민의 몸은 하나이기 때문에 그 노동력을 빼앗아서는 안 된다. 관에서 어떻게 농사일에 힘쓰라고 꾸짖을 수 있겠는가? 사람으로서 해야 할 일을 다 했다면 하늘의 운세가 고르지 못하더라도 막아낼 수 있다. 또한 이른바 '망종(芒種)'182)이란 사람의 힘이 넉넉하지 못하여 비록 모든 일을 서둘러 마치지 못했지만 이때까지 일을 마친다면 오히려 가을에 수확할 희망이

---

181) 남강(南康) : 강서성 북쪽 소재.
182) 망종(芒種) : 24절기중 하나. 양력 6월 5일 경. 벼·보리 등의 종자를 뿌려야 할 시기. 보리 베기·모내기가 본격적으로 진행됨.

남아 있음을 알리는 절기이다. 원래 망종의 뜻은 늦었다고 해서 씨를 뿌리지 않고 있다가 농사를 망치는 것보다는, 이때라도 씨 뿌리는 것이 낫다는 의미이지 반드시 이때를 기다렸다가 씨를 뿌리라는 뜻은 아니다. 그러나 지금 수령들은 옛 습속에 익숙하여 비록 파종할 때가 되었는데도 스스로 '망종이 아직 멀었다'고 한다. 전토(田土)와 관련된 소송도 즉시 처결하지 않으며, 파종할 씨앗을 나눠주는 일도 항상 서두르지 않고 매번 지체하는 잘못을 저지른다. 혹은 농사일은 잘 알지 못하면서 농사를 권면해야 한다는 명분만으로 독촉하여 너무 서두르다가 미처 싹도 피지 못하고 오히려 농사를 망치게 만드는 자도 있다. 혹은 절기의 빠르고 늦음을 잘 파악하지 못하고 스스로 서툴게 계산하다가 시기를 놓치는 자도 있다. 이 어찌 임금의 근심을 나누고 민을 잘 기르는 본래 뜻이겠는가?

11. 호구를 관리함[戶口章]

○ 법전에서 말했다.[183] "3년마다 호적(戶籍)을 개정한다. 집이 놓여진 순서에 따라 5호(戶)를 1통(統)으로 편성하여 통주(統主)를 둔다. 5통마다 이정(里正)을, 1면(面)마다 권농관(勸農官)을 둔다. 나이를 늘리거나 줄이는 자는 죄를 다스리고, 이런 사람이 6명 이상일 때에는 통수와 이정에게 죄를 묻는다. 10구(口)이상을 누락하거나 5호(戶)이상을 누락할 때에는 수령을 파직하고, 50호 이상인 경우 수령을 정배(定配)[184], 5호 이상을 허위로 증가할 때에는 수령을 파면한다." 호구와 관련된 법이 매우 엄한데도 근래 들어 통호(統戶)의 순서가 문란할 뿐 아니라 가호를 거짓으로

___

183) 『경국대전』 「호전」 '호적(戶籍)'.
184) 정배(定配) : 유배지를 정하여 귀양을 보냄.

증가시키거나 또는 빼먹는 일이 매우 많다. 급히 호구를 징발해야 할 때가 되면 무엇을 믿고 취하겠는가?

○ 나라를 다스리는 근본은 민의 숫자를 자세히 파악하는 데 있다. 민의 숫자를 제대로 파악하지 못하면 나랏일[國事]이 일관되지 못하고, 나랏일이 일관되지 못하면 잘 다스리려 해도 그렇게 할 수 없다.『주례』에서 말했다.[185] "민의 숫자를 자세히 파악한 다음 구직(九職)을 나누어 정한다. 사구(司寇)가 민의 숫자를 천자에게 바치면 천자는 절을 하고 받는다." 민의 숫자를 공경하고 중요하게 여김이 이와 같았다. 오늘날 수령들도 식년(式年)[186]마다 호적을 올릴 때도 절을 하고 보내어 그 일을 중요하게 생각해야 할 것이다.

○ 수령은 먼저 호구의 많고 적음과 민산의 넉넉하고 모자람을 파악해야 한다. 그 뒤에 진짜와 가짜를 구별하고 교령을 행할 수 있다. 부임 초기에 각 고을 풍헌에게 명령을 전하여 실상을 조사하여 호적을 만들게 하고, 향소를 시켜 호적 작성하는 일을 감독하게 한다. 이때 호구를 조사하는 일을 차분하게 천천히 진행해야 한다. 갑자기 서둘러서 민을 소란스럽게 만들어서는 안된다.【비록 사대부의 호(戶)라 할지라도 본적에 누락된 자는 모두 수록한다】

○ 호적을 기재하는 방식은 다음과 같다.

'△면(面) △리(里) △촌(村), 업(業)은 △, 이름은 아무개, 나이는 △'라고 기재한다. 토착자(土着者)면 토착자라고 쓰고, 이사 온 자면 '△년 △지역에서 왔다'고 쓴다.

---

185)『주례』「추관사구」상.

186) 식년(式年) : 과거(科擧)를 보이거나 호적을 작성하는 해. 자(子)·묘(卯)·오(午)·유년(酉年)으로 3년 간격.

또한 '아버지는 아무개이고, 업은 △이다. 어머니는 △성씨(姓氏)이며,
△지방의 △업을 가진 아무개의 딸이다'고 적는다.

'형제는 아무개·아무개'이며, 함께 살면 동거, 따로 살면 '△지방에서
거주한다'고 표시한다.

'처는 △성씨이며 △지방의 △업을 가진 아무개의 딸'이라고 적는다.

'아들은 아무개, 업은 △'고 적는다.

'며느리는 △성씨이고, △지방의 △업에 종사하는 아무개의 딸 【손(孫)과
질(姪)도 이와 같다】'이라고 적는다.

'딸은 아무개인데 △지방의 △업을 가진 아무개에게 시집갔다 【자매도
이와 같다】'고 쓴다.

이밖에 남의 집에 기거하는 손님[寄客]은 △명, 고용 인부[雇工][187]는
△명, 소와 말은 △두(頭), 논밭은 △결(結)이고 【밭은 △일 갈이, 논은 △두락(斗
落)[188]】 그 가운데 △결은 영업전(永業田), △결은 전작(佃作)[189]이며, 세곡
(稅穀)은 △섬[石], 신역(身役)은 △말이며, 가까운 이웃집[隣保]은 △가(家)
인지를 기재한다.

이웃한 순서에 따라 호적을 작성하되 매 1촌(村)마다 1소적(小籍)을,
1면(面)마다 1대적(大籍)을 만들어 한 권으로 합친 다음 항상 곁에 두고
수시로 살펴본다. 그렇게 되면 민간의 진실과 거짓을 밝게 살펴볼 수
있다. 【옛날에는 단결법(團結法)이 있었다. 5가를 통으로 편성하여 통에는 수(首)를
두고, 2통을 갑(甲)으로 편성하여 갑에는 장(長)을 두었다. 10갑을 보(保)로 편성하여
보에는 정(正)을 두고, 여러 보를 합쳐서 1면(面)으로 편성하여 면에는 풍헌을 두었다.

---

187) 고공(雇工) : 숙식을 제공받고 노동력을 파는 사람.
188) 두락(斗落) : 논밭의 넓이를 나타내는 단위. 한 말의 씨를 뿌릴 수 있는 면적.
　　토지의 비옥도에 따라 면적이 다름.
189) 전작(佃作) : 남의 농지를 빌어서 대신 농사짓고, 소출의 반을 납부하는 농사법.

이처럼 단결법으로써 서로 권면하며 사랑하고, 서로 타일러 살피게 한 뒤에야 사람들의 마음을 하나로 만들고, 풍속을 가지런히 할 수 있었다. 이것이야말로 나라를 굳건히 하고 밖으로부터의 위협을 방어하는 중요한 방법이라 하겠다. 상세한 내용은 부록에 기술한다】

○ 국가에서는 호구가 늘어난 것으로 수령의 유능함을 판단하였다. 하지만 수령들은 실제로 직접 조사하여 살피지 않고 면임에게 맡겼다. 그리고 비총(比總)190)에 뜻을 두어 거짓으로 호구수를 늘리려 힘썼다. 이는 스스로 임금을 속이는 죄를 저지르는 것이다. 한심한 일이 아닐 수 없다. 또한 역을 차출하거나 조적(糶糴)191)을 나눠줄 때도 큰 폐단을 초래한다. 이런 일은 조사하고 규명해야 하니 먼저 금지하는 법을 밝혀야 할 것이다.

○ 근래 들어 누락된 호가 자주 발생하고 있다. 삼남(三南)지방이 특히 심하였다. 그 지역의 지배세력과 양반, 권력을 잡은 향소의 가호아래 거주하는 자들이 많은데도 호적에 기록되는 자는 매우 적다. 따라서 금지하는 법령을 엄하게 밝히고 누락된 호구는 자수하도록 한다. 자수하지 않는 자는 관에 보고하여 그 죄를 다스린다. 양호(養戶)192)를 숨긴 해당 지역의 지배세력들도 무거운 죄로 다스려야 할 것이다. 이처럼 하나하나 조사한 다음 원적(元籍) 뒤에 '속호(續戶)'라고 붙여두었다가 다음 식년의 호적 작성 때 기록한다. 이상의 절목은 위엄 있는 명령으로 내려야 시행될 수 있다. 일 처리가 잘못되면 민들이 소요를 일으키기 쉽기 때문에 신중해야 한다. 【『강목』에서 말했다. "위나라 효문제(孝文帝)193) 태화(太和)194) 원년(477년)에

190) 비총(比總) : 전세(田稅) 수입의 총액. 국가에서 전세 수입의 근원이 되는 논밭의 실결수(實結數)를 조사하여 국가의 총 세원을 확보하려는 의도에서 실시한 제도. 영조대 영남에서 처음 시행되어 점차 전라도와 충청도 지역으로 확대.

191) 조적(糶糴) : 환곡을 나눠주고 거두는 일.

192) 양호(養戶) : 부자가 가난한 자의 세납을 대신 납부하고, 자기 집에서 부리던 민호(民戶).

소위 음부(蔭附)된 자는 관역(官役)이 없었다. 세력이 강한 자들은 공부(公賦)의 2배를 거두어 들였다."195) 이에 위나라에서는 이충(李沖)196)을 등용하여 삼장법(三長法)을 실시하였다. 세력이 강한 자들은 삼장법이 시행되는 것을 원하지 않았지만 (시행되자) 민들에게 부과되는 특산물[調]이 1/10로 줄어들게 되어 상하가 편안해졌다. 음부는 곧 우리나라의 해당지역의 지배세력이 거느린 양호(養戶)와 같은 자들이다. 수령은 자주 교체되지만 세력이 강한 자들은 오랫동안 한 지역에서 살기 때문에 이서들은 상관을 속일지언정 감히 그들의 영(令)은 어기지 못한다. 그래서 '강물은 흘러가지만 돌은 구르지 않는다[江流石不轉]'란 말이 생겨나게 되었다. 이 말은 관장은 비록 떠나지만 지역의 지배세력은 오랫동안 존재한다는 뜻이다. 어찌 통탄하지 않겠는가? 】

○ 호적법을 명확하게 실시하려면 각 면에 비치된 통기(統記)197)와 민간의 호적을 관가에서 거둬들인 다음 즉시 풍헌을 시켜 각 이(里)의 우두머리[頭頭人]를 불러들여 사실대로 써내게 한다. 경작 가능한 논밭의 많고 적음은 서원(書員)198)이 작성한 깃기[衿記]199)를 살펴본다.【또한 남의 논밭을 빌어 병작(並作)하는 자와 살림에 여유가 있지만 깃기가 없는 자도 있기 때문에 면임을 거듭 경계해야 한다】 조금이라도 속이고 숨기는 자가 있다면 각별히 무겁게 다스리되 조금이라도 용서해 주어서는 안 된다. 호적 작성이 끝난 뒤에는 각 면의 서원을 시켜 본래 통기와 대조한다. 통기에 기록된 자가 호적에 빠졌다면 또한 그 죄를 다스린다. 대조가 끝나면 원래 통기와 민적(民籍)은 되돌려 준다. 수령이 지켜보는 앞에서 해당 이서를 시켜

193) 효문제(孝文帝) : 북위(北魏)의 황제. 탁발굉(拓跋宏).

194) 태화(太和) : 효문제(孝文帝) 연호. 477~499.

195) 『자치통감』 권136, 「제기(齊紀)」2.

196) 이충(李沖) : 후위(後魏) 효문제(孝文帝) 때 관리. 자 사순(思順).

197) 통기(統記) : 통별 민호(民戶)의 상황을 기록한 장부.

198) 서원(書員) : 문서·회계·공사(公事)전달 등 행정 실무 담당 이속.

199) 깃기[衿記] : 지주의 이름과 부과된 조세액을 기록한 장부.

대조하여 간사하고 거짓된 짓을 하지 못하도록 막아야 한다.

○ 호적 작성이 끝난 뒤에는 민이 관부(官府)를 드나들 때 혹 한가한 틈을 타서 그들을 위로하면서 생계의 넉넉함과 모자람, 가족의 많고 적음을 물어서 은밀히 기록해 두었다가 진짜와 거짓을 판별하는 증거로 삼는다.

○ 옛사람들이 간사한 자를 적발하고 숨어 있는 자를 귀신처럼 찾아낼 수 있었던 것은 호적법이 분명했기 때문이었다. 정자[程明道]가 진성200)령에 부임하였다. 향촌의 거리를 고려하여 보오(保伍)를 편성하고, 민들로 하여금 일을 서로 돕고 근심과 재난을 서로 구제하게 하고, 간사하고 거짓된 짓을 용납하지 않았다. 사람이 살해되었다는 소식을 듣자 선생이 말했다. "이는 △마을 아무개의 짓이다." 사람들에게 확인해 보니 과연 그 사람이 맞았다.201) 이는 보오법이 잘 시행되었기 때문에 가능한 일이었다.

○ 호구를 증가시키는 방법은 가혹한 정사를 제거하고 위로하여 따르게 하고, 편안하게 살 수 있는 방도를 시행하는 것이다. 편안하게 살 수 있는 방도 또한 다른 방법이 아니라 다음과 같이 알릴 뿐이다. "너희 족속이나 마을에서 침해를 당하거나 혹 살기 어려워서 떠나는 자가 있다면 돌아오게 하라. 돌아온다면 몇 년 동안은 역을 면제하여 자신의 업에 편안히 종사할 수 있게 해주겠다. 돌아오지 않으면 너희들에게도 죄를 물을 것이다." 새로 모여든 가호도 위무해주어야 할 것이다. 근래 들어 상하 간에 믿음이 없어진 지 오래되었다. 관에서 비록 영을 내려도 민들은 속임을 당할까 근심한다. 인심의 향배는 믿음에 달려 있다.

---

200) 진성(晉城) : 산서성 동남부 소재.

201) 『이정문집(二程文集)』 권12, 「행장(行狀)·묘지(墓誌)·제문(祭文)」 '명도선생행장(明道先生行狀)'.

○ 송나라 소송(蘇頌)[202)]이 강녕[203)]부(江寧府)에 부임하였다. 그는 매번 소송을 처리할 때마다 (관에 온 자들에게) 이웃마을의 장정 수와 재산의 많고 적음을 조용히 물어보고 실상을 자세히 파악하였다. 하루는 향로(鄕老) 들을 불러놓고 호적을 수정하였다. 민 가운데 사실을 숨기려고 하는 자들이 있었다. 소송이 말했다. "너희 집에는 장정이 △명이 있고, 재산이 얼마 있지 않는가?" 민들은 놀라서 아무 말도 못하고 서로 쳐다만 보았다. 따라서 감히 숨기는 자가 없을 뿐 아니라 온 고을이 신명스럽다고 칭송하였다.[204)]

명나라 섭춘(葉春)[205)]이 혜안[206)] 령(惠安令)에 부임하였다. 그는 『정서(政書)』를 짓고, 이에 따라 노인[耆老]을 예우하고 음사(淫祠)를 없앴다. 사학(社學)을 세우고, 보부장(保副長)을 임명하여 각 포(鋪)의 정남(丁男)을 거느리고 외적을 방어하였다. 그가 말했다. "현을 맡은 자는 해당 현의 민수(民數)와 물산을 두루 알아야만 현령이라고 말할 수 있다. 따라서 인정(人丁)은 관인(官人)과 사인(私人), 늙은이와 젊은이를 막론하고 호적에 올려 기록한다." 일이 없을 때에는 교화를 행할 수 있고, 유사시에는 군오(軍伍)를 편성하여 대비할 수 있었다. 시행 초기에는 의심스러워했지만 시간이 흐를수록 두려워하며 믿게 되었다. 세력이 있는 집안에서 혹 작은 잘못이라도 저지른 자가 있으면 법으로 다스렸다. 때문에 명령이 행해지고 금지할 수 있었다. 옛날 사람들이 수령이 되면 호적법을 중하게 여긴 것이 이와 같았다.

○ 매달 초하루에 풍헌이 보고해 온 사안 가운데 인물의 사망【비록

---

202) 소송(蘇頌) : 송나라 관리. 자 자용(子容).
203) 강녕부(江寧府) : 강소성 남경(南京) 소재.
204) 『송명신언행록(宋名臣言行錄)』후집(後集) 권11, '소송(蘇頌)'.
205) 섭춘(葉春) : 명나라 관리. 자 경양(景陽).
206) 혜안(惠安) : 복건성 진강현(晉江縣) 소재.

어린아이가 죽었더라도 해당 통의 통수(統首)가 풍헌에게 보고하면 풍헌이 (관에) 보고한다】 (존재)유무의 실상과 유민(流民) 가운데 거주하려는 자 등을 '속적(續籍)'에 기록한다.

12. 교화에 힘씀[敎化章]

○ 『주역』에서 말했다.[207] "인문(人文)을 살펴 천하를 덕으로 교화시켜 선하게 만든다." 이때 인문은 떳떳한 도리[彛倫]와 순서[次序], 존비와 친소, 상하와 등급을 의미한다. 사람은 이러한 인문을 가지고 있기 때문에 이를 가르치면 문명한 풍속을 일으킬 수 있다.

○ 동자(董子)[208]가 말했다. "인으로써 민을 감화하고[漸], 의로써 다스린다[摩]."[209] '점(漸)'과 '마(摩)' 두 글자는 민을 가르치고 풍속을 일으키는 요체이다. 나의 성의(誠意)가 민에게 믿음을 주지 못하고, 의식과 예절[儀文]의 말단만을 가지고 다스리고자 한다면 민은 꿈쩍도 않을 것이다. 교화에 힘쓰고자 하는 수령은 몸소 실천하여 민에게 믿음을 보여야 한다. 옛사람이[210] 말했다. "민을 다스리는 방법은 쉽기도 하고 어렵기도 하다. 자신이 바르면 명령하지 않아도 행하게 되어서 다스리기 쉽다. 하지만 자신이 바르지 않으면 비록 명령을 내려도 따르지 않기 때문에 다스리기 어렵다."

○ 요즘 다스림에 대해 말하는 자들은 다음과 같이 말한다. "정령이

---

207) 『주역』 '분괘(賁卦)'.

208) 동자(董子) : 한나라 경제(景帝) 때 학자 동중서(董仲舒). 유교를 국가운영의 지침으로 활용함.

209) 『전한서』 권56, 「동중서전(董仲舒傳)」 26

210) 본문의 '옛사람'은 남북조(南北朝)시대 위나라 상주 자사(相州刺史)를 지낸 '왕옹(王雍)'을 가리킴.

밝고 형법이 엄해야 한다. 교화만 힘쓰면 민심이 예전과 다르기 때문에 갑자기 일으키기 어렵다." 이 말은 그럴듯하게 들리지만 실제로 잘못된 말이다. 왜냐하면 교화와 정형(政刑)은 2가지 일이 아니기 때문이다. 교화는 '체(體)'요 정형은 그 '용(用)'이다. '용은 행할 수 있는데 체는 행할 수 없다'는 이치는 천하에 없다. 그 용만을 행하고 체를 행하지 않는다면 민들은 겉으로만 따를 뿐 진심이 아니며, 복종하는 것도 위엄 때문이지 덕 때문이 아니다. 따라서 민을 다스리기 위해서는 교화를 우선해야 할 것이다. 옛날과 지금이 다르다는 이유로 교화를 우선할 수 없다고 한다면 이 또한 틀린 말이다. 역사와 전기(傳記)를 살펴보면 천하가 어지러워 민들이 도탄에 빠졌을 때에도 교화를 일으키자 민들이 믿고 따르는 사례가 있었다. 어찌 옛날과 지금이 다르다고 하는가? 다만 이를 행할 참다운 덕이 없는 것이다.

○ 교화를 우선시하는 정치는 그 요점이 자신의 몸에 있으며, 그 법도는 향약(鄕約)으로부터 시작된다. 옛날에도 비려(比閭)[211]와 일족의 무리[族黨]로부터 민을 교화하여 키우는 방법이 있었다. 민에게 가깝게 다가가서 다스리면 그 효과는 더욱 빠른 것이다.

○ 한연수[212]가 좌풍익[213]에 부임하였다. 형제간에 소송을 벌이자 그가 말했다. "소송이 벌어지게 된 것은 나의 교화가 행하지 못했기 때문이다." 문을 닫고 자신의 잘못을 생각하였다. 그러자 소송 당사자들이 서로 양보하였다.[214]

---

211) 비려(比閭) : 주나라 호구제도. 5가(家)가 1비(比)가 되어 상호 감시하고, 5비(比)가 1려(閭)가 되어 서로 돕는 제도.

212) 한연수(韓延壽) : 한나라 관리. 자 장공(長公). 영천 태수(潁州太守) 등 역임.

213) 좌풍익(左馮翊) : 한나라 때 경조 윤·우부풍(右扶風)과 함께 도성을 다스리던 삼보(三輔).

214) 『전한서』 권76, 「조윤한장양왕열전」46.

방경백(房景伯)215)이 청하216)태수(淸河太守)에 부임하였다. 어떤 부인이
자기 아들의 불효를 열거하니 방경백의 어머니 최씨가 말했다. "산골 사람
이라 예의를 알지 못하는데 어찌 심하게 꾸짖겠는가?" 이에 방경백이
어미를 불러 식탁을 마주하고 함께 식사하면서 아들로 하여금 당(堂) 아래에
서 있게 하고 자신이 음식 올리는 일을 지켜보게 하였다. 열흘도 못되어
아들은 눈물을 흘리며 돌아가게 해달라고 했다. 마침내 효자로 이름을
날리게 되었다.217)

이와 같이 빠르게 사람을 교화시켜 감동시킬 수 있었던 것은 사람들의
타고난 품성이 같기 때문이다. 어찌 매를 때리고 형벌을 주어서 위엄을
부리려 하는가?

우리나라 영변(寧邊)218)에 사는 민 가운데 아버지를 버린 자가 있었다.
조정암(趙靜菴)219)이 시행했던 향약법을 듣고 그 날로 아버지를 맞아들였
다. 교화가 사람의 마음을 감복시키는 것이 이와 같았다.

○ 학교를 일으키는 것이 교화를 시행하기 위해 가장 먼저 해야 할
일이다. 동리(洞里)에서 향약법이 시행되면 학교가 일어날 수 있다.

○ 부임하는 날에 경내 이름난 선비로서 나이 많고 뛰어난 덕을 갖춘
자가 누구인지, 재주와 학식을 겸비한 자가 누구인지, 지조와 행실이 뛰어난
자가 누구인지를 물어서 살핀다. 그 다음에 혹 직접 방문하거나, 혹 편지로

215) 방경백(房景伯) : 후위(後魏) 때 관리. 자 장휘(長暉).
216) 청하(淸河) : 하북성 창평현(昌平縣) 소재.
217) 『산당사고(山堂肆考)』 권92, 「친속(親屬)」 '방모화민(房母化民)'.
218) 영변(寧邊) : 평안북도 영변군과 안주군 일대.
219) 조광조(趙光祖, 1482~1519) : 본관 한양(漢陽), 자 효직(孝直), 호 정암(靜庵). 김종직
(金宗直)의 뒤를 이어 사림(士林)의 영수로서 왕도정치 실현을 위해 노력함. 부제
학·대사헌 등 역임. 기묘사화(己卯士禍, 1519) 때 사사(賜死)당함.

문안을 드려 예의와 공경을 극진히 하고, 그들에게 모범[師表]이 되어주기를 청한다. 또 동계(洞契)의 사람들을 시켜 서재(書齋)를 설립하고, 훈장을 선정하여 날마다 수업을 가르치고 감독하도록 한다. 매달 초하루에 항상 두, 세 사람을 돌아가며 뽑아서 향교에 나오게 한다. 수령은 그들과 함께 알성례(謁聖禮)220)를 거행한다. 예가 끝나면 강연을 열고, 읽었던 내용을 시험하며 의리를 강론함으로써 권장하는 방법으로 삼는다. 그 중 재주가 부족한 자는 엄하게 꾸짖지 말고 마음을 다해 이끌어야 한다. 그들을 인재로 만드는 책임은 전적으로 훈장에게 위임한다.

○ 매번 석전제(釋奠祭)221)가 끝나면 그 다음날 경내에 살고 있는 생도들을 모아놓고 봄에는 글을 짓고[製述], 가을에는 경전을 읽고 시험 본다. 글 짓기는 어린아이로부터 유생(儒生)의 시부(詩賦)에 이르기까지 의심스러운 부분을 각각 출제하여 시험 본다. 경전을 읽고 시험 보는 것은 연초에 미리 책을 지정해 주는데 그 순서는 다음과 같다. 첫 해에는 『대학』과 『시전』222)에 『소학』을 겸한다. 다음 해에는 『논어』와 『시전』에 『가례』,223) 그 다음 해에는 『맹자』와 『역경』에 『심경』을, 그 다음해에는 『중용』224)과 『예기』에 『근사록』을 겸한다. 이렇게 하면 4년이 못되어 사서(四書)와 여러 경서에 통달하게 된다. 이때 사서와 삼경(三經)은 외우게 하며, 나머지는 깊이 생각하여 익숙하게 읽도록 한다. 『소학』과 『가례』는 매일 행하는

220) 알성례(謁聖禮) : 성균관 문묘(文廟)의 공자 신위에 참배하는 의례 절차.
221) 석전제(釋奠祭) : 공자를 모신 문묘(文廟)에서 지내는 제사. 음력 2월과 8월의 상정일(上丁日)에 거행함.
222) 시전(詩傳) : 고대 중국의 시가(詩歌)를 모아 엮은 경전.
223) 가례(家禮) : 주자가례(朱子家禮). 가례에 관한 주자의 학설을 명나라 구준(丘濬)이 정리한 저술.
224) 중용(中庸) : 주자가 『예기』에서 『대학』과 『중용』을 때어내어 『논어』·『맹자』와 함께 사서라고 이름 붙임.

인륜에 관계되는 책으로 빼놓을 수 없다. 이외의『통감』과『강목』의 부류는 각각의 재주에 따라서 권장하되, 경서를 먼저 배우고 역사서를 뒤에 배워 실용을 구하는 데 힘써야 할 것이다.

○ 부임하면 맨 먼저 엄숙한 마음으로 사직단[社壇]과 향교를 배알한다. 그만두고 떠날 적에도 감사의 절을 하고 떠나야 한다. 정한강(鄭寒岡)[225]이 매번 수령으로 나아갈 때마다 이와 같은 일을 행하였다. 그「고유축문(告由祝文)」이 그의 문집에 실려 있으므로 살펴볼 수 있다.

○ 근래 여러 고을의 사직단이 그 모습을 잃어버린 경우가 많다. 혹 제단 주위에 쌓은 담이 법식대로 되어 있지 않거나, 혹 문단(門壇)이 무너져 있거나, 혹 재실(齋室)이 없는 곳도 있다. 주청(廚廳)[226]과 기타 여단(厲壇),[227] 서낭[城隍][228]은 하늘과 땅의 신령을 섬기는 장소이다. 일의 이치와 정황이 매우 엄중하기 때문에 제도를 강구하여 빨리 고쳐서 정비해야 한다. 수령이 직접 제사를 거행하되 기일에 앞서서 목욕재계하며, 좌수[亞官]를 시켜 대신 거행하게 해서는 안 된다. 기우제(祈雨祭) 등의 일도 또한 그러하다. 정성을 다하여 신인(神人)이 교감할 수 있도록 힘써야 한다. 이때 시중드는 여종[女御]의 무리는 일절 물리쳐야 할 것이다.【사직에는 소나무와 잣나무, 그리고 토질에 알맞은 나무를 심는다】

○ 경내의 음사(淫祀)는 일절 엄금해야 한다. 서낭[城隍]의 경우에도

225) 정한강(鄭寒岡) : 정구(鄭逑, 1534~1620). 본관 청주(淸州), 자 도가(道可), 호 한강. 김굉필(金宏弼)의 외증손. 우승지·강원도관찰사·성천부사·충주목사·공조참판 등 역임.
226) 주청(廚廳) : 제사음식을 장만하는 곳.
227) 여단(厲壇) : 여귀(厲鬼)에게 제사지내기 위해 세운 단. 여귀는 돌림병에 죽거나 제사를 받지 못하는 귀신.
228) 서낭[城隍] : 마을의 안녕과 풍요를 가져다주는 수호신.

관에서 항상 제사 지내는 것 이외에는 민들을 번거롭게 해서는 안 된다. 김치(金緻)[229]가 경상도 관찰사에 재직할 때 태백산[230]의 신사(神祠)를 헐어버렸다. 이형상(李衡祥)[231]은 제주에 부임했을 때 광양당(廣壤堂)[232]을 불태워버렸다. 이 같은 일들은 당시에 통쾌하다며 칭찬을 받았다. 본받아야 할 것이다. 민속이 경박하며 황당해지고, 간사한 무리들이 틈을 엿보게 된 것은 음사에서 비롯된 것이다. 수령은 그 폐단을 알아야 한다.

○ 경내에 있는 이름난 현인들의 사우(祠宇)와 효자·열녀들의 분묘(墳墓)에는 꼭 제사를 지내야 한다. 지날 때에도 허리를 굽혀 존경의 뜻을 표시한다. 오래되어 쓰러지고 무너진 곳은 고쳐서 정비하고, 꼴 베는 아이들과 목동의 접근을 금지한다. 강화도 진강산(鎭江山)에 있는 이규보(李奎報)[233]의 묘소에는 참찬(參贊) 권적(權䙗)[234]이 강화 유수(江華留守)로 재직할 때 세운 비석이 서 있다. 노량[235]과 과천[236]의 경계에 묻힌 사육신(死六臣)[237]의 묘소에는 익찬(翊贊) 이수이(李壽頤)[238]가 금천[239] 군수(衿川郡守)

---

229) 김치(金緻, 1577~1625) : 본관 안동, 자 사정(士精), 호 심곡(深谷)·남봉(南峰). 동래 부사·경상도관찰사 등 역임.

230) 태백산(太白山) : 경상북도와 강원도 일대 소재.

231) 이형상(李衡祥, 1653~1733) : 본관 전주, 자 중옥(仲玉), 호 병와(甁窩). 동래부사·경 주부윤·제주목사 등 역임.

232) 광양당(廣壤堂) : 제주도의 가장 큰 신당(神堂). 탐라국(耽羅國)의 국당(國堂)으로 여겨져 각종 제의(祭儀)가 거행됨.

233) 이규보(李奎報, 1168~1241) : 본관 여주(驪州). 자 춘경(春卿), 호 백운산인(白雲山人). 판위위시사(判衛尉寺事)·수태보문하시랑평장사(守太保門下侍郎平章事) 등 역임.

234) 권적(權䙗, 1675~1755) : 본관 안동. 자 경하(景賀), 호 창백헌(蒼白軒)·남애(南厓). 전라도관찰사·예조판서 등 역임.

235) 노량(露梁) : 서울 노량진동.

236) 과천(果川) : 경기도 소재.

237) 사육신(死六臣) : 1456년(세조2) 단종(端宗) 복위를 도모하다가 발각되어 죽은

로 재직할 때 세운 비석이 있다. 또 묘총(墓塚)을 지키기 위해 집 2채를
세웠는데 이는 근래의 일로써 사람들의 마음을 분발시켰다.

○ 국가에서 주관하는 양로례(養老禮)는 효제(孝悌)를 이루기 위해 실시
하는 것이다. 수령은 이 뜻을 체득하여 봄·가을철 따뜻한 때 경내에 사는
나이 많은 노인들을 초대한다. 이때 양반은 70세, 상민(常民)은 80세로
제한한다.【근래 나이를 속이는 자가 많기 때문에 면임에게 별도로 경계하여 본래
나이를 조사하여 보고하게 한다】 관아 마당 안과 밖에 자리를 마련하고 남녀를
구분해서 앉힌다. 부르지 못한 선비의 부녀는 술상을 준비하여 보내되
이서를 선정하여 감독하게 한다. 먼 마을일 경우 쌀과 고기를 보내는
것도 괜찮다.

○ 모든 정치와 교화[政敎]는 동약(洞約)²⁴⁰⁾이 시행된 뒤에야 쉽게 거행될
수 있다. 부임한 뒤에 동리에 동약이 있는지 없는지를 묻되 동약이 있으면
그 동약[洞憲]을 거둬들여서 미비한 약조(約條)는 정리한다. 폐정(弊政)
가운데 제거되지 않은 것은 혁파해야 할 것이다. 이때 본 동에 거주하는
사족들과 상의해서 민심이 따르도록 힘쓴다. 동약이 없다면 약조를 세워
시행할 것을 권장하고, 가을이 되어 농사일이 끝나면 수령이 직접 동내를
순시하면서 약조를 강론하고 의식에 맞춰 예를 거행한다. 이렇게 1, 2년에
걸쳐 동약을 시행하여 민의 마음속에 서로 신의가 생기면 비로소 향음주례
(鄕飮酒禮)²⁴¹⁾와 향사례(鄕射禮)²⁴²⁾를 시행할 수 있다. 이를 시행할 때 혹

6명의 신하. 박팽년(朴彭年)·성삼문(成三問)·이개(李塏)·하위지(河緯地)·유성원
(柳誠源)·유응부(兪應孚).

238) 이수이(李壽頤) : 사직직장(社稷直長)·금천현감(衿川縣監) 등 역임.

239) 금천(衿川) : 구로·안양·광명 일대.

240) 동약(洞約) : 재지사족(在地士族)들이 신분질서와 부세제 유지를 위해 만든 자치조
직. 동계(洞契)·동의(洞議)·동안(洞案).

한 장소, 혹 각 동에 모인 다음 의식을 강론하고 정해서 동계(洞契) 중에 보관해 두었다가 향음주례와 향사례를 크게 일으킬 바탕으로 삼는다.

  ○ 교화의 정치는 쓸데없는 말을 앞세우는 것이 아니라 실효를 거둠에 달려 있다. 요즘 수령들이 효제를 잘 시행하라는 명령을 간혹 내려도 민들은 그저 웃어넘길 뿐이다. 관리들도 경계하여 행동을 권장하거나 징계하지 않고 있다. 이와 같이 하고서 어떻게 민들이 잘 실행하리라고 기대할 수 있겠는가? 수령이 직접 순행할 때에는 자신을 떨치는 데만 뜻을 둔다. 장로(長老)나 자제들과 함께 경전과 역사책을 강론하고, 그 다음에 풍헌을 불러서 그들의 능력을 시험한다. 다음으로 모든 향임(鄕任)과 통수(統守) 등도 소집하여 민들의 괴로움에 대해 자세히 물어본다. 이처럼 수령은 민의 마음을 잘 파악하는데 뜻을 두고, 풍속을 아름답게 만드는 방법으로써 성실히 힘써야 할 것이다. 한편 집에 들어가서는 부모에게 효도하고, 밖에 나가서는 어른에게 공경하며, 재해를 구휼하고 어려움을 만나면 서로 구제하는 등의 일을 동약에 따라 거행하고, 이를 어기는 자가 있다면 벌을 준다.

  ○ 동약을 설치할 때에는 해당 고을에 살고 있는 민호(民戶)의 많고 적음을 고려하여 정한다. 가령 한 고을에 5백가(家)가 살고 있으면 혹 반으로 나누어 2개의 계를, 혹 3개로 나누어 3개의 계를 정해야 할 것이다. 계호(契戶)가 점차 줄어들어 하나의 계를 온전히 유지하기 힘든 경우 계원들과 상의하여 혹 합치거나 혹 나누어야 한다. 하나하나 떼어서 고르지 못하게 해서는 안 된다.

---

241) 향음주례(鄕飮酒禮) : 향촌의 선비·유생들이 학교·서원 등에 모여 학덕과 연륜이 높은 이를 주빈(主賓)으로 모시고 술을 마시며 잔치를 하는 향촌의례.
242) 향사례(鄕射禮) : 향학(鄕學)에서 수업을 마친 사람들 가운데 인재를 추천할 때 시행하는 활쏘기.

○ 풍속 교화의 정치는 집강(執綱)243)【세속에서는 존위(尊位)라고 부른다】
에게 그 책임을 맡긴다. 소송은 풍헌에게 맡긴다. 그리고 작은 일은 스스로
결정하게 하고, 중대한 일만 관에 올려 처리하도록 한다. 그러나 오랫동안
책임을 맡겨두면 멋대로 사안을 조종하여 도리어 민에게 해를 끼치는
자가 생긴다. 이런 자는 엄격하게 법에 따라 처벌해야 한다.

아무개가 영남의 △주(州)에 부임하였다. 그는 부임한 뒤에 전현직 향소
와 함께 논의해서 어느 정도 자립할 수 있는 기반을 가진 자들을 풍헌으로
선발한 다음 그들을 소집해 놓고 말했다. "나와 너희들의 지위는 다르지만
국가를 위하고 민을 다스리는[爲國臨民] 책임은 동일하다. 나는 그 강령을
총괄하고 너희들은 조목을 총괄해야 한다. 민을 편하게 하고 폐단을 없애는
것을 임무로 삼아야 할 것이다." 풍헌들에게 각각 장(杖) 하나씩을 지급하고
각자의 고을로 돌려보내며 또 말했다. "범죄자가 발생하면 이 장으로 때려
야 할 것이다. 그렇다고 해서 공(公)을 빙자해서 힘을 남용하는 일이 생긴다
면 그 때는 너희들의 죄를 물을 것이다." 각 동(洞)의 집강(執綱)에게 예리(禮
吏)244)가 고목(告目)【아랫사람이 윗사람에게 편지로 알리는 것을 고목이라고 한
다】을 써서 주도록 하였다. 집강은 고목을 갖고 동약에 나아가 약회일인
△날 서로 모여서 절목을 강론하여 정한다. 그 뒤에 하나의 가르침에
따르도록 하여 풍속을 인도하고 교화를 일으키는 것을 뜻으로 삼게 하였다.
이처럼 한 동의 정치를 풍헌들에게 맡기고 수시로 몰래 살피며 거듭 경계한
다. 이렇게 하면 반년도 못되어 풍속이 크게 교화되어 거행되고, 옥송이
저절로 줄어든다. 이는 대체로 다스림의 근본을 얻었다고 할 수 있다.

○ 향리에 사는 사람들 가운데 착한 일을 행한 자가 있으면 표창한다.

---

243) 집강(執綱) : 면리(面里)의 행정 사무를 맡아보던 사람.
244) 예리(禮吏) : 지방 관아의 예방(禮房)의 아전.

큰 선행은 감영에 보고하며, 작은 일이면 혹 부역을 면제하거나 혹 동역(洞役)을 면제하거나【경중을 헤아려 면제해 주는 연수를 정한다】 혹 술과 음식을 내려준다. 반대로 나쁜 일을 저지른 자가 있으면 징계한다. 큰 죄일 경우 수령이 직접 법에 따라 다스리고, 작은 일이면 동에서 다스린다. 또 관에 보고할 만한 사안은 집강이 풍헌에게 문서를 보내고, 풍헌은 매달 초하루에 보고하여 알린다. 이렇게 하면 1년이 다 되도록 정표(旌表)할 만한 선행이 하나도 없는 마을사람들은 부끄러워할 것이다.

○ 사맹삭(四孟朔)[245]에는 민을 깨우치는 글을 지어서【1부는 한글로 작성한다】 착한 일은 행하고, 나쁜 일은 없애야 함을 알게 한다. 이것을 매번 거듭 깨우쳐주고, 태만하거나 소홀히 여기지 않게 해서 권선징악의 도로 삼는다. 민들이 잘못을 저지른 뒤에 다스려서 수령이 스스로 민을 죄 짓게 하는 지경에 빠지지 않도록 해야 한다.

13. 군정을 관리함[軍政章]

○ 법전에서 말했다.[246] "죽거나 또는 나이가 많아서 군역을 그만두는 경우가 발생하면 연초나 연말을 물론하고 즉시 다른 사람으로 대신 채워 넣고 책자를 만든다. 연말에 1년 동안 채워 넣은 숫자를 정리하여 중앙에 보고한다[啓聞]. 봄여름 농사철 때에는 장정을 모아서 군정(軍丁)을 채워 넣기 불편하다. 따라서 연말에 미리 국역을 지지 않는 장정[閑丁]을 확인하여 확보한 뒤 책자를 만들어 두었다가 봄이 지난 뒤에 빠진 인원을 채워 넣는다."

---

245) 사맹삭(四孟朔) : 봄·여름·가을·겨울의 첫 달. 음력 1월·4월·7월·10월.
246) 『경국대전』 「병전(兵典)」 '복호(復戶)'·'면역(免役)'.

○ 선현(先賢)의 후손으로 제사를 받드는 자손[奉祀孫]을 제외한 자들과 4명의 왕 자손247)과 대왕의 자손 가운데 직계[嫡派]이외 자들은 6대가 지나면 군역에 채워 넣는다. 혹 문성공(文成公) 안유(安裕)248)의 후손, 강성공(江城公) 문익점(文益漸)249)의 후손, 기자(箕子)250)의 후손이라고 칭하는 자들도 강희(康熙)251) 임술년(壬戌年, 1682) 이전에 면역된 자 이외에는 역을 감해주는 것을 허락하지 않는다.

○ 4부자(父子)가 군역에 해당되면 함께 거주하고 있지 않아도 자신들이 원하는 1명을 면제한다. 부역을 거듭 부담하는 자는 뒤에 입역(入役)되는 것을 면제해 주고, 관에서는 다른 사람으로 대신 채워 넣는다.

○ 군역은 16세에 군정(軍丁)이 되어 61세가 되면 제외되니 45년 동안 입역(立役)한다.

○ 법전에서 말했다. "세초(歲抄)252)의 기한을 지키지 못할 경우 수령을 따져 살피며[推考] 또는 품계를 떨어뜨리고, 향소나 해당 이서는 정도에 따라 유배 보낸다."

---

247) 4명의 왕 자손[四王子孫] : 태조 4조(祖)인 목조(穆祖)·익조(翼祖)·도조(度祖)·환조(桓祖)의 자손.

248) 안유(安裕, 1243~1306) : 고려시대 문신 안향(安珦). 자 사온(士蘊), 호 회헌(晦軒), 시호 문성(文成). 충렬왕 때 원나라를 왕래하며 성리학의 도입과 보급에 힘씀. 상주판관(尙州判官)·판밀직사사도첨의중찬(判密直司事都僉議中贊) 등 역임.

249) 문익점(文益漸, 1329~1398) : 고려 말 문신. 1363년 원나라에서 귀국할 때 목화씨를 얻어와 장인 정천익(鄭天益)과 함께 고향에 재배함. 전의주부(典儀主簿)·좌사의(左司議) 등 역임.

250) 기자(箕子) : 은나라의 현자(賢者). 주나라 무왕(武王)이 은나라를 빼앗자, 동쪽으로 도망쳐 조선에 들어와 '기자조선'을 건국함.

251) 강희(康熙) : 청나라 성조(聖祖) 연호. 1662~1722.

252) 세초(歲抄) : 매년 6월과 12월 두 차례에 걸쳐 조사하여 군인의 결원을 보충하던 일.

○ 수군과 육군을 세초에 완전히 채워 넣지 못하면 수령을 파직한다. 【해당 이서에게도 죄를 준다. 아래도 이와 같다】

○ 세초에 10인 이상 누락되었으면 수령을 파직하고, 2인 이하면 장(杖) 80대를 친다.

○ 자기 마음대로 15인 이상을 다른 역으로 옮기면 수령을 파직하고, 9인 이하면 장 80대를 친다.

○ 법을 어겨서 7인 이상을 군정에서 제외시키면 수령을 파직하고, 4인 이하면 장 80대를 친다.

○ 그 해에 늘어난 자가 20인 이상이거나 줄어든 자가 25인 이상인 경우 한결같이 수령을 파직하고, 인원수의 많고 적음에 따라 차등 있게 벌을 내린다.

○ 일정한 임무가 없는[作散] 군사와 보인(保人),253) 잡류(雜類) 20인 이상을 다른 역으로 옮기면 수령을 파직하고, 9인 이하면 장 80대를 친다. 【조수군(漕水軍) 자식을 육군으로 옮기는 것도 같이 적용된다】

○ 살아 있는 군병을 죽었다고 하고, 잘 지내는 사람을 도망갔다거나 위독한 환자[篤疾者]라고 거짓으로 칭하여 공문을 만들어 역을 피하려 하고, 역을 피하기 위해 숨은 국역을 지지 않는 장정[閑丁]이 1명이라도 있다면 수령을 파직한다.

○ 군적(軍籍)을 정리할 때가 아닌데도 자기 마음대로 3인 이상을 다른 역으로 옮긴 수령은 파직한다.

○ 죽거나 나이가 들어 군역을 면제받은 자에게 포(布)를 징수하는 경우 인원수의 많고 적음을 따지지 않고 수령을 파직한다.

---

253) 보인(保人) : 정군(正軍)으로 번상(番上)한 자의 부양가족을 재정적으로 돕는 비번자(非番者).

○ 4, 50년간 입역(立役)한 군사는 제대를 허락할 때, 그 용모를 직접 살피지 않는 수령은 파직한다.

○ 군정은 국가의 중대한 일이지만 인정(人丁)을 찾아내는 일에는 막대한 폐단이 뒤따른다. 큰 소란과 간사함이 이로부터 발생한다. 비록 신명스러운 능력을 갖춘 관장이라 할지라도 이로 인한 폐단에서 벗어나기 어렵다. 하물며 큰 흉년과 난리를 겪은 뒤 인정이 줄어든 상황에서 그 인원을 어디에서 찾아 충당할 수 있겠는가? 현명한 자는 그때그때 알맞게 처리할 뿐이다.

○ 요즘 들어 국역을 지지 않는 장정[閑丁]을 확보하는 일은 매우 어렵다. 수령은 항상 이 점에 유념하면서 1명이라도 숨거나 빠진 자를 얻게 되면 다른 사람에 맡기지 말고 직접 별도의 책자에 기록한다. 이렇게 점차 채워 넣어야 민간이 소란스럽지 않다. 이와 같이 하는 것이 최선책이지만 그렇게 하기란 매우 어렵다. 우선 교원생(校院生)254)으로서 경전 암기 시험 [考講]에서 떨어진 유생과 다른 읍민(邑民)인데 이곳으로 이사 온 자, 호적상 면역이라고 거짓으로 칭하는 자를 유의하여 조사해서 별도로 기록한다. 【군정의 요점은 호적법(戶籍法)을 먼저 시행하는 것이라고 '호구'장에서 밝힌바 있다. 하지만 징계하고 장려하는 일에서 신의를 얻는다면 어찌 찾아내지 못하겠는가?】

○ 각 면의 풍헌에게 명령하여 해당 면의 인정 중 도망치거나 죽은 사람을 매달 초하룻날에 보고하게 하며, 각각 본적의 이름 밑에 면제된 이유를 기록한다. 어린아이가 군적에 들어 있으면 통수(統首)255)가 이 사실을 곧 면임에게 보고하고, 면임은 관에 보고한다. 속이거나 농간을 부리는

---

254) 교원생(校院生) : 향교와 서원에서 오래 근속해 유생(儒生)에 준하는 대우를 받는 상민(常民).
255) 통수(統首) : 5호(戶)로 1통(統)을 삼고, 통마다 통수를 두어 통내의 일을 맡아봄.

일이 적발되면 통수와 면임을 군률(軍律)로써 다스린다.

　○ 관이 스스로 인정을 확보하여 빠진 군액(軍額)을 보충하는 일은 어렵
다. 매년 7월 15~20일 사이에 김매기가 끝나면 각 군(軍)의 색리(色吏)를
시켜 도망자·사망자·폐질자(廢疾者)를 뽑게 한다. 폐질자는 수령이 직접
살핀 뒤 군적에서 제외시켜준다. 탈이 난 사유가 있는 자의 자손과 족속을
시켜 양정(良丁)으로서 군역에서 빠진 자를 고발하게 한다. 이때 '성명은
△이고, 아무개의 아들이며, 사는 곳은 △마을이며, 나이는 △살이다'라고
자세히 쓰게 한 다음 단단히 말아서 수령에게 직접 제출한다. 수령은
그것을 친히 받아서 책에 '아무개 대신 (새로 들어갈) 아무개이고, 고발한
자는 아무개이다'라고 쓴다. 그 일은 하리(下吏)에게 맡기지 말고 직접
패(牌)를 내어 잡아오게 한 다음 법에 따라 심문해서 진술을 받고 차례로
작은 책에 기록한다. 확인할 때 군역을 담당하는 병리(兵吏)[256]를 시켜
장부에 기록해서 잘 간수하도록 한다. 잡아올 때 '그들이 도망하였다'고
칭하고 진술서[招辭] 받는 것이 자꾸 늦어지면 담당 이서와 면임, 차사(差
使)[257] 등을 엄중히 다스린다. 한편 피소자(被訴者) 중에서 혹 공신의 자손,
종실의 후예, 몰락 양반이라고 칭하면서 억울함을 호소하는 자가 있다.
그 진짜와 가짜를 살펴 군역에 채워 넣지 말고, 다시 밀고자에게 재차
바치도록 한다. 채워 넣을 때에는 주위사람들을 물리치고 담당 이서만
가까이 오게 한 뒤 직접 장부를 살핀다. 그 사람이 역에 채워 넣는 것이
타당한지를 헤아려 순서에 따라 채워 넣는다. 표를 붙이고 서명하여 허술하
게 빠져나가는 일이 없게 한다. 문서를 갖추어 정리할 때에는 하리에게
주어 빨리 마감하도록 재촉하여 기한을 넘기지 않게 한다. 이렇게 하면

---

256) 병리(兵吏) : 각 지방 관아(官衙)의 병방(兵房)의 아전(衙前).

257) 차사(差使) : 수령이 죄인을 잡들이기 위해 보낸 하인.

이서들이 간사하게 농간을 피우는 폐단은 사라질 것이고, 민들이 소요하는 근심을 면하게 된다. 【혹 면임을 시켜 고발하게 하든지 혹 본군(本軍) 소임(所任)을 시켜 고발하게 하는 것은 상황에 따라서 시험한다】

○ 다음의 설이 있다. "7월 15일이 지나서 각 고을 풍헌들이 자기 고을에 살고 있는 각 군(軍) 중에서 탈이 난 자를 있는 그대로 조사해서 관에 보고한다. 관에서는 즉시 믿을 만한 사람을 보내어 몰래 살펴본다. 이때 거짓으로 속인 사실이 드러나면 각별히 엄중하게 처리하고, 다시 조사하여 보고토록 한다. 그 뒤에 각 군의 담당 이서들이 그 문서를 살펴보고 2부를 작성한다. 1부는 관장에게 바치고 다른 1부는 이서에게 준다. 탈이 난 사람의 친족이나 이웃을 시켜 합당한 사람을 밀고하여 채워 넣게 한다. 그 마을에서 실호(實戶) 1명을 택하여 보인(保人)으로 올리고 확인하여 수결(手決)하게 한다. 담당 이서들이 문서를 수정할 때에는 관내에서 하고, 믿을 만한 자를 시켜 그 일을 감시하도록 한다. 그 일이 마감될 때까지 출입을 금하여 간사한 속임수를 막는다." 이 방법도 괜찮긴 하지만 면임의 간사한 속임수를 자세히 살피기 어렵다.

○ 다음의 설이 있다. "먼저 도망치거나 사망·폐질 등의 이유로 탈이 난 자들의 수를 뽑아 면임을 시켜 밀고하여 대신 채워 넣게 한다면 관이 나서서 일을 복잡하게 만들 염려가 없을 것이다." 그러나, 이와 같이 대신 채워 넣는 권한이 면임에게 옮겨가면 간사한 음모가 계속 발생할 것이다. 뇌물을 받고 농간을 부리는 폐단이 끝도 없다. 또 면임을 시켜 대신 채워 넣게 하면 혹 중간에서 농간을 부려 어떤 사람으로 이 역에 채워 넣고 또 그 사람의 이름을 바꿔서 다시 저 역에 채워 넣게 한다. 조사할 때가 되면 옷을 바꿔 입히고 조사를 받게 할 것이다. 이런 폐단을 잘 살펴야 한다.

○ 어떤 사람이 △고을에 부임하였다. 갑자기 각 면의 풍헌들을 불러다 놓고 주위 사람들을 물러가게 한 다음 실내로 들어오게 한 뒤 술을 따르고 위로하며 말했다. "군정은 중대한 일이다. 그 마땅함을 잃게 되면 공사(公私)가 불편해질 것이다. 너희는 고을 안의 민정(民丁)을 다 알고 있을 것이니 각자 나와서 말하거라. 이처럼 중대한 군정을 잘 마치게 되면 너희들에게 상을 내릴 것이지만 잘 되지 않으면 벌을 내릴 것이다." 갑작스러운 질문에 풍헌들은 농간을 부릴 겨를 없이 부득이하게 인정의 숫자를 밀고하였다. 이에 따라 채워 넣으니 민간에서는 이 사실을 알지 못하였다. 이 또한 시험해 볼 만한 방법이다.

○ 요즘 군액(軍額)을 채워 넣기 어려운데 빠져 나가는 구멍이 1, 2가지가 아니다. 그 지역의 지배세력과 유향(留鄉)[258]들의 양호(養戶),[259] 교원생의 정원외 인원[額外], 승려와 거사(居士)의 도역(逃役),[260] 각 사(司) 노비로 투입된 자, 각 마을의 잘 사는 사람 가운데 뇌물을 바치고 역을 면한 자들이 무려 수천여 명에 이른다. 의지할 수 있는 세력이 있으면 끌어당겨 의뢰하지 않는 경우가 없다. 군정이 어찌 줄어들지 않겠는가? 관장은 이런 상황을 알아서 조사해야 할 것이다.

○ 요즘 군사 중에는 나이를 먹어 군역에서 제외되었지만 면제증명서[老除帖][261]를 받지 못해서 머리가 허연데도 여전히 군역을 지고 있는 사람이 있다. 또한 이미 죽었는데도 사망증명서를 받지 못해서 여전히 죽은 자에게 포를 징수하고 있다. 이는 다른 이유가 아니라 사례비[情債]가 매우 많아서

---

258) 유향(留鄉) : 수령의 자문기관·수령의 보좌·향기 규찰 등의 소임 담당.
259) 양호(養戶) : 부자가 가난한 자의 세납을 대납(代納)해 주고, 자기 집에서 대신 부리던 민호(民戶).
260) 도역(逃役) : 군역을 피해 도망침.
261) 노제첩(老除帖) : 나이가 들어 군역에서 면제됨을 입증하는 문첩(文牒).

간사한 이서들이 농간을 부리기 때문이다. 부임한 뒤에 민들에게 직접 억울한 일을 말하게 하고, 그 허실을 조사하여 상부에 보고한다. 또 직접 갈 때에 감사에게 아뢰어 면역첩을 내어주도록 해야 할 것이다. 이는 사람을 구제하는 정사이다. 근래 들어 국역을 지지 않는 장정[閑丁]을 채워 넣기 어렵다는 것을 빌미로 지체하여 세월만 허비하고 있다. 어찌 탄식하지 않겠는가?

○ 국가의 법제상 지방 군현에는 병사가 없으니, 이는 법이 잘못된 것이다. 한 사람만 날뛰어도 여러 군현이 함께 무너지고 국가의 위엄이 손상되며, 도적의 세력을 조장하고 있다. (그 결과) 백리(百里)를 다스리는 책임을 맡고서도 도망치는 장수가 된다. 세상에 이와 같은 이치가 어디에 있겠는가? 요즘 각 읍에는 이노(吏奴)만으로 군대를 편성한다. 이들은 교활한 시정배들로서 평상시에 조련시킬 방도가 없다. 난리가 일어나면 무엇으로 적을 막겠는가? 이 밖에도 또 관군과 관속(官屬)을 두고 있지만 본관(本官)이 포를 거두어 사사롭게 사용하기 때문에 애초부터 군제가 아니었다. 이들 무리가 이미 본관에 소속되어 있으니 대오를 지어[作隊] 무기와 군복을 미리 준비하며 부오(部伍)를 단단히 조련해 두면 변란에 대처해서 쓸 수 있다. 그렇지만 당론(黨論)이 갈려서 없는 허물도 찾아내려고 하는 상황에서 사사롭게 병졸을 훈련한다는 죄를 받을 수 있다. 이 또한 두려운 일이다. 형세를 헤아려서 처신하며, 그 적합함을 얻도록 힘써야 한다. 【군적(軍籍)에 기록된 액수 이외 남는 인정은 항상 잘 살펴두었다가 난리가 일어나면 뽑아 쓴다】

○ 각 읍의 군병 가운데 경내에 있는 자들은 동일한 이(里)와 면(面)별로 순서대로 대오를 편성한다. 각 면으로 흩어져 있게 해서는 안 된다. 이렇게 편성하면 난리가 나도 분주히 다니며 소리쳐 불러 모으는 근심은

없다. 먼저 이와 같은 의도를 상부에 보고하여 거행하도록 한다. 동주(東州) 성제원(成悌元)²⁶²⁾이 보은²⁶³⁾군수(報恩郡守)에 부임하였다. 임진왜란이 발생하자 아침에 영을 내려 저녁에 군대를 출병할 수 있었다. 이는 대개 이 방법을 사용하여 평상시에 호령을 분명히 해두었기 때문이다. 【『주관(周官)』에 따르면 오(伍)·양(兩)·졸(卒)·여(旅)의 군대는 비(比)·여(閭)·족(族)·당(黨)의 사람으로 구성하였다. 평상시엔 병사가 민 가운데 있었다. 관자의 내정법(內政法)²⁶⁴⁾도 이와 유사하다】

○ 연해(沿海)와 변방 지역에 부임한 수령은 뱃길의 편리함과 국경 방어의 이해득실을 평소에 생각해 두어야 한다. 이웃 나라의 동정을 수시로 몰래 살펴야 한다. 이 같은 일은 특정한 인물을 얻어 상을 후하게 준 뒤에야 비로소 그 힘을 얻을 수 있다. 해변에는 별도로 바람의 방향을 살피는 사람[候風]과 우두머리 뱃사공[都沙工]을 정하고, 그들의 생업 이익을 넉넉히 마련해주어서 뒷날 쓰임에 대비해야 한다.

○ 나루터와 다리, 국경의 험준한 지역은 조심스럽게 살펴보아야 한다. 크고 작은 행차가 오고 가는 것을 잘 아는 자를 각처 주점(酒店)의 담당 관리[有司]로 임명하여 즉시 관에 알리게 한다. 왕래하는 사람들 중 수상한 자가 있으면 몰래 살펴보도록 한다. 옛날에는 관문(關門)²⁶⁵⁾과 시장을 살피기만 하고 세금을 징수하지 않았다. 지금은 절도 없이 제멋대로 운영되었다. 이는 국가를 튼튼히 하는 방도가 아니다.

---

262) 성제원(成悌元, 1506~1559) : 본관 창녕(昌寧), 자 자경(子敬), 호 동주(東州)·소선(笑仙).

263) 보은(報恩) : 충청북도 보은군 일대.

264) 내정법(內政法) : 제나라 관자가 실시한 법. 인리(隣里)를 조직하여 군사훈련을 받게 하고 서로 돕도록 함.

265) 관문(關門) : 국경이나 교통의 요로(要路)에서 지나다니는 사람을 조사하는 곳.

○ 무기는 어려움에 처했을 때 적을 방어하는데 사용된다. 근래 여러 읍의 무기가 단지 감관(監官)266)의 손에 맡겨진 채 정비가 제대로 이루어지지 않고 있다. 무기가 날카롭게 정비되지 못하는 것은 군졸을 적에게 넘겨주는 것을 의미한다. 직접 엄하게 훈계하여 화약과 염초 등의 무기들을 더욱 세세히 정비하며, 평시에 많이 마련해 두어야 할 것이다.

14. 부역을 관리함[賦役章]

○ 병민(兵民)이 관에 재물을 내는 것을 '부(賦)'라 한다. 노동력을 내어 일에 나아가는 것을 '역(役)'이라고 한다. 그 내용이 법전에 들어 있어서 이에 의거하여 시행한다. 부역이 한 쪽으로만 편중되는 고통과 많이 거둬들이는 문제가 발생하면 어떻게 고르게 할 수 있을 것인지를 생각해야 할 것이다.

법전에서 말했다.267) "전세는 수령이 매년 9월 15일 전에 연분등제(年分等第)268)를 살펴 정한다.【전(田)은 6등으로, 연(年)은 9등으로 나누어 정한다】속전(續田)269)과 가경전(加耕田)270)은 농사지을 경우 세금을 거둔다. 해택

---

266) 감관(監官) : 관청이나 궁궐에서 돈·곡식 등의 출납을 맡아보던 관리.

267) 『경국대전』「호전」'수세(收稅)'.

268) 연분등제(年分等第) : 풍흉(豊凶)에 따라 전세(田稅)를 정하는 비율. 연분(年分)은 농사가 가장 잘 된 해를 10으로 기준하고 거기서 몇 분(分)을 감하는 방법. 소출 정도에 따라 9등급을 매김.

269) 속전(續田) : 토질이 나빠서 농사지을 때에만 과세하는 땅.

270) 가경전(加耕田) : 새롭게 개간해서 아직 양안(量案)에 오르지 않은 농지. 평지(平地) 가경전과 해택(海澤)가경전으로 구분된다. 평지가경전은 경작을 시작한 해부터 세를 거둬들이고, 해택가경전은 1년 면세한 뒤 2년째에는 세액의 반, 3년째부터는 전액을 징수함.

(海澤)에 위치한 가경전은 첫 해에는 세금을 면제해 주고, 다음 해는 반만
세금을 거둔다. 전세(田稅)는 1결(結) 당 쌀 4말, 대동수미(大同收米)[271]는
1결 당 봄과 가을에 각각 6말, 삼남(三南)[272]·관동(關東)·해서(海西)지방은
삼수미(三手米)[273]가 1결 당 1말 2되이다." 이것이 전부(田賦)의 대략이다.
법전에 상세히 기록되어 있다. 【산군(山郡)지역에서 무명[作木]으로 내게 될 때는
다음과 같다. 삼남의 경우 세미(稅米) 1섬은 무명 3필 반, 콩 1섬은 2필 반, 삼수미[三手糧
米] 1섬은 3필로 환산해서 낸다. 해서의 경우 쌀 1섬은 3필, 전미(田米) 1섬은 2필
반, 콩 1섬은 5냥(兩)으로 환산해서 낸다. ○ 콩 1섬은 1필 반. ○ 작전미(作錢米)[274]
1섬은 7량, 콩 1섬은 3량, 전미(田米) 1섬은 5량이다. ○ 강원과 영서지역 같이 뱃길이
없는 읍에서는 마포(麻布)로 세금을 낸다. 세미(稅米) 1섬은 3필 반, 세태(稅太)[275]
1섬은 2필 반, 삼수미 1섬은 3필로 환산해서 낸다. 여러 도에서 전세를 상납할 때에는
매 섬에 3되를 더 하며, 창역가(倉役價)[276]는 6되이다. 상납의 원수(元數)가 비록 천
섬을 넘더라도 창작미(倉作米)[277]는 2섬에 불과하다】

　○ 각 색(色) 군(軍)에서 받는 쌀과 각 사(司) 노비의 신공(身貢)은 정해진
수가 있다. 법전에 의거하여 거두되 받아들일 때 거듭 훈계해서 알려야
한다. 조운(漕運)은 매우 신중해야 하니 법전을 살펴 거행한다.

---

271) 대동수미(大同收米) : 대동법에 의거하여 거두는 쌀. 토지 1결당 미곡(米穀) 12두
　　(斗) 징수함.
272) 삼남(三南) : 전라·경상·충청지역.
273) 삼수미(三手米) : 조선후기 훈련도감 소속의 삼수병(三手兵, 射手·殺手·砲手)을
　　양성할 재원에 충당하기 위하여 받던 세미(稅米).
274) 작전미(作錢米) : 전세를 내려고 돈으로 바꾸려고 파는 쌀.
275) 세태(稅太) : 세금으로 내는 콩.
276) 창역가(倉役價) : 세곡(稅穀)을 창고에 넣는 수수료. 징세비용으로 원세(元稅)에
　　덧붙임.
277) 창작미(倉作米) : 경창(京倉)에서 세곡수납행정(稅穀收納行政) 명목으로 받아낸
　　수수료.

○ 법전에서 말했다.[278] "전세로 수미(收米)할 때 쌀의 경우 먹을 수 있는 쌀[可食米]로, 무명[木]의 경우 정(正) 5승(升), 길이 35자[尺], 너비 7치[寸]. 마포(麻布)도 이와 같다. 군포는 준(准) 6승(升), 길이 40자. 상납(上納) 무명 1필은 대전(代錢)이 2냥."

○ 옛날에는 민들이 부담해야 할 여러 가지 역이 있다. 거두는 곡식도 찹쌀·팥·메밀·들깨 등으로 매우 번거로웠다. 효종(孝宗)[279] 때 우의정 김육(金堉)[280]은 선배들이 거론했던 의론(議論)에 따라 대동법 시행을 청하였다. 법이 시행되자 민들은 매우 편했으며, 관청의 수요도 그 중에 포함되어 때에 맞추어 마련할 수 있었다. 거둬들이던 참기름, 종이도 쌀로 바꾸어 사용하였다. 꿩·닭·땔감·얼음만이 예전과 같이 민을 사역시켰다. 때문에 쌀로 거두지는 않았으며, 칙사(勅使)가 올 때가 아니면 2번씩 징수하지 않았다. 『속대전』[281]에 기록되어 있다.[282]

○ 민간에서 땔감과 닭 등의 잡역을 변통하는 방법은 다음과 같다. 땔감과 쌀 등을 민호(民戶)에 기준하여 거둔다면 이서들이 민호의 크고 작은 차이를 빌미로 농간을 피울 것이다. 또 멀리 떨어진 마을의 민들은 운반하기 어려울 것이다. 민이 보유한 토지의 결수(結數)와 같이 일정해서 변하지 않는 것을 기준으로 삼아서 거둔다. 각 고을에서 또한 널리 거행되어 민들이 편리하게 여기고 있으며, 그 효과가 이미 나타나고 있다. 시행하고

---

278) 『경국대전』「호전」‘수세’.

279) 효종(孝宗) : 조선 제17대 왕. 인조의 둘째 아들. 북벌(北伐)을 추진함.

280) 김육(金堉, 1580~1658) : 본관 청풍(淸風), 자 백후(伯厚), 호 잠곡(潛谷). 대동법을 시행하여 민생을 안정시킴. 영의정 등 역임.

281) 속대전(續大典) : 1746년(영조22)에 간행된 법전. 『경국대전』 이후에 반포된 『대전속록(大典續錄)』·『수교집록(受敎輯錄)』·『전록통고(典錄通考)』 등을 비롯하여 그 뒤의 각종 수교조례(受敎條例)를 수집하여 편찬한 것.

282) 『속대전』「호전」 참조.

있는 고을이라면 그 중에서도 민들이 편리하게 여기는 것을 구한다. 반면 시행하지 않는 고을이라면 민간에 묻고, 편리함을 널리 알린 다음 매 결(結)마다 거두는 수세미 4말을 조금 감면해준다. 혹 조금 더해서 그 비용의 많고 적음을 헤아려 4말 내외에서 벗어나지 않도록 정한다. 관에서 쓰기 위해 민에게서 징수한 것은 청(廳)을 세워 공급한다. 서울 관청[京司]의 공물(貢物) 사례와 같이 가격을 넉넉하게 정한 뒤에야 영원히 준행할 수 있다. 이서들이 원망하는 폐단은 없을 것이다.

○ 이미 전결(田結)을 기준으로 잡역을 정한다. 능행(陵行)으로 거둥할 때 들어가는 비용, 칙사(勅使)대접에 드는 수요, 빙정(氷政)²⁸³⁾과 빙고(氷庫)²⁸⁴⁾의 수리, 재상(災傷)²⁸⁵⁾·지지(紙地)²⁸⁶⁾·부쇄마(夫刷馬)²⁸⁷⁾·관사(官舍)의 수리 등, 또는 꿩·닭·땔감·사료·참기름·어물 등을 서로 사고팔아 구하는 것 외에도 헤아려 정해야 할 것이다.

○ 역에 차출되는 것은 민들이 항상 근심하는 일이다. 그 지역 지배세력의 억압과 간사한 향임(鄕任)이 농간을 부리는 가운데 교활한 자는 역에서 빠져 나간다. 순박한 자는 기러기가 그물에 걸리듯 빠져나가지 못하니 역이 고르게 부과되지 못함을 한탄하였다. 호적법이 이미 밝게 시행되고 있으니 호적을 참작하여 정하고 돌아가며 거행한다. 노(奴) 1명만 거느리고 있는 양반과 남정(男丁)이 없는 과부를 제외하고는 일률적으로 시행해야 할 것이다.

---

283) 빙정(氷政) : 여름에 사용할 얼음을 겨울철 채집하는 일.

284) 빙고(氷庫) : 얼음을 저정해 두는 창고. 서울에는 두모포(豆毛浦, 성동구 옥수동)의 동빙고, 둔지산(屯智山, 용산구 서빙고동)의 서빙고, 대궐 내 내빙고를 둠.

285) 재상(災傷) : 자연 재해로 입은 농작물 피해.

286) 지지(紙地) : 각종 종이붙이.

287) 부쇄마(夫刷馬) : 각 지방에 관용(官用)으로 배치해두던 말.

○ 다음의 설이 있다. "각 동에 명령하여 동에 들어와 살든지 아니든지 간에 정간(井間)으로 나눈 책을 작성하여 관에 바친다. 몇 명이 필요한지는 그 수량을 정한 뒤에 해당 동에 알린다. 동임과 면임, 담당 이서 중에서 돈을 받고 **빼주는** 자가 있다면 조사하여 엄중히 죄를 묻는다.【매번 민을 역에 동원해야할 일이 있으면 믿을 만한 자를 계속 보내 몰래 살펴 비리가 발견되는 대로 엄하게 다스린다】"

○ 군정(軍丁) 가운데 도망친 자가 있을 경우 그 일족(一族)을 원근과 친소에 따라 나누어 부담하게 한다. 하리(下吏)에게만 맡겨두어 지나치게 침탈하는 일이 없도록 한다.

○ 윗 관청[上司]에 바칠 민세(民稅) 가운데 혹 본관(本官)에게 이전하여 바치는 경우는 이서들이 농간을 부린 것이다. 때문에 사례비[情債]가 2배로 든다. 이와 같은 일은 본관이 직접 가서 납입을 감시함으로써 그들이 멋대로 처리하는 일이 없게 한다.

○ 각 읍의 대동미(大同米) 가운데 절반은 읍고(邑庫)에 남겨두었다가 예기치 못한 변고에 대비하는 것이 조정의 계획이다. 하지만 수령이 춘궁기 때 사사롭게 곡식을 내다 팔아서 돈과 바꾸는 액수가 수백 수천 냥에 이른다. 가을에 수확하는 곡식이 이미 익어서 시가가 매우 높아진 뒤에 여러 이서에게 돈을 나누어 시가에 따라 쌀을 구입하도록 한다. 그렇게 하면 해당 창고에 충당한 뒤에도 남는 것이 또한 수백 수천 섬이 된다. 공상(功償)을 바라는 자는 '별비(別備)'라고 칭하여 상사에게 속여서 보고하고, 금과 옥 같이 귀한 상을 받기도 한다. (또는) 자신을 살찌우려는 자는 배로 옮기거나 말에 실어서 논밭을 구입하고, 집을 마련하여 잘 먹고 잘 살기 위한 밑천으로 삼고 있다.

○ 혹은 저축해둔 대동미 가운데 전체의 절반을 과감히 꺼내어 사사롭게

사용한다. 또 절반은 이자를 2배로 해서 민에게 빌려준다. 굶주리고 곤궁한 민들은 어쩔 수 없이 빌려서 목숨을 유지하는데, 가을이 되면 이들에게 2배로 징수하여 본 수(數)를 채운다.

○ 얼음과 땔감은 관에서 소비하는 물건이니 하나도 뺄 수 없다. 한 읍의 민들이 소유한 전결(田結)의 많고 적음을 헤아려 전례에 따라 준비해 두었다가 바치게 하였다. 그런데 어떤 자는 읍내의 군정(軍丁)을 마치 구걸하는 사람을 부리듯 하여 얼음을 떼어내고 나무를 베어 오게 한다. 한 읍의 얼음과 땔감의 값을 쌀로 계산해서 납부하도록 해야 할 것이다.

○ 혹 얼음과 땔감의 값을 거둘 때 멀리 떨어진 고을은 쌀로 바치게 하고, 가까운 고을은 얼음과 땔감으로 바치게 한다. 얼음과 땔감이 혹 부족하면 입번(入番)한 관속을 시켜 돌아가며 채취해 오게 한다. 이렇게 하는 것이 비록 편리해 보이지만 민을 굶주리게 하고 자신은 살찌게 하는데 있어서는 별반 차이가 없다.

○ 윗 관청이나 각 아문(衙門)에 바쳐야할 미곡(米穀)이 있을 때 수령이 혹 직접 서울로 올라가 당상(堂上)[288]에게 보고하고 관아에서 쓰는 서류[文狀]를 받아 관에 돌아와서는 돈으로 바꾸어 방납(防納)[289]한다. 이는 겉으로 볼 때 편리한 듯 보이지만 돈과 바꿀 때 좋지 않은 일이 끝없이 발생한다. 근래 탐욕한 이서들이 여러 가지 방법으로 나쁜 짓을 저지르는 것이 이와 같다.

○ 각 읍에서 시행하는 부역 관련 규정이 일률적이지 못하기 때문에

---

288) 당상(堂上) : 문관은 정3품(正三品) 명선대부(明善大夫)·봉순대부(奉順大夫)·통정대부(通政大夫) 이상, 무관은 정3품(正三品) 절충장군(折衝將軍) 이상의 벼슬 계제(階梯).
289) 방납(防納) : 민들이 부담해야할 공물(貢物)을 경주인(京主人)이 대신 납부하고 이자를 붙여 받는 일.

힘들고 편안함 역시 차이가 난다. 고르게 하여 한 쪽으로만 고통이 치우치는 근심이 없게 해야 할 것이다. 공자가 말했다. "부족함을 걱정하는 것이 아니라 고르지 못함을 걱정한다."290) 또 소하(蕭何)291)가 제정한 법이 일률적이었기 때문에 민들이 부담했던 부역이 균등하였다. 간혹 간사하고 교활한 향소나 이서들이 개인적인 욕심을 추구하기 위해 절차를 뛰어넘어서 자신의 이로움만을 쫓는 자가 있다. 엄격히 살펴서 통렬히 금지한다. 크고 작은 부역은 대동법에 따라 정해야 할 것이다.

15. 전정을 관리함[田政章]

○『경국대전』에서 말했다.292) "모든 전토의 농작물 피해[災傷]293)와 묵혀 둔 토지[陳田]294) 여부는 함께 보고 받는다. 전부(佃夫)가 권농관에게 보고하면 권농관이 직접 살펴보고 8월 15일 이전에 수령에게 보고한다. 수령은 직접 답험(踏驗)295)하고 관찰사에게 보고한다. 이웃사람이 거짓으로 재해 피해를 속이는 자를 밀고하는 것을 허용한다. 속인 자는 1부(負)에 태(笞) 10대를 때리되 1부씩 늘어날 때마다 태도 10대씩 늘어난다. 심한 경우 군역에 채워 넣을 수도 있다. 자연 재해로 입은 농작물 피해를 거짓으로 속이는 자의 논밭은 밀고한 자에게 주고, 수확물[花利]296)은 관에 바친다.

---

290) 『논어』「계씨(季氏)」.

291) 소하(蕭何) : 한나라 공신(功臣). 양식과 군병을 보급하는 중책을 맡고 최고의 상국(相國)에 오름.

292) 『경국대전』「호전」, '수세'.

293) 재상(災傷) : 자연 재해로 입은 농작물 피해.

294) 진전(陳田) : 묵혀두고 농사짓지 않는 토지.

295) 답험(踏驗) : 전세(田稅)를 공평하게 부과하기 위해 논밭에 직접 나아가 농사현황을 살피는 일.

수령이 20부 이상을 잘못 보고한 경우엔 파직하고 내쫓는다." 그 법이
엄하였다.

○ 민을 다스리는 방도 가운데 전정(田政)이 가장 어렵다. 한번 실수했을
때 민들이 받게 될 피해가 적지 않다. 도서원(都書員)[297]은 청렴하고 정직한
자를 선택하여 경차관(敬差官)[298]과 순영마감역(巡營磨勘役)[299]을 맡긴다.
각 면의 풍헌에게도 또한 각별히 주의를 주고 토지대장[田案] 【속칭 행심상책
(行審裳冊)이라고 한다】 을 지니고 약정(約正) 및 각 촌의 우두머리[頭頭人]와
함께 곳곳을 답험한다. 이때 다음과 같이 자세히 기록한다. "아무개는
피해[災]가 △부(負), 묵혀 둔 토지[陳]가[300] △부, 천락(川落)이 △부." 1면의
모든 수를 관에 보고하면 즉시 해당 면의 서원(書員)들에게 명하여 각자
담당한 면의 것을 결산하게 한다. 【각 면에 서원을 나누어 보내지 말아야 한다.
다만 해당 면에서 올라온 문서를 서원에게 나누어주어 계산하게 한다. 서원을 파견하면
민간에서 음식을 뺏어 먹는 폐단이 생길 것이다】 도서원이 종합하여 작결(作
結)[301]을 융통성 있게 처리하게 한다. 작결을 기준으로 요역(徭役)[302]을
헤아려 정하고, 그 사실을 민들에게 반포하여 알게 한다. 전정을 면임에게만
맡기면 농간이 발생할 수 있기 때문에 1자(字) 5결(結)마다 자수(字首) 1명씩

---

296) 화리(花利) : 논밭을 매매할 때 경작권 또는 수확이 예상되는 벼. 또는 논밭의
    수확이나 이익.
297) 도서원(都書員) : 각 고을의 세금을 거두어들이던 이서배(吏胥輩).
298) 경차관(敬差官) : 조선시대 중앙정부의 필요에 따라 특별한 임무를 띠고 지방에
    파견되던 벼슬아치. 국방·외교상의 업무, 진제(賑濟)·구황의 업무, 옥사·추쇄의
    업무 외에 전곡(田穀)의 손실을 조사하고 민정을 살피는 일 등을 맡음.
299) 순영마감역(巡營磨勘役) : 순영에서 문서관리를 맡은 아전.
300) 진(陳) : 묵혀 두고 농사짓지 않는 토지.
301) 작결(作結) : 결세(結稅)를 작정함.
302) 요역(徭役) : 민의 노동력을 무상으로 징발하는 수취제도.

을 정하고, 통수(統首)와 함께 몰래 살피게 한다. 속인 사실이 발각되면 법에 따라 다스리고, 방방곡곡에 널리 알린다. 그래서 민을 두렵게 하여 큰소리로 공갈치는 것으로 간주하여 법을 우습게 여기지 않게 해야 한다.

○ 면임(面任)들이 명을 받을 때 다음과 같이 약속한다. "전정은 중대한 일이기 때문에 국법이 매우 엄중하다. 1부(負)라도 거짓으로 속이는 자가 있으면 죄를 물을 것이다. 좋아하고 싫어함에 따라 자기 마음대로 더해주거나 감해준다면 너희들에게 죄를 물을 것이다. 또한 재해당한 곳과 그렇지 않은 곳을 구분하지 않고 전례에 따라 책임을 면하는 것도 죄가 된다. 재해를 거짓으로 관에 보고하고 중간에서 농간을 피워도 죄를 물을 것이다." 모든 면임들에게 진술서[招辭]를 받아서 이를 관에 보관해 두고, 면임들의 근면함과 게으름을 징험한다.

○ 전정을 처리하는 방법은 다음과 같다. 6월에 각 면마다 서원을 나누어 정하여 전결문서(田結文書)를 정리하고, 이를 각 면의 풍헌에게 내려 보낸다. 각 면의 풍헌은 8월 10일 이후에 위에서 설명한 방법에 따라 농사현황을 직접 살핀다. 9월이 되면 계산을 마감하며 10월에 결세를 정하고, 요역(徭役)의 규모를 정한다. 이와 같이 하는 것이 전정을 처리하는 좋은 방법이다. 【요즘 여러 면에서 혹 4결로, 혹 8결로 작부(作夫)한 뒤에[303] 각각 호주(戶主)를 정하고 이들로 하여금 세금을 내게 한다. 호주들은 대부분 민으로부터 후하게 거두어서 법에 따라 관에 납부한 뒤 그 나머지를 자신이 갖는다. 이로 인해 그 중간에서 생기는 폐단이 적지 않다. 이를 막기 위해서는 전부(佃夫)의 이름 아래 각각 깃기를 만들어 납부할 수를 기록하고 스스로 내게 하는 것이 편리하다】

○ 다음의 설이 있다. "전례에 따라 서원을 차출하되, 그들을 보내 농사현

---

303) 팔결작부(八結作夫) : 팔결의 전토를 1부(夫)로 하고, 그 전결의 점유자(=납세자) 가운데 한명을 호수(戶首)로 정하여 해당 조직의 자비(自費)로 세물을 내게 하는 방식.

황을 직접 살피지[답험] 말고 계산에 능한 자들을 별도로 정하여 1자 5결 안에서 묵혀 둔 토지가 △결(結) △부(負), 농사짓는 토지[起][304] △결 △부임을 계산하도록 한다. 글자 글자마다 계산이 끝나면 그 실수(實數)가 얼마이며, 진탈(陳頉)이 얼마인지를 전체적으로 기록한다. 그 다음 민에게 직접 단자(單子) 2건을 써서 바치도록 한다. 이때 △자전(字田)은 실제 농사 짓는 토지[實]가 △, 묵혀 둔 토지[陳]가 △, 피해[災]가 △인지를 차례로 기록하고, 면임을 엄중히 훈계하여 일시에 거둬들이게 한다. 다음으로 서원이 단자를 가지고 토지대장[量案][305]을 참조하여 허실을 살피게 한다. 그 일이 끝나면 도장을 찍은 단자 1건을 관에 비치해 두고, 다른 1건은 땅 주인에게 주어 자신이 알게 한다. 그런 다음에 서원을 시켜 계산하여 작결하면 수령이 그 실수를 다 총괄하되, △면에 △백 결, △면은 △천 결, 한 읍의 총결수는 △만 결이라는 것을 알 수 있다. 이렇게 하면 서원은 농간을 부릴 수 없고, 민은 억울함을 호소하는 폐단이 없다." 이 방법 또한 절묘한 방법이기는 하지만 인심이 워낙 교묘하기 때문에 여러 차례 행한다면 속임을 당할 것이다. 시험 삼아 한 번쯤은 사용할 수 있다.

○ 다음의 설이 있다. "전례에 따라 서원을 파견하여 답험하고, 각 항의 논밭 면적[卜數]을 골라 뽑아서 본주(本主)의 이름 아래 붙인다. 결세(結稅) 를 정하기 전에 각 면 서원의 문서를 갑자기 거둬들인 다음 그들을 시켜 다시 문서를 정리하고 결세 정하는 일을 재촉한다. 처음 정리한 문서를 가지고 2번째 제출한 문서와 비교하여 살피면 간사한 꾀를 피우지 못하게 된다." 이 방법도 한 번쯤 시행할 수 있으나, 두 번 사용하면 실패할 것이다.

---

304) 기(起) : 기전(起田). 농사짓는 땅.

305) 양안(量案) : 조세 부과를 목적으로 논밭을 측량하여 만든 토지대장. 전안(田案)·행심(行審)·양전도행장(量田導行帳) . 논밭의 소재지, 자호(字號), 위치, 등급, 형상, 면적, 사표(四標), 소유주 등이 기록됨.

○ 다음의 설이 있다. "수령이 한 읍의 전결실수(田結實數)가 △만 결인지를 파악하고 서원을 파견하지 않는다. 다만 각 면임을 시켜 답험을 한후 2건의 문서를 작성하게 한다. 1건은 관에 올리고 다른 1건은 면임이 보관하게 한다. 각 이(里)에서 일 처리에 밝고 계산을 잘하는 자를 선택하여 스스로 결세를 정하여 관에 올리고, 수령은 원수(元數)와 각 면 결수를 비교한다면 잘못이 없을 것이다." 이 방법도 한 번쯤 사용할 수 있다.

○ 다음의 설이 있다. "단지 민을 시켜 재해를 입어 탈이 난 곳[災頉處]을 가려 뽑아 단자를 작성한 뒤 바치게 하고 서원은 내보내지 않아도 된다. 또 실수를 다시 답험하지 않고 관에서 직접 가려 뽑으며, 작결 또한 매우 쉽고 편하다." 이는 그렇지 않다. 왜냐하면 작년과 금년의 재해를 입은 실상이 뒤섞기 때문에 이 방법을 실행할 수 없다.

○ 각 읍마다 전정에 관한 규정이 일정하지 않다. 혹 민 스스로 각자 단자를 작성하거나 혹 서원으로 하여금 매년 답험을 하게 한다. 이 2가지 방법에는 각각 단점이 있다. 단자의 경우 민들이 숨길 염려가 있고, 답험의 경우 이서들이 몰래 도둑질할 폐단이 있다. 때문에 모두 좋은 대책이 아니다. 왕자(王者)의 정치는 민으로부터 손해를 입을 것이 났다. 2가지 방법의 득실을 논한다면 단자를 시행하는 것이 더 좋다. 더군다나 명령이 엄격하고 법을 준엄하게 적용하여 간사함을 적발하고 조사하여 다스린다면 민 또한 농간을 부릴 수 없을 것이다.

지금 또 한 가지 방법이 있다. 가을이 되어 곡식이 익을 무렵 갑자기 각 면의 서원을 차출하여 날짜를 촉박하게 한정한다. 빨리 답험하게 한 다음 행심책(行審冊)[306]과 깃기를 즉시 관에 바치게 한다. 다시 민을 시켜

---

306) 행심책(行審冊) : 각 고을의 농사 작황과 재해 정도를 매년 기록한 책. 양전에 의해 확정된 시기결(時起結)과 실결(實結)을 매년 8월 초 열흘 이후 한 해의

단자를 만들게 하되 역시 기한을 촉박하게 주어 관에 바치도록 한다. 행심책과 깃기를 비교하여 차이나거나 잘못된 곳이 있으면 곧 조사하여 그 죄를 다스린다. 다음 해에도 이와 같이 하는데, 혹 단자를 먼저 받기도 하고 혹 서원을 먼저 보내기도 한다. 이렇게 이서와 민이 관장의 의도가 어디에 있는지를 알지 못하게 해야 사실대로 기록할 것이다. 그러나 이런 방법도 여러 번 쓸 수 없다. 여러 번 시행하면 이서와 민들이 한 통속이 되어 뇌물을 받고 숨기는 폐단이 발생하기 때문에 관장이 형세를 살펴서 거행해야 할 것이다. 【들은 바에 따르면 하도(下道)[307]에는 해당지역 지배세력[土豪]이 많고, 이서들도 실제로 부수(負數)를 다루지 않는다고 하였다. 어떤 사람이 안동부사(安東府使)에 부임하였다. 서원을 각 면에 내려 보내는 규정을 없애고, 민이 직접 단자를 작성하게 하면서 법을 매우 엄하게 확립하자 평소 숨기거나 빠뜨리던 자들이 일이 생길까 두려워하여 농사짓는 논밭[時起]을 기록하였다. 그 결과 얻어진 총 결수가 전에 비해 늘어났다. 반면 어떤 사람이 충청도[湖中] 어느 고을에 부임했는데 역시 서원을 내려 보내지 않고, 민의 단자를 받았다. 하지만 결수가 크게 줄어서 서원을 보낼 때보다 오히려 못했다고 한다. 반드시 그럴 만한 이유가 있을 것이다. 수령이 그 이유를 파악한다면 이익과 손해됨을 알 수 있다】

○ 전정의 큰 요점은 수령이 먼저 토지대장에 기록된 원실수(元實數)를 파악하는 것이다. 그 손익을 자세히 살핀다면 조금의 착오도 없을 것이다. 면임이 답험문서를 올린 뒤에 혹 전부(佃夫)를 시켜 문서[狀]로 보고하든지 혹 자신이 직접 한 두 고을을 돌아다니며 답험할 곳을 추려내어 실제로 조사하여 그들의 공과 죄를 논할 것이다.

○ 다음과 같은 상태의 논밭들이 있다. 처음에는 토지대장에 기재되었지만 무덤이 들어서면서 오랫동안 농사짓지 않아서 버려진 곳도 있다. 혹은

농형(農形)을 답험하여 살피고 다시 확정함.
307) 하도(下道) : 충청·경상·전라도.

골짜기 가운데 있는 땅으로 1, 2년간 농사를 짓다가 곧 그만둔 곳도 있다. 바닷가 땅으로 토지대장에 기재되어 농사를 짓던 곳이 사라진 곳도 있다. 토지대장에 기재될 때는 농사짓던 곳이 개천이 된 곳도 있다. 장마로 무너져 내려 영구히 논밭의 형체조차 남아 있지 않는 곳도 있다. 크게 홍수가 나서 논밭 형태는 남아 있지만 벼가 자라지 않는 곳도 있다. 장마나 가뭄 뒤에 비록 곡초(穀草)는 있지만 이삭이 달리지 않은 채로 그냥 심어져 있는 곳도 있다. 바닷가에 위치하여 터진 제방을 통해 소금물이 들어와 이삭이 나온 뒤 제대로 자라지 못한 곳도 있다. 이삭이 난 뒤 바람이 불어 낫질도 못해 본 곳도 있다. 이런 곳은 세금을 내지 않아도 되는데 혹 토지대장에 기재되어서 재해를 입어 탈이 난 사실을 인정받지 못하기도 했다. 이 때문에 민생이 곤궁한 것이다.

○ 또 이런 사례도 있다. 애초 무덤이 있어서 오랫동안 농사짓지 않다가 나중에 무덤을 옮겨 다시 농사짓게 된 곳이 있다. 토지대장 상에 농사짓지 않던 곳이 토지측량[量田]308)을 마친 뒤에는 농사지을 수 있게 된 곳도 있다. 강으로 떨어져 나간 곳인데 시간이 지나 진흙이 쌓여서 다시 농사짓게 된 곳이 있다. 개천이었다가 뒷날 물길이 바뀌어 다시 농사를 지을 수 있게 된 곳도 있다. 홍수로 모래가 덮여 있다가 시간이 흘러 다시 농사짓게 된 곳도 있다. 재해를 입었지만 실제로 피해가 대단치 않은 곳도 있다. 3, 4분의 재해를 9분 재해라고 속인 곳도 있다. 화전(火田)의 밭두렁 가운데 일부 농사를 짓지 못한 곳이 있었는데 농사현황을 직접 살필 때 이곳을 빌미로 속여 보고하여 진전으로 기록된 곳도 있다. 옛날에는 궁가(宮家)의

308) 양전(量田) : 농지를 조사·측량하여 실제 작황을 파악하던 제도. 국가재정의 기본인 전세의 징수를 위하여 전국의 전결(田結) 수를 측량하고 누락된 토지를 적발하여 전세의 합리적인 징수를 꾀하기 위해 실시됨.

논밭이었지만 지금은 민간이 매입했음에도 불구하고 여전히 면세지로 혼동하여 칭하는 곳도 있다. 밭두렁의 일부만 농사를 짓지 못한 곳인데 뒤에 차츰차츰 개간하여 원전(元田)309)에 편입되어 논밭의 형태가 변환된 곳도 있다. 이와 같은 곳들은 반드시 살펴야한다. 그렇지 않으면 간사한 이서들이 농간을 부려 사사로이 숨긴다. 이것이 전결이 줄어드는 원인이다.

○ 산골짜기 가운데 위치한 산전(山田)과 화전은 농사짓는 여부에 따라 세금을 부과하거나 줄여야 한다. 오랫동안 농사짓지 않다가 지금 짓는 곳과 없어졌다가 진흙이 쌓인 곳, 물길이 바뀌어 다시 농사짓게 된 곳은 3년간 세금을 면제해 준다. 농지면적을 측량할 때 비록 척박한 토지일지라도 기와집으로 편입되면 의례적으로 1등급으로 상정한다. 그런데 뒷날 그 일가가 흩어지고 마을을 떠났음에도 1등급에 따른 세금을 내게 되어서 원망함이 심하였다. 이런 경우 본래 등급으로 돌려서 원망이 없게 해야 할 것이다.

○ 우리나라의 토지제도는 중국과 크게 다르다. 중국은 경무(頃畝)310)로써 논밭 면적을 정하고, 해마다 풍년과 흉년을 살펴 세율을 달리 적용하였다. 경무가 같으면 토지면적도 서로 같았다. 【토지의 비옥하고 척박함을 거론하지 않고 농부의 손가락 3개 너비와 2개 너비를 합한 길이가 1척(尺)이다. 6척은 1보(步)이며, 너비 1보 길이 100보가 1무(畝), 길이 100보 너비 100보가 1경(頃)이 된다】 우리나라는 결부(結負)311)로써 등급을 정하였다. 결부는 비옥도와 같은 눈에 보이지 않는 기준에 따라 오르내리며 등급을 정하여 비록 같은 결부라 하더라도

---

309) 원전(元田) : 양안(量案)을 고칠 때 원장(元帳)에 기록된 논밭.

310) 경무(頃畝) : 농지(農地)의 넓이에 따라 면적을 파악하는 측량법. 사방 6척(尺)은 1보(步), 1백보는 1무(畝), 1백무는 1경(頃).

311) 결부(結負) : 수확량을 기준으로 토지면적을 정하는 방법. 벼 한 줌을 1파(把), 10파를 1속(束), 10속을 1부(負), 10부를 1결(結)이라 함.

토지면적은 크게 달랐다. 【양전척(量田尺)[312]의 10척은 지금의 포백척(布帛尺)[313] 2척과 길이와 같다. 땅의 길이 1척, 너비 1척이 1파(把)가 된다. 10파가 1속(束)이며, 10속은 1부(負)이고, 100부가 1결(結)이며, 5결이 1자(字)가 된다. 주흥사(周興嗣)[314]가 지은 『천자문(千字文)』[315]으로 순서를 정한다. 논밭은 6등으로 나누되 매 등마다 15부의 줄어듦이 있다. 만약 길이 100척 너비 100척, 면적 1만 척이 1등인 1결의 논밭이 있다면 15부를 감하면 2등인 논밭은 85부가 되고, 3등은 70부, 4등은 55부, 5등은 40부, 6등은 25부가 된다. 이때 6파(把) 이하는 버린다. 따라서 6등에 해당하는 토지 1결과 1등인 1결의 논밭을 비교하면 6등 1결의 면적이 4배나 크다. 결수는 비록 같지만 면적은 달랐다 】 이것은 토지제도 가운데서도 특별한 법이다. 『경국대전』에서 규정한 연분 9등이란 해마다 증감이 있는데, 그 법은 지금 없어졌으며 세금을 거두는 법은 이전보다 무거워졌다.

○ 옛날에는 산림과 천택(川澤)이 각각 그 쓰임이 있었는데 지금은 화전이 매우 많다. 이로 인해 초목이 자라지 못하고, 금수가 서식할 곳이 사라졌다. 이는 선왕의 정치와 법도[政法]가 아니다.

○ 근래 탐욕스러운 관장들은 전정을 수행할 때 서원에게 각박하게 책임지워 한 조각의 토지라도 농사를 짓는 곳이나, 무덤이 있어 묵히게 된 곳, 또는 유실된 곳까지도 남김없이 찾아내게 한다. 정해진 숫자에 따라 상사에게 마감한 뒤에 남은 결수를 계산하면 큰 고을은 1천여 결, 작은 고을은 무려 6, 7백 결이나 된다. 전세도 대동미와 섞어 함께 마련하고 일제히 바치게 한다. 처음부터 정해진 세액[元會付][316]에 따라 배에 실어

---

312) 양전척(量田尺) : 토지면직을 측량할 때 쓰던 척도. 손가락의 폭 길이인 지(指)를 사용함.

313) 포백척(布帛尺) : 바느질을 할 때에 쓰는 자. 1척 대략 46㎝.

314) 주흥사(周興嗣) : 남북조시대 양나라 학자. 자 사찬(思纂).

315) 천자문(千字文) : 한문에 입문하는 습자교본(習字敎本). 남조(南朝) 양나라 주흥사(周興嗣)가 글을 짓고 동진(東晉)의 왕희지(王羲之)의 글씨를 모아 만듦.

올리는 것 이외의 나머지는 자연히 소모된다. 어리석은 민들이 어떻게
해서 그렇게 되는지 알겠는가?

○ 도로와 다리는 때에 맞춰 수리해야 한다. 김매기가 끝난 뒤에 큰길은
전부(田夫)를 시켜 수리하게 한다. 마을 안 길은 해당 마을에서 힘을 합하여
수리하게 한다. 이와 같은 일은 농사철이 되기 전에 알려준다. 이임(里任)
가운데 제때 거행하지 않는 자가 있다면 벌을 준다. 한편 상강(霜降)³¹⁷⁾이
지난 뒤에는 다리 수리를 끝내서 행인들이 편하게 건널 수 있도록 한다.

○ 법전에서 말했다.³¹⁸⁾ "각 도(道)에 있는 도로의 이식수(里息數)³¹⁹⁾는
중국의 사례에 따라 주척(周尺)³²⁰⁾으로 측량한다. 【농부의 손가락 3개 너비와
2개 너비를 합한 길이가 1척(尺)이 되는데, 농부의 손을 쓴다】 6척이 1보(步), 360보
가 1리(里), 30리가 1식(息)이 된다. 매 10리마다 작은 이정표[小堠]를, 30리
마다 큰 이정표를 세운다." 법에 의거하여 시행하는데, 이제 5리와 10리마다
각각 지형을 고려하여 편리한 곳을 택해서 느티나무를 심어 그늘을 드리워
서 행인이 쉴 수 있게 한다.

16. 환곡을 나눠주거나 거둠[糶糴章]

○ 우리나라의 환자[還上]법 【봄에 쌀을 내어 민에게 빌려주었다가 가을에
관아에 갚게 했기 때문에 '환자'라 이름 붙였다】은 언제 생겼는지 알 수 없다. 【『경

---

316) 원회부(元會付) : 세액을 정한 문서.
317) 상강(霜降) : 24절기 중 18번째. 한로(寒露)와 입동(立冬) 사이. 양력 10월 23일경부
    터 약 15일간.
318) 『속대전』「공전(工典)」, '교로(橋路)'.
319) 이식수(里息數) : 거리를 재는 단위. 30리를 1식(食)으로 함[10리＝4km].
320) 주척(周尺) : 『주례』에 규정된 자. 1자는 23.1cm.

국대전』에는 '환자'조(條)가 없다】민의 근심과 한탄이 여기에서 발생하였다.
봄에 곡식을 내어주고 가을에 거둬들였다. 각박하게 기한을 정하고 독촉하
여 거둬들이는 방식이 송나라의 청묘법(靑苗法)321)과 같았다. 돈을 빌려주
느냐 곡식을 빌려주느냐의 차이가 있을 뿐 해를 끼치는 양상은 똑 같다.
의론하는 자들이 말했다. "대전에 의거하여 서울 밖에는 상평창을 설치하여
환자의 원곡을 자본으로 삼고 여러 고을의 각 향(鄕)에는 사창(社倉)을
설치하여 가난한 민을 구제한다면 상평창과 사창이 겉과 속을 이루게
될 것이다. 그리고 권한이 위에 있기 때문에 곡식이 아주 귀해지거나
아주 많아지는 때가 없다. 민을 이롭게 하기 때문에 곡식을 옮기거나
민을 이주시킬 필요도 없다. 만일 그 마땅함을 얻을 수 있다면 나라를
바로잡는 좋은 계책이 될 것이다."【고구려 고국천왕(故國川王)322)이 매년 3월부
터 7월까지 관곡(官穀)을 내어서 가구의 많고 적음을 헤아려 민에게 빌려주고, 겨울에
갚는 것을 일관된 규식으로 삼았다. 이에 나라 안 밖의 민들이 크게 기뻐하였다.
이것이 우리나라 환자법의 시초이다】

○ 법전에서 말했다.323) "토착세력이나 품관으로서 갚지 않은 환곡이
10섬에 이른 자가 있으면 감옥에 가둔다. 50섬 이상일 때에는 변경지역으로
유배 보낸다. 수령이 사사로운 인정에 얽매여 즉시 수급하지 않으면 상부에
보고하여 파직한다. 이서들이 환곡을 축내고 그것을 메우기 위해 온갖
못된 꾀를 부리면[反作]【'작(作)'의 속음(俗音)은 '질(秩)'이다. 번질은 '반복하여

---

321) 청묘법(靑苗法) : 송나라 왕안석(王安石)이 부국강병을 위해 제정한 신법. 양곡을
     현금화하여 식량이나 볍씨가 부족한 농민들에게 대여하였다가 연 2할의 이율로
     양곡이나 현금으로 회수함.
322) 고국천왕(故國川王) : 고구려 제9대왕(재위, 179~197년). 을파소(乙巴素)를 국상
     (國相)으로 등용, 진대법(賑貸法)을 실시하여 민들의 빈곤을 덜어 줌.
323) 『속대전』「호전」'창고'.

일을 저지름'을 말한다】 일정기간 동안 유배 보낸다. 갚았다고 속이면 그
양을 계산하지 않고 노역을 시킨 뒤 귀양을 보낸다[徒配]. 연차를 바꾸어
기록하면 거짓으로 기록한 죄와 같이 처리한다."

○ 매년 법에 의거하여 환곡의 반은 창고에 남겨두고 나머지 반을 나눠준
다. 12월 20일이 지나면 가난한 민을 뽑아서 대상자 이름이 적힌 책자에
따라 나눠주고 한 해를 마치도록 한다. 또 순영(巡營)에 보고하여 서목(書目)
을 받는다. 다음 정월에도 역시 자신이 원하는 양만큼 나눠준다. 2월 15일이
후로는 통(統)의 순서대로 나눠준다. 남은 수량은 계산하되 보리를 거두기
전으로 기한을 정하고, 인구의 많고 적음을 고려하여 나눠준다. 이때 대(大)·
소(小)·중(中)·잔(殘)·독(獨)의 5등으로 구별하여 매월 3차례씩 나눠준다.
농사철이 임박하여 농사일[民事]이 매우 다급할 때에는 차츰 나눠주는
양을 더해 주어서 양식으로 삼도록 한다. 세밀한 계획을 세워 궁색하게
환곡이 줄어드는 걱정을 없앤다.【풍년에는 5가통(家統) 별로 섬을 계산하여
나눠주고, 흉년에는 부유한 민을 제외하고 가난한 민만을 기록한다】 또한 보리농사
가 흉년이 들어 새로운 곡식을 먹을 수 없으면 또 순영에 보고하고, 7월
사이에 여유로운지 급박한지를 헤아려 등급을 구분하여 구제해야 할 것이
다.

○ 군(郡)이 크고 면(面)이 많으면 하루에 3개 면씩 순서대로 나눠줄
날짜를 정한다. 관리와 면임, 사족품관(士族品官)³²⁴⁾ 등이 부민(富民)을
함부로 기록해 넣고 미곡을 받아내어 빼앗을 계획을 꾸몄다가 발각되면
상사에 보고하여 잡아다 심문한다. 또 혹 소장을 올려 별도의 환곡을
청한 자가 있어도 허락하지 않는다. 혹 다른 고을의 사대부가 개인적으로
부탁하여 순영에 소장을 올려서 각 영(營)에서 보유하는 전곡(田穀)을 받으

---

324) 사족품관(士族品官) : 품관은 9품 이외의 직(職). 좌수(座首)·별감(別監).

려 청하는 자가 있어도 일절 허락하지 않는다.

첫 번째 이유는 읍의 곡식은 본 읍의 민들이 운반하여 납부한 것이기 때문에 다른 고을 사람에게 빼앗길 수 없다. 두 번째 이유는 가을철 갚을 것을 독촉하게 될 때 다른 지역으로 공문서를 전달해야 한다. 그렇게 되면 일이 매우 복잡해지기 때문이다. 만일 면에서 멀리 떨어진 곳에 별도의 창고가 있으면 수령이 형편상 직접 나아가지 못하고, 감관(監官)과 색리(色吏)를 시켜 나눠주게 한다. 이때 감관과 색리 등이 멋대로 부호(富戶)를 기록하는 등 문서를 조작하여 개인적 용도로 사용하는 일이 있다. 그 사실이 발각되면 도적으로 간주하여 다스릴 것이다. 농사철이 이미 지났는데도 종자가 없어서 씨를 뿌리지 못한 자가 있다면 별도로 뽑아서 지급한다. 염병 때문에 막(幕)에 나아가 자유스럽게 출입하지 못하는 자나, 화재 혹은 도적을 당한 자도 별도로 뽑아서 지급한다.【각 읍의 해당 이서들이 사사롭게 나누어주고 별도로 갚게 하는 폐단이 자주 발생한다. 이를 막기 위해서는 먼저 '나눠준 뒤에 창고 안의 물건을 살피겠다'는 뜻으로 거듭 훈계한다. 문제가 발생하면 즉시 모자란 양을 채운다】

○ 나눠줄 때 수령이 직접 창고 문을 열어 검사하여 살핀다. 창고지기와 곡식을 받는 민만 곡식을 내어 되질325)하여 간특한 짓을 엄금한다. 혹 이미 받은 자의 것을 일부 뽑아서 수량을 검사하여 두량(斗量)326)이 조금이라도 모자란 경우 창고지기를 엄중히 다스린다.

○ 다 나눠준 뒤에는 곧 분급문서 3건을 작성한다. 1건은 면임에게 보내어 각 이(里)에서 돌려보게 한다. 혹 거짓으로 첨가된 곳이 발견되면 즉시 와서 하소연하여 고칠 수 있게 한다. 다른 1건은 수령에게 바치게

325) 되질 : 곡식이나 가루 따위를 되를 사용해서 헤아리는 일.
326) 두량(斗量) : 되나 말로 곡식을 헤아린 분량.

하여 담당 이서가 이 문서를 가지고 가을에 거둬들일 때 참고한다.

○ 관아에서 멀리 떨어져 위치한 창고는 수시로 직접 점검해야지 감관과 색리에게 전적으로 맡겨두어서는 안 된다.

○ 가을철 환곡을 거둬들이는 일은 10월 초하루부터 시작한다. 9월 15일부터 10월 1일 사이에 거둬들이겠다는 뜻을 미리 순영에 보고하여 서목을 받는다. 거두는 환곡은 낱알이 꽉 찬 것으로 받아야 한다. 군이 크고 면이 많을 경우 하루에 3개 면씩 바치게 하며, 차례로 날짜를 정하고 10월내에 거둬들이도록 한다. 【요즘 수령들은 너그럽거나 사나움을 달리하며 정사를 펴서 혹 시작은 있지만 끝이 없는 경우가 있다. 영(令)을 내려도 농담으로 여기고 우습게 생각하는 습속이 생겨 비록 10월 이내로 바치는 일을 끝내려 해도 민들이 그저 쳐다보기만 할 뿐 납부하지 않는다. 부득이하게 관에서는 기한을 차츰 늦춰주니 관의 영이 실상 없는 빈 말이 되고 말았다. 엄하게 영을 내리고 거듭 경계하여 실행하도록 한다】 관문서는 재차 발송하지 말며, 다만 기한을 정하고 패(牌)를 내어 납부하도록 독촉한다. 면임들은 여름에 지급받았던 환곡을 기록한 책자를 가지고 살펴 납부를 재촉하고 거둬들이면 책자는 다시 반납한다.

○ 환곡을 받아들일 때 미리 명령을 전해 개인 빚[私債]과 향도사계(香徒私契)[327]의 유(類)를 먼저 갚는 것을 금지한다. 공(公)을 먼저 하고 사(私)를 뒤로 한다는 뜻을 널리 알린다. 바치는 일이 끝나기 전에 법을 어긴 자가 있으면 돈을 빌려준 자[債主]를 엄히 다스린다.

○ 흉년이 들면 원래 정한 기일에 앞서 창고를 열고, 곡식이 갓 익을 때부터 감독하여 속속 납부하도록 널리 알린다. 그래야만 여유롭게 대처하여 끝에 가서 책임을 추궁당하는 폐단이 없을 것이다. 퇴계 선생이 정자중(鄭

---

327) 향도사계(香徒私契) : 향촌사회 구성원간의 길흉경조(吉凶慶弔)·재난구제 등을 위해 결성한 조직체.

子中)328)에게 편지를 보냈다. "국가의 곡식[國穀]은 비록 징수하지 않을
수 없지만 가득 차게 해서도 안 될 것이다. 사람들에게 차마 하지 못하는
정치를 펼쳐야만 좋은 정치라고 할 수 있다."329) 그런데 지금 사람들은
이런 뜻은 알지 못한 채 항상 국가의 곡식만을 말하는데, 곡식만 국가의
것이고 민은 국민(國民)이 아니란 말인가? 민과 곡식 가운데 어떤 것이
무겁고 가벼운지 그 형세를 헤아리고 살펴 처리하는 일은 관장의 능력
여부에 달려 있을 뿐이다.

○ 양반이나 그 지역 지배세력 가운데 핑계대고 갚는 것을 거부할 경우
예리(禮吏)를 시켜 고목(告目)330)을 작성하여 민보다 먼저 갚아야 한다는
뜻을 알린다. 이것이 이른바 말[口舌]로써 도끼[斧鉞]를 대신하는 것이다.
그래도 따르지 않을 때에는 형장(刑杖)을 가한다. 어떤 자가 여주 목사(驪州
牧使)331)에 부임했을 때 일이다. 어느 재상(宰相)의 친족과 노복(奴僕)들이
빌어먹는 것이 매우 많았다. 여주 목사가 즉시 재상을 찾아뵙고 자초지종을
말한 다음 서족(庶族) 가운데 1명을 책임자로 삼을 것을 청하였다. 금세
거둬들일 수 있었다.

○ 이서와 관노, 면임들 가운데 혹 '동냥[動令]'【속칭 청을 구하는 것을
'동냥'이라고 한다】의 명목으로 민들의 곡식을 침탈해서 환곡을 채우려고
하는 자가 있으면 미리 타이른다. 그래도 따르지 않으면 잡아다가 심문한다.

○ 각 읍의 환곡은 비록 민으로부터 정확히 받더라도 봄이 되어 나누어줄
때면 그 양이 줄어든다. 뿐만 아니라 환곡 가운데 껍질만 있고 속이 빈

---

328) 정자중(鄭子中) : 정유일(鄭惟一, 1533~1576). 본관 동래(東萊), 자 자중, 호 문봉(文
    峰). 이황의 제자. 진보(眞寶)·예안(禮安)현감·영천(榮川)군수 등 역임.
329) 『퇴계선생문집(退溪先生文集)』권26, 「서(書)」 '여정자중(與鄭子中)'.
330) 고목(告目) : 지방 관아의 향리가 상관에게 올리던 문서양식.
331) 여주(驪州) : 경기도 여주군 일대.

곡식이 차지하는 비중이 반을 넘기도 한다. 이는 담당 이서와 고지기들이 농간을 부려 바꿔서 내어 주었기 때문이다. 환곡을 받은 뒤에 담당 고지기에게 다짐을 받는다. 【세속에서 봉초(捧招)를 '고음(侤音)'이라고 하는데 '고음'의 방언(方言)은 '다짐'이다】 이전과 같은 폐단이 생기면 잡아다 심문한다. 【또 듣건대, 바칠 때 읍내 사람들은 매번 눈치 보며 납부하지 않다가 마지막에 가서야 질 나쁜 곡식으로 창고에 납부했다. 나눠줄 때 자신은 촌민이 바친 알찬 곡식만 택하고 나쁜 곡식은 촌민에게 나누어 준다고 했다. 그 사정이 매우 패악스럽다. 이 폐단을 고치려면 미리 각 면에 명령을 전해 각 마을에서 납입한 곡식의 섬에다가 패(牌)를 꽂아 '△촌(村)의 쌀', '△촌의 벼'라고 쓰며, 읍내의 것은 '읍내'라고 썼다가 나눠줄 때에 패를 살펴서 나누어주면 폐단을 막을 수 있다. 】

○ 근래 기한내 세금납부를 독촉하는 정사는 소임(所任)을 많이 내보내는 것을 능사로 삼는다. 이로 인해 동네 여러 곳에서 밥을 먹고, 무리를 지어 다니는 폐단이 많이 발생하였다. 각각의 명목은 일체 혁파하고, 각 마을에 두목 1명을 정하여 부유하고 넉넉한 가호에서 차출하고, 면임을 시켜 이들을 살피고 독촉하게 한다. 관에서 내려 보낸 명령이 엄격하면 면임 1명만으로도 충분하여 많은 인원이 필요없다.

○ 조정에서는 '환곡을 거둬들이며, 사사롭게 허비하는[逋欠] 일이 없게 한다'는 뜻을 가지고 있다. 수령은 이 뜻을 받들어 행한다. 도망가서 징수할 수 없는 경우 동성(同姓)은 8촌, 이성(異姓)은 6촌 이내로 한정하여 대신 바치게 한다. 족속(族屬)이 없을 경우에는 동네에서 거두어 납부하도록 한다.

○ 거둬들일 때 감관과 이서, 창고지기들이 매번 지나치게 많이 거두려고 한다. 때문에 민이 평미레[槩]332)를 잡고 직접 되질을 하게 한다. 이때

---

332) 평미레[槩] : 곡식을 말·되로 측량할 때 윗부분에 쌓인 곡식을 밀어서 평평하게 만드는 원기둥 모양의 나무.

낙정(落庭)333)이나 간색(看色)334)은 정해진 수량이 있기 때문에 양을 최대한 줄이되 조금이라도 남는 것이 있으면 민에게 돌려준다.

○ 나눠주거나 거둬들일 때 길목에서 술과 음식을 차려놓고 돈을 벌려는 자들이 많이 모여든다. 별도의 소임을 시켜 이를 살펴 엄히 다스리도록 한다.

○ 저울과 용기의 규격을 엄격히 지키는 것은 국가의 대사(大事)이다. 근래 들어서 이 법이 해이해져서 말이나 되의 크기가 면마다 틀리다. 관에서 쓰는 되의 크기를 살펴【사방 얼마, 높이가 얼마라는 것을 안쪽 모양을 따라서 모형을 만들어 내려준다】되 모양과 그 수치를 각 동에 나눠준다. 이에 따라 말을 만들어 관에 바치면 관에서는 낙인을 찍은 뒤에 공적이든 사적이든 시장에서 사람들이 이 말을 사용하게 한다. 위반한 자가 있으면 처벌한다. 낙인을 찍을 때에는 도장을 4면과 복판(腹板)에 찍는다.

○ 흉년이 들어 관에서 대납(代納)을 허용할 경우 법전의 규정에 따른다.335) "대미(大米)와 소미(小米)는 서로 대납하되【세상에서는 입쌀을 대미, 좁쌀[粟米]을 소미 혹은 전미(田米)라고 부른다】소미로써 대미를 대납할 때에는 모(耗)를 제한다.【1되마다 1홉을 더 거두는 것을 '모'라고 한다】쌀 1섬을 콩으로 대납하면 2섬, 벼는 2섬 7말 5되, 팥은 1섬 7말 5되【법전에 15되를 작은 섬[小石]으로, 20되를 큰 섬[大石]으로 규정하였다. 관에서는 모두 작은 섬을 사용하였다. 속칭 대두(大斗)를 태(太)라고 한다】가 된다. 팥 1섬을 콩으로 대납하면 1섬 4말, 조는 1섬 5말이 된다. 누런 콩 1섬을 팥으로 대납하면 11말 2되 5홉, 조는 1섬 3말이 된다. 벼 1섬을 누런 콩으로 대납하면 12말이 된다.

---

333) 낙정(落庭) : 되나 말 따위로 곡식을 될 때 남은 약간의 곡식. 전결세의 부가세 명목의 하나.
334) 간색(看色) : 여러 가지 물건을 갖춘 것으로 보이려고 조금씩 내어 놓은 물건.
335) 『속대전』「호전」 '창고'.

피나 기장·미, 녹두나 팥, 옥수수·차조·거친 벼는 서로 대신한다. 참밀이나 정조(正租)336)는 같은 양으로 대납한다."

○ 근래 탐욕스러운 관리들이 나눠줄 환자의 수량을 상사에 보고하여 서목을 받은 다음 즉시 나눠주지 않는다. 다만 굶주린 몇 명에게만 조금 나눠주며, 나머지는 몰래 빼돌려 돈으로 바꾼다. 가을이 되면 돈을 몰래 빼내어 곡식으로 바꾸어서 본래의 수량을 채우고 남는 곡식은 개인적으로 사용한다. 그러다가 혹 가을철 환곡을 거두어들이지 못한 채 갑자기 파직되면 환곡에 손댄 일이 발각되어 어쩔 줄 모른다. 안타까울 뿐이다.

○ 수령은 부임하면 즉시 전임자가 임무를 맡겼던 각 창고지기와 호장(戶長), 이방(吏房), 유향(留鄉)을 불러서 창고의 곡식을 조사한다. 소임을 맡은 자가 현재 보유한 수량을 파악하고 서명한 뒤 순영에 보고하며, 재고를 기록한 문서[留上文書]를 만들어 뒷날 참고한다. 벼슬이 갈려 돌아갈 때에는 (앞서와 마찬가지로) 각각의 이속(吏屬)을 불러서 창고를 조사하여 현재 수량을 파악해 두었다가 교대할 사람이 오면 전달하도록 한다.

17. 민을 구휼함[賑恤章]

○ 흉년에 구휼하는 것이 정치 가운데 제일 어려운 일이다. 『주례』 황정(荒政) 12조337)와 『춘추전』에338) 잘 정리되었다. 【모두 상권(上卷)에 있다.339)】 체득하여 유념해야 할 것이다.

---

336) 정조(正租) : 정규의 조세로 받은 벼.
337) 『주례』 「지관사도」상.
338) 『춘추좌전』 「양공(襄公)」 24년 8월.
339) 「정어(政語)」 '진제(賑濟)'장을 가리킴.

○ 때에는 번성함과 쇠퇴함이 있고, 사물에는 이루어짐과 어그러짐이 있다. 하늘도 가뭄이 들거나 장마가 드는 등 고르지 못하다. 곡식에도 귀하게 여기거나 천시해서 서로 능멸하는 것이 있다. 때를 살펴 잘 대처하는 자만이 이 같은 상황을 예견할 수 있다. 일을 시행하기에 앞서 두루 살펴서 흉년을 구제할 방안을 강구해야 할 것이다.

○ 창고에 있는 곡식의 원수(元數)를 계산하여 보리를 거두기 전까지 나눠줄 밑천이 되는 곡식[資穀]으로 삼는다. 곡식이 부족하면 감사에게 보고하여 본 읍에 쌓아둔 쌀을 확보한다. 그래도 부족하면 직접 순영에 가서 감사를 만나 다른 읍의 곡물을 청하여 얻는다. 이처럼 부족한 수량을 충당한 다음 진휼사업을 시작한다. 2월에는 논밭[田土]이 없어서 굶어죽게 될 자들을 뽑아서 10일 간격으로 가구를 계산하여 나눠준다.【민의 곤궁이 매우 심하면 새해가 되기 전이라도 진휼해야 한다】 3월에는 2등에 해당하는 굶주린 민을 골라 해당 가구의 늙고 젊음에 따라 나눠준다. 4월에는 3등에 해당하는 굶주린 민을 골라 해당 가구에 맞게 나눠준다. 5월에 절기가 늦어져 보리를 거둘 시점이 점점 멀어지게 되면 10일을 한정해서 나눠준다. 농토가 없는 굶주린 민과 다른 읍에서 망해서 흘러 들어온 민에게는 별도로 준비한 환곡[別備穀]을 나눠준다.【태수가 매달 남긴 미곡과 환자의 모곡(耗穀)을 국가의 정해진 세액[元會付]에 계산하여 넣지 않는 것을 '별비'라고 한다】 환곡을 나눠주는 날 거리에 가게를 차리고 술과 고기를 판매하는 것을 금지한다.

○ 정월 보름 이후 읍에 거주하는 사대부 혹은 품관 중에서 청렴하고 근간(根幹)한 자를 '진휼도감(賑恤都監)'에 임명하여 일을 맡긴다. 그 가운데 임무를 잘 처리하고 구제하는데 전력을 다한 자가 있다면 그 정황을 잘 갖추어 상사에 보고하여 공로를 포상한다. 반대로 심혈을 기울이지 않아서 사망자가 발생하면 각별히 잘 살펴서 엄중하게 다스린다.

○ 진휼할 때 매번 얼굴에 부기가 있는 자만 정해서 나눠준다. 하지만 부기가 없다고 해서 어찌 죽을 지경에 이르지 않았다고 할 수 있겠는가? 한 가지 기준으로만 말할 수 없다. 또, 선왕의 정치는 몸을 의지할 곳이 없는 사람을 가엽게 여기는데 있다. 지금 양반집이나 과붓집 가운데에도 가난하고 의탁할 수 없는 자들도 있다. 그들은 나물을 뜯어먹거나 구걸하지 못하고, 방안 깊숙이 들어가 나오지 못해 스스로를 공양할 수 없다. 비록 굶어죽어도 누가 알겠는가? 이런 자들을 가장 먼저 살펴서 구제하도록 거듭 훈계해야 할 것이다.

○ 넓게 띳집을 세우고 굶주린 민을 이곳에 모아놓고 길 위에서 잠자는 근심에서 벗어나게 해 준다. 매일 남자는 1되, 여자는 6홉, 노약자는 5홉의 식량을 나눠준다. 그들을 한 모퉁이에다 흙처럼 모아둔 채 게으르고 나태한 습성을 기르게 해서는 안 된다. 남자는 땔감을 해오거나 신발을 만들게 하며, 여자는 나물을 캐거나 밤에 길쌈을 시킨다. 이처럼 각자 기술에 따라 일을 시키되 품삯[工價]의 소득은 관에서 간섭하지 않는다. 토정(土亭) 이지함(李之菡)340)이 충청도 아산 군수(牙山郡守)가 되었을 때 이 방법을 썼다고 한다.341)

○ 음(陰)과 양(陽), 2기(氣)가 화합하지 못하면 흉년이 들며, 천연두[疫病]도 함께 발생한다. 또한 굶주린 민을 오랫동안 모아두면 더러운 기운이 많아져서 질병이 발생한다. 때문에 미리 의생(醫生)과 상의해서 약재를 구입하여 치료하고, 무당을 선발하여 구호하도록 한다.

○ 굶주린 민의 이름이 적힌 책자를 작성할 때 면임과 이서들의 족속이나

340) 이지함(李之菡, 1517~1578) : 본관 한산(韓山), 자 형백(馨伯)·형중(馨仲), 호 수산(水山)·토정(土亭). 포천현감 등 역임.
341) 『토정유고(土亭遺稿)』상, 「소(疏)」 '이아산시진폐상소(莅牙山時陳弊上疏)' 참조.

이웃 가운데 자격미달인 자들이 기입되기도 한다. 또한 뇌물을 받거나 이익을 나누어 먹기 위해 함부로 기록된 자도 있다. 때문에 각별히 적발하여 엄중히 다스려야 한다. 감관과 이서 가운데 진휼곡에 물을 넣어 불리는 농간을 부려 훔쳐 먹는 자도 있다. 일률적으로 다스려야 할 것이다.

○ 흉년에 민을 구제하는 일은 난리를 피하는 것과 같다. 옛날부터 좋은 대책을 마련하지 못하는 이유는 구제할 수 있을 때 대책을 마련하지 않고, 【평상시에 민을 시켜 농사에 힘쓰게 하여 곡식을 축적하게 함】 할 수 없을 때 비로소 구제하려고 하기 때문이다. 그렇지만 그 와중에서도 대책을 논해 본다면 옛사람이 말했다. "재물을 흩어주며 조세 징수[征稅]를 낮추고, 민력을 늦춘다." 이것이 제일 먼저 해야 할 일이다. 그 중에서도 조세를 낮게 부과하고 민력을 늦추어 주는 일이 매우 중요하다. 민에게 1말의 쌀을 진휼해주는 일이 1되를 덜어주는 것만 못하다고 한다. 이 말은 민간에서 직접 들은 것으로 결코 빈 말이 아니다.

○ 경내 흉년이 들면 관에서 소비되는 반찬을 줄인다. 수령 식구[㐸眷]의 급료미[料米] 등 물자를 팔아 시세를 이용해서 이익을 얻는 일은 없어야 한다.

○ 흉년에 금법(禁法)을 늦추는 것도 민을 구제하는 정책으로서 매우 좋다. 흉년에 민들이 곤궁해져 다른 일을 할 겨를이 없을 때 만물을 구제하는 것으로 뜻을 삼아야 한다. 여러 법금을 느슨히 적용하여 압박하지 않는다면, 민들이 살길을 마련할 수 있다.

○ 굶주린 민들을 모아서 토목공사를 벌이는 것도 흉년에 민을 구제하는 데 요긴한 방법이다. 주자가 말했다. "굶주린 민을 모집하여 수리사업 일으키는 것은 일거양득이다."342) 또 범중엄(范仲淹)343)이 절서(浙西)344)지역을 다스릴 때 오중(吳中)345)에 큰 흉년이 들었다. (그런데) 오중 사람들은

뱃놀이[競渡]346)를 즐기고, 불교 행사를 매우 좋아하였다. 공(公)은 민들이
뱃놀이를 할 수 있게 하면서 한편으로는 여러 사찰에서 토목공사를 벌였다.
또한 관사[吏舍]를 새로 만들기 위해 날마다 천 명의 인부를 동원하였다.
감사가 상주하여 탄핵[奏劾]347)하자 공이 말했다. "즐겁게 놀며 토목공사를
일으키는 것은 가난한 민에게 여유 있는 재물을 내어 은혜를 베풀어 자신의
기술로 음식을 바꿔먹게 하는 것이다. 일을 하면서 공사(公私) 간에 먹고사
는 사람이 하루에 무려 수만 명에 이른다. 흉년에 이보다 큰 민을 구제하는
정책은 없다." 이 방법을 법령으로 삼았다.348)

○ 곡식이 적고 민이 많아서 모두 구제할 수 없다면 각 면에서 부유한
민을 골라 재산의 많고 적음에 따라 해당 이(里)의 굶주린 민을 배정하여
구제하도록 한다. 그들이 구휼한 숫자와 정도에 따라서 상을 준다. 그런데
요즘 세상에는 혹 한번 흉년이 들면 수령이 굶주린 민을 구제한다는 명목으
로 부유한 민의 곡식을 모아서 자신의 주머니를 채우는데 사용할 뿐이다.
저들이 무슨 마음을 먹고 그런 짓을 하는 것인가?

○ 공물(公物)을 별도로 비축하는 것은 근래 수령이 저지르는 큰 폐단이
다. 국가에서는 혹 흉년에 대비하여 수령을 시켜 각자 별도의 공물을
비축하게 하였다. 공물을 비축하는 방법은 관곡(官穀)을 각출하지 않으면
민의 고혈을 짜내는 것이다. 교묘한 명목을 붙이고 여러 방법으로 민을

---

342) 『주자어류』 권106, 「주자」3 '절동(浙東)'.
343) 범중엄(范仲淹) : 송나라 정치가. 자 희문(希文).
344) 절서(浙西) : 절강성 서쪽 소재.
345) 오중(吳中) : 강소성 오현(吳縣) 소재.
346) 경도(競渡) : 작은 배를 저어 빨리 건너기를 겨루던 놀이.
347) 주핵(奏劾) : 관리의 죄과를 상주하여 탄핵하는 일.
348) 『황정총서』 권4, 「황정의총강(荒政議總綱)」.

침탈하였다. 심지어 그 양이 수천 섬에 이르니 비록 나라를 위해서 별도의 공물을 비축한다고 하지만 반은 자신의 집으로 빼돌렸다. 이는 국가에서 민을 수탈하여 수령을 살찌우게 하는 일이다. 간혹 쌀 대신에 벼를, 쌀 대신에 콩을 준다고 하면서 거친 벼·콩을 민에게 나눠주고 가을이 되면 쌀로 바치라고 독촉한다. 민은 감히 저항하지 못하였다. 수령 자신은 당장 얻는 것이 있겠지만 하늘이 내리는 형벌과 귀신의 책망이 뒤따르는 것을 알지 못한다. 슬픈 일이다.

○ 땅에는 비록 강역(疆域)의 구분이 있지만 민은 본래 피차의 구별이 없다. 다른 읍의 민들 가운데 어떤 일로 인해서 자신이 다스리는 고을에 머물게 된 자가 있다면 도와준다. 혹 본업에 돌아갈 수 없게 된 자에게는 오가는데 드는 비용[路者] 등을 주어 돌려보내야 할 것이다.

○ 주자가 절동 구황사(浙東救荒使)에 부임하였다. 주자는 먹고 자는 것을 잊은 채 밤낮을 가리지 않고 돌아다니며 부지런히 민들의 억울한 실정을 들었다. 아무리 깊은 산골짜기에 사는 사람일지라도 이르지 않는 곳이 없었다. 매번 나갈 때에는 가벼운 수레를 타고 거느리는 무리를 물리쳤다. 자신이 먹을 음식은 직접 지니고 다녔다. 부내(部內)에서는 주자가 어디에 있는지 알지 못하였다. 이서들은 항상 어사가 자기가 다스리는 지역에 출두하는 것처럼 밤낮으로 경계하였고, 이로 인해 살아난 민들이 많았다.[349] 수령으로서 민의 굶주림을 자신의 굶주림으로 받아들이고, 민의 죽음을 곧 자신의 죽음으로 생각한다면 어찌 구제할 방법이 없겠는가?

---

349) 『면재집』 권36, 「행장」.

18. 형법을 신중히 적용함[刑法章]

○ 형법은 비록 엄격히 적용해야 하지만 또한 신중해야 한다. 때문에
관장은 실정(實情)은 가벼운데 법은 무거운지, 실정은 무거운데 법은 가벼
운지를 헤아려서 중도(中道)를 구해야 한다. 또한 노여움에 사로잡혀 죄를
처결해서는 안 되며 남의 말을 지나치게 들어서도 안 된다. 한번 잘못
처리해서 목숨을 해친다면 어찌 애석한 일이 아니겠는가? 작은 죄는 과실로
간주하고, 중대한 죄는 옥에 가둔 뒤에 옳은지 그른지, 공과 사의 구분을
천천히 생각한 뒤에 처리해야 할 것이다. 요즘 풍속에 관장이 허물을
적어두되 처벌하지 않겠다는 영을 내렸다. 이것은 참 좋은 뜻이다. 옛날
이아무개가 사람들에게 경계하여 말했다. "윗자리에 있는 자는 아랫사람에
게 죄가 있으면 무겁게 다스리되 갑자기 처단해서는 안 된다. 잠시 유보하여
하룻밤을 보내면 실정을 알게 될 것이다. 자신의 기뻐함과 노여움도 마땅함
을 얻어 갑자기 사람을 해치는 근심에서 벗어나야 할 것이다." 이 말은
따를 만하다. 『서경』「강고(康誥)」편에서 말했다. "중요한 죄수는 5, 6일
동안 가슴속에 두고 생각하며, 10일이나 3개월이 지나서 죄수를 크게
결단하라."[350] 역시 그와 같은 뜻을 지니고 있다.

○ 요즘 관장들은 부임 뒤에는 먼저 형장(刑杖)을 가지고 위엄을 세우다가
끝에 가서는 해이해지고 만다. 이로 인해 이서와 민들이 관장 자질의
깊고 옅음을 살피게 되고, 자신의 형정(刑政)도 알맞음을 얻지 못하여
참으로 우습고 민망하게 된다. 형벌의 가볍고 무거움은 일의 옳고 그름에
따를 뿐이다. 어찌 처음과 끝이 다를 수 있겠는가? 따라서 형정만 가지고
인심을 복종시킬 수 없을 것이다.

---

350) 『서경』「주서」'강고'.

○ 사람의 자질은 동일하지 않다. 상품(上品)의 자질을 가진 자는 말할
필요가 없지만 스스로 생각하건대 지혜와 술수가 얕고 짧다면 근실하게
법령을 지키고 이에 의거해야 할 것이다. 유원성(劉元城)351)이 마영경(馬永
卿)352)에게 말했다. "『한서』에서 말했다. '관리는 법령을 스승으로 삼아야
한다.' 틈나는 대로 법 조목을 보아야 할 것이다. 사람을 다스릴 수 있을
뿐만 아니라 자신의 몸도 보호할 수 있다." 이 말은 참으로 명언이다.

○ 법전에 여러 조목으로 된 법률의 규정[條章]이 잘 갖추어져 있다.
『경국대전』·전후속록(前後續錄)353)·『수교집록(受敎輯錄)』354)·『속대전(續
大典)』·『대명률(大明律)』355)은 법을 사용할 때 활용하는 책이다. 『결송유취
(決訟類聚)』356)·『무원록』357)·『의옥집』358)은 옥사를 판결할 때 사용하는

351) 유원성(劉元城) : 송나라 관리. 자 기지(器之). 사마광(司馬光)의 제자. 간의대부(諫
議大夫)·추밀도승지(樞密都承旨) 등 역임.
352) 마영경(馬永卿) : 송나라 관리. 자 대년(大年).
353) 전후속록(前後續錄) : 『경국대전』을 반포·간행한 뒤 새로운 수교(受敎)와 『경국대
전』 시행에 필요한 규정을 수집·편찬한 법전인 『대전속록』과 1543년(중종38)에
『대전속록』 간행 이후 52년간의 교령 등을 모아 편찬한 『대전후속록』을 합쳐서
부름.
354) 수교집록(受敎輯錄) : 1698년(숙종24) 이익(李翊)·윤지완(尹趾完)·최석정(崔錫鼎)
등이 왕명을 받아 『대전후속록(大典後續錄)』 이후 각 도 및 관청에 내려진 수교·조
례(條例) 등을 모아 편찬한 법전.
355) 대명률(大明律) : 명나라의 기본적인 형법전(刑法典). 당률(唐律)을 참고로 해서
편찬한 것. 건국 초에 공포된 이후 수차례 수정되었으며, 명례율(名例律)·이율(吏
律)·호율(戶律)·예율(禮律)·병률(兵律)·형률(刑律)·공률(工律)의 7편 30권 460조
(條)로 이루어져 있다. 조선왕조의 법에 큰 영향을 주어 『경국대전』 등의 기본
법전에 없는 규정은 『대명률』에 의거하여 처결함.
356) 결송유취(決訟類聚) : 조선 중기 간행된 법률서. 『사송유취(詞訟類聚)』와 같은
내용의 책이나 『사송유취』가 간행된 뒤에 부록의 자구(字句)나 내용의 첨삭을
더한 점이 다름.
357) 무원록(無冤錄) : 원나라 왕여(王與)가 편찬한 법의학서·법률서. 세종 때 주해(註
解)를 붙여 『신주무원록』을 간행하였다. 영·정조 연간에 그 내용을 첨삭하고

책이다. 관장은 항상 이 책들을 자세히 살펴서 익혀야 할 것이다.

○ 법전에서 형정을 함부로 사용하는 것에 대해 매우 엄격히 규제하였다. 국가에서 나를 선택하여 민을 다스리게 한 이유는 민을 위하고자 함이지 자신에게 부여된 권력을 악용하여 원수를 갚고 통쾌한 마음을 갖게 하기 위해서가 아니다. 조심스럽게 사용해야 한다.

○ 어리석은 민들이 법을 어기는 것은 참으로 가엾고 불쌍하다. 따라서 『경국대전』에도 '휼수(恤囚)'조359)가 있다. 선왕은 생명을 중시하는 덕이 지극하였다. 관장은 이 뜻을 체득하여 항상 감옥 속 죄수를 염려해야 한다. 병든 자는 치료해주고, 굶주린 자는 잘 먹인다. 아주 춥거나 더울 때에는 이 마음을 더욱 베풀어야할 것이다. 명절이 되면 술과 음식을 나눠주어 위로해 준다.【옥리(獄吏)와 옥졸(獄卒)이 민을 침탈하는 일에 대해서는 자세히 살펴 엄하게 다스려야 한다】

○ 근래 각 고을에 갇혀있는 죄수가 많은 이유는 즉시 처결하지 않기 때문이다. 감옥이 어찌 사람으로서 잠시라도 거처할 만한 장소이겠는가? 죄가 없는데도 잡혀있다면 더욱 불쌍한 일이 아니겠는가? 이 때문에 원망의 기운이 위로 맺혀 재앙이 된다. 관장으로 부임한 뒤에는 먼저 죄수명단을 받아 죄의 경중을 논하여 즉시 처결하고, 상사에게 보고할 것은 보고하며 자신이 처리할 것은 처리한다. 또한 오랫동안 해결되지 않은 의심스러운 옥사는 마음을 다해 살핀다. 자신의 능력을 뽐내려다가 경솔히 처리하여 민의 원한을 사는 일은 없어야 할 것이다.

주석을 달아 『중수무원록』을 편찬했다. 1792년(정조16)에는 서유린이 『무원록언해』를 편찬하는 등 여러 차례 증보 번역 간행됨.

358) 의옥집(疑獄集) : 판결하기 어려운 옥사의 사례를 모은 책. 진(晉)나라 화응(和凝)이 편찬함.

359) 휼수(恤囚) : 관아에서 죄수를 구휼하던 일.

○ 금령(禁令)은 부임한 뒤에 명확하게 민에게 고시하여 어기지 않게 한다. 이처럼 금지하는데도 죄를 범하면 법이 법답지 못해서이다. 옛날 사람들이 명령을 시행해서 금지할 수 있었던 것은 다름이 아니라 약조(約條)가 명확해서 세운 법[立法]이 믿음을 주었기 때문이었다. 지금 사람들은 혹 명령 내리는 것을 게을리 하여 민을 속인다. 혹 명령을 내리지 않은 채 갑자기 금지하여 민들이 손과 발을 둘 바를 모르게 만든다. 이것은 민을 죄짓게 하는 것이다. 어떤 사람이 수령에 부임하였다. 평소 금령을 내리지 않다가 어느날 갑자기 장교들로 하여금 '소나무를 함부로 자르는 일을 금지[松禁]'하는 명령을 가지고 온 마을을 돌아다니게 하였다. 이에 금령을 범하지 않은 민들이 없었다. 부자는 뇌물을 주어 죄를 면했지만 가난한 자는 어쩔 수 없이 죄를 짓게 되어 열 집 가운데 아홉 집에서 소요가 일어났다. 이게 도대체 무슨 꼴인가?

○ 요즘 관가의 금령은 아전[吏任]들이 뇌물을 받는 밑천이 되고 말았다. 자세히 살펴서 시행해야 할 것이다.

○ '소를 함부로 도살하는 것을 금지하는 영'과 '소나무를 함부로 자르는 일을 금지하는 영'의 경우 해당 금령을 어긴 자는 상벌(上罰)로 다스린다. 통수(統首)와 면임은 중벌(中罰)로 다스리되, 죄를 용서해 주는 대가로 돈[贖錢]을 거두어서는 절대 안 된다. 혹 병든 소로 대신 하는 자가 있으면 관에 보고한다. 소나무도 가지·잎새·줄기 등의 크기를 구분해야 할 것이다. 【또한 이것을 빙자하여 함부로 법을 적용하는 일을 잘 살펴야 한다】

○ 관(官)에서 한 가지 영이나 한 가지 일을 시행할 때에는 폐단이 뒤따르기 마련이다. 일에 따라 몰래 살펴서 다스려야 할 것이다.

○ 음식을 빼앗아 먹고 뇌물을 요구하는 습관은 오늘날 고질적인 폐단이다. 군교(軍校)·이서·면임들에게 거듭 훈계한다. 금지하는 조항을 명확히

세우되 어기는 경우 죄를 물어야 할 것이다. 민간에서 이익을 거둘 수 있는 해변의 생산과 소금, 산골의 꿀, 과일 등을 일체 침탈해서는 안 된다.

○ 중형(重刑)을 가하면 죄가 없어도 자백하는 일이 많다. 죽는 것은 순간의 고통이지만 매질을 당해 살이 찢어지는 아픔은 죽는 것보다 심하기 때문이다. 만력(萬曆)360)연간에 대도(大盜) 주국신(朱國臣)이 형장(刑場)에서 고백했다. "옥에서 심문하는 것은 삼가야 해야 할 것이다. 아무개와 아무개는 내가 죽인 자들이다. 당시 억울하게 대신 죽음을 당한 사람들은 원한을 품었을 것이다. 내가 말하지 않았다면 누가 그들을 위해서 울겠는가?" 이때 옥사를 담당하던 자들을 심문[推問]하여 시랑(侍郎) 옹대립(翁大立)을 면직하고, 낭중(郎中) 서일충(徐一忠)은 귀양 보냈다. 아! 이것이 비록 작은 일이지만 형옥을 처리할 때 경계해야할 것이다. 가혹한 형장을 가해 피와 살이 문드러지면 황당한 말로 입증하지 못할 일이 없다. 그 말이 일단 관아 문서에 기록되면 그대로 사실이 되어 한 마디라도 더하면 더했지 빼는 일은 없다. 이렇게 빈틈없이 완성된 진술서를 작성하여 죄인으로 확정되면 다시는 어떻게 해볼 여지가 없다. 때문에 예나 지금이나 억울하게 그물에 걸려 죽은 자가 헤아릴 수 없을 정도로 많다. 당시 주국신의 말이 아니었다면 억울하게 죽은 자들의 원한을 풀지 못했을 것이다. 옹대립 등은 죄인을 잘 잡는 능력 있는 관리가 되었을 것이다. 【이선생[李瀷]이 말했다. "집에서 부리던 남자 종이 형리(刑吏)가 되었는데, 범인을 잘 잡는다고 했다. 어느날 관에 소송을 낸 사람이 말했다. '어린 아들이 어떤 사람에게 깊은 계곡으로 유괴되어 고환[外腎]이 잘린 채 죽었다' 즉시 관에서는 종을 시켜 비밀리에 잡아오도록 했다. 몇 일만에 체포하니 모두 통쾌하게 여겼다. 내가 잡아온 자를 불러 물어보자 대답했다. '남자의 고환은 천연두[天疱瘡]를 치료하는 약재로 사용됩니다. 이날 길가에

서 오줌 누는 자가 있었는데 그 자가 그 병에 걸린 것을 알고 가혹하게 매를 치니 과연 죄를 자백했습니다' 전국에 천연두 환자가 많은데 어떻게 그처럼 빨리 잡을 수 있었을까? 잔혹한 형장 아래서 아픈 것을 참고 억울하게 죄를 자백하지 않을 자는 없다. 옥사를 다스리는 자는 이 점에 유념해야 한다."361)】

○ 후세에 이르러 입법(立法)은 급한 일이다. 입법은 민생을 넉넉히[優民] 하기 위한 일이다. 맹자가 '정형(政刑)을 밝힌다'362)고 한 말이 이것이다. 지금 도시 거리에서 사람들이 싸우다가 혹 심하게 다치고 죽는 지경에 이르렀다. 이때 머리에 방산관(方山冠)363)을 쓰고, 발에 원유리(遠遊履)364) 를 신은 대인(大人)이 나타나 손을 높이 저으며 천천히 다가와 경전을 인용하여 본받을 만한 말로 화해시키려 했다. 하지만 저들은 노여움을 풀거나 손을 멈추며 그 가르침에 따르려 하지 않는다. 이때 붉은 색 옷을 입은 부(府)에서 부리는 노예[府隷]365)가 손에 공문서를 들고 홀연히 지나가 면서 입속말로 작게 꾸짖었다. 사람들이 모두 놀라고 두려운 마음으로 귀 기울여 들었다. 비로소 '간척(干戚)의 춤만으로는 평성(坪城)의 포위를 풀기에 역부족이다'366)는 말의 의미를 알 수 있다. 때문에 '우리나라의 정치는 포악함을 금지하는 것을 제일로 삼는다'고 했다. 포악함을 금지하면

361) 『성호사설(星湖僿說)』권15, 「인사문(人事門)」 '할세옥(割勢獄)'.
362) 『맹자』「공손추」상.
363) 방산관(方山冠) : 종묘제례나 석전대제(釋奠大祭) 때, 악무(樂舞)하는 사람들이 쓰던 관.
364) 원유리(遠遊履) : 임금에게 하례할 때 신던 신.
365) 부예(府隷) : 어사(御史)가 대동하는 관속배.
366) 『자치통감』권53, 「한기(漢紀)」45. 간척(干戚)은 왼손에 잡는 방패와 오른손에 잡는 도끼이다. 문묘제례(文廟祭禮) 때 악생(樂生)들이 이것을 들고 춤을 추었다. 순(舜)임금은 유묘(有苗)가 복종하지 않자 덕정(德政)을 닦고, 한편으로 간척을 들고 춤을 춰 유묘를 복종시켰다. 그러나 한나라 고조가 평성에서 흉노에게 포위되었을 때에는 간척을 들고 춤을 추는 것만으로는 풀려날 수 없었다.

민들이 살아가는 방도를 모색하고 조처를 취할 수 있다. 이것이 일의 급함과 급하지 않음의 차이다.

○ 송사를 듣고 처리하는 방법은 마음을 비우고 간결하게 물어야 한다. 죽을 죄를 처결할 때 살릴 수 있는 방법을 강구하며, 무거운 죄를 처결할 때 가볍게 할 수 있는 단서를 구해야 한다. 실정을 찾아서 죄를 주어도 오히려 실수할 수 있다. 하물며 죽이려는 마음을 가지고 실정과 거짓을 살피지 않고 위협하고 핍박하여 죄가 없는 사람을 형벌로 처리한다면 이는 죄 없는 자를 잘못 죽이는 일이 아니겠는가?

○ 옥사를 듣고 처리하는데 있어서 자세히 분변하지 않고 말의 어긋난 단서에 따라 처리하여 형벌을 가해 심문하면 거짓으로 자백하는 일이 없지 않을 것이다. 민숭영(閔崇英)367)의 말이 어긋남을 이유로 형장을 가해 그가 거짓으로 자백했다면 유담년(柳聃年)368)도 역모죄를 면치 못했을 것이다. 이와 같이 송사를 듣고 처리하는 일은 어렵다. 【유담년이 병조판서로 재직할 때 어떤 자가 거짓으로 말했다. "병조판서가 무사들을 모아놓고 역적모의를 한 뒤에 해산하였다." 그 자는 거짓으로 병조판서의 말을 빙자하여 주변에 널리 알려 여러 무사들을 소집하여 자신의 말이 사실인 것처럼 만들어 모함하려 했다. 먼저 무사 민숭영에게 물었다. 숭영은 벌벌 떨면서 어쩔 줄 모르며 숨기려고만 하였다. 위관(委官)을 맡은 김정국(金正國)369)이 짐짓 안정을 시키며 말했다. "진실을 말하면 죄를 면할 것이고, 거짓을 말하면 죄를 면하기 어려울 것이다. 놀라지 말고 신중하게 사실대로 말하거라." 민숭영이 그 말을 듣고 안정을 되찾아 비로소 사실대로 말했다. 마침내 그 일은 올바르게 처리할 수 있었다】

---

367) 민숭영(閔崇英) : 조선 중종(中宗) 때 무신(武臣).

368) 유담년(柳聃年, ?~1526) : 본관 문화(文化). 시호 무양(武襄). 병조판서·한성부판윤 등 역임.

369) 김정국(金正國, 1485~1541) : 본관 의성(義城), 자 국필(國弼), 호 사재(思齋)·팔여 거사(八餘居士). 안국(安國)의 동생. 병조참의·공조참의 등 역임.

19. 소송을 공정히 처리함[詞訟章]

○ 송사를 듣고 처리할 때 먼저 '공(公)'이란 글자를 가슴과 뱃속에 가득
채워서 잠시라도 잊어서는 안 된다.

○ 송사를 듣고 처리할 때 의리의 마땅함을 구해야 한다. 먼저 들은
말을 가지고 주장을 삼아서는 안 된다.

○ 송사를 듣고 처리할 때 비록 공을 위주로 하더라도 나의 권도(權度)가
도(度)에 맞지 않는다면 중도(中道)를 잃게 된다. 때문에 군자는 크게 경(敬)
에 거처하여 이치를 궁구하는 것을 귀하게 여겼다.

○ 『주례』에서 언급한 오청(五聽)370)은 송사를 듣고 처리할 때 요긴한
방법이다. 혹 미련하고 어리석어서 스스로를 잘 다스리지 못하는 자라면
자세히 살펴보아야 할 것이다.

○ 소지(所志)는 올라오는 대로 받는다. 【민들이 바치는 문서를 '소지'라고
한다】 민이 직접 관장 앞에 나아가 올리며, 사령(使令)들이 받아들이게
해서는 안 된다. 모든 창과 문을 활짝 열어 가린 곳을 없게 한 뒤에야
민정을 살필 수 있다. 송나라 제도에 따르면 소송인이 소지를 직접 내지
못하고 부(府)에 딸린 이속(吏屬)이 문에 앉아서 소송문서를 받게 하였다.
포증이 개봉 윤(開封尹)에 부임하자 즉시 아문(牙門)371)을 활짝 열어서
민이 직접 뜰아래까지 들어와 자유롭게 이치의 옳고 그름을 말할 수 있도록
했다. 이에 이서와 민들이 감히 속이지 못하였다.

---

370) 오청(五聽) : 판관이 소송을 듣고 옳고 그름을 판단하는 5가지 기준. ①사청(辭聽) :
  말이 번거로우면 옳지 않다는 증거 ②색청(色聽) : 옳지 않으면 얼굴이 빨개짐
  ③기청(氣聽) : 진실이 아닐 때에 숨을 헐떡거리게 됨 ④이청(耳聽) : 곧잘 말을
  잘못 알아듣게 되면 거짓일 가능성이 많음 ⑤목청(目聽) : 진실이 아닐 때에
  눈에 정기가 없음.
371) 아문(牙門) : 군문(軍門). 군영(軍營)의 경내. 영문(營門)·원문(轅門)·병문(兵門).

○ 완평(完平) 이상국(李相國)372)이 말했다. "발괄[白活]은 소지 처리가 끝난 다음 온 마음을 기울여 자세히 듣는다."【백활(白活)은 '발괄'이라고 읽는다. 말로 호소하는 것을 말한다.373)】

○ 발괄하는 자가 하루에 여러 차례 오더라도 그때마다 들어준다. 들을 때에는 매번 잡다한 공사(公事)를 정지한다. 한 사람이 거듭 발괄해도 상세히 들어주고 2, 3차례 이르러 끝내 들어줄 수 없는 것이라도 잘 내어보낸다.

○ 소지와 발괄은 아랫사람에게 부치지 말고 일일이 살펴서 판결한다. 허락할 수 있는 것은 허락하고 그렇지 않은 것은 허락하지 말아야 한다. 시일을 끌어서는 안 된다.

○ 송사하는 소지는 피고를 잡아온 뒤에 재판을 시작한다. 다짐은 법례에 따라 받되 공개하지 않는다. 서로 송사를 제출한 경우 양측을 조사한 뒤에 소지에 입지(立旨)374)를 첨부하고 이긴 자에게 내려준다. 법례에 따라 판결서류[立案]를 원하면 들어준다. 입지를 결정하면 작지가(作紙價)를 받지 않는다. 일정한 전례[官式]에 따라 죄의 등급이 결정되면 역시 관식에 따라 작지가를 받는다. 혹 무명베나 혹 종이 가운데 원하는 것으로 바치게 하되 정해주어서는 안될 것이다.

○ 소지는 하인을 시켜 읽게 하고, 책상에 모아놓고 직접 입지하고 손수 쓰는 것도 가능하다. 소지를 일일이 민들에게 내어준다. 소지가 많으면 20장 혹 10장이 모인 뒤에 즉시 내어주며, 혹 6, 7장 혹 3, 4장이 되어도

---

372) 완평(完平) 이상국(李相國) : 이원익(李元翼, 1547~1634).
373) 발괄[白活] : 관청에 올리는 소장·청원서·진정서. 억울한 사정을 글로 하소연함.
374) 입지(立旨) : 신청서 끝에 신청한 사실을 입증하는 뜻을 부기(附記)하는 관부의 증명.

내어준다.

○ 소지 가운데 사연이 중대한 것은 장부에 기록해서 종이를 말아서 보관하는 통[紙筒]에 넣어둔다.

○ 청송식(聽訟式)

시송(始訟)【피고를 붙잡아온 뒤에 '송사를 시작한다'는 다짐을 받는다】

원정(原情)【원고와 피고가 각자 옳고 그름을 열거하여 바친 글을 '원정'이라고 한다】

문서를 바친다.

문서[文記]를 살펴본 뒤 봉인한다. 원고와 피고로 하여금 서명하고 다짐을 받은 다음 문서 주인에게 돌려준다. 문서를 뒷날 다시 받아들일 때 또 그들에게 '빈틈없이 단단하다'는 다짐을 받고 개봉한다.

문서의 선후를 조사한다.

입적(入籍)의 여부를 조사한다.

관에서 증명하여 주는 문서가 격식이 다른 증빙문서인지를 조사한다. 【노비는 장예원(掌隸院),[375] 가옥[家舍]과 논밭은 한성부(漢城府)[376]에서 발급하며, 물건 주인이 거주하는 곳에서 내주는 것이 아닌지 여부 등】

정해진 기한을 넘었는지의 여부를 조사한다. 【기한은 법률조문[律文]을 참고한다】

격식에 벗어났는지 여부를 조사한다. 【부모, 내외(內外)의 조부모(祖父母), 처부모(妻父母), 부처첩(夫妻妾)에 대한 기재사항이 틀렸는지의 유(類)】

살펴볼 만한 다른 문서와 비교한다.

---

375) 장예원(掌隸院) : 조선시대 노비의 부적(簿籍)과 소송에 관한 일을 관장하던 정3품 관청.
376) 한성부(漢城府) : 조선시대 서울의 행정·사법을 맡아보던 관아.

문서를 긁어서 발라냈는지 살펴본다.

봉인한 뒤에 추가로 글씨를 썼는지 살펴본다.

문서작성자와 증인, 친족, 부인의 도장[圖書]도 대조하여 도장 찍은 모양[印迹]을 비교한다.

문서가 작성된 연월(年月)과 재주(財主)가 사망한 연월을 비교한다.

문서가 작성된 연월과 재주가 실직(實職)에 제수될 때 연월, 현재의 월일이 같은지 다른지를 살펴본다.

다른 관아에서 작성한 문서는 가져오게 한 뒤 종이를 이어 붙인 곳의 조작 여부 및 다짐의 같거나 다른 점이 있는지를 적발한다.

판결서류[立案]를 결재한 당상(堂上)과 낭청(郎廳)이 재직할 당시의 연월과 같은지, 또 그 서명을 살펴본다.

노비의 부모와 소생의 순서, 성명의 같거나 다른 점을 살펴본다.

가옥[家舍]의 통기, 논밭의 깃기를 살펴본다. 【전부(佃夫)가 농사짓는 바의 단자를 '깃기'라 한다】

소장을 올린 날짜와 증명서를 작성하여 내준 날짜, 입안한 날짜와 작성한 문서 안에서 다짐을 받은 날짜, 국기일(國忌日),[377] 탈이 나서 업무를 보지 못한 날짜를 비교하여 살핀다.

농사철로 인해 송사가 정지될 경우 지금까지 제출된 문서들에 원고와 피고의 도장을 받고 다짐을 받아 잘 간직해 두었다가 가을철을 기다려서 다시 판결한다.

○ 부모형제 등과 같은 인륜과 관련된 사이에서 풍교(風敎)에 관계된 일이 있으면 관에서 아전을 보내[官差] 잡아오게 한다.

○ 송사를 판결할 때 이서와 피고가 간혹 한 통속이 되어 뇌물을 받고서

---

377) 국기일(國忌日) : 왕과 왕비의 제삿날.

문서를 어지럽혀 절차와 규칙을 어기고 소송을 처리할 것이다. 수령이 이 같은 일을 미처 알지 못하며 원망을 품는 폐단이 일어난다면, 먼저 각 면의 풍헌들에게 알려서 비밀리에 보고하여 죄를 다스릴 근거로 삼는다.

○ 크고 작은 송사에서 판결을 내리기 전에 피고가 혹 청탁하는 편지를 올릴 수 있다. 이때 수령은 즉각 물리치고 해당 송사를 처리하지 말아야 한다.

○ 우리나라의 노비는 신분이 대대로 세습된다. 이 법이 비록 삼대(三代)의 좋은 법은 아니지만 이미 일반화되어 폐지할 수 없다. 기강과 밀접한 관계를 맺고 있기 때문에 실제로 도망쳤고 문서가 분명하다면 해당 노비를 잡아오는 일에 가탁했다고 해서 일절 못하게 해서는 안 된다.

○ 근래 도망친 노비를 잡아오는 일이 하나의 정사가 되어 버렸다. 그렇다고 해서 관장이 경솔히 노비를 잡아들이는 길을 열어준다면 노비 잡으려는 자들이 구름처럼 모여들어 호적[帳籍]을 살피고, 노비를 잡아들이는 일에 혼란을 초래할 것이다. 이로 인해 민심이 소란스러워지고, 날마다 빈객을 대접하느라 공사(公事)가 소홀히 처리될 우려가 있다. 형세를 헤아려 처리해야 한다.

○ 어떤 자가 다른 사람이 자기 노비를 숨겨 데리고 산다고 고발하면 그 자에게 직접 잡아오게 한다. 잡혀온 노비는 관아에 보내 처리하는 법을 거듭 밝힌다. 때로 숨겨준 정황이 분명하면 혹 면임을 보내어 잡아오게 한다. 끝내 체포하지 못하더라도 노비를 거둔 자에게 책임을 추궁한다. 그렇다고 경솔하게 신공(身貢)을 거두는 일을 시행해서는 안 된다.

○ 세상 사람들이 풍수지리에 미혹되어 몰래 남의 묘나 산에다가 장례 지낸다. 이 때문에 한미한 집에서는 억울해도 풀길이 없다. 관장은 이해관계를 고려하기보다는 법률에 따라 처리해야 할 것이다.

○ 살인사건은 소송[訟獄] 가운데 가장 중요하다. 경내에서 살해당한 일로 고소해 오는 자가 있으면 즉시 형리(刑吏)를 파견하여 원고와 함께 비밀리에 범인을 체포한다. 이때 먼 이웃까지 소란을 끼치지 않도록 한다. 수령도 즉시 가서 먼저 검시하고 감사에게 보고한다. 검시하는 규식은 『무원록』에 있다. 이 책을 구해서 미리 강구해야 할 것이다.

○ 해결하기 어려운 소송은 조용한 가운데 생각하여 판단한다. 송사 듣는 것을 우선하지 말고 마음을 다해야 한다. 일을 마치는 데에 서두르지 말고 해결방안을 모색하는데 힘써야 한다.

○ 송사를 듣다 보면 종종 아주 가까운 친족 사이에 재산을 둘러싸고 다툼을 벌이거나 혹 서로 고소하고도 부끄러운 줄 모르는 경우가 있다. 이 경우 피차의 옳고 그름을 논하지 말고 우선 정성스럽게 가르치고 꾸짖어서 잘못을 뉘우치게 한다. 설령 성질이 사나워서 끝내 따르지 않는다면 송사를 들어주지 않는다. 그러면 나쁜 풍속이 조금이라도 변화하고, 쟁송도 점차 줄어들 것이다.

○ 송사를 판결할 때 오랫동안 붙잡고 있는 것은 피해야 한다. 이것이 이서들이 간사함을 부리는 지름길이자 청탁이 시작된다. 사리를 자세히 살피고 문서를 검사하여 해당 사안의 본말을 조사한 다음 빨리 판결한다. 조금이라도 게으름을 피워 빨리 처리하지 않으면 일이 잘못될 수 있다.

○ 송사를 판결할 때 교활한 이서와 간사한 민을 더욱 자세히 살핀다. 이서의 말을 쉽게 믿는다면 간사한 민이 뇌물을 바쳐 거짓을 옳은 일로 바꾸거나, 또 자제나 아객이 이서와 한 통속이 되어 거짓말을 퍼트리고 옳고 그름을 어지럽힐 것이다. 이렇게 되면 끝내 향민의 원통함을 풀 수 없다. 어찌 애석하지 않겠는가? 관장은 항상 윗사람이 나에게 책임 지운 바가 무엇이며, 아랫사람이 나에게 달려와 원통함을 풀어달라고

하는 이유가 어떤 심정에서 나온 것인지를 생각하고 공정한 마음으로 처결해야 한다. 이렇게 해야 스스로 부끄럽지 않고 또한 뒷날 후손에게도 복이 된다.

○ 고을 안에서 올라온 진정서[等狀]378)는 선을 포상하든지 악을 다스리든지 간에 다시 자세히 조사한다. 중대한 사안은 감사에게 보고하고, 작은 일은 자신이 직접 상벌을 논할 것이다.

○ 옥송을 판결할 때까지 사건 내용이 수없이 변하고, 간사함과 속임수가 여기저기서 나온다. 따라서 명석한 자가 아니면 어떻게 실정을 얻을 수 있겠는가? '서합(噬嗑)괘379)는 '이(離)'괘가 위에 있기 때문에 '옥사를 처결함이 이롭다'고 하였다. '풍(豊)'괘는 '이'괘가 아래 있기 때문에 '옥송을 처리하며 형벌을 사용한다'고 하였다. 명석함을 귀하게 여겼기 때문이니 명석함을 사용하는 방법은 다른 것이 없다. 혹 말소리를 들어서 알고, 혹 얼굴빛을 살펴 안다. 혹 말의 내용을 힐책하여 알고, 혹 일의 옳고 그름을 심문하여 아는 것, 이 4가지뿐이다. 이 방법을 사용하면 어리석은 자가 스스로 잘 해명하지 못하거나, 간사하고 거짓된 자가 꾸미는 사례가 없어질 것이다.

○ 심문하여 실정을 알아내는 방법은 달래고 위협하는 데 있다. 달래고 위협하는 것은 고문하여 참혹하게 한다는 것이 아니다. 숨기는 것을 정확히 맞추어 죄인으로 하여금 두려워하여 복종하게 한다.

○ 옥사를 다스리는 것은 군사를 부리는 것과 같다. 올바른 방법을 쓸 수 없게 되면 어쩔 수 없이 상황에 맞게 일을 처리하는 방도[權道]를 사용해야 한다. 상황에 맞게 방도는 긴밀하고도 신속하게 써야 한다. 그렇지

---

378) 등장(等狀) : 여러 민들이 소장을 관청에 올려 하소연하는 일.
379) 서합(噬嗑) : 64괘(卦)의 하나. 죄수의 상(象)으로 형벌을 내려 범죄를 다스림.

않으면 의도가 드러나고 만다.

○ 사건을 추리하는 2가지 방법이 있다. 하나는 실정을 살피는 것이며, 다른 하나는 증거에 따르는 것이다. 그러나 믿기 어려운 증거라면 실정을 살펴서 마음속에 감춰둔 것을 지적하는 것만 못하다. 반면 실정을 파악하기 어렵다면 증거를 찾아내서 거짓말을 굴복시키는 것만 못하다. 이 2가지 방법을 번갈아 사용하되 각각 형편에 따라 하나를 적용한다. 그러나 혹 믿기 어려운 증거이거나 실정을 파악하기 어려울 때에는 속이는 방법을 써서 숨기고 있는 사실을 밝혀낸 뒤에야 범인을 잡을 수 있다.

○ 간사하게 남을 속이는 사건에는 빠진 것이 있다. 잡아서 철저히 조사하면 실정이 자연히 드러난다. 마음을 다하는 자만이 사건을 해결할 수 있다.

○ 간사한 일을 살필 때 의도를 가져서는 안 된다. 의도를 가지면 마음이 한 쪽으로 치우치게 된다. (그렇게 되면) 간사한 이서들이 그 틈을 타서 권세를 부릴 것이다.

○ 간사함을 잘 적발할 수 있는 것은 심문하여 실정을 잘 파악했기 때문이다. 실정을 얻지 못하면 뒤에 번복하여 다르게 말한다. 이것이 간사한 사람들의 계책이다. 잡아서 조사할 때 소략한 것을 조심해야 한다. 『한사(漢史)』에서 엄연년(嚴延年)[380]이 옥사를 다스리는 것을 가리켜 말했다. "문서를 정밀하게 작성했기 때문에 판결이 뒤집어지는 경우는 없었다." 비록 그가 혹독하고 까다로운 관리로서 무도(無道)한 일을 저질렀지만 이 한 가지만큼은 본받을 만하다.

○ 옥송은 엄격하고 분명하게 처리해야 한다. 이는 세속에서 가혹함을

---

380) 엄연년(嚴延年) : 한나라 관리. 자 차경(次卿). 시어사(侍御史)·하남 태수(河南太守) 등 역임.

엄격함으로, 각박함을 분명함으로 여기는 것과 다르다. 사리에 따르면서 물정을 밝게 살피는 것을 말한다.

○ 형옥은 목숨이 관계되는 일이다. 한번 붓을 잘못 놀리면 죽고 사는 것이 곧바로 결정된다. 자기 견해만 지나치게 주장해서는 안 되며, 떠도는 말을 쓸데없이 믿어서도 안 된다. 경솔하게 결단해서 눈앞의 일만 해결해서도 안 된다. 화응(和凝)381)이 말했다. "깨끗하고 성실하게 재계(齋戒)하여 하늘의 도움을 바라고, 『분전(墳典)』382)의 내용을 자세히 살펴서 옛 일로부터 생각을 얻는다." 이 2가지를 이용하여 옥송을 처리한다면 어려운 일이 없을 것이다.

○ 살인과 관련된 옥사는 의심스러운 내용을 분변하기 매우 어렵다. 사람을 서로 죽이는 일은 원수가 아니라면 재물 때문이거나 여자 때문에 발생한다. 이 2가지 일로 추궁한다면 범인을 잡을 수 있다. 살펴서 알아낼 수 있는 방법은 얼굴색과 말소리에 불과하다. 때문에 총명한 자만이 속지 않을 것이다. 【살인은 천하에서 가장 흉악한 짓이다. 한나라 고조의 약법삼장383)과 기자(箕子)의 8조(條)384)도 이것을 맨 위에 두었다. 죽는 일은 사람이 제일 싫어하는 것이다. 하물며 원통하게 죽는 것은 어떻겠는가? 요즘 민속의 실정을 살펴보면 관리들이 수사할 때 들어가는 비용이 매우 많다. 때문에 혹 원수의 집에서 뇌물을 받고 죄에서 벗어나게 해준다. 이를 '사화(私和)'라고 한다. 자제가 부형의 원수를 갚지 않거나,

---

381) 화응(和凝) : 후주(後周) 때 학자. 자 성적(成績). 『의옥집』을 남겨 후세에 큰 영향을 끼쳤다. 송나라 정극(鄭克)의 『절옥귀감(折獄龜鑑)』, 송나라 계만영(桂萬榮)의 『당음비사(棠陰比事)』의 원형이 됨.
382) 분전(墳典) : 삼분오전(三墳五典). 삼분은 복희(伏羲)·신농(神農)·황제(黃帝) 등 삼황(三皇)이 남긴 글, 오전은 소호(少昊)·전욱(顓頊)·고신(高辛)·당(唐)·우(虞)의 오제(五帝)가 남긴 책.
383) 약법삼장(約法三章) : 한나라 고조(高祖)가 천하를 통일한 뒤 반포한 간략한 법.
384) 기자(箕子)의 8조(條) : 기자가 만들었다는 고조선의 금법(禁法) 8조목.

관리가 살인자를 처벌하는 법률을 정확히 적용하지 않는다면 교화를 해치고 법을 패하는 일이 매우 클 것이다. 관가에서는 죽은 사람 집에 넉넉한 혜택을 주어야 한다. 매장하고 장례 지내는 데 들어가는 여러 비용 때문에 가산을 탕진하지 않도록 해야 한다. 이렇게 하면 '사화'로 인한 폐단 또한 근절될 것이다】

○ 근세 어느 고을 인사들이 어떤 절에 많이 모여들었다. 승도(僧徒)들이 이를 매우 괴롭게 여겼고, 서로 싸움을 벌였다. 스님 1명이 몽둥이에 맞아 쓰러지자 스님들이 '죽었다'고 외쳤다. 선비들이 일시에 도망쳐 흩어졌는데 선비 1명이 마구 던진 돌에 맞아 죽었다. 반면 쓰러졌던 스님은 일어나 죽은 선비를 발견하고 머리털을 자르고 장삼을 입혀 스님 모습으로 꾸민 다음 관아에 고소하였다. 관아에서 여러 선비들을 엄히 다스리고 죽은 선비의 집에서는 잘못된 것은 알지 못한 채 죄를 짓고 도망친 것으로 생각하였다. 뒷날 그 절의 스님들이 서로 싸우다가 그 일이 누설되었다. 사실을 조사해보니 과연 그러하였다. 아! 그 계교가 또한 교묘하니 누가 그 사실을 알겠는가? 옥송 가운데 이와 같은 경우가 하나 둘이 아닐 것이다. 이 같은 사례를 미루어 잘 살펴야 한다.

20. 간사한 사람을 제거함[去奸章]

○ 명석함과 단호함은 간사한 자를 제거하는 최선의 방법이다. 명석해야 물정을 살필 수 있고, 단호해야 너그럽게 용서해주는 폐단이 생기지 않는다.

○ 야율초재[385]가 원나라 황제에게 말했다. "조정에서 괴이하고 흉악한 자 1명을 제거해야 천하가 다스려집니다. 고을에서 괴이하고 흉악한 자 1명을 제거해야 다스려지고, 향리에서 괴이하고 흉악한 자 1명을 제거해야

---

385) 야율초재(耶律楚材) ; 원나라 창업공신. 자 진경(晉卿), 호 담연거사(湛然居士)·옥천노인(玉泉老人).

다스려집니다. 좋은 곡식을 가꾸는 자는 먼저 잡초를 제거하며, 민을 기르는 자는 먼저 간활한 이서를 제거해야 합니다." 부임한 뒤 먼저 어떤 자가 그 지역의 지배세력 출신인지, 어떤 자가 권력을 지닌 면임(面任)이며, 어떤 이서가 권세를 부려 당(黨)을 만드는지를 물어서 파악한다. 이들을 근본에서부터 다스려야 할 것이다.

○ 한나라 지방관들이 다스릴 때에는 먼저 힘과 권세를 갖춘 세력의 힘을 꺾은 뒤 반대로 그들의 힘을 얻었다. 이것이 이른바 '상덕(上德)의 정치란 매를 변화시켜 비둘기로 만들고, 사나운 범을 너구리로 만든다'는 것이다.

송나라 오비(吳芾)386)가 융흥387)부(隆興府)에 부임하였다. 그 지역은 땅이 넓고 도둑이 많았다. 세력 있는 가문들이 힘으로 시골 구석구석까지 억눌렀기 때문에 선량한 민들의 피해가 컸다. 이에 그는 법으로 다스리되 조금도 용서하지 않았다. 그가 말했다. "가라지를 제거한 뒤에야 오곡(五穀)이 잘 자란다. 내가 이렇게 하는 것은 부득이 한 것이다."

동괴(董槐)388)가 강서(江西)389)지역을 어루만져 위로하였다. 이서들이 세금을 침탈하자 명령을 내렸다. "내가 부임했는데도 여전히 도둑질을 하니 이들을 베어버릴 것이다." 이서들이 두려워하여 스스로 새롭게 되고자 했다. 간사한 민들과 교활한 이서들을 먼저 제거하는 데 힘써야 할 것이다.

○ 근래 명분이 땅에 떨어져 상하의 구분이 무너지고 말았다. 향리의 사족 가운데 조금이라도 자립할 만한 자가 있으면 이서와 민들은 말을

---

386) 오비(吳芾) : 송나라 관리. 자 명가(明可), 호 호산거사(湖山居士). 감찰어사(監察御史) 등 역임.

387) 융흥(隆興) : 강서성 소재.

388) 동괴(董槐) : 송나라 관리. 우승상(右丞相) 등 역임.

389) 강서(江西) : 양자강 남쪽 소재.

꾸며 이들을 힘과 권세를 갖춘 세력으로 규정하였다. 이 또한 살펴서 멋대로 명분을 떨어뜨리지 못하게 해야 할 것이다.

21. 도적을 잡아들임[治盜章]

○ 동약법(洞約法)이 잘 시행되면 도적이 발생하지 않을 것이다. 왕양명 (王陽明)의 십가패법(十家牌法)[390] 또한 간사한 자를 제거하는 긴요한 방법 이다. 이들 법을 잘 참고하여 밝히는 것이 좋다. 【두 방법은 부록에 있다】

○ 부임한 뒤 각 고을에 명령을 엄중히 전하여 도적을 다스리는 법규를 게시하여 밝힌다. "잘못을 뉘우치지 않는다면 멀리 도망쳐서 숨어 살라. 내가 다스리는 지경에는 머무르지 말라." 또한 때때로 풍헌에게 명령을 전하여 간간이 몰래 살피도록 거듭 훈계하고, 시장이나 주점에 영리한 장교를 배치하여 비밀리에 살피도록 한다. 【근래 밀봉통(密封筒)에 이름을 적어 넣게 하는 규정이 시행되었다. 하지만 선량한 사람이 무고 당하는 일이 많이 발생하므로 절대적으로 믿어서는 안 된다】

○ 수령이 도적을 엄히 다스리지 못하면 선량한 민들이 편안히 생업에 종사하지 못한다. 따라서 면임들이 찾아와 알현할 때나 혹은 경내에 사는 선비들이 오갈 때 고을 안에서 사는 어떤 자가 언행이 거칠고, 누가 싸움을 좋아하고, 누가 술을 먹고 기세를 부리는지 자세히 묻고 실상을 파악해 두었다가 호적을 살펴 그 이름에 표시를 해 둔다. 뒤에 혹 환자를 주고받기 위해 고을 사람들이 모일 때나 혹은 관장이 직접 들판을 살필 때 그들을 앞에 불러놓고 엄하게 훈계하고 타이른다. 이것이 사건이 발생하기 전에

[390] 십가패법(十家牌法) : 왕안석이 만든 신법. 향촌에서 10가(家)를 1보(保), 50가를 1대보(大保), 500가를 1도보(都保)로 하여 각각 장(長)을 두어 치안 유지·사건 신고 등의 임무를 부여함.

미리 방비하는 방법이다. 또한 도적을 제거하고 싸움을 그치게 하는 좋은
방법이다.

　근래 소도둑이 너무 많다. 도적들이 훔친 소를 각 관청에서 운영하는
고기 파는 상점[貿販所]에 내다 파는 일이 빈번하다. 관리들은 그들이
도적이라는 사실을 알면서도 싼 소 값을 이롭게 여겨 훔친 소를 사는
사례가 많다. 관장은 소 주인을 경계하여 매매할 때 털 색깔을 기록해
두고, 그 값을 제대로 정한 다음 구입한다.

　○ 후위(後魏) 이숭391)이 연주 자사(兗州刺史)에 부임하였다. 연주 지역에
는 도적이 많았다. 이숭이 마을마다 누각 한 채씩을 짓고, 누각마다 북
1개씩을 달아놓았다. 도적이 나타난 곳에서 북을 치면 근처 마을에서도
북을 치고 사람들이 모여들었다. 2, 3번 치면 순식간에 북소리가 백 리
밖까지 퍼져 나아갔다. 이때 해당지역에 사는 민들은 인정(人丁)을 차출하
여 주요 길목을 지키고 있다가 도적을 발견하면 곧 잡아들였다. 한나라의
장안(長安)에서도 이와 같이 북을 쳐서 도적을 경계하였다. 후세 사람들은
이 법에 따라 실시해도 좋을 것이다. 지금 간혹 마을마다 장막을 치고
밤마다 순찰을 하며, 면임이 수시로 순행하도록 거듭 훈계하고, 관에서
파견한 관리를 시켜 간특한 일을 자주 적발하게 한다. 그럼에도 불구하고
도적이 그치지 않으니 이는 법을 만들어 놓기만 할 뿐 게을리 시행하기
때문이다.

　○ 오대(五代) 시주(柴周)392) 때 두엄(竇儼)이 올린 다스림에 관한 상소(上
疏)와 송나라 순우(淳祐)393) 연간에 황면재가 제안한 우관(隅官)의 법394)은

391) 이숭(李崇) : 위나라 효문제(孝文帝) 때 관리. 자 계장(繼長). 상주 자사(相州刺史)
　　 등 역임.
392) 시주(柴周) : 유숭(劉崇)이 세운 후주(後周, 951~960).

도적을 다스리고 간사함을 금지하는데 매우 좋은 법이다. 시의를 참작하여 시행한다면 고금의 차이가 없을 것이다. 그 내용을 소개하면 아래와 같다.

○ 두엄이 상소에서 말했다. "도적에게 자기들끼리 서로 살펴서 고발하게 하고, 고발된 자의 재산 절반을 고발한 자에게 상으로 줍니다. 혹 친척을 자수시킨 경우 그렇지 않은 무리는 죄를 주되 자수한 자는 죄를 면해 줍니다. 이와 같이 한다면 도적들이 모이지 못할 것입니다." "신정(新鄭)이 라는 곳에 사는 민들은 단합하여 의영(義營)을 만들고 각각 장좌(將佐)³⁹⁵)를 세웠습니다. 1호(戶)라도 도적이 되면 1촌(村)에게 그 책임을 묻습니다. 1호라도 도둑을 당하면 우두머리[將]에게 죄를 묻습니다. 매번 도적이 발생하면 북을 치고 불을 밝혀서 장정들을 모으니 도적은 적고 촌민이 많아서 도적이 도망치지 못했습니다. 그래서 이 지역만 유독 도적이 없이 깨끗했습니다. 청컨대 다른 고을도 이를 본받도록 하면 좋겠습니다."

이는 옳은 말이다. 장좌(將佐)에게도 지금의 군정(軍丁)을 보호하는 사례와 같이 늠료를 넉넉히 주어 우대하고 부역을 면제해 준다면 맡은 임무에 충실할 것이다. 또한 도적이 머문 촌 전체에 간사한 자를 숨겨 준 죄를 받게 하여 권선징악의 뜻을 밝히면 간사한 민들이 두려워할 것이다.

○ 황면재가 한양(漢陽)에 부임하였다. 그가 상소하였다. "외침도 걱정해야 하지만 내부 근심이 더욱 걱정스럽습니다. 주나라가 번성했을 때[成周] 비(比)·려(閭)·족(族)·당(黨)·주(州)·향(鄉)의 법에 따라서 상하가 서로 유지되고 맥락이 얽혀 제방이 견고했기 때문에 나쁜 자들이 궁리하지 못했습니

---

393) 순우(淳祐) : 남송(南宋) 이종(理宗) 연호. 1241~1252.
394) 우관(隅官) : 보오(保伍)에 따라 편성된 향리(鄉里) 내에서 간특한 일을 살피고 방비하며 향정(鄉政)을 책임지는 직임.
395) 장좌(將佐) : 장령(將領)과 좌리(佐吏).

다. 인심이 다스려져서 완급을 개인이 멋대로 할 수 없었습니다. 신이 임천 령(臨川令)이 되었을 때는 개희(開禧)396) 연간에 전쟁[兵亂]이 일어난 뒤였습니다. 하지만 우관(隅官)의 법은 폐지되지 않았습니다. 이 법에 따르면 5가(家)는 1소갑(小甲), 5소갑은 1대갑(大甲)으로 편제합니다. 4대갑은 단장(團長) 1명이, 1이(里) 내의 여러 단장은 1이정(里正)이 거느리고, 1향(鄕) 내의 여러 이정은 향관(鄕官) 1명이 거느립니다. 한편 1현(縣)의 지역을 4우(隅)로 나누고, 매 우마다 우관(隅官) 1명을 두어 여러 향관을 거느리고 간특함을 살피고 마을을 보호합니다. 이 법을 3년간 시행하자 민들이 편하게 여겼습니다. 지금 한양을 맡으면서 보오(保伍)의 법을 시행하면 호적의 많고 적음과 축적의 유무를 알 수 있습니다. 이는 크게 고치는 것이라서 감히 못하지만 조정에서 논의하여 시행한다면 인심을 유지하고 변고를 막는 가장 좋은 방법이 될 것입니다. 이미 보오법(保伍法)397)이 밝게 시행되어서 농한기를 이용하여 군사훈련을 시키면 오(伍)·양(兩)·졸(卒)·여(旅)의 제도가 점차 회복될 것입니다."398)

○ 지금 들판이나 계곡 사이에 위치한 넓은 땅 가운데 기름진 농토로 사용할 수 있는 곳이 여러 군데 있다. 사람들이 비록 이곳에 거주하고 싶지만 고립된 마을이라 도적질 당하는 것을 근심하였다. 도적질을 못하게 막는다면 선량한 민들이 그 곳에 안주하게 되고 황폐한 땅을 많이 개간할 것이다.

○『주례』에는 흉년에 도적을 막는 법령이 있다. 흉년이 들어 굶주리게

---

396) 개희(開禧) : 송나라 영종(寧宗)의 연호. 1205~1207.
397) 보오법(保伍法) : 보갑법(保甲法). 왕안석이 부국강병을 위한 개혁책의 일환으로 행한 민병제도. 군사훈련과 촌락 자경(自警)조직의 기능 수행.
398)『면재집』권24,「주장(奏狀)」'한양조주편민오사(漢陽條奏便民五事)'.

되면 도적이 날뛰기 때문에 선량한 민들이 큰 피해를 받는다. 미리 살피고 법을 세워 미연에 엄하게 금해야 할 것이다. 그러나 어리석은 민이 생계를 위해 도적질하다가 잡혀서, 죽일 수밖에 없더라도 실정을 참조하여 용서해 줄 자가 있다. 증자(曾子)가 말했다. "잘못을 저지른 실정을 파악했으면 애처롭고 가엾게 여기되 기뻐하지 말라."[399]

○ 법전에서 말했다. "호랑이를 잡은 자는 적을 참수한 것과 같은 상을 준다."[400] 그것은 민에게 피해를 주는 것이 짐승이나 사람이 똑 같기 때문이다. 근래 관장이 가죽만 이롭게 여기고 상은 야박하게 내린다. 민들이 어찌 예측하기 어려운 곳에서 목숨을 걸고 맹수와 격투를 벌이겠는가? 호랑이 잡는 일은 법으로 규정한 후한 상을 내려 격려한다. 그 가죽도 돌려주어 잡은 자 마음대로 팔게 한다면 앞 다투어 잡으려 할 것이다.

○ 근래 수령들이 촌리에 함정 설치를 거듭 훈계하여 명령하였다. 어리석은 민들이 그 일을 잘할 수 있으면서도 가소롭게 여겨 말을 듣지 않아 끝내 실효를 거두지 못하였다. 여기 한 가지 방법이 있다. 장교들에게 각각 1면씩 맡아서 함정을 파고 노(弩)를 설치하는 방법을 강구한다. 아울러 호랑이 잡는 기술도 널리 모아서 그 중 가장 좋은 방법을 선택하여 따르도록 한다. 장교들은 신중히 살펴서 이를 실행한다. 호랑이로 인한 피해가 발생했는데도 잡지 못한다면 해당 면의 담당 장교와 해당 마을의 이임(里任)에게 벌을 내린다. 반대로 잡으면 장교는 승진시키고, 이임은 부역을 면제해 준다. 이렇게 권면하거나 징계하는 뜻을 보이면 호랑이 잡는 일은 잘될 것이다.

○ 근래 법령이 제대로 시행되지 않기 때문에 인정이 습속에 얽매이게

---

399) 『논어』 「자장」.
400) 『경국대전』 「병전(兵典)」 '군사급사(軍士給仕)'.

되었다. 그 결과 관에서 한 가지 영을 내리면 민간에는 피해가 하나 발생한다. 관장은 이 같은 결과를 생각하지 않으면 안 될 것이다. 관가에서 영을 세워 각 마을에 도적을 경계하는 움막[警盜幕]과 호랑이 잡는 함정[捕虎穽]을 설치한다. 이것은 법에 따라 당연히 해야 할 사항일 뿐이다. 관장이 직접 살피지 않고 거듭 훈계만 하기 때문에 이 일을 맡은 소임들은 농간을 부려 끝내 음식을 뺏어 먹고 침탈하였다. 탄식하지 않을 수 없다.

참고문헌

1. 공구서(工具書)

『고법전용어집(古法典用語集)』, 법제처, 1979.

『국어대사전』, 민중서림, 1982.

『사원(辭源)』, 商務印書館, 1950.

『유교대사전(儒敎大辭典)』, 유교사전편찬위원회, 1990.

『중국역대인명대사전(中國歷代人名大辭典)』, 上海古蹟出版社, 1999.

『중국유학백과전서(中國儒學百科全書)』, 中國大百科全書出版社, 1997.

『중문대사전(中文大辭典)』, 中華學術院, 1973.

『한국고전용어사전』, 세종대왕기념사업회, 2001.

『한국민족문화대백과사전』, 한국정신문화연구원, 1991.

『한국인명대사전(韓國人名大事典)』, 신구문화사, 1967.

『한국한자어사전(韓國漢字語辭典)』, 단국대 동양학연구소, 2002.

『한화대사전(漢和大辭典)』, 至誠堂, 1913.

2. 법전류(法典類)

『각사수교(各司受敎)』, 청년사, 2002.

『경국대전(經國大典)』, 한국정신문화연구원, 1985.

『경제육전(經濟六典)』, 신서원, 1993.

『대명률직해(大明律直解)』, 서울대 규장각, 2001.

『대전속록(大典續錄)』, 법제처, 1975.

『대전회통(大典會通)』, 고려대 민족문화연구소, 1982.

『수교집록(受敎輯錄)』, 청년사, 2001.

『신보수교집록(新補受敎輯錄)』, 청년사, 2000.

『심리록(審理錄)』, 민족문화추진회, 1998~2007.

『양전편고(兩銓便攷)』, 법제처, 1978.

『육전조례(六典條例)』, 법제처, 1964, 1967.
『전록통고(典錄通考)』, 법제처, 1969, 1974.

3. 번역서(飜譯書)

『거관대요(居官大要)』, 법제처, 1983.
『경세유표(經世遺表)』, 민족문화추진회, 1977.
『만기요람(萬機要覽)』, 민족문화추진회, 1971.
『목민심서(牧民心書)』, 민족문화추진회, 1969.
『목민심서(牧民心書)』, 현암사, 1974.
『목민심서(牧民心書)』, 창작과비평사, 1981.
『반계수록(磻溪隨錄)』, 여강출판사, 1991.
『성호사설(星湖僿說)』, 민족문화추진회, 1977.
『신증동국여지승람(新增東國輿地勝覽)』, 민족문화추진회, 1970.
『연려실기술(燃藜室記述)』, 민족문화추진회, 1967.
『오주연문장전산고(五洲衍文長箋散稿)』, 민족문화추진회, 1979.
『우서(迂書)』, 민족문화추진회, 1982.
『인정(人政)』, 민족문화추진회, 1979.
『임관정요(臨官政要)』, 을유문화사, 1974.
『임관정요(臨官政要)』, 경남대학교 출판부, 2003.
『청장관전서(靑莊館全書)』, 민족문화추진회, 1980.
『춘관지(春官志)』, 법제처, 1976.
『추관지(秋官志)』, 법제처, 1975.
『흠흠신서(欽欽新書)』, 법제처, 1985.

찾아보기

근대 한국학 총서를 내면서

새 천년이 시작된 지도 벌써 몇 해가 지났다. 식민지와 분단국가로 지낸 20세기 한국 역사의 와중에서 근대 민족국가 수립과 민족문화 정립에 애써 온 우리 한국학계는 세계사 속의 근대 한국을 학술적으로 미처 정립하지 못한 채, 세계화와 지방화라는 또 다른 과제를 안게 되었다. 국가보다 개인, 지방, 동아시아가 새로운 한국학의 주요 연구대상이 된 작금의 현실에서 우리가 겪어온 근대성을 다시 한 번 정리하고 21세기에 맞는 새로운 모습으로 탈바꿈시키는 것은 어느 과제보다 앞서 우리 학계가 정리해야 할 숙제이다. 20세기 초 전근대 한국학을 재구성하지 못한 채 맞은 지난 세기 조선학·한국학이 겪은 어려움을 상기해 보면, 새로운 세기를 맞아 한국 역사의 근대성을 정리하는 일의 시급성은 아무리 강조해도 지나치지 않다.

우리 '근대한국학연구소'는 오랜 전통이 있는 연세대학교 조선학·한국학 연구 전통을 원주에서 창조적으로 계승하고자 하는 목표에서 설립되었다. 1928년 위당·동암·용재가 조선 유학과 마르크스주의, 그리고 서학이라는 상이한 학문적 기반에도 불구하고 조선학·한국학 정립을 목표로 힘을 합친 전통은 매우 중요한 경험이었다. 이에 외솔과 한결이 힘을 더함으로써 그 내포가 풍부해졌음은 두말할 나위가 없다. 연세대학교 원주캠퍼스에서 20년의 역사를 지닌 '매지학술연구소'를 모체로 삼아, 여러 학자들이 힘을 합쳐 근대한국학연구소를 탄생시킨 것은 이러한 선배학자들의 노력을 교훈으로 삼은 것이다.

이에 우리 연구소는 한국의 근대성을 밝히는 것을 주 과제로 삼고자 한다. 문학 부문에서는 개항을 전후로 한 근대 계몽기 문학의 특성을 밝히는 데 주력할 것이다. 역사부분에서는 새로운 사회경제사를 재확립하고 지역학 활성화를 위한 원주학 연구에 경진할 것이다. 철학 부문에서는 근대 학문의 체계화를 이끌고 사회과학 분야에서는 학제간 연구를 활성화시키며 근대성 연구에 역량을 축적해 온 국내외 학자들과 학술교류를 추진할 것이다. 이러한 연구들은 일방성보다는 상호 이해와 소통을 중시하는 통합적인 결과물의 산출로 이어질 것이다.

근대한국학총서는 이런 연구 결과물을 집약적으로 정리하기 위해 마련하였다. 여러 한국학 연구 분야 가운데 우리 연구소가 맡아야 할 특성화된 분야의 기초 자료를 수집·출판하고 연구 성과를 기획·발간할 수 있다면, 우리 시대 연구자들뿐만 아니라 학문 후속세대들에게도 편리함과 유용함을 줄 수 있을 것이다. 새롭게 시작한 근대 한국학 총서가 맡은 바 역할을 충분히 할 수 있도록 주변의 관심과 협조를 기대하는 바이다.

연세대학교 원주캠퍼스 근대한국학연구소